ESSAIS II

MICHEL DE MONTAIGNE

ESSAIS

LIVRE II

Chronologie et introduction
par
Alexandre Micha

GF Flammarion

© 1979, GARNIER-FLAMMARION, Paris.
ISBN 2-08-070211-4

CHAPITRE PREMIER

DE L'INCONSTANCE DE NOS ACTIONS

Ceux qui s'exercent à controller les actions humaines, ne se trouvent en aucune partie si empeschez, qu'à les r'appiesser et mettre à mesme lustre [1]; car elles se contredisent communément de si estrange façon, qu'il semble impossible qu'elles soient parties de mesme boutique. Le jeune Marius se trouve tantost fils de Mars, tantost fils de Venus. Le Pape Boniface huictiesme entra, dit-on, en sa charge comme un renard, s'y porta comme un lion et mourut comme un chien. Et qui croirait que ce fust Neron, cette vraie image de la cruauté, comme on luy presentast à signer, suyvant le stile [2], la sentence d'un criminel condamné, qui eust respondu : « Pleust à Dieu que je n'eusse jamais sceu escrire ! » tant le cœur luy serroit de condamner un homme à mort ? Tout est si plein de tels exemples, voire chacun en peut tant fournir à soymesme, que je trouve estrange de voir quelquefois des gens d'entendement se mettre en peine d'assortir ces pieces; veu que l'irresolution me semble le plus commun et apparent vice de nostre nature, tesmoing ce fameux verset de Publius le farseur,

Malum consilium est, quod mutari non potest [3].

// Il y a quelque apparence [4] de faire jugement d'un homme par les plus communs traicts de sa vie; mais, veu la naturelle instabilité de nos meurs et opinions, il m'a semblé souvent que les bons autheurs mesmes ont tort de s'opiniastrer à former de nous une constante et solide contexture. Ils choisissent un air universel, et suyvant cette image, vont rengeant et interpretant toutes les actions d'un personnage, et, s'ils ne les peuvent assez tordre [5], les vont renvoyant à la dissimulation [6]. Aiguste leur est eschappé; car il se trouve en cet homme une varieté d'ac-

tions si apparente, soudaine et continuelle, tout le cours
de sa vie, qu'il s'est faict lacher, entier et indecis, aux plus
hardis juges. Je croy des hommes plus mal aiséement la
constance, que toute autre chose, et rien plus aiséement
que l'inconstance. Qui en jugeroit en destail et distincte-
ment piece à piece, // rencontreroit plus souvent à dire
vray.

/ En toute l'ancienneté, il est malaisé de choisir une douzaine d'hommes qui ayent dressé leur vie à un certain et
asseuré train, qui est le principal but de la sagesse. Car,
pour la comprendre tout'en un mot, dict un ancien, et
pour embrasser en une toutes les reigles de nostre vie,
« c'est vouloir et ne vouloir pas tousjours mesme chose;
je ne daignerois, dit-il, adjouster : pourveu que la volonté
soit juste; car, si elle n'est juste, il est impossible qu'elle
soit tousjours une ». De vray, j'ay autrefois apris que le
vice, ce n'est que des-reglement et faute de mesure, et par
consequent il est impossible d'y attacher la constance.
C'est un mot de Demosthenes, dit-on, que le commencement de toute vertu, c'est consultation et deliberation; et
la fin et perfection, constance. Si par discours nous entre-
prenions certaine voie, nous la prendrions la plus belle;
mais nul n'y a pensé,

> *Quod petiit, spernit ; repetit quod nuper omisit ;*
> *Æstuat, et vitæ disconvenit ordine toto* [7].

Nostre façon ordinaire, c'est d'aller après les inclinations de nostre apetit, à gauche, à dextre, contre-mont,
contre-bas [8], selon que le vent des occasions nous emporte.
Nous ne pensons ce que nous voulons, qu'à l'instant que
nous le voulons, et changeons comme cet animal qui
prend la couleur du lieu où on le couche [9]. Ce que nous
avons à cett'heure proposé [10], nous le changeons tantost,
et tantost encore retournons sur nos pas; ce n'est que
branle et inconstance,

> *Ducimur ut nervis alienis mobile lignum* [11].

Nous n'allons pas; on nous emporte, comme les choses
qui flottent, ores doucement, ores avecques violence,
selon que l'eau est ireuse [12] ou bonasse :

>   // *nonne videmus*
> *Quid sibi quisque velit nescire, et quærere semper,*
> *Commutare locum, quasi onus deponere possit* [13] ?

/ Chaque jour nouvelle fantasie, et se meuvent nos humeurs avecques les mouvemens du temps,

> *Tales sunt hominum mentes, quali pater ipse*
> *Juppiter auctifero lustravit lumine terras* [14].

/// Nous flottons entre divers advis; nous ne voulons rien librement, rien absoluëment, rien constamment.

/ A qui auroit prescript et estably certaines loix et certaine police en sa teste, nous verrions tout par tout en sa vie reluire une equalité de meurs, un ordre et une relation infaillible des unes choses aux autres.

/// Empedocles remarquoit cette difformité aux Agrigentins, qu'ils s'abandonnoient aux delices comme s'ils avoient l'endemain à mourir, et bastissoient comme si jamais ils ne devoient mourir.

/ Le discours en seroit bien aisé à faire, comme il se voit du jeune Caton; qui en a touché une marche [15], a tout touché; c'est une harmonie de sons très-accordans, qui ne se peut démentir. A nous, au rebours, autant d'actions, autant faut-il de jugemens particuliers. Le plus seur, à mon opinion, seroit de les rapporter aux circonstances voisines, sans entrer en plus longue recherche et sans en conclurre autre consequence.

Pendant les débauches de nostre pauvre estat, on me rapporta qu'une fille, bien près de là où j'estoy, s'estoit precipitée du haut d'une fenestre pour éviter la force d'un belitre de soldat, son hoste; elle ne s'estoit pas tuée à la cheute, et, pour redoubler son entreprise, s'estoit voulu donner d'un cousteau par la gorge, mais on l'en avoit empeschée, toutefois après s'y estre bien fort blessée. Elle mesme confessoit que le soldat ne l'avoit encore pressée que de requestes, sollicitations et presens, mais qu'elle avoit eu peur qu'en fin il en vint à la contrainte. Et là dessus les parolles, la contenance et ce sang tesmoing de sa vertu, à la vraye façon d'une autre Lucrece. Or j'ay sçeu, à la verité, qu'avant et depuis ell' avoit esté garse de non si difficile composition. Comme dict le conte [16] : Tout beau et honneste que vous estes, quand vous aurez failly vostre pointe [17], n'en concluez pas incontinent une chasteté inviolable en vostre maistresse; ce n'est pas à dire que le muletier n'y trouve son heure.

Antigonus, ayant pris en affection un de ses soldats pour sa vertu et vaillance, commanda à ses medecins de le penser [18] d'une maladie longue et interieure qui l'avoit tourmenté long temps; et, s'appercevant après sa guerison qu'il alloit beaucoup plus froidement aux affaires, luy demanda qui l'avoit ainsi changé et encouardy : « Vous mesmes, Sire, lui respondit-il, m'ayant deschargé des maux pour lesquels je ne tenois compte de ma vie. » Le soldat de Lucullus, ayant esté dévalisé par les ennemis, fist sur eux, pour se revencher, une belle entreprise. Quand il se fut r'emplumé de sa perte, Lucullus, l'ayant pris en bonne opinion l'emploioit à quelque exploict hazardeux par toutes les plus belles remonstrances dequoy il se pouvoit adviser,

Verbis quæ timido quoque possent addere mentem [19].
« Employez y, respondit-il, quelque miserable soldat dévalisé »,

quamtumvis rusticus ibit,
Ibit eo, quo vis, qui zonam perdidit, inquit [20].

et refusa resoluëment d'y aller.

/// Quand nous lisons que Mechmet [21] ayant outrageusement rudoyé Chasan, chef de ses Janissaires, de ce qu'il voyoit sa troupe enfoncée par les Hongres, et luy se porter laschement au combat, Chasan alla, pour toute responce, se ruer furieusement, seul, en l'estat qu'il estoit, les armes au poing, dans le premier corps des ennemis qui se presenta, où il fut soudain englouti ; ce n'est à l'adventure pas tant justification que ravisement, ny tant sa prouësse naturelle qu'un nouveau despit.

/ Celuy que vous vistes hier si avantureuz, ne trouvez pas estrange de le voir aussi poltron le lendemain : ou la cholere, ou la necessité, ou la compagnie, ou le vin, ou le son d'une trompette luy avoit mis le cœur au ventre ; ce n'est un cœur ainsi formé par discours, ces circonstances le luy ont fermy ; ce n'est pas merveille si le voylà devenu autre par autres circonstances contraires.

/// Cette variation et contradiction qui se void en nous, si souple, a faict que aucuns [22] nous songent deux ames, d'autres deux puissances qui nous accompaignent et agitent, chacune à sa mode, vers le bien l'une, l'autre vers le mal, une si brusque diversité ne se pouvant bien assortir à un subjet simple.

// Non seulement le vent des accidens me remue selon son inclination, mais en outre je me remue et trouble moy mesme par l'instabilité de ma posture ; et qui y regarde primement [23], ne se trouve guere deux fois en mesme estat. Je donne à mon ame tantost un visage, tantost un autre, selon le costé où je la couche. Si je parle diversement de moy, c'est que je me regarde diversement. Toutes les contrarietez [24] s'y trouvent selon quelque tour et en quelque façon. Honteux [25], insolent; chaste, luxurieux; bavard, taciturne; laborieux, delicat; ingenieux, hebeté; chagrin, debonaire [26]; menteur, veritable; sçavant, ignorant, et liberal, et avare, et prodigue, // tout cela, je le vois en moy aucunement, selon que je me vire; et quiconque s'estudie bien attentifvement trouve en soy, voire et en son jugement mesme, cette volubilité et discordance. Je n'ay rien à dire de moy, entierement, simplement et solidement, sans confusion [27] et sans meslange, ny en un mot. *Distingo* est le plus universel membre [28] de ma logique.

/ Encore que je sois tousjours d'advis de dire du bien le bien, et d'interpreter plustost en bonne part les choses qui le peuvent estre, si est-ce que l'estrangeté de nostre condition porte que nous soyons souvent par le vice mesmes poussez à bien faire, si le bien faire ne se jugeoit par la seule intention. Parquoy un fait courageux ne doit pas conclurre un homme vaillant; celuy qui le feroit bien à point, il le feroit tousjours, et à toutes occasions. Si c'estoit une habitude de vertu, et non une saillie elle rendroit un homme pareillement resolu à tous, accidens tel seul qu'en compaignie, tel en camp clos qu'en une bataille; car quoy qu'on die, il n'y a pas autre vaillance sur le pavé [29] et autre au camp. Aussi courageusement porteroit il une maladie en son lict, qu'une blessure au camp, et ne craindroit non plus la mort en sa maison qu'en un assaut. Nous ne verrions pas un mesme homme donner dans la bresche d'une brave asseurance, et se tourmenter après, comme une femme, de la perte d'un procez ou d'un fils.

/// Quand, estant lasche à l'infamie, il est ferme à la pauvreté; quand, estant mol entre les rasoirs des barbiers [30], il se trouve roide contre les espées des adversaires, l'action est loüable, non pas l'homme.

Plusieurs Grecs, dict Cicero, ne peuvent veoir les ennemis et se treuvent constants aux maladies; les Cimbres et Celtiberiens tout le rebours : « *nihil enim potest esse æquabile, quod non a certa ratione proficiscatur* [31]. »

// Il n'est point de vaillance plus extreme en son espece que celle d'Alexandre; mais elle n'est qu'en espece, ny assez pleine par tout, et universelle. /// Toute incomparable qu'elle est, si elle a encore ses taches; // qui faict que nous le voyons se troubler si esperduement aux plus legieres soubçons qu'il prent des machinations des siens contre sa vie, et se porter en cette recherche d'une si vehemente et indiscrete injustice et d'une crainte qui sub-

vertit sa raison naturelle. La superstition aussi, de quoy il
estoit si fort attaint, porte quelque image de pusillanimité. /// Et l'excès de la penitence qu'il fit du meurtre de
Clytus est aussi tesmoignage de l'inegalité de son courage.

/ Nostre faict, ce ne sont que pieces rapportées,
/// « *voluptatem contemnunt, in dolore sunt molliores ; glo-
riam negligunt, franguntur infamia* [32] », / et voulons acquerir
un honneur à fauces enseignes. La vertu ne veut estre
suyvie que pour elle mesme; et, si on emprunte par fois
son masque pour autre occasion, elle nous l'arrache aussi
tost du visage. C'est une vive et forte teinture, quand
l'ame en est une fois abbrevée, et qui ne s'en va qu'elle
n'emporte la piece. Voylà pourquoy, pour juger d'un
homme, il faut suivre longuement et curieusement sa
trace; si la constance ne s'y maintient de son seul fondement, /// « *cui vivendi via considerata atque provisa* [33] *est* »,
/ si la varieté des occurrences luy faict changer de pas (je
dy [34] de voye, car le pas s'en peut ou haster ou appesantir),
laissez le coure; celuy-là s'en va avau le vent, comme dict
la devise de nostre Talebot.

Ce n'est pas merveille, dict un ancien, que le hazard
puisse tant sur nous, puis que nous vivons par hazard.
A qui n'a dressé en gros sa vie à une certaine fin, il est
impossible de disposer les actions particulières. Il est
impossible de renger les pieces, à qui n'a une forme du
total en sa teste. A quoy faire la provision des couleurs,
à qui ne sçait ce qu'il a à peindre ? Aucun ne fait certain
dessain de sa vie, et n'en deliberons qu'à parcelles. L'ar-
chier doit premierement sçavoir où il vise, et puis y
accommoder la main, l'arc, la corde, la flesche et les
mouvemens. Nos conseils fourvoyent, par ce qu'ils n'ont
pas d'adresse et de but. Nul vent fait [35] pour celuy qui n'a
point de port destiné. Je ne suis pas d'advis de ce jugement qu'on fit pour Sophocles, de l'avoir argumenté suffisant au maniement des choses domestiques, contre l'accusation de son fils, pour avoir veu l'une de ses tragœdies.

/// Ny ne treuve la conjecture des Pariens, envoyez pour
reformer les Milesiens, suffisante à la consequence qu'ils
en tirerent. Visitans l'isle, ils remerquoient les terres
mieux cultivées et maisons champestres mieux gouver-
nées; et, ayant enregistré le nom des maistres d'icelles,
comme ils eurent faict l'assemblée des citoyens en la ville,
ils nommèrent ces maistres-là pour nouveaux gouverneurs
et magistrats; jugeant que, souigneus de leurs affaires
privées, ils le seroient des publiques.

/ Nous sommes tous de lopins et d'une contexture si

informe et diverse, que chaque piece, chaque momant, faict son jeu. Et se trouve autant de difference de nous à nous mesmes, que de nous à autruy. /// « *Magnam rem puta unum hominem agere* [36]. » / Puis que l'ambition peut apprendre aux hommes et la vaillance, et la tempérance, et la liberalité, voire et la justice; puis que l'avarice peut planter au courage d'un garçon de boutique, nourri à l'ombre et à l'oysiveté, l'asseurance de se jetter si loing du foyer domestique, à la mercy des vagues et de Neptune courroucé, dans un fraile bateau, et qu'elle apprend encore la discretion et la prudence; et que Venus mesme fournit de resolution et de hardiesse la jeunesse encore soubs la discipline et la verge, et gendarme le tendre cœur des pucelles au giron de leurs meres,

> // *Hac duce, custodes furtim transgressa jacentes,*
> *Ad Juvenem tenebris sola puella venit* [37] :

/ ce n'est pas tour de rassis entendement de nous juger simplement par nos actions de dehors; il faut sonder jusqu'au dedans, et voir par quels ressors se donne le bransle; mais, d'autant que c'est une hazardeuse et haute entreprinse, je voudrois que moins de gens s'en meslassent.

CHAPITRE II

DE L'YVRONGNERIE

/ Le monde n'est que varieté et dissemblance. Les vices sont tous pareils en ce qu'ils sont tous vices, et de cette façon l'entendent à l'adventure les Stoiciens. Mais, encore qu'ils soient également vices, ils ne sont pas égaux vices. Et que celuy qui a franchi de cent pas les limites,

> *Quos ultra citrâque nequit consistere rectum* [1],

ne soit de pire condition que celuy qui n'en est qu'à dix pas, il n'est pas croyable; et que le sacrilege ne soit pire que le larrecin d'un chou de nostre jardin;

> *Nec vincet ratio, tantumdem ut peccet idemque*
> *Qui teneros caules alieni fregerit horti,*
> *Et qui nocturnus divum sacra legerit* [2].

Il y a autant en cela de diversité qu'en aucune autre chose.
// La confusion de l'ordre et mesure des pechez est dangereuse. Les meurtriers, les traistres, les tyrans y ont trop d'acquest. Ce n'est pas raison que leur conscience se soulage sur ce que tel autre ou est oisif, ou est lascif, ou moins assidu à la devotion. Chacun poise sur le peché de son compagnon, et esleve [3] le sien. Les instructeurs mesmes les rangent souvent mal à mon gré.
/// Comme Socrates disoit que le principal office de la sagesse estoit distinguer les biens et les maux, nous autres, à qui le meilleur est toujours en vice, devons dire de mesme de la science de distinguer les vices; sans laquelle bien exacte le vertueux et le meschant demeurent meslez et incognus.
/ Or l'yvrongnerie, entre les autres, me semble un vice grossier et brutal [4]. L'esprit a plus de part ailleurs et il

y a des vices qui ont je ne sçay quoy de genereux s'il le
faut ainsi dire. Il y en a où la science se mesle, la diligence,
la vaillance, la prudence, l'adresse et la finesse; cettuy-cy
est tout corporel et terrestre. Aussi la plus grossiere nation
de celles qui sont aujourd'huy [5], est celle là seule qui le
tient en credit. Les autres vices alterent l'entendement;
cettuy-cy le renverse, et estonne le corps :

> // *cum vini vis penetravit,*
> *Consequitur gravitas membrorum præpediuntur*
> *Crura vacillanti, tardescit lingua, madet mens,*
> *Nant oculi ; clamor, singultus, jurgia gliscunt* [6].

/// Le pire estat de l'homme, c'est quand il pert la
connoissance et gouvernement de soy.

/ Et en dict on, entre autres choses, que, comme le
moust bouillant dans un vaisseau pousse à mont tout ce
qu'il y a dans le fonds, aussi le vin faict desbonder les plus
intimes secrets à ceux qui en ont pris outre mesure,

> // *tu sapientium*
> *Curas et arcanum jocoso*
> *Consilium retegis Lyæo* [7].

/ Josephe conte qu'il tira le ver du nez à un certain
ambassadeur que les ennemis luy avoyent envoyé, l'ayant
faire boire d'autant. Toutefois Auguste, s'estant fié à
Lucius Piso, qui conquit la Trace, des plus privez affaires
qu'il eut, ne s'en trouva jamais mesconté; ny Tyberius de
Cossus, à qui il se deschargeoit de tous ses conseils, quoy
que nous le sçachons avoir esté si fort subjects au vin,
qu'il en a fallu rapporter souvant du senat et l'un et l'autre
yvre,

> *Externo inflatum venas de more Lyæo* [8].

/// Et commit on aussi fidelement qu'à Cassius, beuveur
d'eauë, à Cimber le dessein de tuer Cæsar, quoy qu'il
s'enyvrast souvent. D'où il respondit plaisamment : « Que
je portasse un tyran, moy qui ne puis porter le vin! ».
/ Nous voyons nos Allemans, noyez dans le vin, se souvenir de leur quartier, du mot et de leur rang,

> // *nec facilis victoria de madidis, et*
> *Blæsis, atque mero titubantibus* [9].

/// Je n'eusse pas creu d'yvresse si profonde, estoufée et

ensevelie, si je n'eusse leu cecy dans les histoires : qu'Attalus ayant convié à souper, pour luy faire une notable indi-
gnité, ce Pausanias qui, sur ce mesme subject, tua depuis
Philippus, Roy de Macedoine — Roy portant par ses belles
qualitez tesmoignage de la nourriture qu'il avoit prinse en
la maison et compagnie d'Epaminondas, — il le fit tant
boire qu'il peust abandonner sa beauté insensiblement,
comme le corps d'une putain buissonnière, aux muletiers
et nombre d'abjects serviteurs de sa maison.

Et ce que m'aprint une dame que j'honnore et prise
singulierement, que prés Bourdeaus, vers Castres où
est sa maison, une femme de village, veufve, de chaste
reputation, sentant les premiers ombrages de grossesse,
disoit à ses voisines qu'elle penseroit estre enceinte si elle
avoit un mari. Mais, du jour à la journée croissant l'occasion de ce soupçon et en fin jusques à l'évidence, ell'en
vint là de faire declarer au prosne de son eglise que, qui
seroit consent de ce faict, en le advoüant, elle promettoit
de le luy pardonner, et, s'il le trouvoit bon, de l'espouser.
Un sien jeune valet de labourage, enhardy de cette proclamation, declara l'avoir trouvée, un jour de feste, ayant
bien largement prins son vin, si profondément endormie
près de son foyer, et si indecemment, qu'il s'en estoit peu
servir, sans l'esveiller. Ils vivent encore mariez ensemble.

/ Il est certain que l'antiquité n'a pas fort descrié ce
vice. Les escrits mesmes de plusieurs Philosophes en
parlent bien mollement; et, jusques aux Stoiciens, il y en
a qui conseillent de se dispenser quelque fois à boire d'autant, et de s'enyvrer pour relâcher l'ame :

> // *Hoc quoque virtutum quondam certamine, magnum*
>   *Socratem palmam promeruisse ferunt* [10].

/// Ce censeur et correcteur des autres, / Caton, a esté
reproché de bien boire,

>   // *Narratur et prisci Catonis*
>   *Sæpe mero caluisse virtus* [11].

/ Cyrus, Roy tant renommé, allegue entre ses autres
loüanges, pour se preferer à son frere Artaxerxes, qu'il
sçavoit beaucoup mieux boire que luy. Et és nations les
mieux reiglées et policées, cet essay de boire d'autant
estoit fort en usage. J'ay ouy dire à Silvius [12], excellant
medecin de Paris, que, pour garder que les forces de
nostre estomac ne s'apparessent, il est bon, une fois le

mois, les esveiller par cet excez, et les picquer pour les
garder de s'engourdir.

// Et escrit-on que les Perses, après le vin, consultoient
de leurs principaux affaires.

/ Mon goust et ma complexion est plus ennemie de ce
vice que mon discours. Car, outre ce que je captive ayséement
ment mes creances soubs l'authorité des opinions
anciennes, je le trouve bien un vice lâche et stupide, mais
moins malicieux et dommageable que les autres, qui
choquent quasi tous de plus droit fil la société publique.
Et si nous ne nous pouvons donner du plaisir, qu'il ne
nous couste quelque chose, comme ils tiennent [13], je trouve
que ce vice coute moins à nostre conscience que les autres;
outre ce qu'il n'est point de difficile apprest, et malaisé
à trouver, consideration non mesprisable.

/// Un homme avancé en dignité et en aage, entre trois
principales commoditez qu'il me disoit luy rester en la
vie, comptoit ceste-cy. Mais il la prenoit mal. La delicatesse y est à fuyr et le souingneux triage du vin. Si vous
fondez vostre volupté à le boire agreable, vous vous obli-
gez à la douleur de le boire par fois desagreable. Il faut
avoir le goust plus lasche et plus libre. Pour estre bon
beuveur, il ne faut le palais si tendre. Les Allemans boivent
quasi esgalement de tout vin avec plaisir. Leur fin, c'est
l'avaler plus que le gouster. Ils en ont bien meilleur marché. Leur volupté est bien plus plantureuse et plus en
main. Secondement, boire à la Françoise à deux repas et
moderéement, en crainte de sa santé, c'est trop restreindre
les faveurs de ce Dieu. Il y faut plus de temps et de constance. Les anciens franchissoient des nuicts entieres à cet
exercice, et y attachoient souvent les jours. Et si, faut
dresser son ordinaire plus large et plus ferme. J'ay veu
un grand seigneur de mon temps, personnage de hautes
entreprinses et fameux succez, qui, sans effort et au train de
ses repas communs, ne beuvoit guère moins de cinq lots [14]
de vin; et ne se montroit, au partir de là, que trop sage et
advisé aux despens de noz affaires. Le plaisir, duquel
nous voulons tenir compte au cours de nostre vie, doit en
employer plus d'espace. Il faudroit, comme des garçons
de boutique et gens de travail, ne refuser nulle occasion
de boire, et avoir ce desir tousjours en teste. Il semble
que, tous les jours, nous racourcissons l'usage de cestuy-
cy; et qu'en noz maisons, comme j'ay veu en mon enfance,
les desjuners, les ressiners [15] et les collations fussent bien
plus frequentes et ordinaires qu'à present. Seroit ce qu'en
quelque chose nous allassions vers l'amendement ? Vraye-

ment non. Mais c'est que nous nous sommes beaucoup
plus jettez à la paillardise que noz peres. Ce sont deux
occupations qui s'entrempeschent en leur vigueur. Elle a
affoibli nostre estomach d'une part, et, d'autre part, la
sobrieté sert à nous rendre plus coints [16], plus damerets
pour l'exercice de l'amour.

C'est merveille des contes que j'ay ouy faire à mon
pere de la chasteté de son siecle. C'estoit à luy d'en dire,
estant trèsadvenant, et par art et par nature, à l'usage des
dames. Il parloit peu et bien; et si, mesloit son langage
de quelque ornement des livres vulgaires, sur tout Espaignols; et, entre les Espaignols, luy estoit ordinaire celuy
qu'ils nomment Marc Aurelle. La contenance, il l'avoit
d'une gravité douce, humble et trèsmodeste. Singulier
soing de l'honnesteté et decence de sa personne et de ses
habits, soit à pied, soit à cheval. Monstrueuse foy [17] en ses
parolles, et une conscience et religion en general penchant
plustost vers la superstition que vers l'autre bout. Pour
un homme de petite taille, plein de vigueur et d'une stature
droitte et bien proportionnée. D'un visage agreable, tirant
sur le brun. Adroit et exquis en touts nobles exercices.
J'ay veu encore des cannes farcies de plomb, desquelles
on dict qu'il exerçoit ses bras pour se preparer à ruer [18] la
barre ou la pierre, ou à l'escrime, et des souliers aux
semelles plombées pour s'alleger au courir et à sauter.
Du prim-saut [19] il a laissé en mémoire des petits miracles.
Je l'ai veu, par delà soixante ans, se moquer de noz alai-
gresses, se jetter avec sa robbe fourrée sur un cheval,
faire le tour de la table sur son pouce [20], ne monter guere
en sa chambre sans s'eslancer trois ou quatre degrez à
la fois. Sur mon propos, il disoit qu'en toute une province,
à peine y avoit-il une femme de qualité qui fust mal
nommée; recitoit des estranges privautez, nomméement
siennes, avec des honnestes femmes sans soupçon quelconque. Et, de soi, juroit sainctement estre venu vierge à
son mariage; et, si avoit eu fort longue part aux guerres
delà les monts, desquelles il nous a laissé, de sa main,
un papier journal suyvant poinct par poinct ce qui s'y
passa, et pour le public et pour son privé.

Aussi se maria-il bien avant en aage, l'an 1528, — qui
estoit son trentetroisiesme, — retournant d'Italie. Reve-
nons à noz bouteilles.

/ Les incommoditez de la vieillesse, qui ont besoing de
quelque appuy et refrechissement, pourroyent m'engendrer
avecq raison desir de cette faculté; car c'est quasi le dernier plaisir que le cours des ans nous dérobe. La chaleur

naturelle, disent les bons compaignons, se prent premierement aux pieds; celle-là touche l'enfance. De-là elle
monte à la moyenne region, où elle se plante longtemps
et y produit, selon moy, les seuls vrais plaisirs de la vie
corporelle : /// les autres voluptez dorment au pris. / Sur
la fin, à la mode d'une vapeur qui va montant et s'exhalant,
ell'arrive au gosier, où elle faict sa derniere pose.

// Je ne puis pourtant entendre comment on vienne
à allonger le plaisir de boire outre la soif, et se forger en
l'imagination un appetit artificiel et contre nature. Mon
estomac n'yroit pas jusques là; il est assez empesché à
venir à bout de ce qu'il prend pour son besoing. /// Ma
constitution est de ne faire cas du boire que pour la suitte
du manger; et boy à cette cause le dernier coup quasi
tousjours le plus grand. Anacharsis s'estonnoit que les
Grecs beussent sur la fin du repas en plus grands verres
que au commencement. C'estoit, comme je pense, pour
la mesme raison que les Allemans le font, qui commencent
lors le combat à boire d'autant [21]. Platon défend aux
enfans de boire vin avant dixhuict ans, et avant quarante
de s'enyvrer; mais à ceux qui ont passé les quarante,
il ordonne de s'y plaire; et mesler largement en leurs
convives l'influence de Dionysius, ce bon dieu qui redonne
aux hommes la gayeté, et la jeunesse aux vieillards, qui
adoucit et amollit les passions de l'ame, comme le fer
s'amollit par le feu. Et en ses loix trouve telles assemblées à boire (pourveu qu'il y aie un chef de bande à
les contenir et regler) utiles, l'yvresse estant une bonne
espreuve et certaine de la nature d'un chascun, et quand et
quand propre à donner aux personnes d'aage le courage
de s'esbaudir en danses et en la musique, choses utiles
et qu'ils n'osent entreprendre en sens rassis. Que le vin
est capable de fournir à l'ame de la temperance, au corps
de la santé. Toutesfois ces restrictions, en partie empruntées des Carthaginois, luy plaisent : « Qu'on s'en espargne
en expedition de guerre; que tout magistrat et tout juge
s'en abstienne sur le point d'executer sa charge et de
consulter des affaires publiques; qu'on n'y employe le
jour, temps deu à d'autres occupations, ny celle nuict
qu'on destine à faire des enfans.

Ils disent que le philosophe Stilpo, aggravé de vieillesse, hasta sa fin à escient par le breuvage de vin pur.
Pareille cause, mais non du propre dessein, suffoca aussi
les forces abattuës par l'aage du philosophe Arcesilaüs.

/ Mais c'est une vieille et plaisante question, si l'ame du
sage seroit pour se rendre à la force du vin,

Si munitæ adhibet vim sapientiæ [22].

A combien de vanité nous pousse cette bonne opinion que nous avons de nous! La plus reiglée ame du monde n'a que trop affaire à se tenir en pieds et à se garder de ne s'emporter par terre de sa propre foiblesse. De mille, il n'en est pas une qui soit droite et rassise [23] un instant de sa vie; et se pourroit mettre en doubte si, selon sa naturelle condition, elle y peut jamais estre. Mais d'y joindre la constance, c'est sa derniere perfection; je dis quand rien ne la choqueroit, ce que mille accidens peuvent faire. Lucrece, ce grand poëte, a beau Philosopher et se bander, le voylà rendu insensé par un breuvage amoureux. Pensent ils qu'une Apoplexie n'estourdisse aussi bien Socrates qu'un portefaix ? Les uns ont oublié leur nom mesme par la force d'une maladie, et une legiere blessure a renversé le jugement à d'autres. Tant sage qu'il voudra, mais en fin c'est un homme; qu'est il plus caduque, plus miserable et plus de neant ? La sagesse ne force pas nos conditions naturelles :

> // *Sudores itaque et pallorem exsistere toto*
> *Corpore, et infringi linguam, vocemque aboriri,*
> *Caligare oculos, sonere aures, succidere artus,*
> *Denique concidere ex animi terrore videmus* [24].

/ Il faut qu'il sille les yeux au coup qui le menasse; il faut qu'il fremisse, planté au bord d'un precipice, /// comme un enfant; Nature ayant voulu se reserver ces legeres marques de son authorité, inexpugnables à nostre raison et à la vertu Stoique, pour luy apprendre sa mortalité et nostre fadaise. / Il pallit à la peur, il rougit à la honte; il se pleint à l'estrette [25] d'une verte colique, sinon d'une voix desesperée et esclatante, au moins d'une voix casse et enroüée,

> *Humani a se nihil alienum putet* [26].

Les poëtes /// qui feignent tout à leur poste, / n'osent pas descharger seulement des larmes leurs heros :

> *Sic fatur lachrymans, classique immittit habenas* [27].

Luy suffise de brider et moderer ses inclinations, car, de les emporter, il n'est pas en luy. Cetuy mesme nostre Plutarque, si parfaict et excellent juge des actions humaines, à voir Brutus et Torquatus tuer leurs enfans, est entré en doubte si la vertu pouvoit donner jusques là, et si ces personnages n'avoyent pas esté plustost agitez par quelque autre passion. Toutes actions hors les bornes ordinaires sont subjectes à sinistre interpretation, d'autant que nostre goust n'advient non plus à ce qui est dessus de luy, qu'à ce qui est au dessous.

/// Laissons cette autre secte faisant expresse profession de fierté. Mais quand, en la secte mesme estimée la plus molle, nous oyons ces vantances de Metrodorus : « *Occupavi te, Fortuna, atque cepi ; omnesque aditus tuos interclusi, ut ad me aspirare non posses* [28] » ; quand Anaxarchus, par l'ordonnance de Nicocreon, tyran de Cypre, couché dans un vaisseau de pierre et assommé à coups de mail de fer, ne cesse de dire : « Frappez, rompez, ce n'est pas Anaxarchus, c'est son estuy que vous pilez » ; / quand nous oyons nos martyrs crier au Tyran au milieu de la flamme : « C'est assez rosti de ce costé là, hache le, mange le, il est cuit, recommance de l'autre » ; quand nous oyons en Josephe cet enfant tout deschiré des tenailles mordantes et persé des aleines d'Antiochus, le deffier encore, criant d'une voix ferme et asseurée : « Tyran, tu pers temps, me voicy tousjours à mon aise ; où est cette douleur, où sont ces tourmens, dequoy tu me menassois ? n'y sçais tu que cecy ? ma constance te donne plus de peine que je n'en sens de ta cruauté : ô lache belistre, tu te rens, et je me renforce ; fay moy pleindre, fay moy flechir, fay moy rendre, si tu peux ; donne courage à tes satellites et à tes bourreaux ; les voylà defaillis de cœur, ils n'en peuvent plus ; arme les, acharne les » ; — certes il faut confesser qu'en ces ames là il y a quelque alteration et quelque fureur, tant sainte soit elle. Quand nous arrivons à ces saillies Stoïques : « J'ayme mieux estre furieux que voluptueux », /// mot d'Antisthenes, / Μανειεῖν μᾶλλον ἤ ἠθείειν ; quand Sextius nous dit qu'il ayme mieux estre enferré de la douleur que de la volupté ; quand Epicurus entreprend de se faire mignarder à [29] la goute, et, refusant le repos et la santé, que de gayeté de cœur il deffie les maux, et, mesprisant les douleurs moins aspres, dedaignant les luiter et les combatre, qu'il en appelle et desire des fortes, poignantes et dignes de luy,

> *Spumantémque dari pecora inter inertia votis*
> *Optat aprum, aut fulvum descendere monte leonem* [30],

qui ne juge que ce sont boutées d'un courage, eslancé hors de son giste ? Nostre ame ne sçauroit de son siege atteindre si haut. Il faut qu'elle le quitte et s'esleve, et, prenant le frein aux dents, qu'elle emporte et ravisse son

homme si loing, qu'après il s'estonne luy-mesme de son
faict; comme, aux exploicts de la guerre, la chaleur du
combat pousse les soldats genereux souvent à franchir des
pas si hazardeux, qu'estant revenuz à eux ils en transissent
d'estonnement les premiers; comme aussi les poëtes sont
espris souvent d'admiration de leurs propres ouvrages et
ne reconnoissoient plus la trace par où ils ont passé une
si belle carriere. C'est ce qu'on appelle aussi en eux ardeur
et manie. Et comme Platon dict que pour neant hurte
à la porte de la poësie un homme rassis, aussi dit Aristote que aucune ame excellente n'est exempte de meslange
de folie. Et a raison d'appeller folie tout eslancement,
tant loüable soit-il, qui surpasse nostre propre jugement
et discours. D'autant que la sagesse, c'est un maniment
reglé de nostre ame, et qu'elle conduit avec mesure et
proportion, et s'en respond.

/// Platon argumente ainsi, que la faculté de prophe-
tizer est au dessus de nous; qu'il nous faut estre hors de
nous quand nous la traictons; il faut que nostre prudence soit offusquée ou par le sommeil ou par quelque
maladie, ou enlevée de sa place par un ravissement céleste.

CHAPITRE III

COUSTUME DE L'ISLE DE CEA

/ Si philosopher c'est douter, comme ils disent [1], à plus forte raison niaiser et fantastiquer, comme je fais, doit estre doubter. Car c'est aux apprentifs à enquerir et à debatre, et au cathedrant [2] de resoudre. Mon cathedrant, c'est l'authorité de la volonté divine, qui nous reigle sans contredit et qui a son rang au dessus de ces humaines et vaines contestations.

Philippus estant entré à main armée au Peloponese, quelcun disoit à Damidas que les Lacedemoniens auroient beaucoup à souffrir, s'ils ne se remettoient en sa grace : « Et, poltron, respondit-il, que peuvent souffrir ceux qui ne craignent point la mort ? » On demandoit aussi à Agis comment un homme pourroit vivre libre : « Mesprisant, dict-il, le mourir. » Ces propositions et mille pareilles qui se rencontrent à ce propos, sonnent évidemment quelque chose au delà d'attendre patiemment la mort quand elle nous vient. Car il y a en la vie plusieurs accidens pires à souffrir que la mort mesme. Tesmoing cet enfant Lacedemonien pris par Antigonus et vendu pour serf, lequel pressé par son maistre de s'employer à quelque service abject : « Tu verras, dit-il, qui tu as acheté ; ce me seroit honte de servir, ayant la liberté si à main. » Et ce disant, se precipita du haut de la maison. Antipater menassant asprement les Lacedemoniens pour les renger [3] à certaine sienne demande : « Si tu nous menasses de pis que la mort, respondirent-ils, nous mourrons plus volontiers. » /// Et à Philippus leur ayant escrit qu'il empescheroit toutes leurs entreprises : « Quoy ! nous empescheras-tu aussi de mourir ? » / C'est ce qu'on dit, que le sage vit tant qu'il doit, non pas tant qu'il peut ; et que le present que nature nous ait fait le plus favorable, et qui nous oste tout moyen de nous pleindre de nostre condition, c'est de nous avoir laissé la clef des champs. Elle n'a ordonné

qu'une entrée à la vie, et cent mille yssuës. // Nous pouvons avoir faute de terre pour y vivre, mais de terre pour
y mourir, nous n'en pouvons avoir faute, comme respondit
Boiocatus aux Romains. / Pourquoy te plains tu de ce
monde ? il ne te tient pas : si tu vis en peine, ta lâcheté en
est cause; à mourir il ne reste que le vouloir :

> *Ubique mors est : optime hoc cavit Deus*
> *Eripere vitam nemo non homini potest ;*
> *At nemo mortem : mille ad hanc aditus patent* [4].

Et ce n'est pas la recepte à une seule maladie : la mort
est la recepte à tous maux. C'est un port tres-asseuré, qui
n'est jamais à craindre, et souvent à rechercher. Tout
revient à un, que l'homme se donne sa fin, ou qu'il la
souffre; qu'il coure au devant de son jour, ou qu'il l'attende : d'où qu'il vienne, c'est tousjours le sien; en quelque
lieu que le filet se rompe, il y est tout, c'est le bout de la
fusée. La plus volontaire mort, c'est la plus belle. La vie
despend de la volonté d'autruy; la mort, de la nostre. En
aucune chose nous ne devons tant nous accommoder à nos
humeurs, qu'en celle-là. La reputation ne touche pas [5] une
telle entreprise, c'est folie d'en avoir respect. Le vivre,
c'est servir, si la liberté de mourir en est à dire. Le commun
train de la guerison se conduit aux despens de la vie; on
nous incise, on nous cauterise, on nous detranche les
membres, on nous soustrait l'aliment et le sang; un pas
plus outre, nous voilà gueris tout à fait. Pourquoy n'est la
vaine du gosier autant à nostre commandement que la
mediane [6] ? Aux plus fortes maladies les plus forts remedes.
Servius le Grammairien, ayant la goutte, n'y trouva meilleur conseil que de s'appliquer du poison et de tuer ses
jambes. /// Qu'elles fussent podagriques [7] à leur poste,
pourveu que ce fût sans sentiment! / Dieu nous donne
assez de congé, quand il nous met en tel estat que le vivre
nous est pire que le mourir.

/// C'est foiblesse de ceder aux maux, mais c'est folie de
les nourrir.

Les Stoïciens disent que c'est vivre convenablement à
nature, pour le sage, de se departir de la vie, encore qu'il
soit en plein heur, s'il le faict opportunéement; et au fol
de maintenir sa vie, encore qu'il soit miserable, pour veu
qu'il soit en la plus grande part des choses qu'ils disent
estre selon nature.

Comme je n'offense les loix qui sont faictes contre les
larrons, quand j'emporte le mien, et que je me coupe ma

bourse; ny des boutefeuz [8], quand je brusle mon bois : aussi ne suis je tenu aux lois faictes contre les meurtriers pour m'avoir osté ma vie.

Hegesias disoit que, comme la condition de la vie, aussi la condition de la mort devoit despendre de nostre eslection.

Et Diogenes, rencontrant le philosophe Speusippus, affligé de longue hydropisie, se faisant porter en littière, qui luy escria : « Le bon salut! Diogenes. — A toi, point de salut, respondit-il, qui souffres le vivre, estant en tel estat. »

De vray, quelque temps après, Speusippus se fit mourir, ennuyé d'une si penible condition de vie.

/ Cecy ne s'en va pas sans contraste [9]. Car plusieurs tiennent que nous ne pouvons abandonner cette garnison du monde sans le commandement exprès de celuy qui nous y a mis; et que c'est à Dieu, qui nous a icy envoyez, non pour nous seulement, ains pour sa gloire et service d'autruy, de nous donner congé quand il luy plaira, non à nous de le prendre; /// que nous ne sommes pas nez pour nous, ains aussi pour nostre païs; les loix nous redemandent conte de nous pour leur interest, et ont action d'homicide contre nous; / autrement, comme deserteurs de nostre charge, nous sommes punis et en cetuicy et en l'autre monde :

> Proxima deinde tenent mæsti loca, qui sibi lætum
> Insontes peperere manu, lucemque perosi
> Projecere animas [10].

Il y a bien plus de constance à user la chaine qui nous tient qu'à la rompre, et plus d'espreuve de fermeté en Regulus qu'en Caton. C'est l'indiscretion et l'impatience qui nous haste le pas. Nuls accidens ne font tourner le dos à la vive vertu; elle cherche les maux et la douleur comme son aliment. Les menasses des tyrans, les gehenes et les bourreaux l'animent et la vivifient :

> Duris ut ilex tonsa bipennibus
> Nigræ feraci frondis in Algido
> Per damna, per cædes, ab ipso
> Ducit opes animumque ferro [11].

Et comme dict l'autre :

> Non est, ut putas, virtus, pater,

> *Timere vitam, sed malis ingentibus*
> *Obstare, nec se vertere ac retro dare* [12].

> *Rebus in adversis facile est contemnere mortem :*
> *Fortius ille facit qui miser esse potest* [13].

C'est le rolle de la couardise, non de la vertu, de s'aller tapir dans un creux, soubs une tombe massive, pour eviter les coups de la fortune. Elle ne rompt son chemin et son train pour orage qu'il face,

> *Si fractus illabatur orbis,*
> *Inpavidum ferient ruinæ* [14].

Le plus communement, la fuitte d'autres inconveniens nous pousse à cettuy-cy; voire quelquefois la fuite de la mort fait que nous y courons,

> /// *Hic, rogo, non furor est, ne moriare, mori* [15] ?

/ comme ceux qui, de peur du precipice, s'y lancent eux mesmes :

> *multos in summa pericula misit*
> *Venturi timor ipse mali ; fortissimus ille est,*
> *Qui promptus metuenda pati, si cominus instent,*
> *Et differre potest* [16].

> *Usque adeo, mortis formidine, vitæ*
> *Percipit humanos odium lucisque videndæ,*
> *Ut sibi consciscant moerenti pectore letum,*
> *Obliti fontem curarum hunc esse timorem* [17].

/// Platon, en ses *Loix*, ordonne sepulture ignominieuse à celuy qui a privé son plus proche et plus amy, sçavoir est soy mesme, de la vie et du cours des destinées, non contraint par jugement publique, ny par quelque triste et inevitable accident de la fortune, ny par une honte insupportable, mais par lascheté et foiblesse d'une ame craintive. / Et l'opinion qui desdaigne nostre vie, elle est ridicule. Car en fin c'est nostre estre, c'est nostre tout. Les choses qui ont un estre plus noble et plus riche, peuvent accuser le nostre; mais c'est contre nature que nous nous mesprisons et mettons nous mesmes à nonchaloir [18]; c'est une maladie particuliere, et qui ne se voit en aucune autre creature, de se hayr et desdeigner. C'est

de pareille vanité que nous desirons estre autre chose que
ce que nous sommes. Le fruict d'un tel desir ne nous
touche pas, d'autant qu'il se contredict et s'empesche en
soy. Celuy qui desire d'estre fait d'un homme ange, il ne
fait rien pour luy, il n'en vaudroit de rien mieus. Car,
n'estant plus, qui se resjouyra et ressentira de cet amendement pour luy ?

> || *Debet enim, misere cui forte ægréque futurum est,*
> *Ipse quoque esse in eo tum tempore, cum male possit*
> *Accidere* [19].

/ La securité, l'indolence, l'impassibilité, la privation
des maux de cette vie, que nous achetons au pris de la
mort, ne nous apporte aucune commodité. Pour neant evite
la guerre celuy qui ne peut jouyr de la paix; et pour neant
fuit la peine, qui n'a dequoy savourer le repos.

Entre ceux du premier advis, il y a eu grand doute
sur ce : Quelles occasions sont assez justes pour faire
entrer un homme en ce party de se tuer ? Ils appellent
cela εὔλογον ἐξαγώγην [20]. Car, quoy qu'ils dient qu'il
faut souvent mourir pour causes legieres, puis que celles
qui nous tiennent en vie ne sont guiere fortes, si y faut il
quelque mesure. Il y a des humeurs fantastiques et sans
discours qui ont poussé non des hommes particuliers,
seulement, mais des peuples, à se deffaire. J'en ay allegué
par cy devant des exemples; et nous lisons en outre, des
vierges Milesienes, que, par une conspiration furieuse, elles
se pendoient les unes après les autres, jusqu'à ce que le
magistrat y pourveust, ordonnant que celles qui se trou-
veroyent ainsi pendües, fussent trainées du mesme licol,
toutes nües, par la ville. Quand Threicion presche Cleomenes de se tuer, pour le mauvais estat de ses affaires,
et, ayant fuy la mort plus honorable en la bataille qu'il
venoit de perdre, d'accepter cette autre qui luy est seconde
en honneur, et ne donner poinct loisir au victorieux de luy
faire souffrir ou une mort ou une vie honteuse, Cleomenes,
d'un courage Lacedemonien et Stoïque, refuse ce conseil
comme lâche et effeminé : « C'est une recepte, dit-il, qui
ne me peut jamais manquer, et de laquelle il ne se faut
servir tant qu'il y a un doigt d'esperance de reste; que le
vivre est quelquefois constance et vaillance; qu'il veut
que sa mort mesme serve à son pays et en veut faire un
acte d'honneur et de vertu. » Threicion se creut dès lors
et se tua. Cleomenes en fit aussi autant depuis; mais ce
fut après avoir essayé le dernier point de la fortune. Tous

les inconvenients ne valent pas qu'on veuille mourir pour les eviter.

Et puis, y ayant tant de soudains changemens aux choses humaines, il est malaisé à juger à quel point nous sommes justement au bout de nostre esperance :

|| *Sperat et in sæva victus gladiator arena,*
         Sit licet infesto pollice turba minax [21].

/ Toutes choses, dit un mot ancien, sont esperables à un homme pendant qu'il vit. « Ouy mais, respond Seneca, pourquoy auray je plustost en la teste cela, que la fortune peut toutes choses pour celuy qui est vivant, que cecy, que fortune ne peut rien sur celuy qui sçait mourir ? » On voit Josephe engagé en un si apparent danger et si prochain, tout un peuple s'estant eslevé contre luy, que, par discours, il n'y pouvoit avoir aucune resource; toutefois, estant, comme il dit, conseillé sur ce point par un de ses amis de se deffaire, bien luy servit de s'opiniatrer encore en l'esperance; car la fortune contourna, outre toute raison humaine, cet accident, si qu'il s'en veid delivré sans aucun inconvenient. Et Cassius et Brutus, au contraire, acheverent de perdre les reliques de la Romaine liberté, de laquelle ils estoient protecteurs, par la precipitation et temerité dequoy ils se tuerent avant le temps et l'occasion. /// J'ay veu cent lievres se sauver sous les dents des levriers. « *Aliquis carnifici suo superstes fuit* [22]. »

|| *Multa dies variusque labor mutabilis ævi*
         Rettulit in melius ; multos alterna revisens
         Lusit, et in solido rursus fortuna locavit [23].

/ Pline dit qu'il n'y a que trois sortes de maladie pour lesquelles eviter on aye droit de se tuer : la plus aspre de toutes, c'est la pierre à la vessie quand l'urine en est retenuë; /// Seneque, celles seulement qui esbranlent pour long temps les offices de l'ame.
/ Pour eviter une pire mort, il y en a qui sont d'advis de la prendre à leur poste. /// Damocritus, chef des Ætoliens, mené prisonnier à Rome, trouva moyen de nuict d'eschapper. Mais, suivy par ses gardes, avant que se laisser reprendre, il se donna de l'espée au travers le corps.

Antinoüs et Theodotus, leur ville d'Epire reduitte à l'extrémité par les Romains, furent d'advis au peuple [24] de se tuer tous; mais le conseil de se rendre plus tost ayant gaigné, ils allerent chercher la mort, se ruans sur les enne-

mis, en intention de frapper, non de se couvrir. L'isle
de Goze [25] forcée par les Turcs, il y a quelques années, un
Sicilien qui avoit deux belles filles prestes à marier, les tua
de sa main, et leur mere après qui accourut à leur mort.
Cela faict, sortant en rue avec une arbaleste et une harquebouse, de deux coups il en tua les deux premiers Turcs
qui s'approcherent de sa porte, et puis, mettant l'espée au
poing, s'alla mesler furieusement, où il fut soudain enve-
lopé et mis en pieces, se sauvant ainsi du servage après en
avoir delivré les siens.

/ Les femmes Juifves, après avoir fait circoncire leurs
enfans, s'alloient precipiter quant et eux, fuyant la cruauté
d'Antiochus. On m'a conté qu'un prisonnier de qualité
estant en nos conciergeries, ses parens, advertis qu'il seroit
certainement condamné, pour éviter la honte de telle
mort, aposterent un prestre pour luy dire que le souverain
remede de sa delivrance estoit qu'il se recommandast à
tel sainct, avec tel et tel veu, et qu'il fut huit jours sans
prendre aucun aliment, quelque defaillance et foiblesse
qu'il sentit en soy. Il l'en creut, et par ce moyen se deffit,
sans y penser, de sa vie et du dangier. Scribonia, conseillant
Libo, son nepveu, de se tuer plustost que d'attendre la
main de la justice, luy disoit que c'estoit proprement faire
l'affaire d'autruy que de conserver sa vie pour la remettre
entre les mains de ceux qui la viendroient chercher trois
ou quatre jours après, et que c'estoit servir ses ennemis de
garder son sang pour leur en faire curée.

Il se lict dans la Bible que Nicanor, persecuteur de la
Loy de Dieu, ayant envoyé ses sattellites pour saisir le
bon vieillard Rasias, surnommé pour l'honneur de sa vertu
le pere aux Juifs, comme ce bon homme n'y veit plus
d'ordre [26], sa porte bruslée, ses ennemis prests à le saisir,
choisissant de mourir genereusement plustost que de
venir entre les mains des meschans, et de se laisser mastiner [27] contre l'honneur de son rang, qu'il se frappa de
son espée; mais le coup, pour [28] la haste, n'ayant pas esté
bien asséné, il courut se precipiter du haut d'un mur au
travers de la trouppe, laquelle s'escartant et luy faisant
place, il cheut droictement sur la teste. Ce neantmoins,
se sentant encore quelque reste de vie, il r'alluma son
courage, et, s'eslevant en pieds, tout ensanglanté et chargé
de coups, et fauçant la presse [29], donna jusques à certain
rocher coupé et precipiteux, où, n'en pouvant plus, il print,
par l'une de ses plaies à deux mains ses entrailles, les
deschirant et froissant et les jetta à travers les poursuivans,
appelant sur eux et attestant la vengeance divine.

Des violences qui se font à la conscience, la plus à eviter,
à mon advis, c'est celle qui se faict à la chasteté des femmes,
d'autant qu'il y a quelque plaisir corporel naturellement
meslé parmy ; et , à cette cause, le dissentiment [30] n'y peut
estre assez entier, et semble que la force soit meslée à
quelque volonté. Pelagia et Sophronia toutes deux cano-
nisées, celle-là se precipita dans la riviere avec sa mere et
ses sœurs pour eviter la force de quelques soldats, et cette-
cy se tua aussi pour eviter la force de Maxentius l'Empereur. /// L'histoire ecclésiastique a en reverence plusieurs
tels exemples de personnes devotes qui apelerent la mort à
garant contre les outrages que les tirans preparoient à leur
conscience.

/ Il nous sera à l'adventure honnorable aux siecles advenir qu'un sçavant autheur de ce temps, et notamment Pari-
sien [31], se met en peine de persuader aux Dames de nostre
siecle de prendre plustost tout autre party que d'entrer
en l'horrible conseil d'un tel desespoir. Je suis marry
qu'il n'a sceu, pour mesler à ses comptes, le bon mot que
j'apprins à Toulouse, d'une femme passée par les mains
de quelques soldats : « Dieu soit loüé, disoit elle, qu'au
moins une fois en ma vie je m'en suis soulée sans peché ! »

A la verité, ces cruautez ne sont pas dignes de la douceur
Françoise ; aussi, Dieu mercy, nostre air s'en voit infiniment purgé depuis ce bon advertissement ; suffit qu'elles
dient *nenny* en le faisant, suyvant le reigle du bon Marot.

L'Histoire est toute pleine de ceux qui, en mille façons,
ont changé à la mort une vie peneuse [32].

// Lucius Aruntius se tua pour, disoit-il, fuir et l'advenir
et le passé.

/// Granius Silvanus et Statius Proximus, après estre
pardonnez par Neron, se tuerent, ou pour ne vivre de la
grace d'un si meschant homme, ou pour n'estre en peine
une autre fois d'un second pardon, veu sa facilité aux
soupçons et accusations à l'encontre des gens de bien.

Spargapizés, fils de la Royne Tomyris, prisonnier de
guerre de Cyrus, employa à se tuer la premiere faveur
que Cyrus luy fit de le faire destacher, n'ayant pretendu
autre fruit de sa liberté que de venger sur soy la honte de
sa prinse.

Bogez, gouverneur en Eione de la part du Roy Xerxes,
assiegé par l'armée des Atheniens, sous la conduite de
Cimon, refusa la composition [33] de s'en retourner seurement en Asie à tout sa chevance, impatient de survivre à
la perte de ce que son maistre luy avoit donné en garde ;
et, après avoir desfendu jusques à l'extrémité sa ville,

n'y restant plus que manger, jetta premierement en la riviere Strymon tout l'or et tout ce de quoy il luy sembla l'ennemy pouvoir faire plus de butin. Et puis, ayant ordonné allumer un grand bucher, et esgosiller [34] femme, enfans, concubines et serviteurs, les meit dans le feu, et puis soy-mesme.

Ninachetuen, seigneur Indois, ayant senty le premier vent de la deliberation du vice Roy Portugais de le deposseder, sans aucune cause apparante, de la charge qu'il avoit en Malaca, pour la donner au Roy de Campar, print à part soy cette resolution. Il fit dresser un eschafaut plus long que large, appuyé sur des colonnes, royallement tapissé et orné de fleurs et de parfums en abondance. Et puis, s'estant vestu d'une robe de drap d'or chargée de quantité de pierreries de haut prix, sortit en ruë, et par des degrez monta sur l'eschafaut, en un coing duquel il y avoit un bucher de bois aromatiques allumé. Le monde accourut voir à quelle fin ces preparatifs inaccoustumés. Ninachetuen remontra, d'un visage hardy et mal contant, l'obligation que la nation Portugaloise lui avoit; combien fidelement il avoit versé [35] en sa charge; qu'ayant si souvent tesmoigné pour autruy, les armes en main, que l'honneur luy estoit de beaucoup plus cher que la vie, il n'estoit pas pour en abandonner le soing pour soy-mesmes; que, sa fortune luy refusant tout moyen de s'opposer à l'injure qu'on luy vouloit faire, son courage au moins luy ordonnoit de s'en oster le sentiment et de servir de fable au peuple et de triomphe à des personnes qui valoient moins que luy. Ce disant, il se jetta dans le feu.

// Sextilia, femme de Scaurus, et Paxea, femme de Labeo, pour encourager leurs maris à eviter les dangiers qui les pressoyent, ausquels elles n'avoyent part que par l'interest de l'affection conjugale, engagerent volontairement la vie pour leur servir, en cette extreme necessité, d'exemple et de campaignie. Ce qu'elles firent pour leurs maris, Cocceius Nerva le fit pour sa patrie, moins utillement, mais de pareil amour. Ce grand Jurisconsulte, fleurissant en santé, en richesses, en reputation, en credit près de l'Empereur, n'eust autre cause de se tuer que la compassion du miserable estat de la chose publique Romaine. Il ne se peut rien adjouster à la delicatesse de la mort de la femme de Fulvius, familier d'Auguste. Auguste, ayant descouvert qu'il avoit esventé un secret important qu'il luy avoit fié, un matin qu'il le vint voir, luy en fit une maigre mine. Il s'en retourna au logis, plain de desespoir; et dict tout piteusement à sa femme qu'estant tombé en ce

malheur, il estoit resolu de se tuer. Elle tout franchement :
« Tu ne feras que raison, veu qu'ayant assez souvent expéri-
menté l'incontinance de ma langue, tu ne t'en es point
donné de garde. Mais laisse, que je me tue la premiere. »
Et, sans autrement marchander, se donna d'une espée dans
le corps.

/// Vibius Virius, desespéré du salut de sa ville assiegée
par les Romains, et de leur misericorde, en la derniere
deliberation de leur senat, après plusieurs remonstrances
employées à cette fin, conclut que le plus beau estoit
d'eschapper à la fortune par leurs propres mains. Les
ennemis les en auroient en honneur et Annibal sentiroit
combien fideles amis il auroit abandonnés. Conviant ceux
qui approuveroient son advis d'aller prendre un bon souper
qu'on avoit dressé chez luy, où, après avoir fait bonne
chere, ils boiroyent ensemble de ce qu'on luy presenteroit :
« Breuvage qui delivrera nos corps des tourments, noz
ames des injures, nos yeux et noz oreilles du sentiment
de tant de villains maux que les vaincus ont à souffrir des
vainqueurs très cruels, et offencez. J'ay, disoit-il, mis ordre
qu'il y aura personnes propres à nous jetter dans un bucher
au devant de mon huis, quand nous serons expirez. » Assez
approuverent cette haute resolution, peu l'imiterent. Vings
et sept senateurs le suivirent et, après avoir essayé d'estouffer dans le vin cette facheuse pensée, finirent leur repas
par ce mortel mets ; et, s'entre-embrassans après avoir en
commun deploré le malheur de leur païs, les uns se
retirerent en leurs maisons, les autres s'arresterent pour
estre enterrez dans le feu de Vibius avec luy. Et eurent
tous la mort si longue, la vapeur du vin ayant occupé les
veines et retardant l'effect du poison, qu'aucuns furent
a une heure près de veoir les ennemis dans Capouë, qui
fut emportée le lendemain, et d'encourir les miseres qu'ils
avoyent si cherement fuy. Taurea Jubellius, un autre
citoyen de là, le Consul Fulvius retournant de cette honteuse boucherie qu'il avoit faicte de deux cents vingt-
cinq Senateurs, le rappella fierement par son nom, et
l'ayant arresté : « Commande, fit-il, qu'on me massacre
aussi, après tant d'autres, afin que tu te puisses vanter
d'avoir tué un beaucoup plus vaillant homme que toy. »
Fulvius le desdeignant comme insensé (aussi [36] que sur
l'heure il venoit de recevoir lettres de Rome contraires à
l'inhumanité de son execution, qui luy lioient les mains),
Jubellius continua : « Puis que mon païs prins, mes amis
morts, et ayant de ma main occis ma femme et mes enfants
pour les soustraire à la desolation de cette ruine, il m'est

interdict de mourir de la mort de mes concitoyens, empruntons de la vertu la vengeance de cette vie odieuse. » Et, tirant un glaive qu'il avoit caché, s'en donna au travers la poitrine, tombant renversé mourant aux pieds du Consul.

// Alexandre assiegeoit une ville aux Indes; ceux de dedans, se trouvans pressez, se resolurent vigoureusement à le priver du plaisir de cette victoire, et s'embrasarent universellement tous, quand et leur ville, en despit de son humanité. Nouvelle guerre : les ennemis combattoient pour les sauver, eux pour se perdre; et faisoient pour garentir leur mort toutes les choses qu'on faict pour garentir sa vie.

/// Astapa, ville d'Espaigne, se trouvant faible de murs et de deffenses, pour soustenir les Romains, les habitans firent un amas de leurs richesses et meubles en la place, et ayans rangé au dessus de ce monceau les femmes et les enfants, et l'ayant entourné de bois et matiere propre à prendre feu soudainement et laissé cinquante jeunes hommes d'entre eux pour l'execution de leur resolution, feirent une sortie où, suivant leur vœu, à faute de pouvoir vaincre, ils se feirent tous tuer. Les cinquante, après avoir massacré toute ame vivante esparse par leur ville, et mis le feu en ce monceau, s'y lancerent aussi, finissant leur genereuse liberté en un estat insensible plus tost que douloureux et honteux, et montrant aux ennemis que, si fortune l'eust voulu, ils eussent eu aussi bien le courage de leur oster la victoire, comme ils avoient eu de la leur rendre et frustratoire [37] et hideuse, voire et mortelle à ceux qui, amorcez par la lueur de l'or coulant dans cette flamme, s'en estans approchez en bon nombre, y furent suffoquez et bruslez, le reculer leur estant interdict par la foulle qui les suivoit. Les Abydeens, pressez par Philippus, se resolurent de mesmes. Mais, estans prins de trop court, le Roy, ayant horreur de voir la precipitation temeraire de cette execution (les thresors et les meubles qu'ils avoyent diversement condamnez au feu et au naufrage, saisis), retirant ses soldats, leur conceda trois jours à se tuer à l'aise; lesquels ils remplirent de sang et de meurtre au delà de toute hostile cruauté [38]; et ne s'en sauva une seule personne qui eust pouvoir sur soy. Il y a infinis exemples de pareilles conclusions populaires, qui semblent plus aspres d'autant que l'effect en est plus universel. Elles le sont moins que séparées. Ce que le discours ne feroit en chacun, il le faict en tous; l'ardeur de la société ravissant les particuliers jugements.

// Les condamnez qui attendoyent l'execution, du temps de Tibere, perdoient leurs biens et estoient privez de sepulture; ceux qui l'anticipoyent en se tuant eux mesme, estoyent enterrez et pouvoyent faire testament.

/ Mais on desire aussi quelque fois la mort pour l'esperance d'un plus grand bien. « Je désire, dict Sainct Paul, estre dissoult pour estre avec Jésus-Christ »; et : « Qui me desprendra de ces liens ? » Cleombrotus Ambraciota, ayant leu le *Phædon* de Platon, entra en si grand appetit de la vie advenir que, sans autre occasion, il s'alla precipiter en la mer. /// Par où il appert combien improprement nous appellons desespoir cette dissolution volontaire à laquelle la chaleur de l'espoir nous porte souvent, et souvent une tranquille et rassise inclination de jugement. / Jacques du Chastel, Evesque de Soissons, au voyage d'outremer que fist S. Loys, voyant le Roy et toute l'armée en train de revenir en France laissant les affaires de la religion imparfaites, print resolution de s'en aller plus tost en paradis. Et, ayant dict à Dieu à ses amis, donna seul, à la veüe d'un chacun, dans l'armée des ennemis, où il fut mis en pieces.

/// En certain Royaume de ces nouvelles terres, au jour d'une solemne [39] procession, auquel l'idole qu'ils adorent est promenée en publiq sur un char de merveilleuse grandeur, outre ce, qu'il se voit plusieurs se destaillant les morceaux de leur chair vive à luy offrir, il s'en voit nombre d'autres se prosternans emmy la place, qui se font mouldre et briser souz les rouës, pour en acquerir après leur mort veneration de saincteté, qui leur est rendue.

La mort de cet Evesque, les armes au poing, a de la generosité plus, et moins de sentiment; l'ardeur du combat en amusant une partie [40].

/ Il y a des polices qui se sont meslées de reigler la justice et opportunité des morts volontaires. En nostre Marseille, il se gardoit, au temps passé, du venin preparé à tout de la cigue, aux despens publics [41] pour ceux qui voudroyent haster leurs jours, ayant premierement approuvé aux six cens, qui estoit leur senat, les raisons de leur entreprise; et n'estoit loisible autrement que par congé du magistrat et par occasions legitimes de mettre la main sur soy.

Cette loy estoit encor'ailleurs. Sextus Pompeius, allant en Asie, passa par l'Isle de Cea de Negrepont. Il advint de fortune, pendant qu'il y estoit, comme nous l'apprend l'un de ceux de sa compaignie, qu'une femme de grande authorité, ayant rendu conte à ses citoyens pourquoy elle estoit resolue de finir sa vie, pria Pompeius d'assister à sa mort pour la rendre plus honnorable : ce qu'il fit ; et, ayant long temps essaié pour neant, à force d'éloquence qui luy estoit merveilleusement à main, et de persuasion, de la destourner de ce dessein, souffrit en fin qu'elle se contentast. Elle avoit passé quatre vings et dix ans en très-heureux estat d'esprit et de corps ; mais lors, couchée sur son lit mieux paré que de coustume et appuiée sur le coude : « Les dieux, dit elle, ô Sextus Pompeius, et plustost ceux que je laisse que ceux que je vay trouver, te sçachent gré dequoy tu n'as desdaigné d'estre et conseiller de ma vie et tesmoing de ma mort ! De ma part, ayant tousjours essayé [42] le favorable visage de fortune, de peur que l'envie de trop vivre ne m'en face voir un contraire, je m'en vay d'une heureuse fin donner congé aux restes de mon ame, laissant de moy deux filles et une legion de nepveux. » Cela faict, ayant presché et enhorté [43] les siens à l'union et à la paix, leur ayant départy ses biens et recommandé les dieux domestiques à sa fille aisnée, elle print d'une main asseurée la coupe où estoit le venin ; et, ayant faict ses veux à Mercure et les prieres de la conduire en quelque heureux siege en l'autre monde, avala brusquement ce mortel breuvage. Or entretint elle la compagnie du progrez de son operation et comme les parties de son corps se sentoyent saisies de froid l'une après l'autre, jusques à ce qu'ayant dit en fin qu'il arrivoit au cœur et aux entrailles, elle appela ses filles pour luy faire le dernier office et luy clorre les yeux.

Pline récite de certaine nation hyperborée, qu'en icelle, pour [44] la douce température de l'air, les vies ne se finissent communément que par la propre volonté des habitans ; mais, qu'estant las et sous de vivre, ils ont en coustume, au bout d'un long aage, après avoir fait bonne chere, se precipiter en la mer du haut d'un certain rocher destiné à ce service.

// La douleur /// insupportable // et une pire mort me semblent les plus excusables incitations.

CHAPITRE IV

/ Je donne avec raison, ce me semble, la palme à Jacques
Amiot sur tous nos escrivains François, non seulement
pour la naïveté [1] et pureté du langage, en quoy il surpasse
tous autres, ny pour la constance d'un si long travail, ny
pour la profondeur de son sçavoir, ayant peu [2] développer
si heureusement un autheur si espineux et ferré (car on
m'en dira ce qu'on voudra : je n'entens rien au Grec ;
mais je voy un sens si beau, si bien joint et entretenu par
tout en sa traduction, que, ou il a certainement entendu
l'imagination vraye de l'autheur, ou, ayant par longue
conversation planté vivement dans son ame une generale
Idée de celle de Plutarque, il ne luy a aumoins rien presté
qui le desmente ou qui le desdie) ; mais sur tout je lui
sçay bon gré d'avoir sçeu trier et choisir un livre si digne
et si à propos, pour en faire present à son pays. Nous
autres ignorans estions perdus, si ce livre ne nous eust
relevez du bourbier ; sa mercy [3], nous osons à cett'heure et
parler et escrire ; les dames en regentent les maistres
d'escole ; c'est nostre breviaire. Si ce bon homme vit, je
luy resigne [4] Xenophon pour en faire autant ; c'est une
occupation plus aisée, et d'autant plus propre à sa vieillesse ; et puis, je ne sçay comment, il me semble, quoy qu'il
se desmele bien brusquement et nettement d'un mauvais
pas, que toutefois son stile est plus chez soy, quand il n'est
pas pressé [5] et qu'il roulle à son aise.

J'estois à cett'heure sur ce passage où Plutarque dict
de soy-mesmes que Rusticus, assistant à une sienne decla-
mation à Rome, y receut un paquet de la part de l'Empereur et temporisa de l'ouvrir jusques à ce que tout fut faict :
en quoy (dit-il) toute l'assistance loua singulierement la
gravité de ce personnage. De vray, estant sur le propos de
la curiosité, et de cette passion avide et gourmande de
nouvelles, qui nous fait avec tant d'indiscretion et d'impa-

tience abandonner toutes choses pour entretenir un nouveau venu, et perdre tout respect et contenance pour cro-
cheter soudain, où que nous soyons, les lettres qu'on nous
apporte, il a eu raison de louër la gravité de Rusticus; et
pouvoit encor y joindre la louange de sa civilité et courtoisie de n'avoir voulu interrompre le cours de sa declama-
tion. Mais je fay doute qu'on le peut louër de prudence;
car, recevant à l'improveu lettres et notamment d'un
Empereur, il pouvoit bien advenir que le differer à les lire
eust esté d'un grand prejudice.

Le vice contraire à la curiosité, c'est la nonchalance,
// vers laquelle je penche evidemment de ma complexion,
et / en laquelle j'ay veu plusieurs hommes si extremes, que
trois ou quatre jours après on retrouvoit encore en leur
pochette les lettres toutes closes qu'on leur avoit envoyées.

// Je n'en ouvris jamais, non seulement de celles qu'on
m'eut commises, mais de celles mesmes que la fortune
m'eut fait passer par les mains; et faits conscience si mes
yeux desrobent par mesgarde quelque cognoissance des
lettres d'importance qu'il lit, quand je suis à costé d'un
grand. Jamais homme ne s'enquist moins et ne fureta
moins és affaires d'autruy.

/ Du temps de nos peres, Monsieur de Boutieres cuida
perdre Turin pour, estant en bonne compaignie à souper,
avoir remis à lire un advertissement qu'on luy donnoit
des trahisons qui se dressoient contre cette ville, où il
commandoit; et ce mesme Plutarque m'a appris que
Julius Cæsar se fut sauvé, si, allant au senat le jour qu'il
y fut tué par les conjurez, il eust leu un memoire qu'on
luy presenta. En fait aussi le conte d'Archias, Tyran de
Thebes, que le soir, avant l'execution de l'entreprise que
Pelopidas avoit faicte de le tuer pour remettre son païs en
liberté, il luy fut escrit par un autre Archias, Athenien, de
point en point ce qu'on luy preparoit; et que, ce pacquet
luy ayant esté rendu pendant son souper, il remit à l'ouvrir, disant ce mot qui, depuis, passa en proverbe en
Grece : « A demain les affaires. »

Un sage homme peut, à mon opinion, pour l'interest
d'autruy, comme pour ne rompre indecemment compaignie, ainsi que Rusticus, ou pour ne discontinuer un autre
affaire d'importance, remettre à entendre ce qu'on luy
apporte de nouveau; mais, pour son interest ou plaisir
particulier, mesmes s'il est homme ayant charge publique,
pour ne rompre son disner, voyre ny son sommeil, il est
inexcusable de le faire. Et anciennement estoit à Rome la
place consulaire, qu'ils appelloyent, la plus honnorable à

table, pour estre plus à delivre [6] et plus accessible à ceux qui surviendroyent pour entretenir celuy qui y seroit assis. Tesmoignage que, pour estre à table, ils ne se departoyent pas de l'entremise d'autres affaires et survenances.

Mais, quand tout est dit, il est mal-aisé és actions humaines de donner reigle si juste par discours de raison, que la fortune n'y maintienne son droict.

CHAPITRE V

DE LA CONSCIENCE

/ Voyageant un jour, mon frere sieur de la Brousse et moy, durant nos guerres civiles, nous rancontrames un gentil'homme de bonne façon; il estoit du party contraire au nostre, mais je n'en sçavois rien, car il se contrefaisoit autre; et le pis de ces guerres, c'est que les cartes sont si meslées, votre ennemy n'estant distingué d'avec vous de aucune marque apparente, ny de langage, ny de port, nourry en mesmes loix, meurs et mesme air, qu'il est mal-aisé d'y eviter confusion et desordre. Cela me faisoit craindre à moy mesme de rencontrer nos trouppes en lieu où je ne fusse conneu, pour n'estre en peine [1] de dire mon nom, et de pis à l'adventure. // Comme il m'estoit autrefois advenu : car en un tel mescompte je perdis et hommes et chevaux, et m'y tua lon miserablement entre autres un page gentil-homme Italien, que je nourrissois soigneusement, et fut esteincte en luy une très belle enfance et plaine de grande esperance. / Mais cettuy-cy en avoit une frayeur si esperduë, et je le voiois si mort à chasque rencontre d'hommes à cheval et passage de villes qui tenoient pour le Roy, que je devinay en fin que c'estoient alarmes que sa conscience luy donnoit. Il sembloit à ce pauvre homme qu'au travers de son masque et des croix de sa cazaque on iroit lire jusques dans son cœur ses secrettes intentions. Tant est merveilleux l'effort [2] de la conscience! Elle nous faict trahir, accuser et combattre nous mesme, et, à faute de tesmoing estrangier, elle nous produit, contre nous :

Occultum quatiens animo tortore flagellum [3].

Ce conte est en la bouche des enfans, Bessus, Pœonien, reproché d'avoir de gayeté de cœur abbatu un nid de moineaux et les avoir tuez, disoit avoir eu raison, par ce

que ces oysillons ne cessoient de l'accuser faucement du
meurtre de son pere. Ce parricide jusques lors avoit esté
occulte et inconnu ; mais les furies vengeresses de la conscience le firent mettre hors à celuy mesmes qui en devoit
porter la penitence.

Hesiode corrige le dire de Platon, que la peine suit de
bien près le peché : car il dit qu'elle naist en l'instant et
quant et quant le peché. Quiconque attent la peine, il la
souffre ; et quiconque l'a meritée, l'attend. La meschanceté fabrique des tourmens contre soy,

> Malum consilium consultori pessimum [4],

comme la mouche guespe picque et offence autruy, mais
plus soy-mesme, car elle y perd son éguillon et sa force
pour jamais,

> vitasque in vulnere ponunt [5].

Les Cantarides ont en elles quelque partie qui sert
contre leur poison de contrepoison, par une contrarieté
de nature. Aussi, à mesme qu'on prend le plaisir au vice,
il s'engendre un desplaisir contraire en la conscience, qui
nous tourmente de plusieurs imaginations penibles, veillans et dormans,

> // Quippe ubi se multi, per somnia sæpe loquentes,
> Aut morbo delirantes, procraxe ferantur,
> Et celata diu in medium peccata dedisse [6].

/ Apollodorus songeoit qu'il se voyoit escorcher par
les Scythes, et puis bouillir dedans une marmite, et que
son cœur murmuroit en disant : « Je te suis cause de tous
ces maux. » Aucune cachette ne sert aux meschans, disoit
Epicurus, par ce qu'ils ne se peuvent asseurer d'estre
cachez, la conscience les descouvrant à eux mesmes,

> prima est hæc ultio, quod se
> Judice nemo nocens absolvitur [7].

Comme elle nous remplit de crainte, aussi fait elle
d'asseurance et de confiance. // Et je puis dire avoir marché en plusieurs hazards d'un pas bien plus ferme, en
consideration de la secrete science que j'avois de ma
volonté et innocence de mes desseins.

> / Conscia mens ut cuique sua est, ita concipit intra
> Pectora pro facto spemque metumque suo [8].

Il y en a mille exemples; il suffira d'en alleguer trois de mesme personnage.

Scipion, estant un jour accusé devant le peuple Romain d'une accusation importante, au lieu de s'excuser ou de flater ses juges : « Il vous siera bien, leur dit-il, de vouloir entreprendre de juger de la teste de celuy par le moyen duquel vous avez l'authorité de juger de tout le monde. » Et, un'autre fois, pour toute response aux imputations que luy mettoit sus un Tribun du peuple, au lieu de plaider sa cause : « Allons, dit-il, mes citoyens, allons rendre graces aux Dieux de la victoire qu'ils me donnarent contre les Carthaginois en pareil jour que cettuy-cy. » Et, se mettant à marcher devant vers le temple, voylà toute l'assemblée et son accusateur mesmes à sa suite. Et Petilius ayant été suscité par Caton pour luy demander conte de l'argent manié en la province d'Antioche, Scipion, estant venu au Senat pour cet effect, produisit le livre des raisons [9] qu'il avoit dessoubs sa robbe, et dit que ce livre en contenoit au vray la recepte et la mise; mais, comme on le luy demanda pour le mettre au greffe, il le refusa, disant ne se vouloir pas faire cette honte à soy mesme; et, de ses mains, en la presence du senat, le deschira et mit en pieces. Je ne croy pas qu'une ame cauterizée sçeut contrefaire une telle asseurance. /// Il avoit le cœur trop gros de nature et accoustumé à trop haute fortune, dict Tite Live, pour qu'il sceut estre criminel et se desmettre à la bassesse de deffendre son innocence.

/ C'est une dangereuse invention que celle des gehenes, et semble que ce soit plustost un essayt de patience que de vérité. /// Et celuy qui les peut souffrir cache la verité, et celuy qui ne les peut souffrir. / Car pourquoy la douleur me fera elle plustost confesser ce qui en est, qu'elle ne me forcera de dire ce qui n'est pas ? Et, au rebours, si celuy qui n'a pas fait ce dequoy on l'accuse, est assez patient pour supporter ces tourments, pourquoy ne le sera celuy qui l'a fait, un si beau guerdon que de la vie luy estant proposé ? Je pense que le fondement de cette invention est appuyé sur la consideration de l'effort de la conscience. Car, au coulpable, il semble qu'elle aide à la torture pour luy faire confesser sa faute, et qu'elle l'affoiblisse; et, de l'autre part, qu'elle fortifie l'innocent contre la torture. Pour dire vray, c'est un moyen plein d'incertitude et de danger.

// Que ne diroit on, que ne feroit on pour fuyr à si griefves douleurs ?

/// *Etiam innocentes cogit mentiri dolor* [10].

D'où il advient que celuy que le juge a gehenné pour
ne le faire mourir innocent, il le face mourir et innocent
et gehenné. // Mille et mille en ont chargé leur teste de
fauces confessions. Entre lesquels je loge Philotas, considerant les circonstances du procez qu'Alexandre luy fit
et le progrez de sa geine.

/ Mais tant y a que c'est, /// dict on, / le moins mal
que l'humaine foiblesse aye peu inventer.

/// Bien inhumainement pourtant et bien inutilement,
à mon advis! Plusieurs nations, moins barbares en cela que
la grecque et la romaine qui les en appellent, estiment
horrible et cruel de tourmenter et desrompre un homme
de la faute duquel vous estes encores en doubte. Que
peut il mais de vostre ignorance ? Estes-vous pas injustes,
qui, pour ne le tuer sans occasion, luy faites pis que le
tuer ? Qu'il soit ainsi [11] : voyez combien de fois il ayme
mieux mourir sans raison que de passer par cette information plus penible que le supplice et qui souvent, par son
aspreté, devance le supplice, et l'execute. Je ne sçay d'où
je tiens ce conte, mais il rapporte exactement la conscience
de nostre justice. Une femme de village accusoit devant
un general d'armée, grand justicier, un soldat pour avoir
arraché à ses petits enfans ce peu de bouillie qui luy restoit
à les sustanter, cette armée ayant ravagé tous les villages
à l'environ. De preuve, il n'y en avoit point. Le general,
après avoir sommé la femme de regarder bien à ce qu'elle
disoit, d'autant qu'elle seroit coupable de son accusation
si elle mentoit, et elle persistant, il fit ouvrir le ventre au
soldat pour s'esclaircir de la verité du faict. Et la femme
se trouva avoir raison. Condamnation instructive [12].

CHAPITRE VI

DE L'EXERCITATION

/ Il est malaisé que le discours et l'instruction, encore que nostre creance s'y applique volontiers, soient assez puissantes pour nous acheminer jusques à l'action, si outre cela nous n'exerçons et formons nostre ame par experience au train auquel nous la voulons renger : autrement, quand elle sera au propre des effets, elle s'y trouvera sans doute empeschée. Voylà pourquoy, parmy les philosophes, ceux qui ont voulu atteindre à quelque plus grande excellence, ne se sont pas contentez d'attendre à couvert et en repos les rigueurs de la fortune, de peur qu'elle ne les surprint inexperimentez et nouveaux au combat ; ains ils luy sont allez au devant, et se sont jettez à escient à la preuve des difficultez. Les uns en ont abandonné les richesses, pour s'exercer à une pauvreté volontaire ; les autres ont recherché le labeur et une austerité de vie penible, pour se durcir au mal et au travail ; d'autres se sont privez des parties du corps les plus cheres, comme de la veue et des membres propres à la generation, de peur que leur service, trop plaisant et trop mol, ne relaschast et n'attendrist la fermeté de leur ame. Mais à mourir, qui est la plus grande besoigne que nous ayons à faire, l'exercitation ne nous y peut ayder. On se peut, par usage et par experience, fortifier contre les douleurs, la honte, l'indigence et tels autres accidents ; mais, quant à la mort, nous ne la pouvons essayer qu'une fois ; nous y sommes tous apprentifs quand nous y venons.

Il s'est trouvé anciennement des hommes si excellens mesnagers du temps, qu'ils ont essayé en la mort mesme de la gouster et savourer, et ont bandé leur esprit pour voir que c'estoit de ce passage ; mais ils ne sont pas revenus nous en dire des nouvelles :

> *nemo expergitus extat*
> *Frigida quem semel est vitai pausa sequuta* [1].

Canius Julius, noble homme Romain, de vertu et fermeté
singuliere, ayant esté condamné à la mort par ce maraut
de Caligula, outre plusieurs merveilleuses preuves qu'il
donna de sa resolution, comme il estoit sur le point de
souffrir la main du bourreau, un philosophe, son amy,
luy demanda : « Et bien, Canius, en quelle démarche [2] est
à cette heure vostre ame ? que fait elle ? en quels pensemens estes vous ? — Je pensois, luy respondit-il, à me
tenir prest et bandé de toute ma force, pour voir si, en cet
instant de la mort, si court et si brief, je pourray appercevoir quelque deslogement de l'ame, et si elle aura quelque
ressentiment de son yssue [3] pour, si j'en aprens quelque
chose, en revenir donner après, si je puis, advertissement
à mes amis. » Cettuy-cy philosophe non seulement jusqu'à la mort, mais en la mort mesme. Quelle asseurance
estoit-ce, et quelle fierté de courage, de vouloir que sa
mort luy servit de leçon, et avoir loisir de penser ailleurs
en un si grand affaire !

|| *Jus hoc animi morientis habebat* [4].

/ Il me semble toutefois qu'il y a quelque façon de nous
apprivoiser à elle et de l'essayer aucunement. Nous en
pouvons avoir experience, sinon entiere et parfaicte, au
moins telle qu'elle ne soit pas inutile, et qui nous rende
plus fortifiez et asseurez. Si nous ne la pouvons joindre,
nous la pouvons approcher, nous la pouvons reconnoistre ;
et, si nous ne donnons jusques à son fort, au moins verrons
nous et en prattiquerons les advenuës. Ce n'est pas sans
raison qu'on nous fait regarder à nostre sommeil mesme,
pour la ressemblance qu'il a de la mort.

/// Combien facilement nous passons du veiller au dormir ! Avec combien peu d'interest nous perdons la connoissance de la lumiere et de nous !

A l'adventure pourroit sembler inutile et contre nature
la faculté du sommeil qui nous prive de toute action et de
tout sentiment, n'estoit que, par iceluy, nature nous
instruict qu'elle nous a pareillement faicts pour mourir
que pour vivre, et, dès la vie, nous presente l'eternel estat
qu'elle nous garde après icelle, pour nous y accoustumer
et nous en oster la crainte.

/ Mais ceux qui sont tombez par quelque violent accident en defaillance de cœur et qui y ont perdu tous senti-
mens, ceux là, à mon advis, ont esté bien près de voir son
vray et naturel visage ; car, quant à l'instant et au point
du passage, il n'est pas à craindre qu'il porte avec soy aucun

travail ou desplaisir, d'autant que nous ne pouvons avoir nul sentiment sans loisir. Nos souffrances ont besoing de temps, qui est si court et si precipité en la mort qu'il faut necessairement qu'elle soit insensible. Ce sont les approches que nous avons à craindre; et celles-là peuvent tomber en experience.

Plusieurs choses nous semblent plus grandes par imagination que par effect. J'ay passé une bonne partie de mon aage en une parfaite et entiere santé : je dy non seulement entiere, mais encore allegre et bouillante. Cet estat, plein de verdeur et de feste, me faisoit trouver si horrible la consideration des maladies, que, quand je suis venu à les experimenter, j'ay trouvé leurs pointures molles et lâches au pris de ma crainte.

// Voicy que [5] j'espreuve tous les jours : suis-je à couvert chaudement dans une bonne sale, pendant qu'il se passe une nuict orageuse et tempesteuse, je m'estonne et m'afflige pour ceux qui sont lors en la campagne; y suis-je moymesme, je ne desire pas seulement d'estre ailleurs.

/ Cela seul, d'estre toujours enfermé dans une chambre, me sembloit insupportable; je fus incontinent dressé à y estre une semaine, et un mois, plein d'émotion [6], d'alteration et de foiblesse; et ay trouvé que, lors de ma santé, je plaignois les malades beaucoup plus que je ne me trouve à plaindre moymesme quand j'en suis, et que la force de mon apprehention encherissoit près de moitié l'essence et verité de la chose. J'espere qu'il m'en adviendra de mesme de la mort, et qu'elle ne vaut pas la peine que je prens à tant d'apprests que je dresse et tant de secours que j'appelle et assemble pour en soustenir l'effort; mais, à toutes adventures, nous ne pouvons nous donner trop d'avantage.

Pendant nos troisiesmes troubles ou deuxiesmes (il ne me souvient pas bien de cela), m'estant allé un jour promener à une lieue de chez moy, qui suis assis dans le moiau [7] de tout le trouble des guerres civiles de France, estimant estre en toute seureté et si voisin de ma retraicte que je n'avoy point besoin de meilleur equipage, j'avoy pris un cheval bien aisé, mais non guiere ferme. A mon retour, une occasion soudaine s'estant presentée de m'aider de ce cheval à un service qui n'estoit pas bien de son usage, un de mes gens, grand et fort, monté sur un puissant roussin qui avoit une bouche desespérée [8], frais au demeurant et vigoureux, pour faire le hardy et devancer ses compaignons vint à le pousser à toute bride droict dans ma route, et fondre comme un colosse sur le petit

homme et petit cheval, et le foudroier de sa roideur et
de sa pesanteur, nous envoyant l'un et l'autre les pieds :
si que voilà le cheval abbatu et couché tout estourdy, moy
dix ou douze pas au delà, mort, estendu à la renverse,
le visage tout meurtry et tout escorché, mon espée que
j'avoy à la main, à plus de dix pas au-delà, ma ceinture
en pieces, n'ayant ny mouvement ny sentiment, non plus
qu'une souche. C'est le seul esvanouissement que j'aye
senty jusques à cette heure. Ceux qui estoient avec moy,
après avoir essayé par tous les moyens qu'ils peurent de
me faire revenir, me tenans pour mort, me prindrent
entre leurs bras et m'emportoient avec beaucoup de difficulté en ma maison, qui estoit loing de là environ une
demy lieuë Françoise. Sur le chemin, et après avoir esté
plus de deux grosses heures tenu pour trespassé, je commençay à me mouvoir et respirer; car il estoit tombé si
grande abondance de sang dans mon estomac, que, pour
l'en descharger, nature eust besoin de resusciter ses forces.
On me dressa sur mes pieds, où je rendy un plein seau
de bouillons de sang pur, et, plusieurs fois par le chemin, il m'en falut faire de mesme. Par là je commençay
à reprendre un peu de vie, mais ce fut par les menus [9]
et par un si long traict de temps que mes premiers senti-
mens estoient beaucoup plus approchans de la mort que
de la vie,

> // *Perche, dubbiosa ancor del suo ritorno,*
> *Non s'assecura attonita la mente* [10].

/ Cette recordation [11] que j'en ay fort empreinte en mon
ame, me representant son visage et son idée si près du
naturel, me concilie aucunement à elle. Quand je commençay à y voir, ce fut d'une veuë si trouble, si foible
et si morte, que je ne discernois encores rien que la
lumiere,

> *come quel ch'or apre or chiude*
> *Gli occhi, mezzo tra'l sonno è l'esser desto* [12].

Quand aux functions de l'ame, elles naissoient avec
mesme progrez que celles du corps. Je me vy tout sanglant,
car mon pourpoinct estoit taché par tout du sang que
j'avoy rendu. La premiere pensée qui me vint, ce fut que
j'avoy une harquebusade en la teste; de vray, en mesme
temps, il s'en tiroit plusieurs autour de nous. Il me sembloit
que ma vie ne me tenoit plus qu'au bout des lévres; je
fermois les yeux pour ayder, ce me sembloit, à la pousser

hors, et prenois plaisir à m'alanguir et à me laisser
aller. C'estoit une imagination qui ne faisoit que nager
superficiellement en mon ame, aussi tendre et aussi foible
que tout le reste, mais à la verité non seulement exempte
de desplaisir, ains meslée à cette douceur que sentent
ceux qui se laissent glisser au sommeil.

Je croy que c'est ce mesme estat où se trouvent ceux
qu'on voit défaillans de foiblesse en l'agonie de la mort;
et tiens que nous les plaignons sans cause, estimans qu'ils
soient agitez de griéves douleurs, ou avoir l'ame pressée
de cogitations penibles. Ç'a esté tousjours mon advis,
contre l'opinion de plusieurs, et mesme d'Estienne de La
Boetie, que ceux que nous voyons ainsi renversez et
assopis aux approches de leur fin, ou accablez de la longueur du mal, ou par l'accident d'une apoplexie, ou mal
caduc [13],

> // *vi morbi sæpe coactus*
> *Ante oculos aliquis nostros, ut fulminis ictu,*
> *Concidit, et spumas agit ; ingemit, et fremit artus ;*
> *Desipit, extentat nervos, torquetur, anhelat,*
> *Inconstanter et in jactando membra fatigat* [14],

/ ou blessez en la teste, que nous oyons rommeller [15] et
rendre par fois des souspirs trenchans, quoy que nous en
tirons aucuns signes par où il semble qu'il leur reste
encore de la cognoissance, et quelques mouvemens que
nous leur voyons faire du corps; j'ay tousjours pensé,
dis-je, qu'ils avoient et l'ame et le corps enseveli et endormy :

> // *Vivit, et est vitæ nescius ipse suæ* [16].

/ Et ne pouvois croire que, à un si grand estonnement de
membres et si grande défaillance des sens, l'âme peut
maintenir aucune force au dedans pour se reconnoistre;
et que, par ainsin, ils n'avoient aucun discours qui les
tourmentast et qui leur peut faire juger et sentir la misere
de leur condition, et que, par consequent, ils n'estoient
pas fort à plaindre.

// Je n'imagine aucun estat pour moy si insupportable
et horrible que d'avoir l'ame vifve et affligée, sans moyen
de se declarer; comme je dirois de ceux qu'on envoye au
supplice, leur ayant couppé la langue, si ce n'estoit qu'en
cette sorte de mort la plus muette me semble la mieux
seante, si elle est accompaignée d'un ferme visage et
grave; et comme ces miserables prisonniers qui tombent
és mains des vilains bourreaux soldats de ce temps, des-

quels ils sont tourmentez de toute espece de cruel traictement pour les contraindre à quelque rançon excessive
et impossible, tenus cependant en condition et en lieu où
ils n'ont moyen quelconque d'expression et signification
de leurs pensées et de leur misere.

/ Les Poetes ont feint quelques dieux favorables à la
delivrance de ceux qui trainoient ainsin une mort languissante,

> *hunc ego Diti*
> *Sacrum jussa fero, teque isto corpore solvo* [17].

Et les voix et responses courtes et descousues qu'on leur
arrache à force de crier autour de leurs oreilles et de les
tempester, ou des mouvements qui semblent avoir quelque
consentement à ce qu'on leur demande, ce n'est pas
tesmoignage qu'ils vivent pourtant, au moins une vie
entiere. Il nous advient ainsi sur le beguayement [18] du
sommeil, avant qu'il nous ait du tout saisis, de sentir
comme en songe ce qui se faict autour de nous, et suyvre
les voix d'une ouye trouble et incertaine qui semble ne
donner qu'aux bords de l'ame; et faisons des responses,
à la suitte des dernieres paroles qu'on nous a dites, qui ont
plus de fortune que de sens.

Or, à présent que je l'ay essayé par effect, je ne fay
nul doubte que je n'en aye bien jugé jusques à cette heure.
Car, premierement, estant tout esvanouy, je me travaillois
d'entr'ouvrir mon pourpoinct à belles ongles (car j'estoy
desarmé), et si sçay que je ne santoy en l'imagination rien
qui me blessat : car il y a plusieurs mouvemens en nous
qui ne partent pas de nostre ordonnance,

> // *Semianimesque micant digiti ferramque retractant* [19].

/ Ceux qui tombent, eslancent ainsi les bras au devant de
leur cheute, par une naturelle impulsion qui fait que nos
membres se prestent des offices et ont des agitations à
part de notre discours :

> // *Falciferos memorant currus abscindere membra,*
> *Ut tremere in terra videatur ab artubus id quod*
> *Decidit abscissum, cum mens tamen atque hominis vis*
> *Mobilitate mali non quit sentire dolorem* [20].

/ J'avoy mon estomac pressé de ce sang caillé, mes mains
y couroient d'elles mesmes, comme elles font souvent où
il nous demange, contre l'advis de nostre volonté. Il y a

plusieurs animaux, et des hommes mesmes, après qu'ils sont trespassez, ausquels on voit resserrer et remuer des muscles. Chacun sçait par experience qu'il y a des parties qui se branslent, dressent et couchent souvent sans son congé. Or ces passions qui ne nous touchent que par l'escorse, ne se peuvent dire nostres. Pour les faire nostres, il faut que l'homme y soit engagé tout entier; et les douleurs que le pied ou la main sentent pendant que nous dormons, ne sont pas à nous.

Comme j'approchai de chez moy, où l'alarme de ma cheute avoit des-jà couru, et que ceux de ma famille m'eurent rencontré avec les cris accoustumez en telles choses, non seulement je respondois quelque mot à ce qu'on me demandoit, mais encore ils disent que je m'advisay de commander qu'on donnast un cheval à ma femme, que je voyoy s'empestrer et se tracasser [21] dans le chemin, qui est montueux et mal-aisé. Il semble que cette consideration deut partir d'une ame esveillée, si est-ce que je n'y estois aucunement; c'estoyent des pensemens vains, en nuë, qui estoyent esmeuz [22] par les sens des yeux et des oreilles; ils ne venoyent pas de chez moy. Je ne sçavoy pourtant ny d'où je venoy, ny où j'aloy; ny ne pouvois poiser et considerer ce que on me demandoit : ce sont des legiers effects que les sens produisoyent d'eux-mesmes, comme d'un usage; ce que l'ame y prestoit, c'estoit en songe, touchée bien legierement, et comme lechée seulement et arrosée par la molle impression des sens.

Cependant mon assiete estoit à la verité très douce et paisible; je n'avoy affliction ny pour autruy ny pour moy; c'estoit une langueur et une extreme foiblesse, sans aucune douleur. Je vy ma maison sans la recognoistre. Quand on m'eust couché, je senty une infinie douceur à ce repos, car j'avoy esté vilainement tirassé par ces pauvres gens, qui avoient pris la peine de me porter sur leurs bras par un long et très-mauvais chemin, et s'y estoient lassez deux ou trois fois les uns après les autres. On me presenta force remedes, dequoy je n'en receuz aucun, tenant pour certain que j'estoy blessé à mort par la teste. C'eust esté sans mentir une mort bien heureuse; car la foiblesse de mon discours me gardoit d'en rien juger, et celle du corps d'en rien sentir. Je me laissoy couler si doucement et d'une façon si douce et si aisée que je ne sens guiere autre action moins poisante que celle-là estoit. Quand je vins à revivre et à reprendre mes forces,

// Ut tandem sensus convaluere mei [23],

/ qui fut deux ou trois heures après, je me senty tout d'un
train rengager aux douleurs, ayant les membres tous mou-
lus et froissez de ma cheute; et en fus si mal deux ou trois
nuits après, que j'en cuiday remourir encore un coup,
mais d'une mort plus vifve; et me sens encore de la secousse
de cette froissure. Je ne veux pas oublier cecy, que la derniere chose en quoy je me peus remettre, ce fut la souvenance de cet accident; et me fis redire plusieurs fois où
j'aloy, d'où je venoy, à quelle heure cela m'estoit advenu,
avant que de le pouvoir concevoir. Quant à la façon de
ma cheute, on me la cachoit en faveur de celuy qui en
avoit esté cause, et m'en forgeoit on d'autres. Mais long
temps après, et le lendemain, quand ma memoire vint à
s'entr'ouvrir et me representer l'estat où je m'estoy trouvé
en l'instant que j'avoy aperçeu ce cheval fondant sur moy
(car je l'avoy veu à mes talons et me tins pour mort,
mais ce pensement avoit esté si soudain que la peur n'eut
pas loisir de s'y engendrer), il me sembla que c'estoit un
esclair qui me frapoit l'ame de secousse et que je revenoy
de l'autre monde.

Ce conte d'un évenement si legier est assez vain, n'estoit
l'instruction que j'en ay tirée pour moy; car, à la vérité,
pour s'aprivioiser à la mort, je trouve qu'il n'y a que de
s'en avoisiner. Or, comme dict Pline, chacun est à soy-
mesmes une très-bonne discipline, pourveu qu'il ait la
suffisance de s'espier de près. Ce n'est pas ci ma doctrine,
c'est mon estude; et n'est pas la leçon d'autruy, c'est la
mienne.

/// Et ne me doibt on sçavoir mauvais gré pourtant, si
je la communique. Ce qui me sert, peut aussi par accident
servir à un autre. Au demeurant, je ne gaste rien, je n'use
que du mien. Et si je fay le fol, c'est à mes despens et
sans l'interest de personne. Car c'est en folie qui meurt
en moy, qui n'a point de suite. Nous n'avons nouvelles
que de deux ou trois anciens qui ayent battu ce chemin;
et si ne pouvons dire si c'est du tout en pareille maniere
à cette cy, n'en connoissant que les noms. Nul depuis ne
s'est jetté sur leur trace. C'est une espineuse entreprinse,
et plus qu'il ne semble, de suyvre une alleure si vagabonde
que celle de nostre esprit; de penetrer les profondeurs
opaques de ses replis internes; de choisir et arrester tant
de menus airs de ses agitations. Et est un amusement
nouveau et extraordinaire, qui nous retire des occupations
communes du monde, ouy, et des plus recommandées.
Il y a plusieurs années que je n'ay que moy pour visée à
mes pensées, que je ne contrerolle et estudie que moy;

et, si j'estudie autre chose, c'est pour soudain le coucher
sur moy, ou en moy, pour mieux dire. Et ne me semble
point faillir, si, comme il se faict des autres sciences, sans
comparaison moins utiles, je fay part de ce j'ay apprins
en cette-cy; quoy que je ne me contente guere du progrez
que j'y ai faict. Il n'est description pareille en difficulté à
la description de soy-mesmes, ny certes en utilité. Encore
se faut-il testoner [24], encore se faut-il ordonner et renger
pour sortir en place [25]. Or je me pare sans cesse, car je me
descris sans cesse. La coustume a faict le parler de soy
vicieux, et le prohibe obstinéement en hayne de la ven-
tance qui semble tousjours estre attachée aux propres [26]
tesmoignages.

Au lieu qu'on doit moucher l'enfant, cela s'appelle
l'énaser [27],

In vitium ducit culpæ fuga [28].

Je treuve plus de mal que de bien à ce remède. Mais,
quand il seroit vray que ce fust necesserement presomption
d'entretenir le peuple de soy, je ne doy pas, suivant mon
general dessein, refuser une action qui publie cette maladive qualité, puis qu'elle est en moy; et ne doy cacher
cette faute que j'ay non seulement en usage, mais en profession. Toutesfois, à dire ce que j'en croy, cette coustume
a tort de condamner le vin, par ce que plusieurs s'y
enyvrent. On ne peut abuser que des choses qui sont
bonnes. Et croy de cette regle qu'elle ne regarde que la
populaire defaillance. Ce sont brides à veaux, desquelles
ny les Saincts, que nous oyons si hautement parler d'eux,
ni les philosophes, ni les Theologiens ne se brident. Ne
fay-je, moy, quoy que je soye aussi peu l'un que l'autre.
S'ils n'en escrivent à point nommé, au moins, quand l'occasion les y porte, ne feignent ils pas de se jetter bien avant
sur le trottoir [29]. Dequoy traitte Socrates plus largement
que de soy ? A quoy achemine il plus souvent les propos
de ses disciples, qu'à parler d'eux, non pas de la leçon de
leur livre, mais de l'estre et branle de leur âme ? Nous nous
disons religieusement à Dieu, et à nostre confesseur,
comme noz voisins [30] à tout le peuple. Mais nous n'en
disons, me respondra-on, que les accusations. Nous disons
donc tout : car nostre vertu mesme est fautiere [31] et
repentable [32]. Mon mestier et mon art, c'est vivre. Qui
me defend d'en parler selon mon sens, experience et usage,
qu'il ordonne à l'architecte de parler des bastimens non
selon soy, mais selon son voisin; selon la science d'un
autre, non selon la sienne. Si c'est gloire de soy-mesme

publier ses valeurs, que ne met Cicero en avant l'eloquence
de Hortence, Hortence celle de Cicero ? A l'adventure,
entendent ils que je tesmoigne de moy par ouvrages et
effects, non nuement par des paroles. Je peins principalement mes cogitations, subject informe, qui ne peut
tomber en production ouvragere. A toute peine le puis je
coucher en ce corps aërée de la voix. Des plus· sages
hommes et des plus devots ont vescu fuyants tous apparents effects. Les effects diroyent plus de la Fortune que
de moy. Ils tesmoignent leur roolle, non pas le mien, si
ce n'est conjecturalement et incertainement : eschantillons
d'une montre particuliere [32]. Je m'estalle entier : c'est un
skeletos [34] où, d'une veuë, les veines, les muscles, les
tendons paroissent, chaque piece en son siege. L'effect
de la toux en produisoit une partie; l'effect de la palleur
ou battement de cœur, un'autre, et doubteusement.

Ce ne sont mes gestes [35] que j'escris, c'est moy, c'est mon
essence. Je tien qu'il faut estre prudent à estimer de soy,
et pareillement consciencieux à en tesmoigner, soit bas,
soit haut, indifferemment. Si je me sembloy bon et sage
ou près de là, je l'entonneroy à pleine teste. De dire moins
de soy qu'il n'y en a, c'est sottise, non modestie. Se payer
de moins qu'on ne vaut, c'est lâcheté et pusillanimité,
selon Aristote. Nulle vertu ne s'ayde de la fausseté; et
la verité n'est jamais matiere d'erreur. De dire de soy
plus qu'il n'en y a, ce n'est pas tousjours presomption,
c'est encore souvent sottise. Se complaire outre mesure de
ce qu'on est, en tomber en amour de soy indiscrete, est,
à mon advis, la substance de ce vice. Le supreme remede
à le guarir, c'est faire tout le rebours de ce que ceux icy
ordonnent, qui, en defendant le parler de soy, defendent
par consequent encore plus de penser à soy. L'orgueil gist
en la pensée. La langue n'y peut avoir qu'une bien legere
part. De s'amuser à soy, il leur semble que c'est se plaire
en soy; de se hanter et prattiquer, que c'est se trop chérir.
Il peut estre. Mais cet excez naist seulement en ceux qui
ne se tastent que superficiellement; qui se voyent après
leurs affaires, qui appellent resverie et oysiveté s'entretenir
de soy, et s'estoffer et bastir, faire des chasteaux en
Espaigne : s'estimans chose tierce et estrangere à eux
mesmes.·

Si quelcun s'enyvre de sa science, regardant souz soy,
qu'il tourne les yeux au-dessus vers les siecles passez, il
baissera les cornes [36], y trouvant tant de milliers d'esprits
qui le foulent aux pieds. S'il entre en quelque flateuse
presumption de sa vaillance, qu'il se ramentoive les vies

des deux Scipions, de tant d'armées, de tant de peuples, qui le laissent si loing derriere eux. Nulle particuliere qualité n'enorgueillira celuy qui mettra quand et quand en compte tant de imparfaittes et foibles qualitez autres qui sont en luy, et au bout, la nihilité de l'humaine condition.

Par ce que Socrates avoit seul mordu à certes au precepte de son Dieu, de se connoistre, et par cette estude estoit arrivé à se mespriser, il fut estimé seul digne du surnom de Sage. Qui se connoistra ainsi, qu'il se donne hardiment à connoistre par sa bouche.

CHAPITRE VII

DES RECOMPENSES D'HONNEUR

/ Ceux qui escrivent la vie d'Auguste Cæsar remarquent cecy en sa discipline militaire, que, des dons, il estoit merveilleusement liberal envers ceux qui le meritoient, mais que, des pures recompenses d'honneur, il estoit en bien autant espargnant. Si est-ce qu'il avoit esté luy mesme gratifié par son oncle de toutes les recompenses militaires avant qu'il eust jamais esté à la guerre. Ç'a esté une belle invention, et receüe en la plus part des polices du monde, d'establir certaines merques vaines et sans pris, pour en honnorer et recompenser la vertu, comme sont les couronnes de laurier, de chesne, de meurte [1], la forme de certain vestement, le privilege d'aller en coche par ville, ou de nuit avecques flambeau, quelque assiete particuliere aux assemblées publiques, la prerogative d'aucuns surnoms et titres, certaines marques aux armoiries, et choses semblables, dequoy l'usage a esté diversement receu selon l'opinion des nations, et dure encores.

Nous avons pour nostre part, et plusieurs de nos voisins, les ordres de chevalerie, qui ne sont establis qu'à cette fin. C'est, à la verité, une bien bonne et profitable coustume de trouver moyen de recognoistre la valeur des hommes rares et excellens, et de les contenter et satis-faire par des payemens qui ne chargent aucunement le publiq et qui ne coustent rien au Prince. Et ce qui a esté tousjours conneu par experience ancienne et que nous avons autrefois aussi peu voir entre nous, que les gens de qualité avoyent plus de jalousie de telles recompenses que de celles où il y avoit du guein et du profit, cela n'est pas sans raison et grande apparence. Si au pris qui doit estre simplement d'honneur, on y mesle d'autres commoditez [2] et de la richesse, ce meslange, au lieu d'augmenter l'estimation, il la ravale et en retranche. L'ordre Sainct Michel, qui a esté si long temps en credit parmy nous [3], n'avoit point de plus grande commodité que celle-là, de n'avoir communication d'aucune autre commodité. Cela faisoit qu'autrefois il n'y avoit ny charge, ny estat, quel qu'il fut, auquel la noblesse pretendit avec tant de desir et d'affection qu'elle faisoit à l'ordre, ny qualité qui apportast plus de respect et de grandeur : la vertu embrassant et aspirant plus volontiers à une recompense purement sienne, plustost glorieuse qu'utile. Car, à la verité, les autres dons n'ont pas leur usage si digne, d'autant qu'on les employe à toute sorte d'occasions. Par des richesses, on satisfaict le service d'un valet, la diligence d'un courrier, le dancer, le voltiger, le parler et les plus viles offices qu'on reçoive ; voire et le vice s'en paye, la flaterie, le maquerelage, la trahison : ce n'est pas merveille si la vertu reçoit et desire moins volontiers cette sorte de monnoye commune, que celle qui luy est propre et particuliere, toute noble et genereuse. Auguste avoit raison d'estre beaucoup plus mesnagier et espargnant de cette-cy que de l'autre, d'autant que l'honneur, c'est un privilege qui tire sa principale essence de la rareté ; et la vertu mesme :

> *Cui malus est nemo, quis bonus esse potest* [4] ?

On ne remerque pas, pour la recommandation d'un homme, qu'il ait soing de la nourriture de ses enfans, d'autant que c'est une action commune, quelque juste qu'elle soit, /// non plus qu'un grand arbre, où la forest est toute de mesmes. / Je ne pense pas que aucun citoyen de Sparte se glorifiat de sa vaillance, car c'estoit une vertu populaire en leur nation, et aussi peu de la fidelité et mespris des richesses. Il n'eschoit pas de recompense à une vertu, pour grande qu'elle soit, qui est passée en coustume ; et ne sçay avec, si nous l'appellerions jamais grande, estant commune.

Puis donc que ces loyers d'honneur n'ont autre pris et estimation que cette-là, que peu de gens en jouyssent, il n'est, pour les aneantir, que d'en faire largesse. Quand il se trouveroit plus d'hommes qu'au temps passé, qui meritassent nostre Ordre, il n'en faloit pas pourtant corrompre l'estimation. Et peut aysément advenir que plus le meritent, car il n'est aucune des vertuz qui s'espende si aysement que la vaillance militaire. Il y en a une autre, vraye, perfecte et philosophique, de quoy je ne parle point (et me sers de ce mot selon nostre usage), bien plus grande que cette-cy et plus pleine, qui est une force et asseurance de l'ame, mesprisant également toute sorte d'accidens

enemis : equable, uniforme et constante, de laquelle la
nostre n'est qu'un·bien petit rayon. L'usage, l'institution,
l'exemple et la coustume peuvent tout ce qu'elles veulent
en l'establissement de celle dequoy je parle, et la rendent
aysement vulgaire : comme il est tresaysé à voir par
l'experience que nous en donnent nos guerres civiles.
// Et qui nous pourroit joindre [5] à cette heure et acharner
à une entreprise commune tout nostre peuple, nous ferions
refleurir nostre ancien nom militaire. / Il est bien certain
que la recompense de l'Ordre ne touchoit pas, au temps
passé, seulement cette consideration; elle regardoit plus
loing. Ce n'a jamais esté le payement d'un valeureux soldat,
mais d'un capitaine fameux. La science d'obeir ne meritoit
pas un loyer si honorable. On y requeroit anciennement
une expertise bellique [6] plus universelle et qui embrassat
la plus part et plus grandes parties d'un homme militaire :
/// « *Neque enim eædem militares et imperatoriæ artes sunt* [7] »,
/ qui fut encore, outre cela, de condition accommodable à
une telle dignité. Mais je dy, quand plus de gens en
seroyent dignes qu'il ne s'en trouvoit autresfois, qu'il ne
falloit pas pourtant s'en rendre plus liberal; et eut mieux
vallu faillir à n'en estrener pas tous ceux à qui il estoit deu,
que de perdre pour jamais, comme nous venons de faire,
l'usage d'une invention si utile. Aucun homme de cœur
ne daigne s'avantager de ce qu'il a de commun avec plusieurs; et ceux d'aujourd'huy, qui ont moins merité cette
recompense, font plus de contenance de la desdaigner,
pour se loger par là au reng de ceux à qui on faict tort
d'espandre indignement et avilir cete marque qui leur
estoit particulierement deuë.

Or, de s'atendre, en effaçant et abolissant cette-cy, de
pouvoir soudain remettre en credit et renouveller une
semblable coustume, ce n'est pas entreprinse propre à une
saison si licencieuse et malade qu'est celle où nous nous
trouvons à present; et en adviendra que la derniere
encourra dès sa naissance les incommoditez qui viennent
de ruiner l'autre. Les regles de la dispensation de ce nouvel
ordre [8] auroient besoing d'estre extremement tendues et
contraintes, pour luy donner authorité; et cette saison
tumultuere [9] n'est pas capable d'une bride courte et reglée;
outre ce qu'avant qu'on luy puisse donner credit, il est
besoing qu'on ayt perdu la memoire du premier, et du
mespris auquel il est cheu.

Ce lieu pourroit recevoir quelque discours sur la consideration de la vaillance et difference de cette vertu aux
autres; mais Plutarque estant souvant retombé sur ce pro-

pos, je me meslerois pour neant de raporter icy ce qu'il en dict. Mais il est digne d'estre consideré que nostre nation donne à la vaillance le premier degré des vertus, comme son nom montre, qui vient de valeur; et que, à notre usage, quand nous disons un homme qui vaut beaucoup, ou un homme de bien, au stile de nostre court et de nostre noblesse, ce n'est à dire autre chose qu'un vaillant homme, d'une façon pareille à la Romaine. Car la generale appellation de vertu prend chez eux etymologie de la force. La forme propre, et seule, et essentielle de noblesse en France, c'est la vacation militaire. Il est vray-semblable que la premiere vertu qui se soit fait paroistre entre les hommes et qui a donné advantage aux uns sur les autres, ça esté cette-cy, par laquelle les plus forts et coura-geux se sont rendus maistres des plus foibles, et ont acquis reng et reputation particuliere, d'où luy est demeuré cet honneur et dignité de langage; ou bien que ces nations, estant très-belliqueuses, ont donné le pris à celle des vertus qui leur estoit plus familiere, et le plus digne tiltre. Tout ainsi que nostre passion, et cette fievreuse solicitude que nous avons de la chasteté des femmes, fait aussi qu'une bonne femme, une femme de bien et femme d'honneur et de vertu, ce ne soit en effect à dire autre chose pour nous qu'une femme chaste; comme si, pour les obliger à ce devoir, nous mettions à nonchaloir [10] tous les autres, et leur lâchions la bride à toute autre faute, pour entrer en composition [11] de leur faire quitter cette-cy.

CHAPITRE VIII

DE L'AFFECTION DES PERES AUX ENFANS

A Madame d'Estissac.

/ Madame, si l'estrangeté ne me sauve, et la nouvelleté, qui ont accoustumé de donner pris aux choses, je ne sors jamais à mon honneur de cette sotte entreprise[1], mais elle est si fantastique et a un visage si esloigné de l'usage commun, que cela luy pourra donner passage. C'est une humeur melancolique, et une humeur par consequent très ennemie de ma complexion naturelle, produit par le chagrin de la solitude en laquelle il y a quelques années que je m'estoy jetté, qui m'a mis premierement en teste cette resverie de me mesler d'escrire. Et puis, me trovant entierement despourveu et vuide de toute autre matiere, je me suis presenté moy-mesmes à moy, pour argument et pour subject. C'est /// le seul livre au monde de son espece, d' / un dessein farouche et extravagant. Il n'y a rien aussi en cette besoingne digne d'estre remerqué que cette bizarrerie ; car à un subject si vain et si vile le meilleur ouvrier du monde n'eust sçeu donner façon qui merite qu'on en face conte. Or, Madame, ayant à m'y pourtraire au vif[2], j'en eusse oublié un traict d'importance, si je n'y eusse representé l'honneur que j'ay tousjours rendu à vos merites. Et l'ay voulu dire signamment à la teste de ce chapitre, d'autant que, parmy vos autres bonnes qualitez, celle de l'amitié que vous avez montrée à vos enfans, tient l'un des premiers rengs. Qui sçaura l'aage auquel Monsieur d'Estissac, vostre mari, vous laissa veufve, les grands et honorables partis qui vous ont esté offerts autant qu'à Dame de France de vostre condition ; la constance et fermeté dequoy vous avez soutenu, tant d'années et au travers de tant d'espineuses difficultez, la charge et conduite de leurs affaires qui vous ont agitée par tous les coins de

France et vous tiennent encores assiegée; l'heureux acheminement que vous y avez donné par vostre seule prudence
ou bonne fortune; il dira aiséement avec moy que nous
n'avons point d'exemple d'affection maternelle en nostre
temps plus exprez que le vostre.

Je louë Dieu, Madame, qu'elle aye si bien employée :
car les bonnes esperances que donne de soy Monsieur
d'Estissac vostre fils, asseurent assez que, quand il sera
en aage, vous en tirerez l'obeïssance et reconoissance d'un
très-bon fils. Mais, d'autant qu'à cause de son enfance il
n'a peu remerquer les extremes offices qu'il a receu de vous
en si grand nombre, je veus, si ces escrits viennent un jour
à luy tomber en main, lors que je n'auray plus ny bouche
ny parole qui le puisse dire, qu'il reçoive de moy ce
tesmoignage en toute verité, qui luy sera encore plus
vivement tesmoigné par les bons effects dequoy, si Dieu
plaist, il se ressentira : qu'il n'est gentilhomme en France
qui doive plus à sa mere qu'il faict; et qu'il ne peut donner
à l'advenir plus certaine preuve de sa bonté et de sa vertu
qu'en vous reconnoissant pour [3] telle.

S'il y a quelque loy vrayement naturelle, c'est à dire
quelque instinct qui se voye universellement et perpetuellement empreinct aux bestes et en nous (ce qui n'est pas
sans controverse), je puis dire, à mon advis, qu'après
le soing que chasque animal a de sa conservation et de
fuir ce qui nuit, l'affection que l'engendrant porte à son
engeance tient le second lieu en ce rang. Et, parce que
nature semble nous l'avoir recommandée, regardant à
estandre et faire aller avant les pieces successives de cette
sienne machine, ce n'est pas merveille si, à reculons, des
enfans aux peres, elle n'est pas si grande.

/// Joint cette autre consideration Aristotelique, que
celuy qui bien faict à quelcun, l'aime mieux qu'il n'en
est aimé; et celuy à qui il est deu, aime mieus que celuy
qui doibt; et tout ouvrier mieux son ouvrage qu'il n'en
seroit aimé, si l'ouvrage avoit du sentiment. D'autant que
nous avons cher, estre; et estre consiste en mouvement
et action. Parquoy chascun est aucunement en son ouvrage.
Qui bien faict, exerce une action belle et honneste; qui
reçoit, l'exerce utile seulement; or l'utile est de beaucoup
moins aimable que l'honneste. L'honneste est stable et
permanent, fournissant à celuy qui l'a faict une gratification
constante. L'utile se perd et eschappe facilement; et n'en
est la memoire ny si fresche ny si douce. Les choses nous
sont plus cheres, qui nous ont plus cousté; et il est plus
difficile de donner que de prendre.

/ Puisqu'il a pleu à Dieu nous doüer de quelque capacité de discours, affin que, comme les bestes, nous ne fussions pas servilement assujectis aux lois communes, ains que nous nous appliquassions par jugement et liberté volontaire, nous devons bien prester un peu à la simple authorité de nature, mais non pas nous laisser tyranniquement emporter à elle; la seule raison doit avoir la conduite de nos inclinations. J'ay, de ma part, le goust estrangement mousse à ces propensions qui sont produites en nous sans l'ordonnance et entremise de nostre jugement. Comme, sur ce subject dequoy je parle, je ne puis recevoir cette passion dequoy on embrasse les enfans à peine encore nez, n'ayant ny mouvement en l'ame, ny forme reconnoissable au corps, par où ils se puissent rendre aimables. /// Et ne les ay pas souffert volontiers nourris près de moy. / Une vraye affection et bien reglée devroit naistre et s'augmenter avec la connoissance qu'ils nous donnent d'eux; et lors, s'ils le valent, la propension naturelle marchant quant et la raison, les cherir d'une amitié vrayment paternelle; et en juger de mesme, s'ils sont autres, nous rendans tousjours à la raison, nonobstant la force naturelle. Il en va fort souvent au rebours; et le plus communement nous nous sentons plus esmeus des trepignemens, jeux et niaiseries pueriles de nos enfans, que nous ne faisons après de leurs actions toutes formées, comme si nous les avions aymez pour nostre passetemps, /// comme des guenons, non comme des hommes. / Et tel fournit bien liberalement de jouets à leur enfance, qui se trouve resserré à la moindre despence qu'il leur faut estant en aage. Voire, il semble que la jalousie que nous avons de les voir paroistre et jouyr du monde, quand nous sommes à mesme de le quitter, nous rende plus espargnans et rétrains [4] envers eux; il nous fache qu'ils nous marchent sur les talons, /// comme pour nous solliciter de sortir. / Et, si nous avions à craindre cela, puis que l'ordre des choses porte qu'ils ne peuvent, à dire vérité, estre, ny vivre qu'aux despens de nostre estre et de nostre vie, nous ne devions pas nous mesler d'estre peres.

Quant à moy, je trouve que c'est cruauté et injustice de ne les recevoir au partage et société de nos biens, et compaignons en l'intelligence de nos affaires domestiques, quand ils en sont capables, et de ne retrancher et reserrer nos commoditez pour pourvoir aux leurs, puis que nous les avons engendrez à cet effect.

C'est injustice de voir qu'un pere vieil, cassé et demi-mort, jouysse seul, à un coin du foyer, des biens qui suffiroient à l'avancement et entretien de plusieurs enfans, et qu'il les laisse cependant, par faute de moyen, perdre leurs meilleures années sans se pousser au service public et connoissance des hommes. On les jette au desespoir de chercher par quelque voie, pour injuste qu'elle soit, à pourvoir à leur besoing; comme j'ay veu de mon temps plusieurs jeunes hommes de bonne maison, si adonnez au larcin, que nulle correction les en pouvoit détourner. J'en connois un, bien apparenté, à qui, par la priere d'un sien frere, très-honneste et brave gentil-homme, je parlay une fois pour cet effet. Il me respondit et confessa tout rondement qu'il avoit esté acheminé à cett'ordure par la rigueur et avarice de son pere, mais qu'à present il y estoit si accoustumé qu'il ne s'en pouvoit garder; et lors il venoit d'estre surpris en larrecin des bagues d'une dame, au lever de laquelle il s'estoit trouvé avec beaucoup d'autres.

Il me fit souvenir du conte que j'avois ouy faire d'un autre gentil-homme, si fait et façonné à ce beau mestier du temps de sa jeunesse, que, venant après à estre maistre de ses biens, deliberé d'abandonner cette trafique, il ne se pouvoit garder pourtant, s'il passoit près d'une boutique où il y eust chose dequoy il eust besoin, de la desrober, en peine de l'envoyer payer après. Et en ay veu plusieurs si dressez et duitz à cela, que parmi leurs compaignons mesmes ils desroboient ordinairement des choses qu'ils vouloient rendre. // Je suis Gascon, et si, n'est vice auquel je m'entende moins. Je le hay un peu plus par complexion que je ne l'accuse par discours; seulement par desir, je ne soustrais rien à personne. / Ce quartier [5] en est, à la verité, un peu plus descrié que les autres de la Françoise nation; si est-ce que nous avons veu de nostre temps, à diverses fois, entre les mains de la justice, des hommes de maison d'autres contrées convaincus de plusieurs horribles voleries. Je crains que de cette débauche il s'en faille aucunement prendre à ce vice des peres.

Et si on me respond ce que fit un jour un Seigneur de bon entendement, qu'il faisoit espargne des richesses, non pour en tirer autre fruict et usage que pour se faire honnorer et rechercher aux siens, et que l'aage lui ayant osté toutes autres forces, c'estoit le seul remède qui luy restoit pour se maintenir en authorité en sa famille et pour eviter qu'il ne vint à mespris et desdain à tout le monde. /// (De vray, non la vieillesse seulement, mais toute imbecillité, selon Aristote, est promotrice de l'avarice.) / Cela est quelque chose; mais c'est la medecine à un mal duquel on devoit eviter la naissance. Un pere est bien miserable, qui ne tient l'affection de ses enfans que par

le besoin qu'ils ont de son secours, si eela se doit nommer
affection. Il faut se rendre respectable par sa vertu et par
sa suffisance, et aymable par sa bonté et douceur de ses
meurs. Les cendres mesmes d'une riche matiere, elles ont
leur pris; et les os et reliques des personnes d'honneur,
nous avons accoustumé de les tenir en respect et reverence.
Nulle vieillesse peut estre si caducque et si rance à un
personnage qui a passé en honneur son aage, qu'elle ne
soit venerable, et notamment à ses enfans, desquels il
faut avoir reglé l'ame à leur devoir par raison, non par
necessité et par le besoin, ny par rudesse et par force,

> et errat longe, mea quidem sententia,
> Qui imperium credat esse gravius aut stabilius
> Vi quod fit, quam illud quod amicitia adjungitur [6].

// J'accuse [7] toute violence en l'education d'une ame
tendre, qu'on dresse pour l'honneur et la liberté. Il y a
je ne sçay quoy de servile en la rigueur et en la contraincte;
et tiens que ce qui ne se peut faire par la raison, et par
prudence et adresse, ne se faict jamais par la force. On
m'a ainsin eslevé. Ils disent qu'en tout mon premier
aage je n'ay tasté des verges qu'à deux coups, et bien
mollement. J'ay deu la pareille aux enfans que j'ay eu;
ils me meurent tous en nourrisse; mais /// Leonor, // une
seule fille qui est eschappée à cette infortune, a attaint
six ans et plus sans qu'on ait emploié à sa conduicte et
pour le chastiement de ses fautes pueriles, l'indulgence
de sa mere s'y appliquant ayséement, autre chose que
parolles, et bien douces. Et quand mon desir y seroit
frustré, il est assez d'autres causes ausquelles nous prendre,
sans entrer en reproche avec ma discipline, que je sçay
estre juste et naturelle. J'eusse esté beaucoup plus religieux encores en cela envers des masles, moins nais à
servir et de condition plus libre : j'eusse aymé à leur
grossir le cœur d'ingénuité [8] et de franchise. Je n'ay veu
autre effect aux verges, sinon de rendre les ames plus
lâches ou plus malitieusement opiniastres.

/ Voulons nous estre aimez de nos enfans ? leur voulons
nous oster l'occasion de souhaiter nostre mort (combien
que nulle occasion d'un si horrible souhait peut estre
ny juste, ny excusable : /// « nullum scelus rationem
habet [9] ») ? / accommodons leur vie raisonnablement de ce
qui est en nostre puissance. Pour cela, il ne nous faudroit
pas marier si jeunes que nostre aage vienne quasi à se
confondre avec le leur. Car cet inconvénient nous jette

à plusieurs grandes difficultez. Je dy specialement à la noblesse, qui est d'une condition oisifve et qui ne vit, comme on dit, que de ses rentes. Car ailleurs, où la vie est questuere [10], la pluralité et compaignie des enfans, c'est un agencement de mesnage, ce sont autant de nouveaux utils et instrumens à s'enrichir.

// Je me mariay à trente trois ans, et loüe l'opinion de trente cinq, qu'on dit estre d'Aristote. /// Platon ne veut pas qu'on se marie avant les trente; mais il a raison de se mocquer de ceux qui font les œuvres de mariage après cinquante cinq; et condamne leur engeance indigne d'aliment et de vie.

Thales y donna les plus vrayes bornes, qui, jeune, respondit à sa mere le pressant de se marier, qu'il n'estoit pas temps; et, devenu sur l'aage, qu'il n'estoit plus temps. Il faudroit refuser l'opportunité à toute action importune.

/ Les anciens Gaulois estimoient à extreme reproche d'avoir eu accointance de femme avant l'aage de vingt ans, et recommandoient singulierement aux hommes qui se vouloient dresser pour la guerre, de conserver bien avant en l'aage leur pucellage, d'autant que les courages s'amolissent et divertissent par l'accouplage des femmes.

> *Ma hor congiunto a giovinetta sposa,*
> *Lieto homai de' figli, era invilito*
> *Ne gli affetti di padre e di marito* [11].

/// L'histoire grecque remarque de Jecus Tarentin, de Chryso, d'Astylus, de Diopompus et d'autres, que pour maintenir leurs corps fermes au service de la course des jeux Olympiques, de la palestrine [12] et autres exercices, ils se privarent, autant que leur dura ce soin, de toute sorte d'acte Venerien.

Muleasses, Roy de Thunes, celuy que l'Empereur Charles cinquiesme remit en son estat, reprochoit la memoire de son pere, pour sa hantise aveq ses femmes, et l'appeloit brède [13], effeminé, faiseur d'enfans.

// En certaine contrée des Indes Espaignolles, on ne permettoit aux hommes de se marier qu'après quarante ans, et si le permettoit-on aux filles à dix ans.

/ Un gentil-homme qui a trente cinq ans, il n'est pas temps qu'il fasse place à son fils qui en a vingt : il est luy-mesme au train de paroistre et aux voyages des guerres et en la court de son Prince; il a besoin de ses pieces, et en doit certainement faire part, mais telle part qu'il ne s'oublie pas pour autruy. Et à celuy-là peut servir justement cette

responce que les peres ont ordinairement en la bouche :
« Je ne me veux pas despouiller [14] devant que de m'aller
coucher. »

Mais un pere aterré d'années et de maux, privé, par
sa foiblesse et faute de santé, de la commune societé des
hommes, il se faict tort et aux siens de couver inutilement un grand tas de richesses. Il est assez en estat, s'il
est sage, pour avoir desir de se despouiller pour se coucher :
non pas jusques à la chemise, mais jusques à une robbe
de nuict bien chaude; le reste des pompes, dequoy il
n'a plus que faire, il doibt en estrener volontiers ceux
à qui, par ordonnance naturelle, cela doit appartenir.
C'est raison qu'il leur en laisse l'usage, puis que nature
l'en prive : autrement, sans doubte, il y a de la malice
et de l'envie. La plus belle des actions de l'Empereur
Charles cinquiesme fut celle-là /// à l'imitation d'aucuns
anciens de son calibre, / d'avoir sçeu reconnoistre que la
raison nous commande assez de nous dépouiller, quand
nos robes nous chargent et empeschent; et de nous coucher, quand les jambes nous faillent. Il resigna ses moyens [15],
grandeur et puissance à son fils, lors qu'il sentit defaillir
en soy la fermeté et la force pour conduire les affaires
avec la gloire qu'il y avoit acquise.

> *Solve senescentem mature sanus equum, ne*
> *Peccet ad extremum ridendus, et ilia ducat* [16].

Cette faute de ne se sçavoir reconnoistre de bonne
heure, et ne sentir l'impuissance et extreme alteration
que l'aage apporte naturellement et au corps et à l'ame,
qui, à mon opinion, est égale (si l'ame n'en a plus de la
moitié), a perdu la reputation de la plus part des grands
hommes du monde. J'ay veu de mon temps et connu
familierement des personnages de grande authorité, qu'il
estoit bien aisé à voir estre merveilleusement descheus
de cette ancienne suffisance que je connoissois par la reputation qu'ils en avoient acquise en leurs meilleurs ans.
Je les eusse, pour leur bonheur, volontiers souhaitez
retirez en leur maison à leur aise et deschargez des occupations publiques et guerrieres, qui n'estoient plus pour
leurs espaules. J'ay autrefois esté privé en la maison
d'un gentil-homme veuf et fort vieil, d'une vieillesse
toutefois assez verte. Cettuy-cy avoit plusieurs filles
à marier et un fils desjà en aage de paroistre; cela luy
chargeoit sa maison de plusieurs despences et visites
estrangieres, à quoy il prenoit peu de plaisir, non seule-

ment pour le soin de l'espargne, mais encore plus pour avoir, à cause de l'aage, pris une forme de vie fort esloignée de la nostre. Je luy dy un jour un peu hardiment, comme j'ay accoustumé, qu'il luy sieroit mieux de nous faire place, et de laisser à son fils sa maison principale (car il n'avoit que celle-là de bien logée et accommodee), et se retirer en une sienne terre voisine, où personne n'apporteroit incommodité à son repos, puis qu'il ne pouvoit autrement eviter nostre importunité, veu la condition de ses enfans. Il m'en creut depuis, et s'en trouva bien.

Ce n'est pas à dire qu'on leur donne par telle voye d'obligation, de laquelle on ne se puisse plus desdire. Je leur lairrois, moy qui suis à mesme de jouer ce rolle, la jouyssance de ma maison et de mes biens, mais avec liberté de m'en repentir, s'ils me donnoient occasion. Je leur en lairrois l'usage, par ce qu'il ne m'en seroit plus commode; et, de l'authorité des affaires en gros, je m'en reserverois autant qu'il me plairoit, ayant tousjours jugé que ce doit estre un grand contentement à un pere vieil, de mettre luymesme ses enfans en train du gouvernement de ses affaires, et de pouvoir pendant sa vie contreroller leurs deportemens [17], leur fournissant d'instruction et d'advis suyvant l'experience qu'il en a, et d'acheminer luy mesme l'ancien honneur et ordre de sa maison en la main de ses successeurs, et se respondre par là des esperances qu'il peut prendre de leur conduite à venir. Et, pour cet effect, je ne voudrois pas fuir leur compaignie : je voudroy les esclairer [18] de près, et jouyr, selon la condition de mon aage, de leur allegresse et de leurs festes. Si je ne vivoy parmi eux (comme je ne pourroy sans offencer leur assemblée par le chagrin de mon aage et la subjection de mes maladies, et sans contraindre aussi et forcer les reigles et façons de vivre que j'auroy lors), je voudroy au moins vivre près d'eux en un quartier de ma maison, non pas le plus en parade, mais le plus en commodité. Non comme je vy, il y a quelques années, un Doyen de S. Hilaire de Poictiers, rendu à telle solitude par l'incommodité de sa melancolie, que, lors que j'entray en sa chambre, il y avoit vingt et deux ans qu'il n'en estoit sorty un seul pas; et si, avoit toutes ses actions libres et aysées, sauf un reume qui lui tomboit sur l'estomac. A peine une fois la sepmaine vouloit-il permettre que aucun entrast pour le voir; il se tenoit tousjours enfermé par le dedans de sa chambre, seul, sauf qu'un valet luy apportoit une fois le jour à manger, qui ne faisoit qu'entrer et sortir. Son occupation estoit se promener et lire quelque livre (car il connoissoit aucunement les lettres), obstiné au demeurant de mourir en cette démarche [19], comme il fit bien tost après.

J'essayeroy, par une douce conversation, de nourrir en mes enfans une vive amitié et bienveillance non feinte en mon endroict, ce qu'on gaigne aiséement en une nature bien née ; car si ce sont bestes furieuses /// comme nostre siecle en produit à foison, / il les faut hayr et fuyr pour telles. Je veux mal à cette coustume /// d'interdire aux enfans l'appellation paternelle et leur en enjoindre une estrangere, comme plus reverantiale [20], nature n'ayant volontiers pas suffisamment pourveu à nòstre authorité ; nous appelons Dieu tout-puissant pere, et desdaignons que noz enfans nous en appellent. C'est aussi injustice et folie / de priver les enfans qui sont en aage de la familiarité des peres, vouloir maintenir en leur endroict une morgue austere et desdaigneuse, esperant par là les tenir en crainte et obeissance. Car c'est une farce très-inutile qui rend les peres ennuïeux aux enfans et, qui pis est, ridicules. Ils ont la jeunesse et les forces en la main, et par consequent le vent et la faveur du monde ; et reçoivent avecques mocquerie ces mines fieres et tyranniques d'un homme qui n'a plus de sang ny au cœur, ny aux veines, vrais espouvantails de cheneviere. Quand je pourroy me faire craindre, j'aimeroy encore mieux me faire aymer.

// Il y a tant de sortes de deffauts en la vieillesse, tant d'impuissance ; elle est si propre au mespris, que le meilleur acquest qu'elle puisse faire, c'est l'affection et amour des siens : le commandement et la crainte, ce ne sont plus ses armes. J'en ay veu quelqu'un duquel la jeunesse avoit esté très imperieuse. Quand c'est venu sur l'aage, quoy qu'il le passe sainement ce qui se peut, il frappe, il mord, il jure, /// le plus tempestatif maistre de France ; // il se ronge de soing et de vigilance : tout cela n'est qu'un [21] bastelage auquel la famille mesme conspire ; du grenier, du celier, voire et de sa bource, d'autres ont la meilleure part de l'usage, cependant qu'il en a les clefs en sa gibessiere, plus cherement que ses yeux. Cependant qu'il se contente de l'espargne et chicheté de sa table, tout est en desbauche en divers reduicts de sa maison, en jeu et en despence, et en l'entretien des comptes [22] de sa vaine cholere et pourvoyance. Chacun est en sentinelle contre luy. Si, par fortune, quelque chetif serviteur s'y adonne, soudain il luy est mis en soupçon : qualité à laquelle la vieillesse mord si volontiers de soy-mesme. Quant de fois s'est il vanté à moy de la bride qu'il donnoit aux siens, et exacte obeïssance et reverence qu'il en recevoit; combien il voyoyt cler en ses affaires,

Ille solus nescit omnia [23].

Je ne sache homme qui peut aporter plus de parties et naturelles et acquises, propres à conserver la maitrise, qu'il faict; et si, en est descheu comme un enfant. Partant l'ay-je choisi, parmy plusieurs telles conditions que je cognois, comme plus exemplaire.

/// Ce seroit matière à une question scholastique, s'il est ainsi mieux, ou autrement. En presence, toutes choses luy cedent. Et laisse-on ce vain cours à son authorité, qu'on ne luy resiste jamais : on le croit, on le craint, on le respecte tout son saoul. Donne-il congé à un valet, il plie son pacquet, le voilà parti; mais hors de devant luy seulement. Les pas de la vieillesse sont si lents, les sens si troubles, qu'il vivra et fera son office en mesme maison, un an, sans estre apperceu. Et, quand la saison en est, on faict venir des lettres lointaines, piteuses, suppliantes, pleines de promesse de mieux faire, par où on le remet en grâce. Monsieur faict-il quelque marché ou quelque despesche qui desplaise ? on la supprime, forgeant tantost après assez de causes pour excuser la faute d'execution ou de responce. Nulles lettres estrangeres ne luy estans premierement apportées, il ne void que celles qui semblent commodes à sa science. Si, par cas d'adventure, il les saisit, ayant en coustume de se reposer sur certaine personne de les luy lire, on y treuve sur le champ ce qu'on veut; et faict-on à tous coups que tel luy demande pardon qui l'injurie par mesme lettre. Il ne void en fin ses affaires que par une image disposée et desseignée [24] et satisfactoire le plus qu'on peut, pour n'esveiller son chagrin et son courroux. J'ay veu, souz des figures differentes, assez d'œconomies longues, constantes, de tout pareil effect.

// Il est tousjours proclive [25] aux femmes de disconvenir à leurs maris : /// elles saisissent à deux mains toutes couvertures [26] de leur contraster [27]; la premiere excuse leur sert de planiere justification. J'en ay veu qui desroboit gros à son mary, pour, disoit-elle à son confesseur, faire ses aulmosnes plus grasses. Fiez-vous à cette relligieuse dispensation! Nul maniement leur semble avoir assez de dignité, s'il vient de la concession du mary. Il faut qu'elles l'usurpent ou finement ou fierement, et tousjours injurieusement, pour luy donner de la grace et de l'authorité. Comme en mon propos, // quand c'est contre un pauvre

vieillard, et pour des enfans, lors empoignent elles ce
titre, et en servent leur passion avec gloire; /// et, comme
en un commun servage, monopolent facilement contre sa
domination et gouvernement. // Si ce sont masles, grands
et fleurissans, ils subornent aussi incontinant, ou par force,
ou par faveur, et maistre d'Hostel et receveur, et tout le
reste. Ceux qui n'ont n'y femme ny fils, tombent en ce
malheur plus difficilement, mais plus cruellement aussi
et indignement. /// Le vieux Caton disoit en son temps,
qu'autant de valets, autant d'ennemis. Voyez si, selon la
distance de la pureté de son siecle au nostre, il ne nous a
pas voulu advertir que femme, fils et valet, autant d'ennemis à nous. // Bien sert à la decrepitude de nous fournir
le doux benefice d'inapercevance et d'ignorance et facilité
à nous laisser tromper. Si nous y mordions, que seroit ce de
nous, mesme en ce temps où les Juges, qui ont à decider
nos controverses, sont communément partisans de l'enfance et interessez ?

/// Au cas que cette piperie m'eschappe à voir, au moins
ne m'eschappe-il pas à voir que je suis très pipable. Et
aura l'on jamais dict de quel pris est un amy, et de combien
autre chose que ces liaisons civiles ? L'image mesme que
j'en voys aux bestes, si pure, avec quelle religion je la
respecte!

Si les autres me pippent, au moins ne me pipe-je pas
moy mesmes à m'estimer capable de m'en garder, ny à
me ronger la cervelle pour m'en rendre [28]. Je me sauve de
telles trahisons en mon propre giron, non par une inquiete
et tumultuaire [29] curiosité, mais par diversion plustost et
resolution. Quand j'oy reciter l'estat de quelqu'un, je ne
m'amuse pas à luy; je tourne incontinent les yeux à moy,
voir comment j'en suis. Tout ce qui le touche me regarde.
Son accident m'advertit et m'esveille de ce costé là. Tous
les jours et à toutes heures, nous disons d'un autre ce que
nous dirions plus proprement de nous, si nous sçavions
replier aussi bien qu'estendre nostre consideration.

Et plusieurs autheurs blessent [30] en cette maniere la
protection de leur cause, courant temerairement en avant
à l'encontre de celle qu'ils attaquent, et lançant à leurs
ennemis des traits propres à leur estre relancez.

Feu Monsieur le Mareschal de Monluc, ayant perdu
son filz qui mourut en l'Isle de Maderes, brave gentil-
homme à la verité et de grande esperance, me faisoit fort
valoir, entre ses autres regrets, le desplaisir et creve-cœur
qu'il sentoit de ne s'estre jamais communiqué à luy; et,
sur cette humeur d'une gravité et grimace paternelle,

avoir perdu la commodité de gouster et bien connoistre
son fils, et aussi de luy declarer l'extreme amitié qu'il luy
portoit et le digne jugement qu'il faisoit de sa vertu. « Et
ce pauvre garçon, disoit-il, n'a rien veu de moy qu'une
contenance refroignée et pleine de mespris, et a emporté
cette creance que je n'ay sçeu ny l'aymer, ny l'estimer selon
son merite. A qui gardoy-je à découvrir cette singuliere
affection que je luy portoy dans mon ame ? estoit-ce pas
luy qui en devoit avoir tout le plaisir et toute l'obligation ?
Je me suis contraint et geiné pour maintenir ce vain
masque ; et y ay perdu le plaisir de sa conversation, et sa
volonté [31] quant et quant, qu'il ne me peut avoir portée
autre que bien froide, n'ayant jamais reçeu de moy que
rudesse, ny senti qu'une façon tyrannique. » Je trouve que
cette plainte estoit bien prise et raisonnable : car, comme
je sçay par une trop certaine experience, il n'est aucune
si douce consolation en la perte de nos amis [32] que celle
que nous aporte la science de n'avoir rien oublié à leur
dire, et d'avoir eu avec eux une parfaite et entiere communication.

// Je m'ouvre aux miens tant que je puis ; et leur signifie
très-volontiers l'estat de ma volonté et de mon jugement
envers eux, comme envers un chacun. Je me haste de me
produire et de me presenter : car je ne veux pas qu'on s'y
mesconte [33], à quelque part que ce soit.

/ Entre autres coustumes particulieres qu'avoyent nos
anciens Gaulois, à ce que dit Cæsar, cettecy en estoit : que
les enfans ne se presentoyent aus peres, ny s'osoient trouver
en public en leur compaignie, que lors qu'ils commençoyent
à porter les armes, comme s'ils vouloyent dire que lors il
estoit aussi saison que les peres les receussent en leur familiarité et accointance.

J'ai veu encore une autre sorte d'indiscretion en aucuns
peres de mon temps, qui ne se contentent pas d'avoir
privé pendant leur longue vie leurs enfans de la part qu'ils
devoyent avoir naturellement en leurs fortunes, mais
laissent encore après eux à leurs femmes cette mesme
authorité sur tous leurs biens, et loy d'en disposer à leur
fantasie. Et ay connu tel Seigneur, des premiers officiers
de nostre couronne, ayant par esperance de droit à venir
plus de cinquante mille escus de rente, qui est mort necessiteux et accablé de debtes, aagé de plus de cinquante ans,
sa mere en son extreme decrepitude jouyssant encore de
tous ses biens par l'ordonnance du pere, qui avoit de sa
part près de quatre vingt ans. Cela ne me semble aucunement raisonnable.

// Pourtant trouve je peu d'advancement à un homme de qui les affaires se portent bien, d'aller chercher une femme qui le charge d'un grand dot : il n'est point de debte estrangier qui aporte plus de ruyne aux maisons ; mes predecesseurs ont communément suyvy ce conseil bien à propos, et moy aussi. /// Mais ceux qui nous desconseillent les femmes riches, de peur qu'elles soyent moins traictables et recognoissantes, se trompent de faire perdre quelque reelle commodité pour une si frivole conjecture. A une femme desraisonnable il ne couste non plus de passer par dessus une raison que par dessus un'autre. Elles s'ayment le mieux où elles ont plus de tort. L'injustice les alleche ; comme les bonnes, l'honneur de leurs actions vertueuses ; et en sont debonnaires d'autant plus qu'elles sont plus riches, comme plus volontiers et glorieusement chastes de ce qu'elles sont belles.

/ C'est raison de laisser l'administration des affaires aux meres, pendant que les enfans ne sont pas en l'aage, selon les loix, pour en manier la charge ; mais le pere les a bien mal nourris, s'il ne peut esperer qu'en cet aage là ils auront plus de sagesse et de suffisance que sa femme, veu l'ordinaire foiblesse du sexe. Bien seroit-il toutesfois, à la vérité, plus contre nature de faire dépendre les meres de la discrétion de leurs enfans. On leur doit donner largement dequoy maintenir leur estat selon la condition de leur maison et de leur aage, d'autant que la necessité et l'indigence est beaucoup plus mal seante et mal-aisée à supporter à elles qu'aux masles ; il faut plustost en charger les enfans que la mere.

/// En general, la plus saine distribution de noz biens en mourant me semble estre les laisser distribuer à l'usage du païs. Les loix y ont mieux pensé que nous ; et vaut mieux les laisser faillir en leur eslection que de nous hazarder temerairement de faillir en la nostre. Ils ne sont pas proprement nostres, puis que, d'une prescription civile et sans nous, ils sont destinez à certains successeurs. Et encore que nous ayons quelque liberté au-delà, je tiens qu'il faut une grande cause et bien apparente pour nous faire oster à un ce que sa fortune luy avoit acquis et à quoi la justice commune l'appelloit ; et que c'est abuser contre raison de cette liberté, d'en servir noz fantasies frivoles et privées. Mon sort m'a fait grace de ne m'avoir présenté des occasions qui me peussent tenter, et divertir [34] mon affection de la commune et legitime ordonnance. J'en voy envers qui c'est temps perdu d'employer un long soin de bons offices ; un mot receu de mauvais biais efface le merite de dix ans. Heureux qui se trouve à point pour leur oindre la volonté sur ce dernier passage [35]! La voisine action l'emporte : non pas les meilleurs et les plus frequens offices, mais les plus recents et presens font l'operation. Ce sont gens qui se jouent de leurs testaments comme de pommes ou de verges, à gratifier ou chastier chaque action de ceux qui y pretendent interest. C'est chose de trop longue suite et de trop de poids pour estre ainsi promenée à chasque instant, et en laquelle les sages se plantent une fois pour toutes, regardans à la raison et observations [36] publiques.

Nous prenons un peu trop à cœur ces substitutions masculines. Et proposons une eternité ridicule à noz noms. Nous poisons aussi trop les vaines conjectures de l'advenir que nous donnent les esprits pueriles. A l'adventure eust on fait injustice de me desplacer de mon rang pour avoir esté le plus lourd et plombé, le plus long et desgouté en ma leçon, non seulement que tous mes freres, mais que tous les enfans de ma province, soit leçon d'exercice d'esprit, soit leçon d'exercice du corps. C'est folie de faire des triages extraordinaires sur la foy de ces divinations ausquelles nous sommes si souvent trompez. Si on peut blesser cette regle et corriger les destinées aux chois qu'elles ont faict de noz heritiers, on le peut avec plus d'apparence en considération de quelque remerquable et enorme difformité corporelle, vice constant, inamandable, et, selon nous grands estimateurs de la beauté, d'important prejudice.

Le plaisant dialogue du legislateur de Platon avec ses citoyens fera honneur à ce passage : « Comment donc, disent-ils, sentans leur fin prochaine, ne pourrons nous point disposer de ce qui est à nous à qui il nous plaira ? O dieux, quelle cruauté qu'il ne nous soit loisible, selon que les nostres nous auront servy en noz maladies, en nostre vieillesse, en nos affaires, de leur donner plus et moins selon noz fantasies! » A quoi le législateur respond en cette maniere : « Mes amis, qui avez sans doute bien tost à mourir, il est malaisé et que vous vous cognoissiez, et que vous cognoissiez ce qui est à vous, suivant l'inscription Delphique. Moy qui fay les loix, tiens que ny vous n'estes à vous, ny n'est à vous ce que vous jouyssez. Et voz biens et vous estes à vostre famille, tant passée que future. Mais encore plus sont au public et vostre famille, et voz biens. Parquoy, si quelque flatteur en vostre vieillesse ou en vostre maladie, ou quelque passion vous sollicite mal à propos de faire testament injuste, je vous en garderay. Mais, ayant respect et à l'interest universel de la cité et à celuy de

vostre famille, j'establiray des loix et feray sentir, comme
de raison, que la commodité particulière doit ceder à la
commune. Allez vous en doucement et de bonne voglie [37]
où l'humaine necessité vous appelle. C'est à moy, qui ne
regarde pas l'une chose plus que l'autre [38], qui, autant que
je puis, me soingne du general, d'avoir soin de ce que
vous laissez. »

/ Revenant à mon propos, il me semble, je ne sçay
comment, qu'en toutes façons la maistrise n'est aucunement deuë aux femmes sur des hommes, sauf la maternelle
et naturelle, si ce n'est pour le châtiment de ceux qui, par
quelque humeur fievreuse, se sont volontairement soubmis
à elles ; mais cela ne touche point les vieilles, dequoy nous
parlons icy. C'est l'apparence de cette consideration qui
nous a fait forger et donner pied si volontiers à cette loy,
que nul ne veit onques, qui prive les femmes de la succession de cette couronne ; et n'est guiere Seigneurie au monde
où elle ne s'allegue, comme icy, par une vray-semblance
de raison qui l'authorise ; mais la fortune luy a donné plus
de credit en certains lieux qu'aux autres. Il est dangereux
de laisser à leur jugement la dispensation de nostre succession, selon le chois qu'elles feront des enfans, qui est à
tous les coups inique et fantastique. Car cet appetit desreglé et goust malade qu'elles ont au temps de leurs
groisses [39], elles l'ont en l'ame en tout temps. Communement on les void s'adonner [40] aux plus foibles et malo-
trus [41], ou à ceux, si elles en ont, qui leur pendent encores au
col. Car, n'ayant point assez de force de discours pour choisir et embrasser ce qui le vaut, elles se laissent plus volontiers aller où les impressions de nature sont plus seules ;
comme les animaux, qui n'ont cognoissance de leurs
petits, que pendant qu'ils tiennent à leur mamelle.

Au demeurant, il est aisé à voir par experience que cette
affection naturelle, à qui nous donnons tant d'authorité,
a les racines bien foibles. Pour un fort legier profit, nous
arrachons tous les jours leurs propres enfans d'entre les
bras des meres, et leur faisons prendre les nostres en
charge ; nous leur faisons abandonner les leurs à quelque
chetive nourrisse à qui nous ne voulons pas commettre les
nostres, ou à quelque chevre : leur defandant non seulement de les alaiter, quelque dangier qu'ils en puissent
encourir, mais encore d'en avoir aucun soin, pour s'employer du tout au service des nostres. Et voit on, en la plus
part d'entre elles, s'engendrer bien tost par accoustu-
mance un'affection bastarde, plus vehemente que la naturelle, et plus grande sollicitude de la conservation des

enfans empruntez que des leurs propres. Et ce que j'ay parlé des chevres, c'est d'autant qu'il est ordinaire autour de chez moy de voir les femmes de vilage, lors qu'elles ne peuvent nourrir les enfans de leurs mamelles, appeller des chevres à leurs secours; et j'ay à cette heure deux laquays qui ne tetterent jamais que huict jours laict de femme. Ces chevres sont incontinant duites à venir alaitter ces petits enfans, reconoissent leur voix quand ils crient, et y accourent : si on leur presente un autre que leur nourrisson, elles le refusent; et l'enfant en faict de mesmes d'une autre chevre. J'en vis un, l'autre jour, à qui on osta la sienne, parce que son pere ne l'avoit qu'empruntée d'un sien voisin : il ne peut jamais s'adonner à l'autre qu'on luy presenta, et mourut sans doute de faim. Les bestes alterent et abastardissent aussi aiséement que nous l'affection naturelle.

/// Je croy qu'en ce que recite Herodote de certain destroit[42] de la Lybie, qu'on s'y mesle aux femmes indifferemment, mais que l'enfant, ayant force de marcher, treuve son pere celuy vers lequel, en la presse, la naturelle inclination porte ses premiers pas, il y a souvent du mesconte.

/ Or, à considerer cette simple occasion d'aymer nos enfans pour les avoir engendrez, pour laquelle nous les appellons autres nous mesmes, il semble qu'il y ait bien une autre production venant de nous, qui ne soit pas de moindre recommandation : car ce que nous engendrons par l'ame, les enfantemens de nostre esprit, de nostre courage et suffisance, sont produicts par une plus noble partie que la corporelle, et sont plus nostres; nous sommes pere et mere ensemble en cette generation; ceux cy nous coustent bien plus cher, et nous apportent plus d'honeur, s'ils ont quelque chose de bon. Car la valeur de nos autres enfans est beaucoup plus leur que nostre; la part que nous y avons est bien legiere; mais de ceux cy toute la beauté, toute la grace et pris est nostre. Par ainsin, ils nous representent et nous rapportent bien plus vivement que les autres.

/// Platon adjouste que ce sont icy des enfans immortels, qui immortalisent leurs peres, voire et les deïfient, comme à Lycurgus, à Solon, à Minos.

/ Or, les Histoires estant pleines d'exemples de cette amitié commune des peres envers les enfans, il ne m'a pas semblé hors de propos d'en tirer aussi quelcun de cette cy.

/// Heliodorus, ce bon Evesque de Tricea, ayma mieux perdre la dignité, le profit, la devotion d'une prelature si venerable, que de perdre sa fille [43], fille qui dure encore, bien gentille, mais à l'adventure pourtant un peu trop curieusement et mollement goderonnée [44] pour fille ecclesiastique et sacerdotale, et de trop amoureuse façon.

/ Il y eut un Labienus à Rome, personnage de grande valeur et authorité, et, entre autres qualitez, excellent en toute sorte de literature, qui estoit, ce croy-je, fils de ce grand Labienus, le premier des capitaines qui furent soubs Cæsar en la guerre des Gaules, et qui, depuis s'estant jetté au party du grand Pompeius, s'y maintint si valeureusement jusques à ce que Cæsar le deffit en Espaigne. Ce Labienus dequoy je parle eust plusieurs envieux de sa vertu, et, comme il est vray-semblable, les courtisans et favoris des Empereurs de son temps pour ennemis de sa franchise et des humeurs paternelles qu'il retenoit encore contre la tyrannie, desquelles il est croyable qu'il avoit teint ses escrits et ses livres. Ses adversaires poursuivirent devant le magistrat à Rome et obtindrent de faire condamner plusieurs siens ouvrages, qu'il avoit mis en lumiere, à estre bruslés. Ce fut par luy que commença ce nouvel exemple de peine, qui, depuis, fut continué à Rome à plusieurs autres, de punir de mort les escrits mesmes et les estudes. Il n'y avoit point assez de moyen et matiere de cruauté, si nous n'y meslions des choses que nature a exemptées de tout sentiment et de toute souffrance, comme la reputation et les inventions de nostre esprit, et si nous n'alions communiquer les maux corporels aux disciplines et monumens des Muses. Or Labienus ne peut souffrir cette perte, ny de survivre à cette sienne si chere geniture; il se fit porter et enfermer tout vif dans le monument [45] de ses ancestres, là où il pourveut tout d'un train [46] à se tuer et à s'enterrer ensemble. Il est malaisé de montrer aucune autre plus vehemente affection paternelle que celle-là. Cassius Severus, homme très-eloquent et son familier, voyant brusler ses livres, crioit que, par mesme sentence, on le devoit quant et quant condamner à estre bruslé tout vif; car il portoit et conservoit en sa memoire ce qu'ils contenoient.

// Pareil accident advint à Greuntius Cordus, accusé d'avoir en ses livres loué Brutus et Cassius. Ce senat vilain, servile et corrompu, et digne d'un pire maistre que Tibere, condamna ses escripts au feu; il fut content de faire compaignie à leur mort, et se tua par abstinence de manger.

/ Le bon Lucanus [47] étant jugé par ce coquin de Neron sur les derniers traits de sa vie, comme la pluspart du sang fut desjà escoulé par les veines des bras qu'il s'estoit faictes tailler à son medecin pour mourir, et que la froideur eut saisi les extremitez de ses membres et commençat à approcher des parties vitales, la derniere chose qu'il eut en sa memoire, ce furent aucuns des vers de son livre de la guerre de Pharsale, qu'il recitoit ; et mourut ayant cette derniere voix en la bouche. Cela, qu'estoit ce qu'un tendre et paternel congé qu'il prenoit de ses enfans, representant les a-dieux et les estroits embrassemens que nous donnons aux nostres en mourant, et un effet de cette naturelle inclination qui r'appelle en nostre souvenance, en cette extremité, les choses que nous avons eu les plus cheres pendant nostre vie ?

Pensons nous qu'Epicurus qui, en mourant, tourmenté, comme il dit, des extremes douleurs de la colique, avoit toute sa consolation en la beauté de sa doctrine qu'il laissoit au monde, eut receu autant de contentement d'un nombre d'enfans bien nais et bien eslevez, s'il en eust eu, comme il faisoit de la production de ses riches escrits ? et que, s'il eust esté au chois de laisser après luy un enfant contrefaict et mal nay, ou un livre sot et inepte, il ne choisit plustost, et non luy seulement, mais tout homme de pareille suffisance, d'encourir le premier mal'heur que l'autre ? Ce seroit à l'adventure impieté en Sainct Augustin (pour exemple) si d'un costé on luy proposoit d'enterrer ses escrits, de quoy nostre religion reçoit un si grand fruit, ou d'enterrer ses enfans, au cas qu'il en eut, s'il n'aimoit mieux enterrer ses enfans.

// Et je ne sçay si je n'aimerois pas mieux beaucoup en avoir produict ung, parfaictement bien formé, de l'acointance des muses, que de l'acointance de ma femme.

/// A cettuy cy [48], tel qu'il est, ce que je donne, je le donne purement et irrevocablement, comme on donne aux enfans corporels ; ce peu de bien que je luy ay faict, il n'est plus en ma disposition ; il peut sçavoir assez de choses que je ne sçay plus, et tenir de moy ce que je n'ay point retenu et qu'il faudroit que, tout ainsi qu'un estranger, j'empruntasse de luy, si besoin m'en venoit. Il est plus riche que moy, si je suis plus sage que luy.

/ Il est peu d'hommes adonez à la poësie, qui ne se gratifiassent plus d'estre peres de l'*Éneide* que du plus beau garçon de Rome, et qui ne souffrissent plus aiséement l'une perte que l'autre. /// Car, selon Aristote, de tous les ouvriers, le poëte nomméement est le plus amoureux de son ouvrage. / Il est malaisé à croire qu'Epaminondas qui se vantoit de laisser pour toute posterité des filles qui

feroyent un jour honneur à leur pere (c'estoyent les deux
nobles victoires qu'il avoit gaigné sur les Lacedemoniens),
eust volontiers consenty à échanger celles là aux plus
gorgiases [49] de toute la Grece, ou que Alexandre et Cæsar
ayent jamais souhaité d'estre privez de la grandeur de leurs
glorieux faicts de guerre, pour la commodité d'avoir des
enfans et heritiers, quelques parfaits et accompliz qu'ils
peussent estre; voire je fay grand doubte que Phidias, ou
autre excellent statuere, aymat autant la conservation et
la durée de ses enfans naturels, comme il feroit d'une
image excellente qu'avec long travail et estude il auroit
parfaite selon l'art. Et, quant à ces passions vitieuses et
furieuses qui ont eschauffé quelque fois les peres à l'amour
de leurs filles, ou les meres envers leurs fils, encore s'en
trouve il de pareilles en cette autre sorte de parenté;
tesmoing ce que l'on récite de Pygmalion, qui, ayant
basty une statue de femme de beauté singuliere, il devint
si éperduement espris de l'amour forcené de ce sien
ouvrage, qu'il falut qu'en faveur de sa rage les dieux la luy
vivifiassent,

> *Tentatum mollescit ebur, positóque rigore*
> *Subsedit digitis* [50].

CHAPITRE IX

DES ARMES DES PARTHES

/ C'est une façon vitieuse de la noblesse de nostre temps, et pleine de mollesse, de ne prendre les armes que sur le point d'une extreme necessité, et s'en descharger aussi tost qu'il y a tant soit peu d'apparence que le danger soit esloigné. D'où il survient plusieurs desordres. Car, chacun criant et courant à ses armes sur le point de la charge, les uns sont à lasser encore leur cuirasse, que leurs compaignons sont desjà rompus [1]. Nos peres donnoient leur salade [2], leur lance et leurs gantelets à porter, et n'abandonnoient le reste de leur equippage, tant que la courvée duroit. Nos trouppes sont à cette heure toutes troublées et difformées par la confusion du bagage et des valets, qui ne peuvent esloigner leurs maistres, à cause de leurs armes.

Tite-Live, parlant des nostres : /// « *Intolerantissima laboris corpora vix arma humeris gerebant* [3]. »

/ Plusieurs nations vont encore et alloient anciennement à la guerre sans se couvrir; ou se couvroient d'inutiles defances,

// *Tegmina queis capitum raptus de subere cortex* [4].

Alexandre, le plus hazardeux capitaine qui fut jamais, s'armoit fort rarement. / Et ceux d'entre nous qui les mesprisent, n'empirent pour cela de guiere leur marché. S'il se voit quelqu'un tué par le defaut d'un harnois, il n'en est guiere moindre nombre que l'empeschement des armes a fait perdre, engagés sous leur pesanteur, ou froissez et rompus, ou par un contrecoup, ou autrement. Car il semble, à la verité, à voir le poix des nostres et leurs espesseur, que nous ne cherchons qu'à nous deffendre; /// et en sommes plus chargez que couvers. / Nous avons assez à faire à en soutenir le fais [5], entravez et contraints, comme si nous n'avions à combattre que du choq de nos armes, et comme si nous n'avions pareille obligation à les deffendre que elles ont à nous.

// Tacitus peint plaisamment des gens de guerre de nos anciens Gaulois, ainsin armez pour se maintenir seulement, n'ayans moyen ny d'offencer, ny d'estre offencez, ny de se relever abbatus. Lucullus, voyant certains hommes d'armes Medois qui faisoient front en l'armée de Tigranes, poisamment et malaiséement armez, comme dans une prison de fer, print de là opinion de les deffaire aiséement, et par eux commença sa charge et sa victoire.

/ Et, à présent que nos mosquetaires sont en credit, je croy que l'on trouvera quelque invention de nous emmurer pour nous en garantir, et nous faire trainer à la guerre enfermez dans des bastions, comme ceux que les antiens faisoient porter à leurs elephans.

Cette humeur est bien esloignée de celle du jeune Scipion, lequel accusa aigrement ses soldats de ce qu'ils avoient semé des chausse-trapes soubs l'eau, à l'endroit du fossé par où ceux d'une ville qu'il assiegeoit, pouvoient faire des sorties sur luy; disant que ceux qui assailloient, devoient penser à entreprendre, non pas à craindre, /// et craignant avec raison que cette provision [6] endormist leur vigilance à se garder.

// Il dict aussi à un jeune homme qui luy faisoit montre de son beau bouclier : « Il est vrayement beau, mon fils, mais un soldat Romain doit avoir plus de fiance en sa main dextre qu'en la gauche. »

/ Or il n'est que la coustume qui nous rende insupportable la charge de nos armes :

> *L'husbergo in dosso haveano, e l'elmo in testa,*
> *Dui di quelli guerrier, de i quali io canto,*
> *Ne notte o di, doppo ch'entraro in questa*
> *Stanza, gli haveanó mai mesi da canto,*
> *Che facile a portar comme la vesta*
> *Era lor, perche in uso l'avean tanto* [7].

/// L'empereur Caracalla alloit par païs, à pied, armé de toutes pieces, conduisant son armée.

/ Les pietons Romain portoient non seulement le morrion, l'espée et l'escu (car, quant aux armes, dit Cicero, ils estoient si accoustumez à les avoir sur le dos qu'elles ne les empeschoient non plus que leurs membres : /// « *arma enim membra militis esse dicunt* [8] »), / mais quant et quant encore ce qu'il leur falloit de vivres pour quinze jours,

et certaine quantité de paux [9] pour faire leurs rempars,
// jusques à soixante livres de poix. Et les soldats de Marius,
ainsi chargez, estoient duits à faire cinq lieues en cinq
heures, et six, s'il y avoit haste. / Leur disçipline militaire
estoit beaucoup plus rude que la nostre; aussi produisoit
elle de bien autres effects. Ce traict est merveilleux à ce
propos, qu'il fut reproché à un soldat Lacedemonien qu'estant à l'expedition d'une guerre, on l'avoit veu soubs le
couvert d'une maison. Ils estoient si durcis à la peine,
que c'estoit honte d'estre veu soubs un autre toict que
celuy du ciel, quelque temps qu'il fit. /// Le jeune Scipion,
reformant son armée en Hespaigne, ordonna à ses soldats
de ne manger que debout et rien de cuit. / Nous ne mene-
rions guiere loing nos gens à ce pris là.

Au demeurant, Marcellinus, homme nourry aux guerres
Romaines, remerque curieusement la façon que les
Parthes avoyent de s'armer, et la remerque d'autant
qu'elle estoit esloignée de la Romaine. « Ils avoient,
dit-il, des armes tissuës en maniere de petites plumes,
qui n'empeschoient pas le mouvement de leur corps :
et si estoient si fortes que nos dards rejalissoient, venant à
les hurter » (ce sont les escailles dequoy nos ancestres
avoient fort accoustumé de se servir). Et en un autre lieu :
« Ils avoient, dict-il, leurs chevaux forts et roydes, couverts
de gros cuir; et eux estoient armez, de cap à pied,
de grosses lames de fer, rengées de tel artifice qu'à l'endroit
des jointures des membres elles prestoient au mouvement.
On eust dict que c'estoient des hommes de fer; car ils
avoient des accoustremens de teste si proprement assis, et
representans au naturel la forme et parties du visage, qu'il
n'y avoit moyen de les assener [10] que par des petits trous
ronds qui respondoient à leurs yeux, leur donnant un peu
de lumiere, et par des fentes qui estoient à l'endroict des
naseaux, par où ils prenoient assez malaisément halaine. »

> // *Flexilis inductis animatur lamina membris,*
> *Horribilis visu ; credas simulacra moveri*
> *Ferrea, cognatoque viros spirare metallo.*
> *Par vestitus equis : ferrata fronte minantur,*
> *Ferratosque movent, securi vulneris, armos* [11].

/ Voilà une description qui retire bien fort à l'équip-
page d'un homme d'armes François, à tout ses bardes.

Plutarque dit que Demetrius fit faire pour luy et pour
Alcinus, le premier homme de guerre qui fut au près de luy,
à chacun un harnois complet du poids de six vingts livres,
là où les communs harnois n'en pesoient que soixante.

CHAPITRE X

DES LIVRES

/ Je ne fay point de doute qu'il ne m'advienne souvent de parler de choses qui sont mieus traictées ches les maistres du mestier, et plus veritablement. C'est icy purement l'essay de mes facultez naturelles, et nullement des acquises; et qui me surprendra d'ignorance, il ne fera rien contre moy, car à peine respondroy-je à autruy de mes discours, qui ne m'en responds point à moy; ny n'en suis satisfaict. Qui sera en cherche de science, si la pesche où elle se loge : il n'est rien dequoy je face moins de profession. Ce sont icy mes fantasies, par lesquelles je ne tasche point à donner à connoistre les choses, mais moy : elles me seront à l'adventure connuez un jour, ou l'ont autresfois esté, selon que la fortune m'a peu porter sur les lieux où elles estoient esclaircies. Mais /// il ne m'en souvient plus.

Et si je suis homme de quelque leçon [1], je suis homme de nulle retention [2].

/ Ainsi je ne pleuvy [3] aucune certitude, si ce n'est de faire connoistre jusques à quel poinct monte, pour cette heure, la connoissance que j'en ay. Qu'on ne s'attende pas aux matieres, mais à la façon que j'y donne.

/// Qu'on voye, en ce que j'emprunte, si j'ay sçeu choisir de quoy rehausser mon propos. Car je fay dire aux autres ce que je ne puis si bien dire, tantost par foiblesse de mon langage, tantost par foiblesse de mon sens. Je ne compte pas mes emprunts, je les poise. Et si je les eusse voulu faire valoir par nombre, je m'en fusse chargé deux fois autant. Ils sont tous, ou fort peu s'en faut, de noms si fameux et anciens qu'ils me semblent se nommer assez sans moi. Ès raisons et inventions que je transplante en mon solage [4] et confons aux miennes, j'ay à escient ommis parfois d'en marquer l'autheur, pour tenir en bride la temerité de ces sentences hastives qui se jettent sur toute

sorte d'escrits, notamment jeunes escrits d'hommes encore
vivants, et en vulgaire, qui reçoit tout le monde à en
parler et qui semble convaincre la conception et le dessein,
vulgaire de mesmes. Je veux qu'ils donnent une nazarde
à Plutarque sur mon nez, et qu'ils s'eschaudent à injurier
Seneque en moy. Il faut musser [5] ma foiblesse souz ces
grands credits.

J'aimeray quelcun qui me sçache deplumer [6], je dy par
clairté de jugement et par la seule distinction de la force
et beauté des propos. Car moy, qui, à faute de memoire,
demeure court tous les coups à les trier, par cognoissance
de nation, sçay très bien sentir, à mesurer ma portée,
que mon terroir n'est aucunement capable d'aucunes fleurs
trop riches que j'y trouve semées, et que tous les fruicts
de mon creu ne les sçauroient payer.

/ De cecy suis-je tenu de respondre, si je m'empesche
moy-mesme, s'il y a de la vanité et vice en mes discours,
que je ne sente poinct ou que je ne soye capable de sentir
en me le representant. Car il eschape souvent des fautes à
nos yeux, mais la maladie du jugement consiste à ne les
pouvoir apercevoir lorsqu'un autre nous les descouvre.
La science et la verité peuvent loger chez nous sans jugement, et le jugement y peut aussi estre sans elles; voire,
la reconnoissance de l'ignorance est l'un des plus beaux
et plus seurs tesmoignages de jugement que je trouve.
Je n'ay point d'autre sergent de bande [7] à ranger mes
pieces, que la fortune. A mesme que [8] mes resveries se
presentent, je les entasse; tantost elles se pressent en foule,
tantost elles se trainent à la file. Je veux qu'on voye mon
pas naturel et ordinaire, ainsin detraqué qu'il est. Je me
laisse aller comme je me trouve; aussi ne sont ce pas icy
matieres qu'il ne soit pas permis d'ignorer, et d'en parler
casuellement et temerairement.

Je souhaiterois bien avoir plus parfaicte intelligence des
choses, mais je ne la veux pas achepter si cher qu'elle
couste. Mon dessein est de passer doucement, et non
laborieusement, ce qui me reste de vie. Il n'est rien pourquoy je me vueille rompre la teste, non pas pour la science,
de quelque grand pris qu'elle soit. Je ne cherche aux livres
qu'à m'y donner du plaisir par un honneste amusement;
ou si j'estudie, je n'y cherche que la science qui traicte de
la connoissance de moy mesmes, et qui m'instruise à bien
mourir et à bien vivre :

/// *Has meus ad metas sudet oportet equus* [9].

/ Les difficultez, si j'en rencontre en lisant, je n'en ronge pas mes ongles; je les laisse là, après leur avoir fait une charge ou deux.

// Si je m'y plantois, je m'y perdrois, et le temps : car j'ay un esprit primsautier. Ce que je ne voy de la premiere charge, je le voy moins en m'y obstinant. Je ne fay rien sans gayeté; et la continuation /// et la contention trop ferme // esbloüit mon jugement, l'attriste et le lasse. /// Ma veuë s'y confond et s'y dissipe. // Il faut que je le retire et que je l'y remette à secousses : tout ainsi que, pour juger du lustre de l'escarlatte [10], on nous ordonne de passer les yeux pardessus, en la parcourant à diverses veuës, soudaines reprinses et reiterées.

/ Si ce livre me fasche, j'en prens un autre; et ne m'y addonne qu'aux heures où l'ennuy de rien faire commence à me saisir. Je ne me prens guiere aux nouveaux, pour ce que les anciens me semblent plus pleins et plus roides; ny aux Grecs, par ce que mon jugement ne sçait pas faire ses besouignes d'une puerile et apprantisse intelligence.

Entre les livres simplement plaisans, je trouve, des modernes, le *Decameron* de Boccace, Rabelays, et les *Baisers* de Jean Second, s'il les faut loger sous ce tiltre, dignes qu'on s'y amuse. Quant aux *Amadis* et telles sortes d'escrits, ils n'ont pas eu le credit d'arrester seulement mon enfance. Je diray encore cecy, ou hardiment ou temerairement, que cette vieille ame poisante ne se laisse plus chatouiller non seulement à l'Arioste, mais encores au bon Ovide, sa facilité et ses inventions, qui m'ont ravy autresfois, à peine m'entretiennent [11] elles à cette heure.

Je dy librement mon advis de toutes choses, voire et de celles qui surpassent à l'adventure ma suffisance, et que je ne tiens aucunement estre de ma jurisdiction. Ce que j'en opine, c'est aussi pour declarer la mesure de ma veuë, non la mesure des choses. Quand je me trouve dégousté de l'*Axioche* de Platon, comme d'un ouvrage sans force, eu esgard à un tel autheur, mon jugement ne s'en croit pas : il n'est pas si sot de s'opposer à l'authorité de tant d'autres fameux jugemens /// anciens, qu'il tient ses regens et ses maistres, et avec lesquels il est plustost content de faillir. / Il s'en prend à soy, et se condamne, ou de s'arrester à l'escorce, ne pouvant penetrer jusques au fons, ou de regarder la chose par quelque faux lustre. Il se contente de se garentir seulement du trouble et du desreiglement; quant à sa foiblesse, il la reconnoit et advoüe volontiers. Il pense donner juste interpretation aux apparences que sa conception luy presente; mais elles sont imbecilles et imparfaictes. La plus part des fables d'Esope ont plusieurs sens et intelligences. Ceux qui les mythologisent [12] en choisissent quelque visage qui quadre bien à la fable; mais, pour la pluspart, ce n'est que le premier visage et superficiel; il y en a d'autres plus vifs, plus essentiels et internes, ausquels ils n'ont sçeu penetrer : voylà comme j'en fay.

Mais, pour suyvre ma route, il m'a toujours semblé qu'en la poësie Vergile, Lucrece, Catulle et Horace tiennent de bien loing le premier rang : et signammant Vergile en ses *Georgiques*, que j'estime le plus accomply ouvrage de la Poësie; à la comparaison duquel on peut reconnoistre ayséement qu'il y a des endroicts de l'*Æneide* ausquels l'autheur eut donné encore quelque tour de pigne [13], s'il en eut eu loisir. // Et le cinquiesme livre en l'*Æneide* me semble le plus parfaict. / J'ayme aussi Lucain, et le practique volontiers; non tant pour son stile que pour sa valeur propre et verité de ses opinions et jugemens. Quant au bon Terence, la mignardise et les graces du langage Latin, je le trouve admirable à representer au vif les mouvemens de l'ame et la condition de nos meurs; /// à toute heure nos actions me rejettent à luy. / Je ne le puis lire si souvent, que je n'y trouve quelque beauté et grace nouvelle. Ceux des temps voisins à Vergile se plaignoient dequoy aucuns luy comparoient Lucrece. Je suis d'opinion que c'est, à la verité, une comparaison inegale; mais j'ay bien à faire à me r'asseurer [14] en cette creance, quand je me treuve attaché à quelque beau lieu de ceux de Lucrece. S'ils se piquoient de cette comparaison, que diroient ils de la bestise et stupidité barbaresque de ceux qui luy comparent à cette heure Arioste ? et qu'en diroit Arioste luy-mesme ?

> *O seclum insipiens et infacetum* [15] *!*

J'estime que les anciens avoient encore plus à se plaindre de ceux qui apparioient Plaute à Terence (cettuy cy sent bien mieux son Gentil-homme), que Lucrece à Vergile. Pour l'estimation et preference de Terence, /// faict beaucoup que le pere de l'eloquence Romaine l'a si souvent en la bouche, et seul de son rang, et la sentence que le premier juge [16] des poëtes Romains donne de son compagnon. / Il m'est souvent tombé en fantasie comme, en nostre temps, ceux qui se meslent de faire des comedies (ainsi que les Italiens, qui y sont assez heureux) employent

trois ou quatre argumens [17] de celles de Terence ou de
Plaute pour en faire une des leurs. Ils entassent en une
seule Comedie cinq ou six contes de Boccace. Ce qui les
faict ainsi se charger de matiere, c'est la deffiance qu'ils
ont de se pouvoir soustenir de leurs propres graces; il
faut qu'ils trouvent un corps où s'appuyer; et, n'ayant
pas du leur assez dequoy nous arrester, ils veulent que le
conte nous amuse. Il en va de mon autheur tout au
contraire : les perfections et beautez de sa façon de dire
nous font perdre l'appetit de son subject; sa gentillesse
et sa mignardise nous retiennent par tout; il est par tout
si plaisant,

> *liquidus puroque simillimus amni* [18],

et nous remplit tant l'ame de ses graces que nous en
oublions celles de sa fable.

Cette mesme consideration me tire plus avant : je voy
que les bons et anciens Poëtes ont evité l'affectation et
la recherche, non seulement des fantastiques elevations [19]
Espagnoles et Petrarchistes, mais des pointes mesmes plus
douces et plus retenues, qui font l'ornement de tous les
ouvrages Poëtiques des siècles suyvans. Si n'y a il bon
juge qui les trouve à dire en ces anciens, et qui n'admire
plus sans comparaison l'egale polissure et cette perpetuelle
douceur et beauté fleurissante des Epigrammes de Catulle,
que tous les esguillons dequoy Martial esguise la queuë
des siens. C'est cette mesme raison que je disoy tantost,
comme Martial de soy, « *minus illi ingenio laborandum fuit,
in cujus locum materia successerat* [20] ». Ces premiers là, sans
s'esmouvoir et sans se picquer, se font assez sentir; ils
ont dequoy rire par tout, il ne faut pas qu'ils se chatouillent;
ceux-cy ont besoing de secours estrangier; à mesure
qu'ils ont moins d'esprit, il leur faut plus de corps. // Ils
montent à cheval parce qu'ils ne sont assez forts sur leurs
jambes. / Tout ainsi qu'en nos bals, ces hommes de vile
condition, qui en tiennent escole, pour ne pouvoir representer le port et la decence de nostre noblesse, cherchent
à se recommander par des sauts perilleux et autres mouvemens estranges et bateleresques [21]. // Et les Dames ont
meilleur marché de leur contenance aux danses où il y a
diverses descoupeures [22] et agitation de corps, qu'en
certains autres danses de parade, où elles n'ont simplement
qu'à marcher un pas naturel et representer un port naïf et
leur grace ordinaire. / Comme j'ay veu aussi les badins [23]
excellens, vestus à leur ordinaire et d'une contenance

commune, nous donner tout le plaisir qui se peut tirer
de leur art; les apprentifs et qui ne sont de si haute leçon,
avoir besoin de s'enfariner le visage, de se travestir et se
contrefaire en mouvemens et grimaces sauvages pour nous
aprester à rire. Cette mienne conception se reconnoit
mieux qu'en tout autre lieu, en la comparaison de l'*Æneide*
et du *Furieux*. Celuy-là, on le voit aller à tire d'aisle, d'un
vol haut et ferme, suyvant tousjours sa pointe; cettuy-cy
voleter et sauteler de conte en conte comme de branche
en branche, ne se fiant à ses aisles que pour une bien
courte traverse, et prendre pied à chaque bout de champ,
de peur que l'haleine et la force luy faille,

Excursusque breves tentat [24].

Voylà donc, quant à cette sorte de subjects, les autheurs
qui me plaisent le plus.

Quant à mon autre leçon, qui mesle un peu plus de fruit
au plaisir, par où j'apprens à renger mes humeurs et mes
conditions, les livres qui m'y servent, c'est Plutarque,
depuis qu'il est François [25], et Seneque. Ils ont tous
deux cette notable commodité pour mon humeur, que la
science que j'y cherche y est traictée à pieces décousues,
qui ne demandent pas l'obligation d'un long travail,
dequoy je suis incapable, comme sont les *Opuscules* de
Plutarque et les *Epistres* de Seneque, qui est la plus belle
partie de ses escrits, et la plus profitable. Il ne faut pas
grande entreprinse pour m'y mettre; et les quitte où il me
plait. Car elles n'ont· point de suite des unes aux autres.
Ces auteurs se rencontrent en la plus part des opinions
utiles et vrayes; comme aussi leur fortune les fist naistre
environ mesme siecle, tous deux precepteurs de deux
Empereurs Romains, tous deux venus de païs estrangier,
tous deux riches et puissans. Leur instruction est de la
cresme de la philosophie, et presentée d'une simple façon
et pertinente. Plutarque est plus uniforme et constant;
Seneque, plus ondoyant et divers. Cettuy-cy se peine, se
roidit et se tend pour armer la vertu contre la foiblesse,
la crainte et les vitieux appetis; l'autre semble n'estimer
pas tant leur effort, et desdaigner d'en haster son pas et
se mettre sur sa targue [26]. Plutarque a les opinions Plato-
niques, douces et accommodables à la société civile; l'autre
les a Stoïques et Epicurienes, plus esloignées de l'usage
commun, mais, selon moy, plus commodes /// en particulier / et plus fermes. Il paroit en Seneque qu'il preste un
peu [27] à la tyrannie des Empereurs de son temps, car je

tiens pour certain que c'est d'un jugement forcé qu'il
condamne la·cause de ces genereux meurtriers de Cæsar;
Plutarque est libre par tout. Seneque est plein de pointes
et saillies; Plutarque, de choses. Celuy-là vous eschauffe
plus et vous esmeut; cettuy-cy vous contente davantage
et vous paye mieux. // Il nous guide, l'autre nous pousse.
/ Quant à Cicero, les ouvrages qui me peuvent servir
chez luy à mon desseing, ce sont ceux qui traitent de la
philosophie signamment morale. Mais, à confesser hardiment la verité (car, puis qu'on a franchi les barrieres de
l'impudence, il n'y a plus de bride), sa façon d'escrire
me semble ennuyeuse, et toute autre pareille façon. Car
ses prefaces, definitions, partitions [28], etymologies, consu-
ment la plus part de son ouvrage; ce qu'il y a de vif et
de mouelle, est estouffé par ses longueries d'apprets. Si
j'ay employé une heure à le lire, qui est beaucoup pour
moy, et que je r'amentoive [29] ce que j'en ay tiré de suc et
de substance, la plus part du temps je n'y treuve que du
vent : car il n'est pas encor venu aux argumens qui servent
à son propos, et aux raisons qui touchent proprement le
neud que je cherche. Pour moy, qui ne demande qu'à
devenir plus sage, non plus sçavant /// ou eloquent, / ces
ordonnances logiciennes et Aristoteliques ne sont pas à
propos : je veux qu'on commence par le dernier point;
j'entens assez que c'est que mort et volupté; qu'on ne
s'amuse pas à les anatomizer : je cherche des raisons bonnes
et fermes d'arrivée, qui m'instruisent à en soustenir l'effort.
Ny les subtilitez grammairiennes, ny l'ingenieuse contexture de parolles et d'argumentations n'y servent; je veux
des discours qui donnent la premiere charge dans le plus
fort du doubte : les siens languissent autour du pot. Ils
sont bons pour l'escole, pour le barreau et pour le sermon,
où nous avons loisir de sommeiller, et sommes encores,
un quart d'heure après, assez à temps pour rencontrer le
fil du propos. Il est besoin de parler ainsin aux juges
qu'on veut gaigner à tort ou à droit, aux enfans et au
vulgaire /// à qui il faut tout dire, voir ce qui portera. / Je
ne veux pas qu'on s'employe à me rendre attantif et qu'on
me crie cinquante fois : « Or oyez! » à la mode de nos
Heraux. Les Romains disoyent en leur Religion : « Hoc
age [30] », /// que nous disons en la nostre : « Sursum
corda [31] »; / ce sont autant de parolles perdues pour moy.
J'y viens tout preparé du logis : il ne me faut point d'ale-
chement ny de sause : je menge bien la viande toute crue; et,
au lieu de m'eguiser l'apetit par ces preparatoires et avant-
jeux, on me le lasse et affadit.

/// La licence du temps m'excusera elle de cette sacrilege audace, d'estimer aussi trainans les dialogismes [32] de
Platon mesmes et estouffans par trop sa matiere, et de
pleindre le temps que met à ces longues interlocutions,
vaines et preparatoires, un homme qui avoit tant de meilleures choses à dire ? Mon ignorance m'excusera mieux,
sur ce que je ne voy rien en la beauté de son langage.

Je demande en general les livres qui usent des sciences,
non ceux qui les dressent.

/ Les deux premiers [33], et Pline [34], et leurs semblables,
ils n'ont point de « Hoc age »; ils veulent avoir à faire
à gens qui s'en soyent advertis eux mesmes; ou, s'ils en
ont, c'est un « Hoc age » substantiel, et qui a son corps à
part.

Je voy aussi volontiers les *Epitres* « *ad Atticum* », non
seulement par ce qu'elles contiennent une très-ample
instruction de l'Histoire et affaires de son temps, mais
beaucoup plus pour y descouvrir ses humeurs privées.
Car j'ay une singuliere curiosité, comme j'ay dit ailleurs,
de connoistre l'ame et les naïfs jugemens de mes autheurs.
Il faut bien juger leur suffisance, mais non pas leurs meurs
ny eux, par cette montre de leurs escris qu'ils étalent au
theatre du monde. J'ay mille fois regretté que nous ayons
perdu le livre que Brutus avoit escrit de la vertu : car il
faict beau apprendre la theorique de ceux qui sçavent
bien la practique. Mais, d'autant que c'est autre chose le
presche que le prescheur, j'ayme bien autant voir Brutus
chez Plutarque que chez luy mesme. Je choisiroy plutost
de sçavoir au vray les devis [35] qu'il tenoit en sa tente à
quelqu'un de ses privez amis, la veille d'une bataille, que
les propos qu'il tint le lendemain à son armée; et ce qu'il
faisoit en son cabinet et en sa chambre, que ce qu'il faisoit
emmy [36] la place et au Senat.

Quant à Cicero, je suis du jugement commun que,
hors la science, il n'y avoit pas beaucoup d'excellence en
son ame : il estoit bon cytoyen, d'une nature debonnaire,
comme sont volontiers les hommes gras et gosseurs [37] tels
qu'il estoit; mais de mollesse et de vanité ambitieuse, il
en avoit, sans mentir, beaucoup. Et si ne sçay comment
l'excuser d'avoir estimé la poësie digne d'estre mise en
lumiere; ce n'est pas grande imperfection que de mal
faire des vers; mais c'est à luy faute de jugement de n'avoir
pas senty combien ils estoyent indignes de la gloire de
son nom. Quant à son eloquence, elles est du tout hors de
comparaison; je croy que jamais homme ne l'egalera.
Le jeune Cicero, qui n'a ressemblé son pere que de nom,

commandant en Asie, il se trouva un jour en sa table
plusieurs estrangers, et entre autres Cæstius, assis au bas
bout, comme on se fourre souvent aux tables ouvertes
des grands. Cicero s'informa qui il estoit, à l'un de ses
gens qui luy dit son nom. Mais, comme celuy qui songeoit
ailleurs et qui oublioit ce qu'on luy respondoit, il le luy
redemanda encore, dépuis, deux ou trois fois; le serviteur,
pour n'estre plus en peine de luy redire si souvent mesme
chose, et pour le luy faire connoistre par quelque circonstance : « C'est, dict-il, ce Cæstius de qui on vous a
dit qu'il ne faict pas grand estat de l'eloquence de vostre
pere au pris de la sienne. » Cicero, s'estant soudain picqué
de cela, commenda qu'on empoignast ce pauvre Cæstius,
et le fit très-bien foëter en sa presence : voylà un mal
courtois hoste. Entre ceux mesmes qui ont estimé, toutes
choses contées, cette sienne eloquence incomparable, il
y en a eu qui n'ont pas laissé d'y remarquer des fautes :
comme ce grand Brutus, son amy, disoit que c'estoit une
eloquence cassée et esrenée [38], « *fractam et elumben* » [39].
Les orateurs voisins de son siecle reprenoyent aussi en
luy ce curieux soing de certaine longue cadance au bout
de ses clauses, et notoient ces mots : « *esse videatur* »,
qu'il y employe si souvent. Pour moy, j'ayme mieux
une cadance qui tombe plus court, coupée en yambes.
Si mesle il par fois bien rudement ses nombres, mais rarement. J'en ay remerqué ce lieu à mes aureilles : « *Ego
vero me minus diu senem esse mallem, quam esse senem, ante-
quam essem* [40]. »
  Les Historiens sont ma droitte bale : ils sont plaisans
et aysez; et quant et quant /// l'homme en general, de qui
je cherche la cognoissance, y paroist plus vif et plus entier
qu'en nul autre lieu, la diversité et verité de ses conditions
internes en gros et en destail, la varieté des moyens de son
assemblage et des accidents qui le menacent. / Or ceux qui
escrivent les vies, d'autant qu'ils s'amusent plus aux
conseils qu'aux evenemens, plus à ce qui part du dedans
qu'à ce qui arrive au dehors, ceux là me sont plus propres.
Voilà pourquoy, en toutes sortes, c'est mon homme que
Plutarque. Je suis bien marry que nous n'ayons une
douzaine de Laertius, [41] ou qu'il ne soit ou plus estendu
/// ou plus entendu. / Car je ne considere pas moins
curieusement la fortune et la vie de ces grands præcep-
teurs du monde, que la diversité de leurs dogmes [42] et
fantasies.
  En ce genre d'estude des Histoires, il faut feuilleter sans
distinction toutes sortes d'autheurs, et vieils et nouveaux,

et barragouins et François, pour y apprendre les choses
dequoy diversement ils traictent. Mais Cæsar singulierement me semble meriter qu'on l'estudie, non pour la
science de l'Histoire seulement, mais pour luy mesme,
tant il a de perfection et d'excellence par dessus tous les
autres, quoy que Saluste soit du nombre. Certes, je lis cet
autheur avec un peu plus de reverence et de respect qu'on
ne list les humains ouvrages : tantost le considerant luy
mesme par ses actions et le miracle de sa grandeur, tantost
la pureté et inimitable polissure de son langage qui a
surpassé non seulement tous les Historiens, comme dit
Cicero, mais /// à l'adventure / Cicero mesme. Avec tant de
syncerité en ses jugemens, parlant de ses ennemis, que,
sauf les fauces couleurs dequoy il veut couvrir sa mauvaise
cause et l'ordure de sa pestilente ambition, je pense qu'en
cela seul on y puisse trouver à redire qu'il a esté trop
espargnant à parler de soy. Car tant de grandes choses
ne peuvent avoir esté executées par luy, qu'il n'y soit alé
beaucoup plus du sien qu'il n'y en met.

J'ayme les Historiens ou fort simples ou excellens.
Les simples, qui n'ont point dequoy y mesler quelque
chose du leur, et qui n'y apportent que le soin et la diligence de r'amasser tout ce qui vient à leur notice[43], et
d'enregistrer à la bonne foy toutes choses sans chois et
sans triage, nous laissent le jugement entier pour la cognoissance de la verité. Tel est entre autres, pour exemple, le
bon Froissard, qui a marché en son entreprise d'une si
franche naïfveté, qu'ayant faict une faute il ne creint
aucunement de la reconnoistre et corriger en l'endroit où
il en a esté adverty; et qui nous represente la diversité
mesme des bruits qui couroyent et les differens rapports
qu'on luy faisoit. C'est la matiere de l'Histoire, nue et
informe; chacun en peut faire son profit autant qu'il a
d'entendement. Les biens excellens ont la suffisance de
choisir ce qui est digne d'estre sçeu, peuvent trier de deux
raports celuy qui est plus vraysemblable; de la condition
des Princes et de leurs humeurs, ils en concluent les
conseils et leur attribuent les paroles convenables. Ils ont
raison de prendre l'authorité de regler nostre creance à
la leur; mais certes cela n'appartient à guieres de gens.
Ceux d'entre-deux (qui est la plus commune façon), ceux
là nous gastent tout; ils veulent nous mascher les morceaux;
ils se donnent loy de juger, et par consequent d'incliner
l'Histoire à leur fantasie; car, dépuis que le jugement
pend d'un costé, on ne se peut garder de contourner et
tordre la narration à ce biais. Ils entreprennent de choisir

les choses dignes d'estre sçeuës, et nous cachent souvent
telle parole, telle action privée, qui nous instruiroit mieux;
obmetent, pour choses incroyables, celles qu'ils n'entendent pas, et peut estre encore telle chose, pour ne la
sçavoir dire en bon Latin ou François. Qu'ils estalent
hardiment leur eloquence et leurs discours, qu'ils jugent à
leur poste; mais qu'ils nous laissent aussi dequoy juger
après eux, et qu'ils n'alterent ny dispensent [44], par leurs
racourcimens et par leurs chois, rien sur le corps de la
matiere : ains, qu'ils nous la r'envoyent pure et entiere
en toutes ses dimensions.

Le plus souvent on trie pour cette charge, et notamment
en ces siecles icy, des personnes d'entre le vulgaire, pour
cette seule consideration de sçavoir bien parler, comme
si nous cherchions d'y apprendre la grammaire! Et eux
ont raison, n'ayans esté gagez que pour cela et n'ayans
mis en vente que le babil, de ne se soucier aussi principalement que de cette partie. Ainsin, à force beaux mots,
ils nous vont patissant [45] une belle contexture des bruits
qu'ils ramassent és carrefours des villes. Les seules bonnes
histoires sont celles qui ont esté escrites par ceux mesmes
qui commandoient aux affaires, ou qui estoient participans à les conduire, /// ou, au moins, qui ont eu la
fortune d'en conduire d'autres de mesme sorte. Telles
sont quasi toutes les Grecques et Romaines. / Car, plusieurs
tesmoings oculaires ayant escrit de mesme subject (comme
il advenoit en ce temps là que la grandeur et le sçavoir se
rencontroient communéement), s'il y a de la faute, elle doit
estre merveilleusement legiere, et sur un accident fort
doubteux. Que peut-on esperer d'un medecin traictant
de la guerre, ou d'un escholier traictant des desseins des
Princes ? Si nous voulons remarquer la religion [46] que les
Romains avoient en cela, il n'en faut que cet exemple :
Asinius Pollio trouvoit és histoires mesme de Cæsar
quelque mesconte, en quoy il estoit tombé pour n'avoir
peu jetter les yeux en tous les endroits de son armée, et en
avoir creu les particuliers qui luy rapportoient souvent des
choses non assez verifiées; ou bien pour n'avoir esté assez
curieusement adverty par ses Lieutenans des choses qu'ils
avoient conduites en son absence. On peut voir par cet
exemple si cette recherche de la verité est delicate, qu'on
ne se puisse pas fier d'un combat à la science de celuy qui
y a commandé, ny aux soldats de ce qui s'est passé près
d'eux, si, à la mode d'une information judiciaire, on ne
confronte les tesmoins et reçoit les objects sur la preuve
des pontilles de chaque accident. Vrayement, la connois-

sance que nous avons de nos affaires est bien plus lâche.
Mais cecy a esté suffisamment traicté par Bodin, et selon
ma conception.

Pour subvenir un peu à la trahison de ma memoire et
à son defaut, si extreme qu'il m'est advenu plus d'une
fois de reprendre en main des livres comme recents et à
moy inconnus, que j'avoy leu soigneusement quelques
années au paravant et barbouillé de mes notes, j'ay pris
en coustume, depuis quelque temps, d'adjouter au bout
de chasque livre (je dis de ceux desquels je ne me veux
servir qu'une fois) le temps auquel j'ay achevé de le lire
et le jugement que j'en ay retiré en gros, afin que cela
me represente au moins l'air et Idée generale que j'avois
conceu de l'autheur en le lisant. Je veux icy transcrire
aucunes de ces annotations.

Voicy ce que je mis, il y a environ dix ans, en mon
Guicciardin [47] (car, quelque langue que parlent mes livres,
je leur parle en la mienne) : Il est historiographe diligent
et duquel, à mon advis, autant exactement que de nul
autre, on peut apprendre la verité des affaires de son
temps : aussi en la pluspart en a-il esté acteur luy mesme,
et en rang honnorable. Il n'y a aucune apparence que,
par haine, faveur ou vanité, il ayt déguisé les choses :
dequoy font foy les libres jugements qu'il donne des
grands et notamment de ceux par lesquels il avoit esté
avancé et employé aux charges, comme du Pape Clement
septiesme. Quant à la partie dequoy il semble se vouloir
prevaloir le plus, qui sont ses digressions et discours, il
y en a de bons et enrichis de beaux traits; mais il s'y
est trop pleu : car, pour ne vouloir rien laisser à dire,
ayant un suject si plain et ample, et à peu près infiny,
il en devient lasche, et sentant un peu au caquet scholastique. J'ay aussi remerqué cecy, que de tant d'ames et
effects qu'il juge, de tant de mouvemens et conseils, il
n'en rapporte jamais un seul à la vertu, religion et conscience, comme si ces parties là estoyent du tout esteintes
au monde; et, de toutes les actions, pour belles par apparence qu'elles soient d'elles mesmes, il en rejecte la cause
à quelque occasion vitieuse ou à quelque profit. Il est
impossible d'imaginer que, parmy cet infiny nombre
d'actions dequoy il juge, il n'y en ait eu quelqu'une produite par la voye de la raison. Nulle corruption peut avoir
saisi les hommes si universellement que quelqu'un
n'eschappe de la contagion; cela me faict craindre qu'il y
aye un peu du vice de son goust [48]; et peut estre advenu
qu'il ait estimé d'autruy selon soy.

En mon Philippe de Comines il y a cecy : Vous y trouverez le langage doux et aggreable, d'une naifve simplicité; la narration pure, et en laquelle la bonne foy de l'autheur reluit evidemment, exempte de vanité parlant de soy, et d'affection et d'envie parlant d'autruy; ses discours et enhortemens accompaignez plus de bon zele et de verité que d'aucune exquise suffisance; et tout par tout de l'authorité et gravité, representant son homme de bon lieu et élevé aux grans affaires.

Sur les *Mémoires* de monsieur du Bellay : C'est tousjours plaisir de voir les choses escrites par ceux qui ont essayé comme il les faut conduire; mais il ne se peut nier qu'il ne se découvre évidemment, en ces deux seigneurs icy, un grand dechet de la franchise et liberté d'escrire qui reluit és anciens de leur sorte, comme au Sire de Jouinvile, domestique de S. Loys, Eginard, Chancelier de Charlemaigne, et, de plus fresche memoire, en Philippe de Commines. C'est icy plustost un plaidoier pour le Roy François contre l'Empereur Charles cinquiesme qu'une histoire. Je ne veux pas croire qu'ils ayent rien changé quant au gros du faict; mais, de contourner le jugement des evenemens, souvent contre raison, à nostre avantage, et d'obmettre tout ce qu'il y a de chatouilleux en la vie de leur maistre, ils en font mestier; tesmoing les reculemens [49] de messieurs de Montmorency et de Brion, qui y sont oubliez; voire le seul nom de Madame d'Estampes ne s'y trouve point. On peut couvrir les actions secrettes; mais de taire ce que tout le monde sçait, et les choses qui ont tiré des effects publiques et de telle consequence, c'est un defaut inexcusable. Somme, pour avoir l'entiere connoissance du Roy François et des choses advenues de son temps, qu'on s'adresse ailleurs, si on m'en croit; ce qu'on peut faire icy de profit, c'est par la deduction particuliere des batailles et exploits de guerre où ces gentils-hommes se sont trouvez; quelques paroles et actions privées d'aucuns princes de leur temps; et les pratiques et negociations conduites par le Seigneur de Langeay [50], où il y a tout plein de choses dignes d'estre sceues, et des discours non vulgaires.

CHAPITRE XI

DE LA CRUAUTE

/ Il me semble que la vertu est chose autre et plus noble que les inclinations à la bonté qui naissent en nous. Les ames reglées d'elles mesmes et bien nées, elles suyvent mesme train, et representent en leurs actions mesme visage que les vertueuses. Mais la vertu sonne je ne sçay quoy de plus grand et de plus actif que de se laisser, par une heureuse complexion, doucement et paisiblement conduire à la suite de la raison. Celuy qui, d'une douceur et facilité naturelle, mespriseroit les offences receues, feroit chose très-belle et digne de louange; mais celuy qui, picqué et outré jusques au vif d'une offence, s'armeroit des armes de la raison contre ce furieux appetit de vengeance, et après un grand conflict s'en rendroit en fin maistre, feroit sans doubte beaucoup plus. Celuy-là feroit bien, et cettuy-cy vertueusement; l'une action se pourroit dire bonté; l'autre, vertu; car il semble que le nom de la vertu presuppose de la difficulté et du contraste, et qu'elle ne peut s'exercer sans partie. C'est à l'adventure pourquoy nous nommons Dieu bon, fort, et liberal, et juste; mais nous ne le nommons pas vertueux : ses operations sont toutes naifves et sans effort.

Des Philosophes, non seulement Stoïciens mais encore Epicuriens (et cette enchere, je l'emprunte de l'opinion commune, qui est fauce; /// quoy que die ce subtil rencontre d'Arcesilaüs à celuy qui luy reprochoit que beaucoup de gens passoient de son eschole en l'Epicurienne, mais jamais au rebours : « Je croy bien! Des coqs il se faict des chapons assez, mais des chapons il ne s'en faict jamais des coqs. » / Car, à la verité, en fermeté et rigueur d'opinions et de preceptes, la secte Epicurienne ne cede aucunement à la Stoïque; et un Stoïcien, reconnoissant meilleure foy que ces disputateurs qui, pour combattre Epicurus et se donner beau jeu, luy font dire ce à quoy il ne pensa jamais, coutournans [1] ses paroles à gauche, argumentans par la loy grammairienne autre sens de sa façon de parler et autre creance que celle qu'ils sçavent qu'il avoit en l'ame et en ses mœurs, dit qu'il a laissé d'estre Epicurien pour cette consideration, entre autres, qu'il trouve leur route trop hautaine et inaccessible; /// « *et ii qui* φιλήδονοι *vocantur, sunt* φιλόκαλοι *et* φιλοδίκαιοι, *omnesque virtutes et colunt et retinent* [2] »), / des philosophes Stoïciens et Epicuriens, dis-je, il y en a plusieurs qui ont jugé que ce n'estoit pas assez d'avoir l'ame en bonne assiette, bien reglée et bien disposée à la vertu; ce n'estoit pas assez d'avoir nos resolutions et nos discours au dessus de tous les efforts de fortune, mais qu'il falloit encore rechercher les occasions d'en venir à la preuve. Ils veulent quester [3] de la douleur, de la necessité et du mespris, pour les combatre, et pour tenir leur ame en haleine : /// « *Multum sibi adjicit virtus lacessita* [4]. » / C'est l'une des raisons pourquoy Epaminondas, qui estoit encore d'une tierce secte, refuse des richesses que la fortune luy met en main par une voie très-legitime, pour avoir, dict-il, à s'escrimer contre la pauvreté, en laquelle extreme il se maintint tousjours. Socrates s'essayoit, ce me semble, encor plus rudement, conservant pour son exercice la malignité de sa femme : qui est un essay à fer esmoulu. Metellus, ayant, seul de tous les Senateurs Romains, entrepris, par l'effort de sa vertu, de soustenir la violence de Saturninus, Tribun du peuple à Rome, qui vouloit à toute force faire passer une loy injuste en faveur de la commune, et ayant encouru par là les peines capitales que Saturninus avoit establies contre les refusans, entretenoit ceux qui, en cette extremité, le conduisoient en la place, de tels propos : « Que c'estoit chose trop facile et trop lâche que de mal faire, et que de faire bien où il n'y eust point de dangier, c'estoit chose vulgaire; mais de faire bien où il y eust dangier, c'estoit le propre office d'un homme de vertu. » Ces paroles de Metellus nous representent bien clairement ce que je vouloy verifier, que la vertu refuse la facilité pour compaigne; et que cette aisée, douce et panchante voie, pour où se conduisent les pas reglez d'une bonne inclination de nature, n'est pas celle de la vraye vertu. Elle demande un chemin aspre et espineux; elle veut avoir ou des difficultez estrangeres à luicter, comme celle de Metellus, par le moyen desquelles fortune se plaist à luy rompre la roideur de sa course; ou des difficultez internes que luy apportent les appetits desordonnez et imperfections de nostre condition.

Je suis venu jusques icy bien à mon aise. Mais, au bout de ce discours, il me tombe en fantasie que l'ame de Socrates, qui est la plus parfaicte qui soit venuë à ma connoissance, seroit, à mon compte, une ame de peu de recommandation ; car je ne puis concevoir en ce personnage là aucun effort de vitieuse concupiscence. Au train de sa vertu, je n'y puis imaginer aucune difficulté et aucune contrainte ; je connoy sa raison si puissante et si maistresse chez luy qu'elle n'eust jamais donné moyen à un appetit vitieux seulement de naistre. A une vertu si eslevée que la sienne, je ne puis rien mettre en teste [5]. Il me semble la voir marcher d'un victorieux pas et triomphant, en pompe et à son aise, sans empeschement ne destourbier [6]. Si la vertu ne peut luire que par le combat des appetits contraires, dirons nous donq qu'elle ne se puisse passer de l'assistance du vice, et qu'elle luy doive cela, d'en estre mise en credit et en honneur ? Que deviendroit aussi cette brave et genereuse volupté Epicurienne qui fait estat de nourrir mollement en son giron et y faire follatrer la vertu, luy donnant pour ses jouets la honte, les fievres, la pauvreté, la mort et les geénes ? Si je presuppose que la vertu parfaite se connoit à combattre et porter patiemment la douleur, à soustenir les efforts de la goute sans s'esbranler de son assiette ; si je luy donne pour son object necessaire l'aspreté et la difficulté : que deviendra la vertu qui sera montée à tel point que de non seulement mespriser la douleur, mais de s'en esjoüyr et de se faire chatouiller aux pointes d'une forte colique, comme est celle que les Epicuriens ont establie et de laquelle plusieurs d'entre eux nous ont laissé par leurs actions des preuves très-certaines ? Comme ont bien d'autres, que je trouve avoir surpassé par effect les regles mesmes de leur discipline. Tesmoing le jeune Caton. Quand je le voy mourir et se deschirer les entrailles, je ne me puis contenter de croire simplement qu'il eust lors son ame exempte totalement de trouble et d'effroy, je ne puis croire qu'il se maintint seulement en cette démarche que les regles de la secte Stoïque luy ordonnoient, rassise, sans émotion et impassible ; il y avoit, ce me semble, en la vertu de cet homme trop de gaillardise et de verdeur pour s'en arrester là. Je croy sans doubte qu'il sentit du plaisir et de la volupté en une si noble action, et qu'il s'y agrea plus qu'en autre de celles de sa vie : /// « *Sic abiit e vita ut causam moriendi nactum se esse gauderet* [7]. » / Je le croy si avant, que j'entre en doubte s'il eust voulu que l'occasion d'un si bel exploit luy fust ostée. Et si la bonté qui luy faisoit embrasser les

commoditez publiques plus que les siennes ne me tenoit
en bride, je tomberois aiséement en cette opinion, qu'il
sçavoit bon gré à la fortune d'avoir mis sa vertu à une si
belle espreuve, et d'avoir favorisé ce brigand à fouler aux
pieds l'ancienne liberté de sa patrie. Il me semble lire en
cette action je ne sçay qu'elle esjouissance de son ame, et
une émotion de plaisir extraordinaire et d'une volupté
virile, lors qu'elle consideroit la noblesse et hauteur de
son entreprise :

// *Deliberata morte ferocior* [8],

/ non pas esguisée par quelque esperance de gloire, comme
les jugemens populaires et effeminez d'aucuns hommes ont
jugé, car cette consideration est trop basse pour toucher
un cœur si genereux, si hautain et si roide; mais pour la
beauté de la chose mesme en soy : laquelle il voyoit bien
plus à clair et en sa perfection, lui qui en manioit les ressorts, que nous ne pouvons faire.
/// La philosophie m'a faict plaisir de juger qu'une si
belle action eust esté indecemment logée en toute autre vie
qu'en celle de Caton, et qu'à la sienne seule il appartenoit
de finir ainsi. Pourtant ordonna-il selon raison et à son fils
et aux senateurs qui l'accompagnoient, de prouvoir autrement à leur faict. « *Catoni cum incredibilem natura tribuisset
gravitatem, eamque ipse perpetua constantia roboravisset,
semperque in proposito consilio permansisset, moriendum potius
quam tyranni vultus adspiciendus erat* [9]. »
Toute mort doit estre de mesmes sa vie. Nous ne devenons pas autres pour mourir. J'interprete tousjours la
mort par la vie. Et si on me la recite d'apparence forte,
attachée à une foible vie, je tiens qu'elle est produitte
d'une cause foible et sortable à sa vie.
/ L'aisance donc de cette mort, et cette facilité qu'il
avoit acquise par la force de son ame, dirons nous qu'elle
doive rabattre quelque chose du lustre de sa vertu ? Et qui,
de ceux qui ont la cervelle tant soit peu teinte de la vraye
philosophie, peut se contenter d'imaginer Socrates seulement franc de crainte et de passion en l'accident de sa
prison, de ses fers et de sa condamnation ? Et qui ne
reconnoit en luy non seulement de la fermeté et de la
constance (c'estoit son assiette ordinaire que celle-là), mais
encore je ne sçay quel contentement nouveau et une allegresse enjoüée en ses propos et façons dernieres ? /// A ce
tressaillir, du plaisir qu'il sent à gratter sa jambe après
que les fers en furent hors, accuse il pas une pareille
douceur et joye en son ame, pour estre desenforgée [10] des

incommodités passées, et à mesme d'entrer en cognoissance des choses à venir ? / Caton me pardonnera, s'il luy
plaist; sa mort est plus tragique et plus tendue, mais cette-
cy est encore, je ne sçay comment, plus belle.

/// Aristippus, à ceux qui la pleignoyent : « Les dieux
m'en envoyent une telle! » fit-il [11].

/ On voit aux ames de ces deux personnages et de leurs
imitateurs (car de semblables, je fay grand doubte qu'il
y en ait eu) une si parfaicte habitude à la vertu qu'elle leur
est passée en complexion. Ce n'est plus vertu penible, ny
des ordonnances de la raison, pour lesquelles maintenir il
faille que leur ame se roidisse; c'est l'essence mesme de
leur ame, c'est son train naturel et ordinaire. Ils l'ont
rendüe telle par un long exercice des preceptes de la philosophie, ayans rencontré une belle et riche nature. Les
passions vitieuses, qui naissent en nous, ne trouvent plus
par où faire entrée en eux; la force et roideur de leur ame
estouffe et esteint les concupiscences aussi tost qu'elles
commencent à s'esbranler.

Or, qu'il ne soit plus beau, par une haute et divine
resolution, d'empescher la naissance des tentations, et de
s'estre formé à la vertu de maniere que les semences
mesmes des vices en soyent desracinées, que d'empescher
à vive force leur progrez, et, s'estant laissé surprendre aux
émotions premieres des passions, s'armer et se bander
pour arrester leur course et les vaincre; et que ce second
effect ne soit encore plus beau que d'estre simplement
garny d'une nature facile et debonnaire, et dégoustée
par soy mesme de la débauche et du vice, je ne pense point
qu'il y ait doubte. Car cette tierce et derniere façon, il
semble bien qu'elle rende un homme innocent, mais non
pas vertueux; exempt de mal faire, mais non assez apte
à bien faire. Joint que cette condition est si voisine à
l'imperfection et à la foiblesse que je ne sçay pas bien
comment en démeler les confins et les distinguer. Les
noms mesmes de bonté et d'innocence sont à cette cause
aucunement noms de mespris. Je voy que plusieurs vertus,
comme la chasteté, sobrieté et temperance, peuvent
arriver à nous par defaillance corporelle. La fermeté aux
dangiers (si fermeté il la faut appeller), le mespris de la
mort, la patience aux infortunes, peut venir et. se treuve
souvent aux hommes par faute de bien juger de tels
accidens et ne les concevoir tels qu'ils sont. La faute
d'apprehension et la bétise contrefont ainsi par fois les
effects vertueux : comme j'ay veu souvent advenir qu'on
a loué des hommes de ce dequoy ils meritoyent du blasme.

Un seigneur Italien tenoit une fois ce propos en ma presence, au desavantage de sa nation : Que la subtilité des Italiens et la vivacité de leurs conceptions estoit si grande qu'ils prevoyoyent les dangiers et accidens qui leur pouvoyent advenir, de si loin, qu'il ne falloit pas trouver estrange si on les voyoit souvent, à la guerre, prouvoir à leur seurté, voire avant que d'avoir reconneu le peril; que nous et les Espaignols, qui n'estions pas si fins, allions plus outre, et qu'il nous falloit faire voir à l'œil et toucher à la main le dangier avant que de nous en effrayer, et que lors aussi nous n'avions plus de tenue [12]; mais que les Allemans et les Souysses, plus grossiers et plus lourds, n'avoyent le sens de se raviser, à peine lors mesmes qu'ils estoyent accablez soubs les coups. Ce n'estoit à l'adventure que pour rire. Si est il bien vray qu'au mestier de la guerre les apprentis se jettent bien souvent aux dangiers, d'autre inconsideration qu'ils ne font après y avoir esté échaudez :

|| *haud ignarus quantum nova gloria in armis,*
Et prædulce decus primo certamine possit [13].

/ Voyla pourquoy, quand on juge d'une action particuliere, il faut considerer plusieurs circonstances et l'homme tout entier qui l'a produicte, avant le baptizer.

Pour dire un mot de moy-mesme. // J'ay veu quelque fois mes amis appeller prudence en moy, ce qui estoit fortune; et estimer advantage de courage et de patience, ce qui estoit advantage de Jugement et opinion; et m'attribuer un titre pour autre, tantost à mon gain, tantost à ma perte. Au demeurant, / il s'en faut tant que je sois arrivé à ce premier et plus parfaict degré d'excellence, où de la vertu il se faict une habitude, que du second mesme je n'en ay faict guiere de preuve. Je ne me suis mis en grand effort pour brider les desirs dequoy je me suis trouvé pressé. Ma vertu, c'est une vertu, ou innocence, pour mieux dire, accidentale et fortuite. Si je fusse nay d'une complexion plus déreglée, je crains qu'il fut allé piteusement de mon faict. Car je n'ay essayé guiere de fermeté en mon ame pour soustenir des passions, si elles eussent esté tant soit peu vehementes. Je ne sçay point nourrir des querelles et du debat chez moy. Ainsi je ne me puis dire nul grammercy dequoy je me trouve exempt de plusieurs vices :

si vitiis mediocribus et mea paucis
Mendosa est natura, alioqui recta, velut si
Egregio inspersos reprehendas corpore nævos [14],

je le doy plus à ma fortune qu'à ma raison. Elle m'a faict

naistre d'une race fameuse en preud'homie et d'un très-
bon pere : je ne sçay s'il a escoulé en moy partie de ses
humeurs, ou bien si les exemples domestiques et la bonne
institution de mon enfance y ont insensiblement aydé;
ou si je suis autrement ainsi nay,

> // *Seu libra, seu me scorpius aspicit*
> *Formidolosus, pars violentior*
> *Natalis horæ, seu tyrannus*
> *Hesperiæ Capricornus undæ* [15] ;

/ mais tant y a que la pluspart des vices, je les ay de moy
mesmes en horreur. /// La responce d'Antisthenes à celuy
qui luy demandoit le meilleur apprentissage : « Desap-
prendre le mal », semble s'arrester à cette image. Je les ay,
dis-je, en horreur, / d'une opinion si naturelle et si mienne
que ce mesme instinct et impression que j'en ay apporté
de la nourrice, je l'ay conservé sans que aucunes occasions
me l'ayent sçeu faire alterer; voire non pas mes discours
propres qui, pour s'estre débandez en aucunes choses de
la route commune, me licentieroient [16] aiséement à des
actions que cette naturelle inclination me fait haïr.

// Je diray un monstre, mais je le diray pourtant : je
trouve par là, en plusieurs choses, plus d'arrest et de reigle
en mes meurs qu'en mon opinion, et ma concupiscence
moins desbauchée que ma raison.

/// Aristippus establit des opinions si hardies en faveur
de la volupté et des richesses, qu'il mit en rumeur toute la
philosophie à l'encontre de luy. Mais, quant à ses meurs,
le tyran Dionysius luy ayant presenté trois belles garses
pour qu'il en fist le chois, il respondit qu'il les choisissoit
toutes trois et qu'il avoit mal prins à Pâris d'en preferer
une à ses compaignes; mais les ayant conduittes à son logis,
il les renvoya sans en taster. Son valet se trouvant sur-
chargé en chemin de l'argent qu'il portoit après luy, il luy
ordonna qu'il en jettast et versast là ce qui luy faschoit.

Et Epicurus, duquel les dogmes sont irreligieux et
delicats, se porta en sa vie trèsdevotieusement et laborieusement [17]. Il escrit à un sien amy qu'il ne vit que de pain
bis et d'eaue, qu'il luy envoie un peu de fromage pour
quand il voudra faire quelque somptueux repas. Seroit il
vray que, pour estre bon à faict [18], il nous le faille estre
par occulte, naturelle et universelle proprieté, sans loy,
sans raison, sans exemple ?

/ Les desbordemens ausquels je me suis trouvé engagé,
ne sont pas, Dieu mercy, des pires. Je les ay bien condamnez chez moy, selon qu'ils le valent; car mon jugement

ne s'est pas trouvé infecté par eux. Au rebours, il les
accuse plus rigoureusement en moy que en un autre.
Mais c'est tout; car, au demourant, j'y apporte trop peu
de resistance, et me laisse trop aiséement pancher à l'autre
part de la balance, sauf pour les regler et empescher du
meslange d'autres vices, lesquels s'entretiennent [19] et
s'entrenchainent pour la plus part les uns aux autres,
qui ne s'en prend garde. Les miens, je les ay retranchez
et contrains les plus seuls et les plus simples que j'ay peu,

/// *nec ultra*
Errorem foveo [20].

/ Car, quant à l'opinion des Stoïciens, qui disent le
sage œuvrer, quand il œuvre, par toutes les vertus
ensemble, quoy qu'il en ait une plus apparente selon la
nature de l'action (et à cela leur pourroit servir aucunement
la similitude du corps humain, car l'action de la colere ne
se peut exercer que toutes les humeurs ne vous y aydent,
quoy que la colere predomine), si de là ils veulent tirer
pareille consequence que, quand le fautier faut [21], il faut
par tous les vices ensemble, je ne les en croy pas ainsi
simplement, ou je ne les entens pas, car je sens par effect
le contraire. /// Ce sont subtilitez aiguës, insubstantielles,
ausquelles la philosophie s'arreste par fois.
Je suis quelque vices, mais j'en fuis d'autres, autant
qu'un sainct sçauroit faire.
Aussi desadvoüent les peripateticiens cette connexité et
cousture indissoluble [22]; et tient Aristote qu'un homme
prudent et juste peut estre et intemperant et incontinent.
/ Socrates advoüoit à ceux qui reconnoissoient en sa
physionomie quelque inclination au vice, que c'estoit à la
verité sa propension naturelle, mais qu'il avoit corrigée
par discipline.
/// Et les familiers du philosophe Stilpo disoient qu'estant nay subject au vin et aux femmes, il s'estoit rendu
par estude trèsabstinent de l'un et de l'autre.
/ Ce que j'ay de bien, je l'ay au rebours par le sort
de ma naissance. Je ne le tiens ny de loy, ny de precepte,
ou autre aprentissage. // L'innocence qui est en moy, est
une innocence niaise [23]; peu de vigueur, et point d'art.
/ Je hay, entre autres vices, cruellement la cruauté, et par
nature et par jugement, comme l'extreme de tous les vices.
Mais c'est jusques à telle mollesse que je ne voy pas égorger
un poulet sans desplaisir, et ois impatiemment gémir un
lievre sous les dens de mes chiens, quoy que ce soit un
plaisir violent que la chasse.

Ceux qui ont à combatre la volupté usent volontiers de cet argument, pour montrer qu'elle est toute vitieuse et desraisonnable : que lors qu'elle est en son plus grand effort, elle nous maistrise de façon que la raison n'y peut avoir accez; et aleguent l'experience que nous en sentons en l'accointance des femmes,

> *cum jam præsagit gaudia corpus,*
> *Atque in eo est Venus ut muliebria conserat arva* [24] ;

où il leur semble que le plaisir nous transporte si fort hors de nous que nostre discours ne sçauroit alors faire son office, tout perclus et ravi en la volupté. Je sçay qu'il en peut aller autrement, et qu'on arrivera par fois, si on veut, à rejetter l'ame sur ce mesme instant à autres pensemens. Mais il la faut tendre et roidir d'aguet [25]. Je sçay qu'on peut gourmander l'effort de ce plaisir; et /// m'y cognoy bien; et si n'ay point trouvé Venus si imperieuse Deesse que plusieurs et plus chastes que moy la tesmoignent. / Je ne prens pour miracle, comme faict la Royne de Navarre en l'un des contes de son *Heptameron* [26] (qui est un gentil livre pour son estoffe), ny pour chose d'extreme difficulté, de passer des nuicts entieres, en toute commodité et liberté, avec une maistresse de long temps desirée, maintenant la foy qu'on luy aura engagée de se contenter des baisers et simples attouchemens. Je croy que l'exemple de la chasse y seroit plus propre (comme il y a moins de plaisir, il y a plus de ravissement et de surprinse, par où nostre raison estonnée perd le loïsir de se preparer et bander à l'encontre), lors qu'après une longue queste la beste vient en sursaut à se presenter en lieu où, à l'adventure, nous l'esperions le moins. Cette secousse et l'ardeur de ces huées nous frappe si [27] qu'il seroit malaisé à ceux qui ayment cette sorte de chasse de retirer sur ce point la pensée ailleurs. Et les poetes font Diane victorieuse du brandon et des fleches de Cupidon :

> *Quis non malarum, quas amor curas habet,*
> *Hæc inter obliviscitur* [28] ?

Pour revenir à mon propos, je me compassionne fort tendrement des afflictions d'autruy, et pleurerois aiséement par compaignie, si, pour occasion que ce soit, je sçavois pleurer. /// Il n'est rien qui tente mes larmes que les larmes, non vrayes seulement, mais comment que ce soit, ou feintes ou peintes. / Les morts, je ne les plains guiere, et les envierois plutost; mais je plains bien fort les mourans. Les sauvages ne m'offensent pas tant de rostir et manger les corps des trespassez que ceux qui les tourmentent et persecutent vivans. Les executions mesme de la justice, pour raisonnables qu'elles soyent, je ne les puis voir d'une veuë ferme. Quelcun, ayant à tesmoigner la clemence de Julius Cæsar : « Il estoit, dit-il, doux en ses vengeances; ayant forcé les Pyrates de se rendre à luy qu'ils avoyent auparavant pris prisonnier et mis à rançon, d'autant qu'il les avoit menassez de les faire mettre en croix, il les y condamna, mais ce fut après les avoir faict estrangler. Philomon, son secretaire, qui l'avoit voulu empoisonner, il ne le punit pas plus aigrement que d'une mort simple. » Sans dire qui est cet autheur Latin qui ose alleguer, pour tesmoignage de clemence, de seulement tuer ceux desquels on a esté offencé, il est aisé à deviner qu'il est frappé des vilains et horribles exemples de cruauté que les tyrans Romains mirent en usage.

Quant à moy, en la justice mesme, tout ce qui est au delà de la mort simple me semble pure cruauté, et notamment à nous qui devrions avoir respect d'en envoyer les ames en bon estat; ce qui ne se peut, les ayant agitées et desesperées par tourmens insupportables.

/// Ces jours passés, un soldat prisonnier ayant apperceu d'une tour où il estoit, qu'en la place, des charpantiers commençoient à dresser leurs ouvrages, et le peuple à s'y assembler, tint que c'estoit pour luy, et, entré en desespoir, n'ayant autre chose à [29] se tuer, se saisit d'un vieux clou de charrette rouillé, que la fortune luy presenta, et s'en donna deux grands coups autour de la gorge; et, voyant qu'il n'en avoit peu [30] esbranler sa vie, s'en donna un autre tantost après dans le ventre, dequoy il tomba en evanouïssement. Et en cet estat le trouva le premier de ses gardes qui entra pour le voir. On le fit revenir; et, pour emploier le temps avant qu'il defaillit, on luy fit sur l'heure lire sa sentence qui estoit d'avoir la teste tranchée, de laquelle il se trouva infiniement resjoui et accepta à prendre du vin qu'il avoit refusé; et, remerciant les juges de la douceur inesperée de leur condamnation, dict que cette deliberation de se tuer luy estoit venue par l'horreur de quelque plus cruel supplice, du quel luy avoient augmenté la crainte des apprets... pour en fuir une plus insupportable.

/ Je conseillerois que ces exemples de rigueur, par le moyen desquels on veut tenir le peuple en office, s'exerçassent contre les corps des criminels : car de les voir priver de sepulture, de les voir bouillir et mettre à quartiers, cela toucheroit quasi autant le vulgaire que les peines qu'on fait souffrir aux vivans, quoy que par effect ce soit peu, ou rien, /// comme Dieu dict : « *Qui corpus occidunt, et postea non habent quod faciant* [31]. » Et les poëtes font singulierement valoir l'horreur de cette peinture, et au dessus de la mort :

> *Heu ! reliquias semiassi regis, denudatis ossibus,*
> *Per terram sanie delibutas fœde divexarier* [32].

/ Je me rencontray un jour à Rome sur le point qu'on défaisoit Catena, un voleur insigne. On l'estrangla sans aucune émotion de l'assistance; mais quand on vint à le mettre à quartiers, le bourreau ne donnoit coup que le peuple ne suivit d'une vois pleintive et d'une exclamation, comme si chacun eut presté son sentiment à cette charongne.

// Il faut exercer ces inhumains excez contre l'escorce, non contre le vif. Ainsin amollit, en cas aucunement pareil, Artaxerses l'aspreté des loix anciennes de Perse, ordonnant que les Seigneurs qui avoyent failly en leur estat, au lieu qu'on les souloit foïter, fussent despouillés, et leurs vestemens foitez pour eux; et, au lieu qu'on leur souloit arracher les cheveux, qu'on leur ostat leur haut chapeau seulement.

/// Les Ægyptiens, si devotieux, estimoyent bien satisfaire à la justice divine, luy sacrifians des pourceaux en figure et representez : invention hardie de vouloir payer en peinture et en ombrage [33] Dieu, substance si essentielle [34].

/ Je vy en une saison en laquelle nous foisonnons en exemples incroyables de ce vice, par la licence de nos guerres civiles; et ne voit on rien aux histoires anciennes de plus extreme que ce que nous en essayons tous les jours. Mais cela ne m'y a nullement aprivoisé. A peine me pouvoy-je persuader, avant que je l'eusse veu, qu'il se fut trouvé des ames si monstrueuses, qui, pour le seul plaisir du meurtre, le voulussent commettre : hacher et détrencher les membres d'autruy; esguiser leur esprit à inventer des tourmens inusitez et des morts nouvelles, sans inimitié, sans profit, et pour cette seule fin de jouïr du plaisant spectacle des gestes et mouvemens pitoyables, des gemissemens et voix lamentables d'un homme mourant en angoisse. Car voylà l'extreme point où la cruauté puisse atteindre. /// « *Ut homo hominem, non iratus, non timens, tantum spectaturus, occidat* [35]. »

/ De moy, je n'ay pas sçeu voir seulement sans desplaisir
poursuivre et tuer une beste innocente, qui est sans
deffence et de qui nous ne recevons aucune offence. Et
comme il advient communement que le cerf, se sentant
hors d'alaine et de force, n'ayant plus autre remede, se
rejette et rend à nous mesmes qui le poursuivons, nous
demandant mercy par ses larmes.

> // *quæstuque, cruentus*
> *Atque imploranti similis* [36],

/ ce m'a tousjours semblé un spectacle très-desplaisant.

// Je ne prens guiere beste en vie à qui je ne redonne
les champs. Pythagoras les achetoit des pescheurs et des
oyseleurs pour en faire autant :

> *primoque a cæde ferarum*
> *Incaluisse puto maculatum sanguine ferrum* [37].

Les naturels sanguinaires à l'endroit des bestes tesmoignent une propension naturelle à la cruauté.

// Après qu'on se fut apprivoisé à Romme aux spectacles
des meurtres des animaux, on vint aux hommes et aux
gladiateurs. Nature a, ce creins-je, elle mesme attaché à
l'homme quelque instinct à l'inhumanité. Nul ne prent
son esbat à voir des bestes s'entrejouer et caresser, et
nul ne faut de le prendre à les voir s'entre deschirer et
desmambrer.

/ Et afin qu'on ne se moque de cette sympathie que j'ay
avecques elles, la Theologie [38] mesme nous ordonne
quelque faveur en leur endroit; et, considerant que un
mesme maistre nous a logez en ce palais pour son service
et qu'elles sont, comme nous, de sa famille, elle a raison
de nous enjoindre quelque respect et affection envers elles.
Pythagoras emprunta la Metempsichose des Ægyptiens;
mais despuis elle a esté reçeuë par plusieurs nations, et
notamment par nos Druides :

> *Morte carent animæ ; semperque, priore relicta*
> *Sede, novis domibus vivunt, habitantque receptæ* [39].

La Religion de nos anciens Gaulois portoit que les ames,
estant eternelles, ne cessoyent de se remuer et changer
de place d'un corps à un autre; meslant en outre à cette
fantasie quelque consideration de la justice divine : car,
selon les déportemens de l'ame pendant qu'elle avoit esté
chez Alexandre, ils disoyent que Dieu luy ordonnoit un
autre corps à habiter, plus ou moins penible, et raportant
à sa condition;

> *// muta ferarum*
> *Cogit vincla pati, truculentos ingerit ursis,*
> *Prædonesque lupis, fallaces vulpibus addit ;*
> *Atque ubi per varios annos, per mille figuras*
> *Egit, lethæo purgatos flumine, tandem*
> *Rursus ad humanæ revocat primordia formæ* [40].

/ Si elle avoit esté vaillante, ils la logeoient au corps d'un
Lyon; si voluptueuse, en celuy d'un pourceau; si lâche,
en celuy d'un cerf ou d'un liévre; si malitieuse, en celuy
d'un renard : ainsi du reste, jusques à ce que, purifiée
par ce chastiement, elle reprenoit le corps de quelque
autre homme.

> *Ipse ego, nam memini, Trojani tempore belli*
> *Panthoides Euphorbus eram* [41].

Quant à ce cousinage là d'entre nous et les bestes,
je n'en fay pas grand recepte [42]; ny de ce aussi que plusieurs nations, et notamment des plus anciennes et plus
nobles, ont non seulement receu des bestes à leur societé
et compaignie, mais leur ont donné un rang bien loing,
au dessus d'eux, les estimant tantost familieres et favories
de leurs dieux, et les ayant en respect et reverence plus
qu'humaine; et d'autres ne reconnoissant autre Dieu ny
autre divinité qu'elles : /// « *belluæ a barbaris propter bene-
ficium consecratæ* [43]. »

> *// Crocodilon adorat*
> *Pars hæc, illa pavet saturam serpentibus Ibin ;*
> *Effigies sacri hic nitet aurea cercopitheci ;*
> *hic piscem fluminis, illic*
> *Oppida tota canem venerantur* [44].

/ Et l'interpretation mesme que Plutarque donne à cet
erreur, qui est trèsbien prise, leur est encores honorable.
Car il dit que ce n'estoit le chat, ou le bœuf (pour
exemple) que les Egyptiens adoroient, mais qu'ils adoroient en ces bestes là quelque image des facultez divines;
en cette-cy la patience et l'utilité, en cette-là la vicacité;
/// ou comme nos voisins les Bourguignons, avec toute
l'Allemaigne, l'impatience de se voir enfermée, par où
ils se representoyent la liberté, la quelle ils aymoient et
adoroyent au delà de toute autre faculté divine; / et ainsi
des autres. Mais quand je rencontre, parmy les opinions
les plus moderées, les discours qui essayent à montrer la
prochaine [45] ressemblance de nous aux animaux, et com-

bien ils ont de part à nos plus grands privileges, et avec combien de vraysemblance on nous les apparie, certes, j'en rabats beaucoup de nostre presomption, et me demets volontiers de cette royauté imaginaire qu'on nous donne sur les autres creatures.

Quand tout cela en seroit à dire, si y a-il un certain respect qui nous attache, et un general devoir d'humanité, non aux bestes seulement qui ont vie et sentiment, mais aux arbres mesmes et aux plantes. Nous devons la justice aux hommes, et la grace [46] et la benignité aux autres creatures qui en peuvent estre capables. Il y a quelque commerce entre elles et nous, et quelque obligation mutuelle. /// Je ne crains point à dire la tendresse de ma nature si puerile que je ne puis pas bien refuser à mon chien la feste qu'il m'offre hors de saison ou qu'il me demande. // Les Turcs ont des aumosnes et des hospitaux pour les bestes. / Les Romains avoient un soing public de la nourriture des oyes, par la vigilance desquelles leur Capitole avoit esté sauvé; les Atheniens ordonnerent que les mules et mulets qui avoyent servy au bastiment du temple appelé Heca-tompedon fussent libres, et qu'on les laissast paistre par tout sans empeschement.

/// Les Agrigentins avoyent en usage commun d'enterrer serieusement les bestes qu'ils avoient eu cheres, comme les chevaux de quelque rare merite, les chiens et les oiseaux utiles, ou mesme qui avoyent servy de passe-temps à leurs enfans. Et la magnificence qui leur estoit ordinaire en toutes autres choses, paroissoit aussi singulierement à la sumptuosité et nombre des monuments élevés à cette fin, qui ont duré en parade plusieurs siecles depuis.

Les Ægyptiens enterroyent les loups, les ours, les crocodiles, les chiens et les chats en lieux sacrez, enbas-moyent [47] leurs corps et portoyent le deuil à leur trespas.

/ Cimon fit une sepulture honorable aux juments avec lesquelles il avoit gaigné par trois fois le pris de la course aux jeux Olympiques. L'ancien Xantippus fit enterrer son chien sur un chef [48], en la coste de la mer qui en a depuis retenu le nom. Et Plutarque faisoit, dit-il, conscience de vendre et envoier à la boucherie, pour un legier profit, un bœuf qui l'avoit long temps servy.

CHAPITRE XII

/ C'est, à la vérité, une très-utile et grande partie que la science. Ceux qui la mesprisent, tesmoignent assez leur bestise ; mais je n'estime pas pourtant sa valeur jusques à cette mesure extreme qu'aucuns luy attribuent, comme Herillus le philosophe, qui logeoit en elle le souverain bien, et tenoit qu'il fut en elle de nous rendre sages et contens, ce que je ne croy pas, ny ce que d'autres ont dict, que la science est mere de toute vertu, et que tout vice est produit par l'ignorance. Si cela est vray, il est subject à une longue interprétation.

Ma maison a esté de long temps ouverte aux gens de sçavoir, et en est fort conneuë, car mon pere, qui l'a commandée cinquante ans et plus, eschauffé de cette ardeur nouvelle dequoy le Roy François premier embrassa les lettres et les mit en credit, rechercha avec grand soing et despence l'accointance des hommes doctes, les recevant chez luy comme personnes sainctes et ayans quelque particuliere inspiration de sagesse divine, recueillant leurs sentences [1] et leurs discours comme des oracles, et avec d'autant plus de reverence et de religion qu'il avoit moins de loy d'en juger, car il n'avoit aucune connoissance des lettres, non plus que ses predecesseurs. Moy, je les ayme bien, mais je ne les adore pas.

Entre autres, Pierre Bunel, homme de grande reputation de sçavoir en son temps, ayant arresté quelques jours à Montaigne en la compaignie de mon pere avec d'autres hommes de sa sorte, luy fit present, au desloger, d'un livre qui s'intitule *Theologia naturalis sive liber creaturarum magistri Raymondi de Sabonde* [2]. Et par ce que la langue Italienne et Espaignolle estoient familieres à mon pere, et que ce livre est basty d'un Espaignol barragoiné en terminaisons Latines, il esperoit qu'avec un bien peu d'aide il en pourroit faire son profit, et le luy recommanda

comme livre très-utile et propre à la saison en laquelle
il le luy donna; ce fut lors que les nouvelletez de Luther
commençoient d'entrer en credit et esbranler en beaucoup
de lieux nostre ancienne creance. En quoy il avoit un très-
bon advis, prevoyant bien, par discours de raison, que ce
commencement de maladie declineroit ayséement en un
execrable atheisme; car le vulgaire, n'ayant pas la faculté
de juger des choses par elles mesmes, se laissant emporter
à la fortune et aux apparences, après qu'on luy a mis en
main la hardiesse de mespriser et controller les opinions
qu'il avoit euës en extreme reverence, comme sont celles
où il va de son salut, et qu'on a mis aucuns articles de sa
religion en doubte et à la balance, il jette tantost après
aiséement en pareille incertitude toutes les autres pieces
de sa creance, qui n'avoient pas chez luy plus d'authorité
ny de fondement que celles qu'on luy a esbranlées; et
secoue comme un joug tyrannique toutes les impressions
qu'il avoit receues par l'authorité des loix ou reverence de
l'ancien usage,

   // *Nam cupide conculcatur nimis ante metutum* [3];

/ entreprenant dèslors en avant [4] de ne recevoir rien à quoy
il n'ait interposé son decret et presté particulier consentement.

   Or, quelques jours avant sa mort, mon pere, ayant de
fortune rencontré ce livre soubs un tas d'autres papiers
abandonnez, me commanda de le luy mettre en François.
Il faict bon traduire les autheurs comme celuy-là, où il n'y
a guiere que la matiere à representer; mais ceux qui ont
donné beaucoup à la grace et à l'elegance du langage, ils
sont dangereux à entreprendre : /// nommément pour les
rapporter à un idiome plus foible. / C'estoit une occupation
bien estrange et nouvelle pour moy; mais, estant de fortune
pour lors de loisir, et ne pouvant rien refuser au commandement du meilleur pere qui fut onques, j'en vins à bout
comme je peus; à quoy il print un singulier plaisir, et donna
charge qu'on le fit imprimer; ce qui fut executé après sa
mort [5].

   Je trouvay belles les imaginations de cet autheur, la
contexture de son ouvrage bien suivie, et son dessein plein
de pieté. Par ce que beaucoup de gens s'amusent à le lire,
et notamment les dames, à qui nous devons plus de service,
je me suis trouvé souvent à mesme de les secourir, pour
descharger leur livre de deux principales objections qu'on
luy faict. Sa fin est hardie et courageuse, car il entreprend,

par raisons humaines et naturelles, establir et verifier contre les atheistes tous les articles de la religion Chrestienne : en quoy, à dire la verité, je le trouve si ferme et si heureux que je ne pense point qu'il soit possible de mieux faire en cet argument là, et croy que nul ne l'a esgalé. Cet ouvrage me semblant trop riche et trop beau pour un autheur duquel le nom soit si peu conneu, et duquel tout ce que nous sçavons, c'est qu'il estoit Espaignol, faisant profession de medecine à Thoulouse, il y a environ deux cens ans, je m'enquis autrefois à Adrien Tournebu⁶, qui sçavoit toutes choses, que ce pouvoit estre de ce livre ; il me respondit qu'il pensoit que ce fut quelque quinte essence tirée de S. Thomas d'Aquin : car, de vray, cet esprit là, plein d'une erudition infinie et d'une subtilité admirable, estoit seul capable de telles imaginations. Tant y a que, quiconque en soit l'autheur et inventeur (et ce n'est pas raison d'oster sans plus grande occasion à Sebond ce tiltre), c'estoit un très-suffisant homme et ayant plusieurs belles parties.

La premiere reprehension⁷ qu'on fait de son ouvrage, c'est que les Chretiens se font tort de vouloir appuyer leur creance par des raisons humaines, qui ne se conçoit que par foy et par une inspiration particuliere de la grace divine. En cette objection il semble qu'il y ait quelque zele de pieté, et à cette cause nous faut-il avec autant plus de douceur et de respect essayer de satisfaire à ceux qui la mettent en avant. Ce seroit mieux la charge d'un homme versé en la Theologie, que de moy qui n'y sçay rien.

Toutefois je juge ainsi, qu'à une chose si divine et si hautaine, et surpassant de si loing l'humaine intelligence, comme est cette verité de laquelle il a pleu à la bonté de Dieu nous esclairer, il est bien besoin qu'il nous preste encore son secours, d'une faveur extraordinaire et privilegiée, pour la pouvoir concevoir et loger en nous ; et ne croy pas que les moyens purement humains en soyent aucunement capables ; et, s'ils l'estoient, tant d'ames rares et excellentes, et si abondamment garnies de forces naturelles ès siecles anciens, n'eussent pas failly par leur discours d'arriver à cette connoissance. C'est la foy seule qui embrasse vivement et certainement les hauts mysteres de nostre Religion. Mais ce n'est pas à dire que ce ne soit une très-belle et trèsloüable entreprinse d'accommoder encore au service de nostre foy les utils naturels et humains que Dieu nous a donnez. Il ne faut pas douter que ce ne soit l'usage le plus honorable que nous leur sçaurions donner, et qu'il n'est occupation ny dessein plus digne d'un homme Chrestien que de viser par tous ses estudes et pensemens à embellir, estandre et amplifier la verité de sa creance. Nous ne nous contentons point de servir Dieu d'esprit et d'âme; nous luy devons encore et rendons une reverence corporelle; nous appliquons nos membres mesmes et nos mouvements et les choses externes à l'honorer. Il en faut faire de mesme, et accompaigner nostre foy de toute la raison qui est en nous, mais tousjours avec cette reservation de n'estimer pas que ce soit de nous qu'elle depende, ny que nos efforts et argumens puissent atteindre à une si supernaturelle et divine science.

Si elle n'entre chez nous par une infusion extraordinaire; si elle y entre non seulement par discours, mais encore par moyens humains, elle n'y est pas en sa dignité ny en sa splendeur. Et certes je crain pourtant que nous ne la jouyssions que par cette voye. Si nous tenions à Dieu par l'entremise d'une foy vive; si nous tenions à Dieu par luy, non par nous; si nous avions un pied et un fondement divin, les occasions humaines n'auroient pas le pouvoir de nous esbranler, comme elles ont; nostre fort ne seroit pas pour se rendre à une si foible batterie; l'amour de la nouvelleté, la contraincte des Princes, la bonne fortune d'un party, le changement temeraire et fortuite de nos opinions, n'auroient pas la force de secouër et alterer nostre croiance; nous ne la lairrions pas troubler à la mercy d'un nouvel argument et à la persuasion, non pas de toute la Rhetorique qui fust onques; nous soutienderions ces flots d'une fermeté inflexible et immobile,

> *Illisos fluctus rupes ut vasta refundit,*
> *Et varias circum latrantes dissipat undas*
> *Mole sua* [8].

Si ce rayon de la divinité nous touchoit aucunement, il y paroistroit par tout; non seulement nos parolles, mais encore nos operations en porteroient la lueur et le lustre. Tout ce qui partiroit de nous, on le verroit illuminé de cette noble clarté. Nous devrions avoir honte qu'és sectes humaines il ne fust jamais partisan, quelque difficulté et estrangeté que maintint sa doctrine, qui n'y conformast aucunement ses deportemens et sa vie; et une si divine et celeste institution ne marque les Chrestiens que par la langue.

// Voulez vous voir cela ? comparez nos meurs à un Mahometan, à un Païen; vous demeurez tousjours au dessoubs : là où, au regard de l'avantage de nostre religion, nous devrions luire en excellence, d'une extreme et incomparable distance; et devroit on dire : « Sont ils si justes, si charitables, si bons ? ils sont donq Chrestiens. » /// Toutes autres apparences sont communes à toutes religions : esperance, confiance, evenemens, ceremonies, penitence, martyres. La marque peculière [9] de nostre verité devroit estre nostre vertu, comme elle est aussi la plus celeste marque et la plus difficile, et que c'est la plus digne production de la verité. // Pourtant eust raison nostre bon S. Loys, quand ce Roy Tartare qui s'estoit faict Chrestien, desseignoit [10] de venir à Lyon baiser les pieds au Pape et y reconnoistre la sanctimonie [11] qu'il esperoit trouver en nos meurs, de l'en destourner instamment, de peur qu'au contraire nostre desbordée façon de vivre ne le dégoustast d'une si saincte creance. Combien que depuis il advint tout diversement à cet autre, lequel, estant allé à Romme pour mesme effect, y voyant la dissolution des prelats et peuple de ce temps là, s'establit d'autant plus fort en nostre religion, considerant combien elle devoit avoir de force et de divinité à maintenir sa dignité et sa splendeur parmy tant de corruption et en mains si vitieuses.

/ « Si nous avions une seule goute de foy, nous remuerions les montaignes de leur place », dict la saincte parole [12], nos actions, qui seroient guidées et accompaignées de la divinité, ne seroient pas simplement humaines; elles auroient quelque chose de miraculeux comme nostre croyance. /// « *Brevis est institutio vitæ honestæ beatæque, si credas* [13]. »

Les uns font accroire au monde qu'ils croyent ce qu'ils ne croyent pas. Les autres, en plus grand nombre, se le font accroire à eux mesmes, ne sçachans pas penetrer que c'est que croire.

/ Et nous trouvons estrange si, aux guerres qui pressent à cette heure nostre estat, nous voyons flotter les evenemens et diversifier d'une maniere commune et ordinaire. C'est que nous n'y apportons rien que le nostre [14]. La justice qui est en l'un des partis, elle n'y est que pour ornement et couverture; elle y est bien alleguée, mais elle n'y est ny receuë, ny logée, ny espousée; elle y est comme en la bouche de l'advocat, non comme dans le cœur et affection de la partie. Dieu doibt son secours extraordinaire à la foy et à la religion, non pas à nos passions. Les hommes y sont conducteurs et s'y servent de la religion; ce devroit estre tout le contraire.

/// Sentez si ce n'est par noz mains que nous la menons, à tirer comme de cire tant de figures [15] contraires d'une règle si droitte et si ferme. Quand s'est il veu mieux qu'en

France en noz jours ? Ceux qui l'ont prinse à gauche, ceux qui l'ont prinse à droite, ceux qui en disent le noir, ceux qui en disent le blanc, l'employent si pareillement à leurs violentes et ambitieuses entreprinses, s'y conduisent d'un progrez si conforme en desbordement et injustice, qu'ils rendent doubteuse et malaisée à croire la diversité qu'ils pretendent de leurs opinions en chose de laquelle depend la conduitte et loy de nostre vie. Peut on voir partir de mesme escole et discipline des meurs plus unies, plus unes ?

Voyez l'horrible impudence dequoy nous pelotons [16] les raisons divines, et combien irreligieusement nous les avons et rejettées et reprinses selon que la fortune nous a changé de place en ces orages publiques. Cette proposition si solenne [17] : S'il est permis au subjet de se rebeller et armer contre son prince pour la defence de la religion, souvienne-vous en quelles bouches, cette année passée, l'affirmative d'icelle estoit l'arc-boutant d'un parti [18], la negative de quel autre parti c'estoit l'arc-boutant; et oyez à present de quel quartier vient la voix et instruction de l'une et de l'autre; et si les armes bruyent moins pour cette cause que pour cette là. Et nous bruslons les gens qui disent qu'il faut faire souffrir à la verité le joug de nostre besoing. Et de combien faict la France pis que de le dire ?

/ Confessons la verité : qui trieroit de l'armée, mesmes legitime et moïenne, ceux qui y marchent par le seul zele d'une affection religieuse, et encore ceux qui regardent seulement la protection des loix de leur pays ou service du Prince, il n'en sçauroit bastir une compaignie de gens-darmes complete. D'où vient cela, qu'il s'en trouve si peu qui ayent maintenu mesme volonté et mesme progrez en nos mouvemens publiques, et que nous les voyons tantost n'aller que le pas, tantost y courir à bride avalée; et mesmes hommes tantost gaster nos affaires par leur violence et aspreté, tantost par leur froideur, mollesse et pesanteur, si ce n'est qu'ils y sont poussez par des consi-derations particulieres /// et casuelles / selon la diversité desquelles ils se remuent ?

/// Je voy cela evidemment [19] que nous ne prestons volontiers à la devotion que les offices qui flattent noz passions. Il n'est point d'hostilité excellente [20] comme la chrestienne. Nostre zele faict merveilles, quand il va secondant nostre pente vers la haine, la cruauté, l'ambition, l'avarice, la detraction, la rebellion. A contrepoil, vers la bonté, la benignité, la temperance, si, comme par miracle, quelque rare complexion ne l'y porte, il ne va ny de pied, ny d'aile.

Nostre religion est faicte pour extirper les vices; elle les couvre, les nourrit, les incite [21].

/ Il ne faut point faire barbe de foarre à Dieu [22] (comme on dict). Si nous le croyons, je ne dy pas par foy, mais d'une simple croyance, voire (et je le dis à nostre grande confusion) si nous le croyons et cognoissons comme une autre histoire, comme l'un de nos compaignons, nous l'aimerions au dessus de toutes autres choses, pour l'infinie bonté et beauté qui reluit en luy; au moins marcheroit il en mesme reng de nostre affection que les richesses, les plaisirs, la gloire et nos amis.

/// Le meilleur de nous ne craind point de l'outrager, comme il craind d'outrager son voisin, son parent, son maistre. Est il si simple entendemant, lequel, ayant d'un coté l'object d'un de nos vicieux plaisirs, et de l'autre en pareille cognoissance et persuasion l'estat d'une gloire immortelle, entrast en troque de l'un pour l'autre ? Et si, nous y renonçons souvent de pur mespris : car quel goust nous attire au blaspherer, sinon à l'adventure le goust mesme de l'offence ?

Le philosophe Antisthenes, comme on l'initioit aux mysteres d'Orpheus, le prestre luy disant que ceux qui se voüoyent à cette religion avoyent à recevoir après leur mort des biens eternels et parfaicts : « Pourquoy ne meurs tu donc toi mesmes ? » luy fit-il.

Diogenes, plus brusquement selon sa mode, et hors de nostre propos, au prestre qui le preschoit de mesme de se faire de son ordre pour parvenir aux biens de l'autre monde : « Veux tu pas que je croye qu'Agesilaüs et Epaminondas, si grands hommes, seront miserables, et que toy, qui n'es qu'un veau, seras bien heureux par ce que tu es prestre ? »

Ces grandes promesses de la beatitude eternelle si nous les recevions de pareille authorité qu'un discours philosophique, nous n'aurions pas la mort en telle horreur que nous avons.

|| *Non jam se moriens dissolvi conquereretur ;*
Sed magis ire foras, vestemque relinquere, ut anguis,
Gauderet, prælonga senex aut cornua cervus [23].

/ Je veuil estre dissout, dirions nous, et estre aveques Jesus-Christ. La force du discours de Platon, de l'immortalité de l'ame, poussa bien aucuns de ses disciples à la mort, pour joïr plus promptement des esperances qu'il leur donnoit.

Tout cela, c'est un signe très-evident que nous ne

recevons nostre religion qu'à nostre façon et par nos mains, et non autrement que comme les autres religions se reçoyvent. Nous nous sommes rencontrez au païs où elle estoit en usage; ou nous regardons son ancienneté ou l'authorité des hommes qui l'ont maintenue; ou creignons les menaces qu'ell'attache aux mescreans; ou suyvons ses promesses. Ces considerations là doivent estre employées à nostre creance, mais comme subsidiaires : ce sont liaisons humaines. Une autre religion, d'autres tesmoings, pareilles promesses et menasses nous pourroyent imprimer par mesme voye une croyance contraire. // Nous sommes Chrestiens à mesme titre que nous sommes ou Perigordins ou Alemans.

/ Et ce que dit Plato, qu'il est peu d'hommes si fermes en l'atheisme, qu'un dangier pressant ne ramene à la recognoissance de la divine puissance, ce rolle ne touche point un vray Chrestien. C'est à faire aux religions mortelles et humaines d'estre receuës par une humaine conduite [24]. Quelle foy doit ce estre, que la lâcheté et la foiblesse de cœur plantent en nous et establissent ? /// Plaisante foy qui ne croit ce qu'elle croit que pour n'avoir le courage de le descroire! / Une vitieuse passion, comme celle de l'inconstance [25] et de l'estonnement [26], peut elle faire en nostre ame aucune production reglée ?

/// Ils establissent, dict-il, par la raison de leur jugement, que ce qui se recite des enfers et des peines futures est feint. Mais, l'occasion de l'experimenter s'offrant lors que la vieillesse ou les maladies les approchent de leur mort, la terreur d'icelle les remplit d'une nouvelle creance par l'horreur de leur condition à venir. Et par ce que telles impressions rendent les courages craintifs, il defend en ses loix toute instruction de telles menaces, et la persuasion que des Dieux il puisse venir à l'homme aucun mal, sinon pour son plus grand bien, quand il y eschoit, et pour un medecinal effect. Ils recitent de Bion qu'infect [27] des atheismes de Théodorus, il avoit esté longtemps se moquant des hommes religieux; mais, la mort le surprenant, qu'il se rendit aux plus extremes superstitions, comme si les dieux s'ostoyent et se remettoyent selon l'affaire de Bion.

Platon et ces exemples veulent conclurre que nous sommes ramenez à la creance de Dieu, ou par amour, ou par force. L'Atheisme estant une proposition comme desnaturée et monstrueuse, difficile aussi et malaisée d'establir en l'esprit humain, pour insolent et desreglé qu'il puisse estre; il s'en est veu assez, par vanité et par fierté de concevoir des opinions non vulgaires et reformatrices du monde, en affecter la profession par contenance, qui, s'ils sont assez fols, ne sont pas assez forts pour l'avoir plantée en leur conscience pourtant. Ils ne lairront de joindre les mains vers le ciel, si vous leur attachez un bon coup d'espée en la poitrine. Et, quand la crainte ou la maladie aura abatu cette licentieuse ferveur d'humeur volage, ils ne lairront de se revenir et se laisser tout discretement manier aux creances et exemples publiques. Autre chose est un dogme serieusement digeré; autre chose, ces impressions superficielles, lesquelles, nées de la desbauche d'un esprit desmanché, vont nageant temerairement et incertainement en la fantasie. Hommes bien miserables et escervellez, qui taschent d'estre pires qu'ils ne peuvent!

// L'erreur du paganisme, et l'ignorance de nostre sainte verité, laissa tomber cette grande ame de Platon (mais grande d'humaine grandeur seulement), encores en cet autre voisin abus, que les enfans et les vieillars se trouvent plus susceptibles de religion, comme si elle naissoit et tiroit son credit de nostre imbecillité.

/ Le neud qui devroit attacher nostre jugement et nostre volonté, qui devroit estreindre nostre ame et joindre à nostre createur, ce devroit estre un nœud prenant ses repliz et ses forces, non pas de noz considerations, de noz raisons et passions, mais d'une estreinte divine et supernaturelle, n'ayant qu'une forme, un visage et un lustre [28], qui est l'authorité de Dieu et sa grace. Or, nostre cœur et nostre ame estant regie et commandée par la foy, c'est raison qu'elle tire au service de son dessein toutes noz autres pieces selon leur portée. Aussi n'est-il pas croyable que toute cette machine n'ait quelques marques empreintes de la main de ce grand architecte, et qu'il n'y ait quelque image és choses du monde raportant aucunement à l'ouvrier qui les a basties et formées. Il a laissé en ces hauts ouvrages le caractere de sa divinité, et ne tient qu'à nostre imbecillité que nous ne le puissions descouvrir. C'est ce qu'il nous dit luy mesme, que ses operations invisibles, il nous les manifeste par les visibles. Sebond s'est travaillé à ce digne estude, et nous montre comment il n'est piece du monde qui desmante son facteur [29]. Ce seroit faire tort à la bonté divine, si l'univers ne consentoit [30] à nostre creance. Le ciel, la terre, les elemans, nostre corps et nostre ame, toutes choses y conspirent; il n'est que de trouver le moyen de s'en servir. Elles nous instruisent, si nous sommes capables d'en-

tendre. // Car ce monde est un temple tressainct, dedans
lequel l'homme est introduict pour y contempler des
statues, non ouvrées de mortelle main, mais celles que la
divine pensée a faict sensibles : le Soleil, les estoilles, les
eaux et la terre, pour nous representer les intelligibles.
/ « Les choses invisibles de Dieu, dit saint Paul, apparoissent par la creation du monde, considerant sa sapience
eternelle et sa divinité par ses œuvres. »

> *Atque adeo faciem cæli non invidet orbi*
> *Ipse Deus, vultusque suos corpusque recludit*
> *Semper volvendo; seque ipsum inculcat et offert,*
> *Ut bene cognosci possit, doceatque videndo*
> *Qualis eat, doceatque suas attendere leges* [31].

Or, nos raisons et nos discours humains, c'est comme
la matiere lourde et sterile : la grace de Dieu en est la
forme; c'est elle qui y donne la façon et le pris. Tout ainsi
que les actions vertueuses de Socrates et de Caton demeurent vaines et inutiles pour n'avoir eu leur fin et n': voir
regardé l'amour et obeïssance du vray createur de toutes
choses, et pour avoir ignoré Dieu : ainsin est-il de nos
imaginations et discours; ils ont quelque corps, mais
c'est une masse informe, sans façon et sans jour, si la foy
et grace de Dieu n'y sont joinctes. La foy venant à teindre
et illustrer les argumens de Sebond, elle les rend fermes
et solides; ils sont capables de servir d'acheminement
et de premiere guyde à un aprentis pour le mettre à la
voye de cette connoissance; ils le façonnent aucunement
et rendent capable de la grace de Dieu, par le moyen de
laquelle se parfournit et se perfet aprés nostre creance. Je
sçay un homme d'authorité, nourry aux lettres, qui m'a
confessé avoir esté ramené des erreurs de la mescreance
par l'entremise des argumens de Sebond. Et quand on les
despouillera de cet ornement et du secours et approbation
de la foy, et qu'on les prendra pour fantasies pures
humaines, pour en combatre ceux qui sont precipitez aux
espouvantables et horribles tenebres et l'irreligion, ils se
trouveront encores lors aussi solides et autant fermes que
nuls autres de mesme condition qu'on leur puisse opposer :
de façon que nous serons sur les termes de [32] dire à noz
parties,

> *Si melius quid habes, arcesse, vel imperium fer* [33] ;

qu'ils souffrent la force de noz preuves, ou qu'ils nous en

facent voir ailleurs, et sur quelque autre suject, de mieux tissues et mieux estofées.

Je me suis, sans y penser, à demy desjà engagé dans la seconde objection à laquelle j'avois proposé de respondre pour Sebond.

Aucuns disent que ses argumens sont foibles et ineptes à verifier ce qu'il veut, et entreprennent de les choquer ayséement. Il faut secouer ceux-cy un peu plus rudement, car ils sont plus dangereux et plus malitieux que les premiers. /// On couche [34] volontiers le sens des escris d'autruy à la faveur des opinions qu'on a prejugées en soi; et un atheïste se flate à ramener tous autheurs à l'atheïsme, infectant de son propre venin la matiere innocente. / Ceux cy ont quelque preoccupation de jugement qui leur rend le goust fade aux raisons de Sebond. Au demeurant, il leur semble qu'on leur donne beau jeu de les mettre en liberté de combatre nostre religion par les armes pures humaines, laquelle ils n'oseroyent ataquer en sa majesté pleine d'authorité et de commandement. Le moyen que je prens pour rabatre cette frenaisie et qui me semble le plus propre, c'est de froisser et fouler aux pieds l'orgueil et humaine fierté; leur faire sentir l'inanité, la vanité et deneantise [35] de l'homme; leur arracher des points les chetives armes de leur raison; leur faire baisser la teste et mordre la terre soubs l'authorité et reverance de la majesté divine. C'est à elle seule qu'apartient la science et la sapience; elle seule qui peut estimer de soy quelque chose, et à qui nous desrobons ce que nous nous contons et ce que nous nous prisons.

Οὐ γὰρ ἐᾷ φρονέειν ὅ Θεὸς μέγα ἄλλον ἤ ἑωυτον [36].

Abattons ce cuider, premier fondement de la tyrannie du malin esprit : « *Deus superbis resistit ; humilibus autem at gratiam* [37]. » L'intelligence est en tous les Dieux, dict Platon, et en fort peu d'hommes.

/ Or c'est cependant beaucoup de consolation à l'homme Chrestien de voir nos utils mortels et caduques si propprement assortis à nostre foy saincte et divine que, lors qu'on les emploie aux sujects de leur nature mortels et caduques, ils n'y soient pas appropriez plus uniement, ny avec plus de force. Voyons donq si l'homme a en sa puissance d'autres raisons plus fortes que celles de Sebond, voire s'il est en luy d'arriver à aucune certitude par argument et par discours.

/// Car Sainct Augustin, plaidant contre ces gens icy,

a occasion de reprocher leur injustice en ce qu'ils tiennent
les parties de nostre creance fauces, que nostre raison faut
à establir; et pour montrer qu'assez de choses peuvent
estre et avoir esté, desquelles nostre discours ne sçauroit
fonder la nature et les causes, il leur met en avant certaines
experiences connues et indubitables ausquelles l'homme
confesse rien ne veoir; et cela, comme toutes autres choses,
d'une curieuse et ingenieuse recherche. Il faut plus faire,
et leur apprendre que, pour convaincre la foiblesse de leur
raison, il n'est besoing d'aller triant des rares exemples,
et qu'elle est si manque [38] et si aveugle qu'il n'y a nulle si
claire facilité qui luy soit assez claire; que l'aisé et le malaisé
luy sont un; que tous subjects esgalement, et la nature en
general desadvoüe sa jurisdiction et entremise.

/ Que nous presche la verité, quand elle nous presche de
fuir la mondaine philosophie, quand elle nous inculque si
souvant que nostre sagesse n'est que folie devant Dieu;
que, de toutes les vanitez, la plus vaine c'est l'homme; que
l'homme qui presume de son sçavoir, ne sçait pas encore
que c'est que sçavoir, et que l'homme, qui n'est rien,
s'il pense estre quelque chose, se seduit soy mesmes et se
trompe? Ces sentences du sainct esprit expriment si
clairement et si vivement ce que je veux maintenir, qu'il
ne me faudroit aucune autre preuve contre des gens qui
se rendroient avec toute submission et obeïssance à son
authorité. Mais ceux cy veulent estre foitez à leurs propres
despens et ne veulent souffrir qu'on combatte leur raison
que par elle mesme.

Considerons donq pour cette heure l'homme seul,
sans secours estranger, armé seulement de ses armes, et
despourveu de la grace et cognoissance divine, qui est
tout son honneur, sa force et le fondement de son estre.
Voyons combien il a de tenue en ce bel equipage. Qu'il
me face entendre par l'effort de son discours, sur quels
fondemens il a basty ces grands avantages qu'il pense
avoir sur les autres creatures. Qui luy a persuadé que ce
branle admirable de la voute celeste, la lumiere eternelle
de ces flambeaux roulans si fierement sur sa teste, les
mouvemens espouvantables de cette mer infinie, soyent
establis et se continuent tant de siecles pour sa commodité
et pour son service? Est-il possible de rien imaginer si
ridicule que cette miserable et chetive creature, qui n'est
pas seulement maistresse de soy, exposée aux offences de
toutes choses, se die maistresse et emperiere [39] de l'univers,
duquel il n'est pas en sa puissance de cognoistre la moindre
partie, tant s'en faut de la commander? Et ce privilege

qu'il s'atribue d'estre seul en ce grand bastimant, qui ayt la suffisance d'en recognoistre la beauté et les pieces, seul qui en puisse rendre graces à l'architecte et tenir conte de la recepte et mise du monde, qui lui a seelé ce privilege ? Qu'il nous montre lettres [40] de cette belle et grande charge.

/// Ont elles esté ottroyées en faveur des sages seulement ? Elles ne touchent guere de gens. Les fols et les meschants sont ils dignes de faveur si extraordinaire, et, estant la pire piece du monde, d'estre preferez à tout le reste ?

En croirons nous cestuy-là : « *Quorum igitur causa quis dixerit effectum esse mundum ? Eorum scilicet animantium quæ ratione utuntur. Hi sunt dii et homines, quibus profecto nihil est melius* [41]. » ? Nous n'aurons jamais assez bafoüé l'impudence de cet accouplage.

/ Mais, pauvret, qu'a il en soy digne d'un tel avantage ? A considerer cette vie incorruptible des corps celestes, leur beauté, leur grandeur, leur agitation continuée d'une si juste regle :

> *cum suspicimus magni cælestia mundi*
> *Templa super, stellisque micantibus Æthera fixum,*
> *Et venit in mentem Lunæ solisque viarum* [42] ;

à considerer la domination et puissance que ces corps là ont non seulement sur nos vies et conditions de nostre fortune,

> *Facta etenim et vitas hominum suspendit ab astris* [43],

mais sur nos inclinations mesmes, nos discours, nos volontez, qu'ils regissent, poussent et agitent à la mercy de leurs influances, selon que nostre raison nous l'apprend et le trouve,

> *speculataque longe*
> *Deprendit tacitis dominantia legibus astra,*
> *Et totum alterna mundum ratione moveri,*
> *Fatorumque vices certis discernere signis* [44] :

à voir que non un homme seul, non un Roy, mais les monarchies, les empires et tout ce bas monde se meut au branle des moindres mouvemens celestes,

> *Quantaque quam parvi faciant discrimina motus :*
> *Tantum est hoc regnum, quod regibus imperat ipsis* [45] !

si nostre vertu, nos vices, nostre suffisance et science,

et ce mesme discours que nous faisons de la force des astres, et cette comparaison d'eux à nous, elle vient, comme juge nostre raison, par leur moyen et de leur faveur,

> *furit alter amore,*
> *Et pontum tranare potest et vertere Trojam ;*
> *Alterius sors est scribendis legibus apta ;*
> *Ecce patrem nati perimunt, natosque parentes ;*
> *Mutuaque armati coeunt in vulnera fratres :*
> *Non nostrum hoc bellum est ; coguntur tanta movere,*
> *Inque suas ferri pænas, lacerandaque membra ;*
> *Hoc quoque fatale est, sic ipsum expendere fatum* [46] *;*

si nous tenons de la distribution du ciel cette part de raison que nous avons, comment nous pourra elle esgaler à luy ? comment soub-mettre à nostre science son essence et ses conditions ? Tout ce que nous voyons en ces corps là, nous estonne. /// « *Quæ molitio, quæ ferramenta, qui vectes, quæ machinæ, qui ministri tanti operis fuerunt* [47] *?* » / Pourquoy les privons nous et d'ame, et de vie, et de discours ? Y avons-nous recogneu quelque stupidité immobile et insensible, nous qui n'avons aucun commerce avecques eux, que d'obeïssance ? /// Dirons nous que nous n'avons veu en nulle autre creature qu'en l'homme l'usage d'une ame raisonable ? Et quoy ! avons nous veu quelque chose semblable au soleil ? Laisse-il d'estre, par ce que nous n'avons rien veu de semblable ? et ses mouvements d'estre, par ce qu'il n'en est point de pareils ? Si ce que nous n'avons pas veu n'est pas, nostre science est merveilleusement raccourcie : « *Quæ sunt tantæ animi angustiæ* [48] *!* » / Sont ce pas des songes de l'humaine vanité, de faire de la Lune une terre celeste, /// y songer des montaignes, des vallées, comme Anaxagoras ? / y planter des habitations et demeures humaines, et y dresser des colonies pour nostre commodité, comme faict Platon et Plutarque ? et de nostre terre en faire un astre esclairant et lumineux ? /// « *Inter cetera mortalitatis incommoda et hoc est, calligo mentium, nec tantum necessitas errandi sed errorum amor* [49] *.* » — « *Corruptibile corpus aggravat animam, et deprimit terrena inhabitatio sensum multa cogitantem* [50] *.* »

/ La presomption est nostre maladie naturelle et originelle. La plus calamiteuse et fraile de toutes les creatures, c'est l'homme, et quant et quant la plus orgueilleuse. Elle se sent et se void logée icy, parmy la bourbe et le fient [51] du monde, attachée et clouée à la pire, plus morte et croupie partie de l'univers, au dernier estage du logis et le plus esloigné de la voute celeste, avec les animaux de la pire condition des trois [52]; et se va plantant par imagination au dessus du cercle de la Lune et ramenant le ciel soubs ses pieds. C'est par la vanité de cette mesme imagination qu'il s'egale à Dieu, qu'il s'attribue les conditions divines, qu'il se trie soy mesme et separe de la presse des autres creatures, taille les parts aux animaux ses confreres et compaignons, et leur distribue telle portion de facultez et de forces que bon luy semble. Comment cognoit il, par l'effort de son intelligence, les branles internes et secrets des animaux ? par quelle comparaison d'eux à nous conclud il la bestise qu'il leur attribue ?

/// Quand je me joüe à ma chatte, qui sçait si elle passe son temps de moy plus que je ne fay d'elle ? Platon, en sa peinture de l'aage doré sous Saturne, compte entre les principaux advantages de l'homme de lors la communication qu'il avoit avec les bestes, desquelles s'enquerant et s'instruisant, il sçavoit les vrayes qualitez et differences de chacune d'icelles; par où il acqueroit une très-parfaicte intelligence et prudence, et en conduisoit de bien loing plus heureusement sa vie que nous ne sçaurions faire. Nous faut il meilleure preuve à juger l'impudence humaine sur le faict des bestes ? Ce grand autheur a opiné qu'en la plus part de la forme corporelle que nature leur a donné, elle a regardé seulement l'usage des prognostications qu'on en tiroit en son temps.

/ Ce defaut qui empesche la communication d'entre elles et nous, pourquoy n'est il aussi bien à nous qu'à elles ? C'est à deviner à qui est la faute de ne nous entendre point; car nous ne les entendons non plus qu'elles nous. Par cette mesme raison, elles nous peuvent estimer bestes, comme nous les en estimons. Ce n'est pas grand merveille si nous ne les entendons pas (aussi ne faisons nous les Basques et les Troglodites). Toutesfois aucuns se sont vantez de les [53] entendre, comme Apollonius, Thyaneus, // Melampus, Tyresias, Thales / et autres. // Et puis qu'il est ainsi, comme disent les cosmographes, qu'il y a des nations qui reçoyvent un chien pour leur Roy, il faut bien qu'ils donnent certaine interpretation à sa voix et mouvements. / Il nous faut remarquer la parité qui est entre nous. Nous avons quelque moyenne intelligence de leur sens : aussi ont les bestes du nostre, environ à mesme mesure. Elles nous flatent, nous menassent et nous requierent; et nous, elles.

Au demeurant, nous decouvrons bien evidemment que entre elles il y a une pleine et entiere communication et qu'elles s'entr'entendent, non seulement celles de mesme espece, mais aussi d'especes diverses.

|| *Et mutæ pecudes et denique secla ferarum*
Dissimiles suerunt voces variasque cluere,
Cum metus aut dolor est, aut cum jam gaudia gliscunt [54].

/ En certain abbayer [55] du chien le cheval cognoist qu'il y a de la colere; de certaine autre sienne voix il ne s'effraye point. Aux bestes mesmes qui n'ont pas de voix, par la societé d'offices [56] que nous voyons entre elles, nous argumentons aiséement quelque autre moyen de communication : /// leurs mouvemens discourent et traictent;

|| *Non alia longè ratione atque ipsa videtur*
Protrahere ad gestum pueros infantia linguæ [57].

/ Pourquoy non, tout aussi bien que nos muets disputent, argumentent et content des histoires par signes? J'en ay veu de si souples et formez à cela, qu'à la verité il ne leur manquoit rien à la perfection de se sçavoir faire entendre; les amoureux se courroussent, se réconcilient, se prient, se remercient, s'assignent et disent enfin toutes choses des yeux :

E'l silentio ancor suole
Haver prieghi e parole [58].

/// Quoy des mains ? nous requerons, nous promettons, appellons, congedions, menaçons, prions, supplions, nions, refusons, interrogeons, admirons, nombrons [59], confessons, repentons, craignons, vergoignons [60], doubtons, instruisons, commandons, incitons, encourageons, jurons, temoignons, accusons, condamnons, absolvons, injurions, mesprisons, deffions, despitons, flattons, applaudissons, benissons, humilions, moquons, reconcilions, recommandons, exaltons, festoyons, resjouissons, complaignons, attristons, desconfortons, desesperons, estonnons, escrions, taisons; et quoy non [61]? d'une variation et multiplication à l'envy de la langue. De la teste : nous convions, nous renvoyons, advoüons, desadvoüons, desmentons, bienveignons [62], honorons, venerons, desdaignons, demandons, esconduisons, égayons, lamentons, caressons, tansons, soubmettons, bravons, enhortons [63], menaçons, asseurons, enquerons. Quoy des sourcils ? quoy des espaules ? Il n'est mouvement qui ne parle et un

langage intelligible sans discipline et un langage publique :
qui faict, voyant la varieté et usage distingué des autres,
que cestuy cy doibt plus tost estre jugé le propre de l'humaine nature. Je laisse à part ce que particulierement la
necessité en apprend soudain à ceux qui en ont besoing, et
les alphabets des doigts et grammaires en gestes, et les
sciences qui ne s'exercent et expriment que par iceux, et
les nations que Pline dit n'avoir point d'autre langue.

// Un Ambassadeur de la ville d'Abdere, après avoir
longuement parlé au Roy Agis de Sparte, luy demanda :
« Et bien, Sire, quelle responce veux-tu que je rapporte à
nos citoyens ? — Que je t'ay laissé dire tout ce que tu as
voulu, et tant que tu as voulu, sans jamais dire mot. »
Voilà pas un taire parlier [64] et bien intelligible ?

/ Au reste, quelle sorte de nostre suffisance ne reconnoissons nous aux operations des animaux ? Est-il police
reglée avec plus d'ordre, diversifiée à plus de charges et
d'offices, et plus constamment entretenuë que celle des
mouches à miel ? Cette disposition d'actions et de vacations si ordonnée, la pouvons nous imaginer se conduire
sans discours et sans providence [65] ?

> *His quidam signis atque hæc exempla sequuti,*
> *Esse apibus partem divinæ mentis et haustus*
> *Æthereos dixere* [66].

Les arondelles, que nous voyons au retour du printemps
fureter tous les coins de nos maisons, cherchent elles
sans jugement et choisissent elles sans discretion, de mille
places, celle qui leur est la plus commode à se loger ? Et,
en cette belle et admirable contexture de leurs bastimens,
les oiseaux peuvent ils se servir plustost d'une figure
quarrée que de la ronde, d'un angle obtus que d'un angle
droit, sans en sçavoir les conditions et les effects ? Prennent-
ils tantost de l'eau, tantost de l'argile, sans juger que la
dureté s'amollit en l'humectant ? Planchent-ils de mousse
leur palais, ou de duvet, sans prevoir que les membres
tendres de leurs petits y seront plus mollement et plus à
l'aise ? Se couvrent-ils du vent pluvieux, et plantent
leur loge à l'Orient, sans connoistre les conditions differentes de ces vents et considerer que l'un leur est plus
salutaire que l'autre ? Pourquoy espessit l'araignée sa
toile en un endroit et relasche en un autre ? se sert à
cette heure de cette sorte de neud, tantost de celle-là, si
elle n'a et deliberation, et pensement, et conclusion ? Nous
reconnoissons assez, en la pluspart de leurs ouvrages,

combien les animaux ont d'excellence au dessus de nous
et combien nostre art est foible à les imiter. Nous voyons
toutesfois aux nostres, plus grossiers, les facultez que nous
y employons, et que nostre ame s'y sert de toutes ses
forces; pourquoy n'en estimons nous autant d'eux ? pourquoy attribuons nous à je ne sçay quelle inclination naturelle et servile les ouvrages qui surpassent tout ce que
nous pouvons par nature et par art ? En quoy, sans y penser, nous leur donnons un très-grand avantage sur nous,
de faire que nature, par une douceur maternelle, les accompaigne et guide, comme par la main, à toutes les actions
et commoditez de leur vie; et qu'à nous elle nous abandonne au hazard et à la fortune, et à quester par art les
choses necessaires à nostre conservation; et nous refuse
quant et quant les moyens de pouvoir arriver, par aucune
institution et contention d'esprit, à l'industrie naturelle
des bestes; de maniere que leur stupidité brutale [67] surpasse en toutes commoditez tout ce que peut nostre divine
intelligence.

Vrayement, à ce compte, nous aurions bien raison de
l'appeller une très-injuste maratre. Mais il n'en est rien;
nostre police [68] n'est pas si difforme et desreglée. Nature
a embrassé universellement toutes ses creatures; et n'en
est aucune qu'elle n'ait bien plainement fourny de tous
moyens necessaires à la conservation de son estre; car
ces plaintes vulgaires que j'oy faire aux hommes (comme
la licence de leurs opinions les esleve tantost au dessus des
nuës, et puis les ravale aux antipodes), que nous sommes
le seul animal abandonné nud sur la terre nuë, lié, garrotté,
n'ayant dequoy s'armer et couvrir que de la despouille
d'autruy; là où toutes les autres creatures, nature les a
revestuës de coquilles, de gousses, d'escorce, de poil, de
laine, de pointes, de cuir, de bourre, de plume, d'escaille,
de toison et de soye, selon le besoin de leur estre; les a
armées de griffes, de dents, de cornes, pour assaillir et
pour defendre; et les a elle mesmes instruites à ce qui
leur est propre, à nager, à courir, à voler, à chanter, là
où l'homme ne sçait ny cheminer, ny parler, ny manger,
ny rien que pleurer sans apprentissage :

> // *Tum porro puer, ut sævis projectus ab undis*
> *Navita, nudus humi jacet infans, indigus omni*
> *Vitali auxilio, cum primum in luminis oras*
> *Nixibus ex alvo matris natura profudit ;*
> *Vagituque locum lugubri complet, ut æquum est*
> *Cui tantum in vita restet transire malorum.*

> *At variæ crescunt pecudes, armenta, feræque,*
> *Nec crepitacula eis opus est, nec cuiquam adhibenda est*
> *Almæ nutricis blanda atque infracta loquella ;*
> *Nec varias quærunt vestes pro tempore cœli ;*
> *Denique non armis opus est, non mœnibus altis,*
> *Queis sua tutentur, quanto omnibus omnia large*
> *Tellus ipsa parit, naturaque dædala rerum* [69] *;*

/ ces plaintes là sont fauces, il y a en la police du monde une esgalité plus grande et une relation plus uniforme.

Nostre peau est pourveue, aussi suffisamment que la leur, de fermeté contre les injures du temps ; tesmoing tant de nations qui n'ont encores gousté aucun usage de vestemens. // Nos anciens Gaulois n'estoient gueres vestus ; ne sont pas les Irlandois, nos voisins, soubs un ciel si froid. / Mais nous le jugeons mieux par nous mesmes, car tous les endroits de la personne qu'il nous plaist descouvrir au vent et à l'air, se trouvent propres à le souffrir : le visage, les pieds, les mains, les jambes, les espaules, la teste, selon que l'usage nous y convie. Car, s'il y a partie en nous foible et qui semble devoir craindre la froidure, ce devroit estre l'estomac, où se fait la digestion ; nos peres le portoient descouvert ; et nos Dames, ainsi molles et delicates qu'elles sont, elles s'en vont tantost entr'ouvertes jusque au nombril. Les liaisons et emmaillo-temens des enfans ne sont non plus necessaires ; et les meres Lacedemoniennes eslevoient les leurs en toute liberté de mouvements de membres, sans les attacher ne plier [70]. Nostre pleurer est commun à la plus part des autres animaux, et n'en est guiere qu'on ne voye se plaindre et gemir long temps après leur naissance : d'autant que c'est une contenance bien sortable à la foiblesse enquoy ils se sentent. Quant à l'usage du manger, il est en nous, comme en eux, naturel et sans instruction,

> // *Sentit enim vim quisque suam quam possit abuti* [71].

/ Qui fait doute qu'un enfant, arrivé à la force de se nourrir, ne sçeust quester sa nourriture ? Et la terre en produit et luy en offre assez pour sa necessité, sans autre culture et artifice ; et sinon en tout temps, aussi ne fait elle pas aux bestes, tesmoing les provisions que nous voyons faire aux fourmis et autres pour les saisons steriles de l'année. Ces nations que nous venons de descouvrir si abondamment fournies de viande et de breuvage naturel, sans soing et sans façon, nous viennent d'apprendre que le pain n'est

pas nostre seule nourriture, et que, sans labourage, nostre
mere nature nous avoit munis à planté de tout ce qu'il
nous falloit; voire, comme il est vraysemblable, plus plainement et plus richement qu'elle ne fait à present que
nous y avons meslé nostre artifice,

> *Et tellus nitidas fruges vinetaque læta*
> *Sponte sua primum mortalibus ipsa creavit ;*
> *Ipsa dedit dulces fœtus et pabula læta,*
> *Quæ nunc vix nostro grandescunt aucta labore,*
> *Conterimusque boves et vires agricolarum* [72],

le debordement et desreglement de nostre appetit devan-
çant toutes les inventions que nous cherchons de l'assouvir.

Quant aux armes, nous en avons plus de naturelles que
la plus part des autres animaux, plus de divers mouvemens de membres, et en tirons plus de service, naturellement et sans leçon; ceux qui sont duicts à combatre nuds,
on les void se jetter aux hazards pareils aux nostres. Si
quelques bestes nous surpassent en cet avantage, nous en
surpassons plusieurs autres. Et l'industrie de fortifier le
corps et le couvrir par moyens acquis, nous l'avons par un
instinct et precepte naturel. Qu'il soit ainsi, l'elephant
esguise et esmoult [73] ses dents, desquelles il se sert à la
guerre (car il en a de particulieres pour cet usage, qu'il
espargne, et ne les employe aucunement à ses autres services). Quand les taureaux vont au combat, ils respandent
et jettent la poussiere à l'entour d'eux; les sangliers
affinent leurs deffences; et l'ichneaumon, quand il doit
venir aux prises avec le crocodile, munit son corps, l'en-
duit et le crouste tout à l'entour de limon bien serré et bien
pestry, comme d'une cuirasse. Pourquoy ne dirons nous
qu'il est aussi naturel de nous armer de bois et de fer ?

Quant au parler, il est certain que, s'il n'est pas naturel,
il n'est pas necessaire. Toutefois, je crois qu'un enfant
qu'on auroit nourry en pleine solitude, esloigné de tout
commerce (qui seroit un essay mal aisé à faire), auroit
quelque espece de parolle pour exprimer ses conceptions;
et n'est croyable que nature nous ait refusé ce moyen
qu'elle a donné à plusieurs autres animaux : car, qu'est ce
autre chose que parler, cette faculté que nous leur voyons
de se plaindre, de se resjouyr, de s'entr'appeller au secours,
se convier à l'amour, comme ils font par l'usage de leur
voix ? // Comment ne parleroient elles entr'elles ? elles
parlent bien à nous, et nous à elles. En combien de sortes

parlons nous à nos chiens ? et ils nous respondent.
D'autre [74] langage, d'autres appellations divisons nous
avec eux qu'avec les oyseaux, avec les pourceaux, les
beufs, les chevaux, et changeons d'idiome selon l'espece :

> / *Cosi per entro loro schiera bruna*
> *S'ammusa l'una con l'altra formica*
> *Forse à spiar lor via, et lor fortuna* [75].

Il me semble que Lactance attribuë aux bestes, non
le parler seulement, mais le rire encore. Et la difference
de langage qui se voit entre nous, selon la difference des
contrées, elle se treuve aussi aux animaux de mesme espece.
Aristote allegue à ce propos le chant divers des perdris,
selon la situation des lieux.

> // *variæque volucres*
> *Longe alias alio jaciunt in tempore voces,*
> *Et partim mutant cum tempestatibus una*
> *Raucisonos cantus* [76].

/ Mais cela est à sçavoir quel langage parleroit cet enfant;
et ce qui s'en dict par divination n'a pas beaucoup d'apparence. Si on m'allegue, contre cette opinion, quē les sourds
naturels ne parlent point, je respons que ce n'est pas seulement pour n'avoir peu recevoir l'instruction de la
parolle par les oreilles, mais plustost pour ce que le sens
de l'ouye, duquel ils sont privez, se rapporte à celuy du
parler et se tiennent ensemble d'une cousture naturelle :
en façon que ce que nous parlons, il faut que nous le
parlons premierement à nous et que nous le facions sonner
au dedans à nos oreilles, avant que de l'envoyer aux estrangeres.
J'ay dit tout cecy pour maintenir cette ressemblance
qu'il y a aux choses humaines, et pour nous ramener et
joindre au nombre. Nous ne sommes ny au dessus, ny au
dessoubs du reste : tout ce qui est soubs le Ciel, dit le
sage [77], court une loy et fortune pareille,

> // *Indupedita suis fatalibus omnia vinclis* [78].

// Il y a quelque difference, il y a des ordres et des degrez;
mais c'est soubs le visage d'une mesme nature :

> / *res quæque suo ritu procedit, et omnes*
> *Fædere naturæ certo discrimina servant* [79].

/ Il faut contraindre l'homme et le renger dans les barrieres
de cette police. Le miserable n'a garde d'enjamber par
effect au delà; il est entravé et engagé, il est assubjecty de
pareille obligation que les autres creatures de son ordre,
et d'une condition fort moyenne, sans aucune prerogative,
præexcellence vraye et essentielle. Celle qu'il se donne par
opinion et par fantasie n'a ny corps ny goust; et s'il est
ainsi que luy seul, de tous les animaux, ait cette liberté
de l'imagination et ce deresglement de pensées, luy representant ce qui est, ce qui n'est pas, et ce qu'il veut, le
faux et le veritable, c'est un advantage qui luy est bien
cher vendu et du quel il a bien peu à se glorifier, car de
là naist la source principale des maux qui le pressent :
peché, maladie, irresolution, trouble, desespoir.

Je dy donc, pour revenir à mon propos, qu'il n'y a
point d'apparence [80] d'estimer que les bestes facent par
inclination naturelle et forcée les mesmes choses que nous
faisons par nostre choix et industrie. Nous devons conclurre
de pareils effects pareilles facultez, et confesser par consequent que ce mesme discours, cette mesme voye, que nous
tenons à ouvrer, c'est aussi celle des animaux. Pourquoy
imaginons nous en eux cette contrainte naturelle, nous qui
n'en esprouvons aucun pareil effect ? joinct qu'il est plus
honorable d'estre acheminé et obligé à regléement agir
par naturelle et inevitable condition, et plus approchant
de la divinité, que d'agir reglement par liberté temeraire
et fortuite; et plus seur de laisser à nature qu'à nous les
resnes de nostre conduicte. La vanité de nostre presomption faict que nous aymons mieux devoir à nos forces qu'à
sa liberalité nostre suffisance; et enrichissons les autres
animaux des biens naturels et les leur renonçons [81], pour
nous honorer et ennoblir des biens acquis; par une humeur
bien simple, ce me semble, car je priseroy bien autant des
graces toutes miennes et naifves que celles que j'aurois
esté mendier et quester de l'apprentissage. Il n'est pas en
nostre puissance d'acquerir une plus belle recommendation
que d'estre favorisé de Dieu et de nature.

Par ainsi, le renard, dequoy se servent les habitans
de la Thrace quand ils veulent entreprendre de passer
par dessus la glace quelque riviere gelée et le lachent devant
eux pour cet effect, quand nous le verrions au bord de
l'eau approcher son oreille bien près de la glace, pour
sentir s'il orra d'une longue ou d'une voisine distance
bruyre l'eau courant au dessoubs, et selon qu'il trouve
par là qu'il y a plus ou moins d'espesseur en la glace, se
reculer ou s'avancer, n'aurions nous pas raison de juger

qu'il luy passe par la teste ce mesme discours qu'il feroit
en la nostre, et que c'est une ratiocination et consequence [82]
tirée du sens naturel : Ce qui fait bruit, se remue; ce qui
se remue, n'est pas gelé; ce qui n'est pas gelé, est liquide,
et ce qui est liquide, plie soubs le faix ? Car d'attribuer
cela seulement à une vivacité du sens de l'ouye, sans discours et sans consequence, c'est une chimere, et ne peut
entrer en nostre imagination. De mesme faut il estimer de
tant de sortes de ruses et d'inventions dequoy les bestes
se couvrent [83] des entreprinses que nous faisons sur elles.

Et si nous voulons prendre quelque advantage de cela
mesme qu'il est en nous de les saisir, de nous en servir
et d'en user à nostre volonté, ce n'est que ce mesme
advantage que nous avons les uns sur les autres. Nous
avons à cette condition nos esclaves. // Et les Climacides,
estoyent-ce pas des femmes en Syrie, qui servoyent, cou-
chées à quatre pattes, de marchepied et d'eschelle aux
dames à monter en coche ? / Et la plus part des personnes
libres abandonnent pour bien legieres commoditez leur vie
et leur estre à la puissance d'autruy. /// Les femmes et
concubines des Thraces plaident à qui sera choisie pour
estre tuée au tumbeau de son mari. / Les tyrans ont ils
jamais failly de trouver assez d'hommes vouez à leur devotion, aucuns d'eux adjoutans davantage cette necessité de
les accompaigner à la mort comme en la vie ?

// Des armées entieres se sont ainsin obligées à leurs
capitaines. La formule du serment en cette rude escole
des escrimeurs à outrance [84] portoit ces promesses : Nous
jurons de nous laisser enchainer, bruler, batre et tuer
de glaive, et souffrir tout ce que les gladiateurs legitimes
souffrent de leur maistre; engageant trèsreligieusement et
le corps et l'ame à son service,

> Ure meum, si vis, flamma caput, et pete ferro
> Corpus, et intorto verbere terga seca [85].

C'estoit une obligation veritable; et si, il s'en trouvoit
dix mille, telle année, qui y entroyent et s'y perdoyent.
/// Quand les Scythes enterroyent leur Roy, ils estran-
gloyent sur son corps la plus favorie de ses concubines,
son eschançon, escuyer d'escuirie, chambellan, huissier de
chambre et cuisinier. Et en son anniversaire ils tuoyent
cinquante chevaux montez de cinquante pages qu'ils
avoyent enpalez par l'espine du dos jusques au gozier,
et les laissoyent ainsi plantez en parade autour de la tumbe.
/ Les hommes qui nous servent, le font à meilleur mar-

ché, et pour un traitement moins curieux et moins favorable que celuy que nous faisons aux oyseaux, aux chevaux
et aux chiens.

/// A quel soucy ne nous demettons [86] nous pour leur
commodité ? Il ne me semble point que les plus abjects
serviteurs facent volontiers pour leurs maistres ce que les
princes s'honorent de faire pour ces bestes.

Diogenes voyant ses parents en peine de le racheter de
servitude : « Ils sont fols, disoit-il : c'est celuy qui me
traitte et nourrit, qui me sert »; et ceux qui entretiennent
les bestes, se doivent dire plus tost les servir qu'en estre
servis.

/ Et si, elles ont cela de plus genereux, que jamais Lyon
ne s'asservit à un autre Lyon, ny un cheval à un autre
cheval par faute de cœur. Comme nous alons à la chasse
des bestes, ainsi vont les Tigres et les Lyons à la chasse
des hommes; et ont un pareil exercice les unes sur les
autres : les chiens sur les lievres, les brochets sur les tanches
les arondeles sur les cigales, les esperviers sur les merles
et sur les alouettes;

/// *serpente ciconia pullos*
Nutrit, et inventa per devia rura lacerta,
Et leporem aut capream famulæ Jovis, et generosæ
In saltu veneantur aves [87].

Nous partons [88] le fruict de nostre chasse avec nos chiens
et oyseaux, comme la peine et l'industrie; et, au dessus
d'Amphipolis en Thrace, les chasseurs et les faucons sauvages partent justement le butin par moitié; comme, le
long des palus Mœotides, si le pescheur ne laisse aux
loups, de bonne foy, une part esgale de sa prise, ils vont
incontinent deschirer ses rets.

/ Et comme nous avons une chasse qui se conduict plus
par subtilité que par force, comme celle des colliers [89], de
nos lignes et de l'hameçon, il s'en void aussi de pareilles
entre les bestes. Aristote dit que la seche jette de son
col un boyeau long comme une ligne, qu'elle estand au
loing en le lâchant, et le retire à soy quand elle veut; à
mesure qu'elle aperçoit quelque petit poisson s'aprocher,
elle luy laisse mordre le bout de ce boyeau, estant cachée
dans le sable ou dans la vase, et petit à petit le retire
jusques à ce que ce petit poisson soit si prez d'elle que
d'un saut elle puisse l'atraper.

Quant à la force, il n'est animal au monde en bute de
tant d'offences que l'homme : il ne nous faut point une
balaine, un elephant et un crocodile, ny tels autres animaux, desquels un seul est capable de deffaire un grand

nombre d'hommes; les pous sont suffisans pour faire vacquer la dictature de Sylla; c'est le desjeuner d'un petit ver que le cœur et la vie d'un grand et triumphant Empereur.

Pourquoy disons nous que c'est à l'homme science et connoissance bastie par art et par discours, de discerner les choses utiles à son vivre et au secours de ses maladies, de celles qui ne le sont pas; de connoistre la force de la rubarbe et du polipode ? Et, quand nous voyons les chevres de Candie, si elles ont receu un coup de traict, aller entre un million d'herbes choisir le dictame pour leur guerison; et la tortue, quand elle a mangé de la vipere, chercher incontinent de l'origanum pour se purger; le dragon fourbir et esclairer ses yeux avecques du fenouil; les cigouignes se donner elles mesmes des clysteres à tout de l'eau de marine; les elephans arracher non seulement de leur corps et de leurs compaignons, mais des corps aussi de leurs maistres (tesmoing celuy du Roy Porus, qu'Alexandre deffit), les javelots et les dardz qu'on leur a jettez au combat, et les arracher si dextrement que nous ne le sçaurions faire avec si peu de douleur : pourquoy ne disons nous de mesmes que c'est science et prudence ? Car d'alleguer, pour les deprimer, que c'est par la seule instruction et maistrise de nature qu'elles le sçavent, ce n'est pas leur oster le tiltre de science et de prudence, c'est la leur attribuer à plus forte raison que à nous, pour l'honneur d'une si certaine maistresse d'escolle.

Chrysippus, bien que en toutes autres choses autant desdaigneux juge de la condition des animaux que nul autre philosophe, considerant les mouvements du chien qui, se rencontrant en un carrefour à trois chemins, ou à la queste de son maistre qu'il a esgaré, ou à la poursuitte de quelque proye qui fuit devant luy, va essayant l'un chemin après l'autre, et, après s'estre asseuré des deux et n'y avoir trouvé la trace de ce qu'il cherche, s'eslance dans le troisiesme sans marchander [90], il est contraint de confesser qu'en ce chien là un tel discours se passe : « J'ay suivy jusques à ce carre-four mon maistre à la trace; il faut necessairement qu'il passe par l'un de ces trois chemins; ce n'est ny par cettuy-cy, ny par celuy-là; il faut donc infalliblement qu'il passe par cet autre »; et que, s'asseurant par cette conclusion et discours, il ne se sert plus de son sentiment au troisiesme chemin, ny ne le sonde plus, ains s'y laisse emporter par la force de la raison. Ce traict purement dialecticien et cet usage de propositions divisées et conjoinctes et de la suffisante enumera-

tion des parties, vaut il pas autant que le chien le sçache
de soy que de Trapezonce [91].

Si ne sont pas les bestes incapables d'estre encore instruites à notre mode. Les merles, les corbeaux, les pies,
les parroquets, nous leur aprenons à parler; et cette facilité que nous reconnoissons à nous fournir leur voix et
haleine si souple et si maniable, pour le former et l'estreindre à certain nombre de lettres et de syllabes, tesmoigne qu'ils ont un discours au dedans qui les rend ainsi
disciplinables et volontaires à aprendre. Chacun est soul, ce
croy-je, de voir tant de sortes de cingeries que les bateleurs
aprennent à leurs chiens; les dances où ils ne faillent une
seule cadence du son qu'ils oyent, plusieurs divers mouvements et sauts qu'ils leur font faire par le commandement de leur parolle. Mais je remerque avec plus d'admiration cet effect, qui est toutes-fois assez vulgaire, des
chiens dequoy se servent les aveugles, et aux champs et
aux villes; je me suis pris garde comme ils s'arrestent à
certaines portes d'où ils ont accoustumé de tirer l'aumosne,
comme ils evitent le choc des coches et des charretes, lors
mesme que pour leur regard ils ont assez de place pour
leur passage; j'en ay veu, le long d'un fossé de ville, laisser
un sentier plain et uni et en prendre un pire, pour esloigner
son maistre du fossé. Commant pouvoit on avoir faict
concevoir à ce chien que c'estoit sa charge de regarder
seulement à la seurté de son maistre et mespriser ses
propres commoditez pour le servir ? et comment avoit il
la cognoissance que tel chemin luy estoit bien assez large,
qui ne le seroit pas pour un aveugle ? Tout cela se peut il
comprendre sans ratiocination et sans discours ?

Il ne faut pas oublier ce que Plutarque dit avoir veu
à Rome d'un chien, avec l'Empereur Vespasian le pere,
au Theatre de Marcellus. Ce chien servoit à un bateleur
qui jouoit une fiction [92] à plusieurs mines [93] et à plusieurs
personnages, et y avoit son rolle. Il falloit entre autres
choses qu'il contrefit pour un temps le mort pour avoir
mangé de certaine drogue; après avoir avalé le pain qu'on
feignoit estre cette drogue, il commença tantost à trembler et branler comme s'il eut esté estourdi; finalement,
s'estandant et se roidissant, comme mort, il se laissa
tirer et traisner d'un lieu à autre, ainsi que portoit le subject du jeu; et puis, quand il congneut qu'il estoit temps,
il commença premierement à se remuer tout bellement [94]
ainsi que s'il se fut revenu d'un profond sommeil, et,
levant la teste, regarda çà et là d'une façon qui estonnoit
tous les assistans.

Les bœufs qui servoyent aux jardins Royaux de Suse pour les arrouser et tourner certaines grandes roues à puiser de l'eau, ausquelles il y a des baquets attachez (comme il s'en voit plusieurs, en Languedoc), on leur avoit ordonné d'en tirer par jour jusques à cent tours chacun. Ils estoient si accoustumez à ce nombre qu'il estoit impossible par aucune force de leur en faire tirer un tour davantage; et, ayant faict leur tâche, ils s'arrestoient tout court. Nous sommes en l'adolescence avant que nous sçachions conter jusques à cent, et venons de descouvrir des nations qui n'ont aucune connoissance des nombres.

Il y a encore plus de discours à instruire autruy qu'à estre instruit. Or, laissant à part ce que Democritus jugeoit et prouvoit, que la plus part des arts les bestes nous les ont aprises : comme l'araignée à tistre [95] et à coudre, l'arondelle à bastir, le cigne et le rossignol la musique, et plusieurs animaux, par leur imitation, à faire la medecine; Aristote tient que les rossignols instruisent leurs petits à chanter, et y employent du temps et du soing, d'où il advient que ceux que nous nourrissons en cage, qui n'ont point eu loisir d'aller à l'escolle soubs leurs parens, perdent beaucoup de la grace de leur chant. // Nous pouvons juger par là qu'il reçoit de l'amendement par discipline et par estude. Et, entre les libres mesme, il n'est pas ung et pareil, chacun en a pris selon sa capacité; et, sur la jalousie de leur apprentissage, ils se debattent à l'envy d'une contention si courageuse que par fois le vaincu y demeure mort, l'aleine luy faillant plustost que la voix. Les plus jeunes ruminent, pensifs, et prenent à imiter certains couplets de chanson; le disciple escoute la leçon de son precepteur et en rend compte avec grand soing; ils se taisent, l'un tantost, tantost l'autre; on oyt corriger les fautes, et sent on aucunes reprehensions du precepteur. J'ay veu (dict Arrius) autresfois un elephant ayant à chacune cuisse un cymbale pendu, et un autre attaché à sa trompe, au son desquels tous les autres dançoyent en rond, s'eslevans et s'inclinans à certaines cadences, selon que l'instrument les guidoit; et y avoit plaisir à ouyr cette harmonie. / Aux spectacles de Rome, il se voyoit ordinairement des Elephans dressez à se mouvoir et dancer, au son de la voix, des dances à plusieurs entrelasseures, coupeures et diverses cadances très-difficiles à aprendre. Il s'en est veu qui, en leur privé, rememoroient leur leçon, et s'exerçoyent par soing et par estude pour n'estre tancez et batuz de leurs maistres.

Mais cett'autre histoire de la pie, de laquelle nous avons Plutarque mesme pour respondant, est estrange. Elle estoit en la boutique d'un barbier à Rome, et faisoit merveilles de contre-faire avec la voix tout ce qu'elle oyoit ; un jour, il advint que certaines trompetes s'arrestarent à sonner long temps devant cette boutique ; depuis cela et tout le lendemain, voylà cette pie pensive, muete et melancholique, dequoy tout le monde estoit esmerveillé ; et pensoit on que le son des trompetes l'eut ainsin estourdie et estonnée, et qu'avec l'ouye la voix se fut quant et quant esteinte ; mais on trouva en fin que c'estoit une estude profonde et une retraicte en soy-mesmes, son esprit s'exercitant et preparant sa voix à representer le son de ces trompetes ; de maniere que sa premiere voix ce fut celle là, de exprimer perfectement leurs reprinses, leurs poses et leurs nuances, ayant quicté par ce nouvel aprentissage et pris à desdain tout ce qu'elle sçavoit dire auparavant.

Je ne veux pas obmettre à alleguer aussi cet autre exemple d'un chien que ce mesme Plutarque dit avoir veu (car quand à l'ordre, je sens bien que je le trouble, mais je n'en observe non plus à renger ces exemples qu'au reste de toute ma besongne), luy estant dans un navire : ce chien, estant en peine d'avoir l'huyle qui estoit dans le fons d'une cruche où il ne pouvoit arriver de la langue pour l'estroite emboucheure du vaisseau, alla querir des caillous et en mit dans cette cruche jusques à ce qu'il eut fait hausser l'huile plus près du bord, où il la peut attaindre. Cela, qu'est-ce, si ce n'est l'effect d'un esprit bien subtil ? On dit que les corbeaux de Barbarie en font de mesme, quand l'eau qu'ils veulent boire est trop basse.

Cette action est aucunement voisine de ce que recitoit des Elephans un Roy de leur nation, Juba, que, quand par la finesse de ceux qui les chassent, l'un d'entre eux se trouve pris dans certaines fosses profondes qu'on leur prepare, et les recouvre l'on de menues brossailles pour les tromper, ses compaignons y apportent en diligence force pierres et pieces de bois, afin que cela l'ayde à s'en mettre hors. Mais cet animal raporte en tant d'autres effects à l'humaine suffisance que, si je vouloy suivre par le menu ce que l'experience en a apris, je gaignerois ayséement ce que je maintiens ordinairement, qu'il se trouve plus de difference de tel homme à tel homme que de tel animal à tel homme. Le gouverneur d'un elephant, en une maison privée de Syrie, desroboit à tous les repas la moitié de la pension qu'on luy avoit ordonnée ; un jour le maistre voulut luy mesme le penser [96], versa dans sa

manjoire la juste mesure d'orge qu'il luy avoit prescrite
pour sa nourriture; l'elephant, regardant de mauvais œuil
ce gouverneur, separa avec la trompe et en mit à part
la moitié, declarant par là le tort qu'on luy faisoit. Et
un autre, ayant un gouverneur qui mesloit dans sa man-
geaille des pierres pour en croistre la mesure, s'aprocha
du pot où il faisoit cuyre sa chair pour son disner, et le
luy remplit de cendre. Cela, ce sont des effaicts particuliers; mais ce que tout le monde a veu et que tout le
monde sçait, qu'en toutes les armées qui se conduisoyent
du pays de levant, l'une des plus grandes forces consistoit
aux elephans, desquels on tiroit des effects sans comparaison plus grands que nous ne faisons à present de nostre
artillerie, qui tient à peu près leur place en une bataille
ordonnée (cela est aisé à juger à ceux qui connoissent
les histoires anciennes) :

> // *siquidem Tirio servire solebant*
> *Annibali, et nostris ducibus, regique Molosso,*
> *Horum majores, et dorso ferre cohortes,*
> *Partem aliquam belli et euntem in praelia turrim* [97].

/ Il falloit bien qu'on se respondit à bon escient de la
creance de ces bestes et de leur discours, leur abandonnant
la teste d'une bataille, là où le moindre arrest qu'elles
eussent sçeu faire, pour la grandeur et pesanteur de leur
corps, le moindre effroy qui leur eut fait tourner la teste sur
leurs gens, estoit suffisant pour tout perdre; et s'est veu
moins d'exemples où cela soit advenu qu'ils se rejettassent
sur leurs trouppes, que de ceux où nous mesme nous
rejectons les uns sur les autres, et nous rompons. On leur
donnoit charge non d'un mouvement simple, mais de plusieurs diverses parties au combat. // Comme faisoient aux
chiens les Espaignols à la nouvelle conqueste des Indes,
ausquels ils payoient solde et faisoient partage au butin; et
montroient ces animaux autant d'adresse et de jugement à
poursuivre et arrester leur victoire, à charger ou à reculer
selon les occasions, à distinguer les amis des ennemis,
comme ils faisoient d'ardeur et d'aspreté.

/ Nous admirons et poisons mieux les choses estrangeres que les ordinaires; et, sans cela, je ne me fusse pas
amusé à ce long registre [98] : car, selon mon opinion, qui
controllera de près ce que nous voyons ordinairement
des animaux qui vivent parmy nous, il y a dequoy y trouver
des effects autant admirables que ceux qu'on va recueillant
ès pays et siecles estrangiers. /// C'est une mesme nature

qui roule son cours. Qui en auroit suffisamment jugé le
present estat, en pourroit seurement conclurre et tout l'advenir et tout le passé. / J'ay veu autresfois parmy nous des
hommes amenez par mer de lointain pays, desquels par
ce que nous n'entendions aucunement le langage, et que
leur façon, au demeurant, et leur contenance, et leurs
vestemens estoient du tout esloignez des nostres, qui de
nous ne les estimoit et sauvages et brutes ? qui n'atri-
buoit à stupidité et à bestise de les voir muets, ignorans
la langue Françoise, ignorans nos baisemains et nos
inclinations serpentées, nostre port et nostre maintien,
sur lequel, sans faillir, doit prendre son patron la nature
humaine ?

Tout ce qui nous semble estrange, nous le condamnons,
et ce que nous n'entendons pas : comme il nous advient
au jugement que nous faisons des bestes. Elles ont plusieurs
conditions qui se rapportent [99] aux nostres ; de celles-là par
comparaisons nous pouvons tirer quelque conjecture ; mais
de ce qu'elles ont particulier, que sçavons nous que c'est ?
Les chevaux, les chiens, les bœufs, les brebis, les oyseaux
et la pluspart des animaux qui vivent avec nous, reconnoissent nostre voix et se laissent conduire par elle ; si
faisoit bien encore la murene de Crassus, et venoit à luy,
quand il l'appelloit ; et le font aussi les anguilles qui se
trouvent en la fontaine d'Arethuse. // Et j'ay veu des
gardoirs [100] assez où les poissons accourent, pour manger, à
certain cry de ceux qui les traitent ;

> / nomen habent, et ad magistri
> Vocem quisque sui venit citatus [101].

Nous pouvons juger de cela. Nous pouvons aussi dire que
les elephans ont quelque participation de religion, d'autant
qu'après plusieurs ablutions et purifications on les void,
haussant leur trompe comme des bras et tenant les yeux
fichez vers le Soleil levant, se planter long temps en medi-
tation et contemplation à certaines heures du jour, de leur
propre inclination, sans instruction et sans precepte. Mais,
pour ne voir aucune telle apparence ès autres animaux,
nous ne pouvons pourtant establir qu'ils soient sans religion, et ne pouvons prendre en aucune part ce qui nous est
caché. Comme nous voyons quelque chose en cette action
que le philosophe Cleanthes remerqua, par ce qu'elle retire
aux nostres : « Il vid, dit-il, des fourmis partir de leur
fourmiliere portans le corps d'un fourmis mort vers une
autre fourmiliere, de laquelle plusieurs autres fourmis leur

vindrent au devant, comme pour parler à eux; et, après
avoir esté ensemble quelque piece, ceux-cy s'en retour-
nerent pour consulter, pensez, avec leurs concitoiens, et
firent ainsi deux ou trois voyages pour la difficulté de la
capitulation; en fin ces derniers venus apporterent aux
premiers un ver de leur taniere, comme pour la rançon du
mort, lequel ver les premiers chargerent sur leur dos et
emporterent chez eux, laissant aux autres le corps du
trespassé. » Voilà l'interpretation que Cleanthes y donna,
tesmoignant par là que celles qui n'ont point de voix, ne
laissent pas d'avoir pratique et communication mutuelle,
de laquelle c'est nostre defaut que nous ne soyons participans; et nous entremettons à cette cause sottement d'en
opiner.

Or elles produisent encore d'autres effaicts qui surpassent de bien loin nostre capacité, ausquelles il s'en faut
tant que nous puissions arriver par imitation que, par
imagination mesme, nous ne les pouvons concevoir.
Plusieurs tiennent qu'en cette grande et derniere bataille
navale qu'Antonius perdit contre Auguste, sa galere capi-
tainesse fut arrestée au milieu de sa course par ce petit
poisson que les Latins nomment *remora*, à cause de cette
sienne proprieté d'arrester toute sorte de vaisseaux
ausquels il s'attache [102]. Et l'Empereur Calligula vogant
avec une grande flotte en la coste de la Romanie, sa seule
galere fut arrestée tout court par ce mesme poisson, lequel
il fist prendre attaché comme il estoit au bas de son vaisseau, tout despit dequoy un si petit animal pouvoit forcer
et la mer et les vents et la violence de tous ses avirons,
pour estre seulement attaché par le bec à la galere (car
c'est un poisson à coquille); et s'estonna encore, non sans
grande raison, de ce que, luy estant apporté dans le bateau,
il n'avoit plus cette force qu'il avoit au dehors.

Un citoyen de Cyzique acquist jadis reputation de bon
mathematicien pour avoir appris de la condition de l'heris-
son, qu'il a sa taniere ouverte à divers endroicts et à divers
vents, et, prevoyant le vent advenir, il va boucher le trou
du costé de ce vent-là; ce que remerquant ce citoien apportoit en sa ville certaines predictions du vent qui avoit à
tirer [103]. Le cameleon prend la couleur du lieu où il est
assis; mais le poulpe se donne luy-mesme la couleur qu'il
luy plaist, selon les occasions, pour se cacher de ce qu'il
craint et attraper ce qu'il cerche; au cameleon, c'est changement de passion; mais au poulpe, c'est changement
d'action. Nous avons quelques mutations de couleur à la
fraieur, la cholere, la honte et autres passions qui alterent

le teint de nostre visage, mais c'est par l'effect de la souffrance [104], comme au cameleon; il est bien en la jaunisse de
nous faire jaunir, mais il n'est pas en la disposition de
nostre volonté. Or ces effets que nous reconnaissons aux
autres animaux, plus grands que les nostres, tesmoignent
en eux quelque faculté plus excellente qui nous est occulte,
comme il est vray-semblable que sont plusieurs autres de
leurs conditions /// et puissances desquelles nulles apparences ne viennent jusques à nous.

/ De toutes les predictions du temps passé, les plus
anciennes et plus certaines estoient celles qui se tiroient
du vol des oiseaux. Nous n'avons rien de pareil et de si
admirable. Cette regle, cet ordre du bransler de leur aile
par lequel on tire des consequences des choses à venir, il
faut bien qu'il soit conduict par quelque excellent moyen à
une si noble operation; car c'est prester à la lettre d'aller
attribuant ce grand effect à quelque ordonnance naturelle,
sans l'intelligence, consentement et discours de qui le produit; et est une opinion evidemment faulse. Qu'il soit ainsi:
la torpille a cette condition, non seulement d'endormir les
membres qui la touchent, mais au travers des filets et de la
scene [105] elle transmet une pesanteur endormie aux mains
de ceux qui la remuent et manient; voire dit-on d'avantage
que si on verse de l'eau dessus, on sent cette passion qui
gaigne contremont jusques à la main et endort l'atouchement au travers de l'eau. Cette force est merveilleuse, mais
elle n'est pas inutile à la torpille; elle la sent et s'en sert
de maniere que, pour attraper la proye qu'elle queste, on
la void se tapir soubs le limon, afin que les autres poissons
se coulans par dessus, frappez et endormis de cette sienne
froideur, tombent en sa puissance. Les grüës, les arondeles
et autres oiseaux passagers, changeans de demeure selon
les saisons de l'an, montrent assez la cognoissance qu'elles
ont de leur faculté divinatrice, et la mettent en usage. Les
chasseurs nous asseurent que, pour choisir d'un nombre
de petits chiens celuy qu'on doit conserver pour le meilleur,
il ne faut que mettre la mere au propre de le choisir elle
mesme; comme, si on les emporte hors de leur giste, le
premier qu'elle y rapportera sera tousjours le meilleur;
ou bien, si on faict semblant d'entourner de feu leur giste
de toutes parts, celuy des petits au secours duquel elle
courra premierement. Par où il appert qu'elles ont un usage
de prognostique que nous n'avons pas, ou qu'elles ont
quelque vertu à juger de leurs petits, autre et plus vive
que la nostre.

La maniere de naistre, d'engendrer, nourrir, agir, mou-

voir, vivre et mourir des bestes estant si voisine de la
nostre, tout ce que nous retranchons de leurs causes
motrices et que nous adjoutons à nostre condition au dessus
de la leur, cela ne peut aucunement partir du discours de
nostre raison. Pour reglement de nostre santé, les medecins
nous proposent l'exemple du vivre des bestes et leur façon;
car ce mot est de tout temps en la bouche du peuple :

> *Tenez chauts les pieds et la teste ;*
> *Au demeurant, vivez en beste.*

La generation est la principale des actions naturelles :
nous avons quelque disposition de membres qui nous est
plus propre à cela; toutesfois ils nous ordonnent de nous
ranger à l'assiete et disposition brutale [106], comme plus
effectuelle [107],

> *more ferarum*
> *Quadrupedúmque magis ritu, plerumque putantur*
> *Concipere uxores; quia sic loca sumere possunt,*
> *Pectoribus positis, sublatis semina lumbis* [108].

Et rejettent comme nuisibles ces mouvements indiscrets et
insolents [109] que les femmes y ont meslé de leur creu, les
ramenant à l'exemple et usage des bestes de leur sexe, plus
modeste et rassis :

> *Nam mulier prohibet se concipere atque repugnat,*
> *Clunibus ipsa viri venerem si læta retractet,*
> *Atque exossato ciet omni pectore fluctus.*
> *Ejicit enim sulci recta regione viaque*
> *Vomerem, atque locis avertit seminis ictum* [110]

Si c'est justice de rendre à chacun ce qui luy est deu,
les bestes qui servent, ayment et defendent leurs bien-
faicteurs, et qui poursuyvent et outragent les estrangers et
ceux qui les offencent, elles representent en cela quelque
air de nostre justice, comme aussi en conservant une equalité très-equitable en la dispensation de leurs biens à leurs
petits. Quant à l'amitié, elles l'ont, sans comparaison, plus
vive et plus constante que n'ont pas les hommes. Hircanus,
le chien du Roy Lisimachus, son maistre mort, demeura
obstiné sus son lict sans vouloir boire ne manger; et, le
jour qu'on en brusla le corps, il print sa course et se jetta
dans le feu, où il fut bruslé. Comme fist aussi le chien d'un
nommé Pyrrhus, car il ne bougea de dessus le lict de son
maistre dépuis qu'il fust mort; et, quand on l'emporta, il

se laissa enlever quant et luy, et finalement se lança dans
le buscher où on brusloit le corps de son maistre. Il y a
certaines inclinations d'affection qui naissent quelquefois
en nous sans le conseil de la raison, qui viennent d'une
temerité fortuite que d'autres nomment sympathie : les
bestes en sont capables comme nous. Nous voyons les
chevaux prendre certaine accointance des uns aux autres,
jusques à nous mettre en peine pour les faire vivre ou
voyager separément; on les void appliquer leur affection
à certain poil de leurs compaignons, comme à certain
visage, et, où ils le rencontrent, s'y joindre incontinent avec
feste et demonstration de bienveuillance, et prendre
quelque autre forme à contrecœur et en haine. Les animaux
ont choix comme nous en leurs amours et font quelque
triage de leurs femelles. Ils ne sont pas exempts de nos
jalousies et d'envies [111] extremes et irreconciliables.

Les cupiditez sont ou naturelles et necessaires, comme
le boire et le manger; ou naturelles et non necessaires,
comme l'accointance des femelles; ou elles ne sont ny naturelles ny necessaires; de cette derniere sorte sont quasi
toutes celles des hommes; elles sont toutes superfluës et
artificielles. Car c'est merveille combien peu il faut à nature
pour se contenter, combien peu elle nous a laissé à desirer.
Les app100ts à nos cuisines ne touchent pas son ordonnance. Les Stoiciens disent qu'un homme auroit dequoy
se substanter d'une olive par jour. La delicatesse de nos
vins n'est pas de sa leçon, ny la recharge que nous adjous-
tons aux appetits amoureux,

> *neque illa*
> *Magno prognatum deposcit consule cunnum* [112].

Ces cupiditez estrangeres, que l'ignorance du bien et une
fauce opinion ont coulées en nous, sont en si grand
nombre qu'elles chassent presque toutes les naturelles; ny
plus ny moins que si, en une cité, il y avoit si grand nombre
d'estrangers qu'ils en missent hors les naturels habitans
ou esteignissent leur authorité et puissance ancienne,
l'usurpant entierement et s'en saisissant. Les animaux sont
beaucoup plus reglez que nous ne sommes, et se contiennent avec plus de moderation soubs les limites que nature
nous a prescripts; mais non pas si exactement qu'ils n'ayent
encore quelque convenance [113] à nostre desbauche. Et tout
ainsi comme il s'est trouvé des desirs furieux qui ont
poussé les hommes à l'amour des bestes, elles se trouvent
aussi par fois esprises de nostre amour et reçoivent des
affections monstrueuses d'une espece à autre; tesmoin

l'elephant corrival d'Aristophanes le grammairien, en l'amour d'une jeune bouquetiere en la ville d'Alexandrie, qui ne luy cedoit en rien aux offices d'un poursuyvant bien passionné; car, se promenant par le marché où l'on vendoit des fruicts, il en prenoit avec sa trompe et les luy portoit; il ne la perdoit de veuë que le moins qu'il luy estoit possible, et luy mettoit quelquefois la trompe dans le sein par dessoubs son collet et luy tastoit les tetins. Ils recitent aussi d'un dragon amoureux d'une fille, et d'une oye esprise de l'amour d'un enfant en la ville d'Asope, et d'un belier serviteur de la menestriere Glaucia; et il se void tous les jours des magots furieusement espris de l'amour des femmes. On void aussi certains animaux s'adonner à l'amour des masles de leur sexe; Oppianus et autres recitent quelques exemples pour monstrer la reverence que les bestes en leurs mariages portent à la parenté, mais l'experience nous faict bien souvent voir le contraire,

nec habetur turpe juvencæ
Ferre patrem tergo ; fit equo sua filia conjux ;
Quasque creavit init pecudes caper ; ipsaque cujus
Semine concepta est, ex illo concipit ales [114].

De subtilité malitieuse, en est il une plus expresse que celle du mulet du philosophe Thales ? lequel, passant au travers d'une riviere chargé de sel, et de fortune y estant bronché [115], si que les sacs qu'il portoit en furent tous mouillez, s'estant apperçeu que le sel fondu par ce moyen luy avoit rendu sa charge plus legere, ne failloit jamais, aussi tost qu'il rencontroit quelque ruisseau, de se plonger dedans avec sa charge; jusques à ce que son maistre, descouvrant sa malice, ordonna qu'on le chargeast de laine, à quoy se trouvant mesconté, il cessa de plus user de cette finesse. Il y en a plusieurs qui representent naifvement le visage de nostre avarice, car on leur void un soin extreme de surprendre tout ce qu'elles peuvent et de le curieusement cacher, quoy qu'elles n'en tirent point d'usage.

Quant à la mesnagerie, elles nous surpassent non seulement en cette prevoyance d'amasser et espargner pour temps à venir, mais elles ont encore beaucoup de parties de la science qui y est necessaire. Les fourmis estandent au dehors de l'aire leurs grains et semences pour les esventer, refreschir et secher, quand ils voyent qu'ils commencent à se moisir et à sentir le rance, de peur qu'ils ne se corrompent et pourrissent. Mais la caution [116] et prevention dont ils usent à ronger le frain de froment, surpasse toute imagination de prudence humaine. Parce que le froment ne demeure pas tousjours sec ny sain, ains s'amolit, se resout et destrempe comme en laict, s'acheminant à germer et produire : de peur qu'il ne devienne semance et perde sa nature et propriété de magasin pour leur nourriture, ils rongent le bout par où le germe a accoustumé de sortir.

Quant à la guerre, qui est la plus grande et pompeuse des actions humaines, je sçaurois volontiers si nous nous en voulons servir pour argument de quelque prerogative, ou, au rebours, pour tesmoignage de nostre imbecillité et imperfection; comme de vray la science de nous entre-deffaire et entretuer, de ruiner et perdre nostre propre espece, il semble qu'elle n'a pas beaucoup dequoy se faire desirer aux bestes qui ne l'ont pas :

> *// quando leoni*
> *Fortior eripuit vitam Leo ? quo nemore unquam*
> *Expiravit aper majoris dentibus apri* [117] *?*

/ Mais elles n'en sont pas universellement exemptes pourtant, tesmoin les furieuses rencontres des mouches à miel et les entreprinses des princes des deux armées contraires :

> *sæpe duobus*
> *Regibus incessit magno discordia motu,*
> *Continuoque animos vulgi et trepidantia bello*
> *Corda licet longe præsciscere* [118].

Je ne voy jamais cette divine description qu'il ne m'y semble lire peinte l'ineptie et vanité humaine. Car ces mouvemens guerriers qui nous ravissent de leur horreur et espouventement, cette tempeste de sons et de cris,

> *// Fulgur ibi ad cælum se tollit, totaque circum*
> *Ære renidescit tellus, subterque virum vi*
> *Excitur pedibus sonitus, clamoreque montes*
> *Icti rejectant voces ad sidera mundi* [119];

/ cette effroyable ordonnance de tant de milliers d'hommes armez, tant de fureur, d'ardeur et de courage, il est plaisant à considerer par combien vaines occasions elle est agitée et par combien legieres occasions esteinte :

> *Paridis propter narratur amorem*
> *Græcia Barbariæ diro collisa duello* [120]:

toute l'Asie se perdit et se consomma [121] en guerres pour
le maquerelage de Paris. L'envie d'un seul homme, un
despit, un plaisir, une jalousie domestique, causes qui ne
devroient pas esmouvoir deux harangeres à s'esgratigner,
c'est l'ame et le mouvement de tout ce grand trouble.
Voulons nous en croire ceux mesme qui en sont les principaux autheurs et motifs ? oyons le plus grand, le plus
victorieux Empereur et le plus puissant qui fust onques,
se jouant, et mettant en risée, très-plaisamment et très-
ingenieusement, plusieurs batailles hazardées et par mer
et par terre, le sang et la vie de cinq cens mille hommes
qui suivirent sa fortune, et les forces et richesses des deux
parties du monde espuisées pour le service de ses entreprinses,

> Quod futuit Glaphyran Antonius, hanc mihi pœnam
>   Fulvia constituit, se quoque uti futuam.
> Fulviam ego ut futuam ? Quid, si me Manius oret
>   Pædicem, faciam ? Non puto, si sapiam.
> Aut futue, aut pugnemus, ait. Quid, si mihi vita
>   Charior est ipsa mentula ? Signa canant [122].

(J'use en liberté de conscience de mon Latin, avecq le
congé que vous m'en avez donné [123].) Or ce grand corps,
à tant de visages et de mouvemans, qui semble menasser
le ciel et la terre :

> // Quam multi Lybico volvuntur marmore fluctus
> Sævus ubi Orion hybernis conditur undis,
> Vel cum sole novo densæ torrentur aristæ,
> Aut Hermi campo, aut Lyciæ flaventibus arvis,
> Scuta sonant, pulsuque pedum tremit excita tellus [124],

/ ce furieux monstre à tant de bras et à tant de testes, c'est
tousjours l'homme foyble, calamiteux et miserable. Ce n'est
qu'une formilliere esmeuë et eschaufée,

> It nigrum campis agmen [125].

Un souffle de vent contraire, le croassement d'un vol de
corbeaux, le faux pas d'un cheval, le passage fortuite d'un
aigle, un songe, une voix, un signe, une brouée mati-
niere [126] suffisent à le renverser et porter par terre. Donnez
luy seulement d'un rayon de Soleil par le visage, le voylà
fondu et esvanouy ; qu'on luy esvante seulement un peu de
poussiere aux yeux, comme aux mouches à miel de nostre
poëte, voylà toutes nos enseignes, nos legions, et le grand

Pompeius mesmes à leur teste, rompu [127] et fracassé : car
ce fut luy, ce me semble, que Sertorius batit en Espaigne
atout ces belles armes // qui ont aussi servi à d'autres,
comme à Eumenes contre Antigonus, à Surena contre
Crassus :

/ *Hi motus animorum atque hæc certamina tanta*
Pulveris exigui jactu compressa quiescent [128].

/// Qu'on descouple [129] mesme de noz mouches après,
elles auront et la force et le courage de le dissiper. De
fresche memoire, les Portuguais pressans la ville de Tamly
au territoire de Xiatime, les habitans d'icelle portarent sur
la muraille grand quantité de ruches, de quoi ils sont riches.
Et, à tout du feu, chasserent les abeilles si vivement sur
leurs ennemis, qu'ils les mirent en route [130], ne pouvans
soustenir leurs assauts et leurs pointures. Ainsi demeura la
victoire et liberté de leur ville à ce nouveau secours, avec
telle fortune qu'au retour du combat il ne s'en trouva une
seule à dire.

/ Les ames des Empereurs et des savatiers sont jettées à
mesme moule. Considerant l'importance des actions des
princes et leur pois, nous nous persuadons qu'elles soyent
produites par quelques causes aussi poisantes et importantes. Nous nous trompons : ils sont menez et ramenez
en leurs mouvemens par les mesmes ressors que nous
sommes aux nostres. La mesme raison qui nous fait tanser
avec un voisin, dresse entre les Princes une guerre ; la
mesme raison qui nous faict foïter un lacquais, tombant
en un Roy, luy fait ruiner une province. // Ils veulent
aussi legierement que nous, mais ils peuvent plus. / Pareils
appetits agitent un ciron et un elephant.

Quant à la fidelité, il n'est animal au monde traistre au
pris de l'homme ; nos histoires racontent la vifve poursuite
que certains chiens ont faict de la mort de leurs maistres.
Le Roy Pyrrhus, ayant rencontré un chien qui gardoit un
homme mort, et ayant entendu qu'il y avoit trois jours
qu'il faisoit cet office, commanda qu'on enterrast ce corps,
et mena ce chien quant et luy. Un jour qu'il assistoit aux
montres [131] generales de son armée, ce chien, appercevant
les meurtriers de son maistre, leur courut sus avec grands
aboys et aspreté de courroux, et par ce premier indice
achemina la vengeance de ce meurtre, qui en fut faicte
bien tost après par la voye de la justice. Autant en fist
le chien du sage Hesiode, ayant convaincu les enfans de
Ganistor Naupactien du meurtre commis en la personne

de son maistre. Un autre chien, estant à la garde d'un
temple à Athenes, ayant aperceu un larron sacrilege qui
emportoit les plus beaux joyaux, se mit à abayer contre
luy tant qu'il peut; mais les marguilliers ne s'estant point
esveillez pour cela, il se mit à le suyvre, et, le jour estant
venu, se tint un peu plus esloigné de luy, sans le perdre
jamais de veuë. S'il luy offroit à manger, il n'en vouloit
pas; et aux autres passans qu'il rencontroit en son chemin,
il leur faisoit feste de la queuë et prenoit de leurs mains
ce qu'ils luy donnoyent à manger; si son larron s'arrestoit
pour dormir, il s'arrestoit quant et quant au lieu mesmes.
La nouvelle de ce chien estant venuë aux marguilliers de
cette Eglise, ils se mirent à le suivre à la trace, s'enquerans
des nouvelles du poil de ce chien, et enfin le rencontrerent
en la ville de Cromyon, et le larron aussi, qu'ils ramenerent
en la ville d'Athenes, où il fut puny. Et les juges, en reconnoissance de ce bon office, ordonnarent du publicq [132]
certaine mesure de bled pour nourrir le chien, et aux
prestres d'en avoir soing. Plutarque tesmoigne cette
histoire comme chose très-averée et advenue en son siècle.

Quant à la gratitude (car il me semble que nous avons
besoing de mettre ce mot en credit), ce seul exemple y
suffira, que Apion recite comme en ayant esté luy mesme
spectateur. Un jour, dit-il, qu'on donnoit à Rome au peuple
le plaisir du combat de plusieurs bestes estranges, et principalement de Lyons de grandeur inusitée, il y en avoit un
entre autres qui, par son port furieux, par la force et grosseur de ses membres et un rugissement hautain et espou-
vantable, attiroit à soy la veuë de toute l'assistance. Entre
les autres esclaves qui furent presentez au peuple en ce
combat des bestes, fut un Androdus, de Dace, qui estoit
à un Seigneur Romain de qualité consulaire. Ce lyon,
l'ayant aperçeu de loing, s'arresta premierement tout
court, comme estant entré en admiration, et puis s'approcha
tout doucement, d'une façon molle et paisible, comme
pour entrer en reconnoissance avec luy. Cela faict et
s'estant asseuré de ce qu'il cherchoit, il commença à battre
de la queuë à la mode des chiens qui flatent leur maistre, et
à baiser et lescher les mains et les cuisses de ce pauvre
miserable tout transi d'effroy et hors de soy. Androdus
ayant repris ses esprits par la benignité de ce lyon, et
r'asseuré sa veuë pour le considerer et reconnoistre, c'estoit
un singulier plaisir de voir les caresses et les festes qu'ils
s'entrefaisoyent l'un à l'autre. Dequoy le peuple ayant
eslevé des cris de joye, l'Empereur fit appeller cet esclave
pour entendre de luy le moyen d'un si estrange evene-

ment. Il luy recita une histoire nouvelle et admirable :

« Mon maître, dict-il, estant proconsul en Aphrique, je fus contraint, par la cruauté et rigueur qu'il me tenoit, me faisant journellement battre, me desrober de luy et m'en fuïr. Et, pour me cacher seurement d'un personnage ayant si grande authorité en la province, je trouvay mon plus court de gaigner les solitudes et les contrées sablonneuses et inhabitables de ce pays-là, resolu, si le moyen de me nourrir venoit à me faillir, de trouver quelque façon de me tuer moy-mesme. Le soleil estant extremement aspre sur le midy et les chaleurs insupportables, m'estant enbatu sur [133] une caverne cachée et inaccessible, je me jettay dedans. Bien tost après y survint ce lyon, ayant une patte sanglante et blessée, tout plaintif et gemissant des douleurs qu'il y souffroit. A son arrivée, j'eu beaucoup de frayeur ; mais luy, me voyant mussé [134] dans un coing de sa loge, s'approcha tout doucement de moy, me presentant sa patte offencée, et me la montrant comme pour demander secours ; je luy ostay lors un grand escot [135] qu'il y avoit, et m'estant un peu aprivoisé à luy, pressant sa playe, en fis sortir l'ordure qui s'y amassoit, l'essuyay et nettoyay le plus proprement que je peux ; luy, se sentant alegé de son mal et soulagé de cette douleur, se prit à reposer et à dormir, ayant tousjours sa patte entre mes mains. De là en hors, luy et moy vesquismes ensemble en cette caverne, trois ans entiers, de mesmes viandes ; car des bestes qu'il tuoit à sa chasse, il m'en aportoit les meilleurs endroits, que je faisois cuire au soleil à faute de feu, et m'en nourrissois. A la longue, m'estant ennuyé de cette vie brutale et sauvage, ce Lyon estant allé un jour à sa queste accoustumée, je partis de là, et, à ma troisiesme journée, fut surpris par les soldats qui me menerent d'Affrique en cette ville à mon maistre, lequel soudain me condamna à mort et à estre abandonné aux bestes. Or, à ce que je voy, ce Lyon fut aussi pris bien tost après, qui m'a, à cette heure, voulu recompenser du bienfait et guerison qu'il avoit reçeu de moy. »

Voylà l'histoire qu'Androdus recita à l'Empereur, laquelle il fit aussi entendre de main à main au peuple. Parquoy, à la requeste de tous, il fut mis en liberté et absoubs de cette condamnation, et par ordonnance du peuple luy fut faict present de ce Lyon. Nous voyons dépuis, dit Apion, Androdus conduisant ce Lyon à tout une petite laisse, se promenant par les tavernes à Rome, recevoir l'argent qu'on luy donnoit, le Lyon se laisser couvrir des fleurs qu'on luy jettoit, et chacun dire en les rencontrant : « Voylà le Lyon hoste de l'homme, voylà l'homme medecin du Lyon. »

// Nous pleurons souvant la perte des bestes que nous aymons, aussi font elles la nostre,

> *Post, bellator equus, positis insignibus, Æthon*
> *It lachrymans, guttisque humectat grandibus ora* [136].

Comme aucunes de nos nations ont les femmes en commun, aucunes à chacun la sienne; cela ne se voit il pas aussi entre les bestes ? et des mariages mieux gardez que les nostres ?

/ Quant à la société et confederation qu'elles dressent entre elles pour se liguer ensemble et s'entresecourir, il se voit des bœufs, des porceaux et autres animaux, qu'au cry de celuy que vous offencez, toute la troupe accourt à son aide et se ralie pour sa deffence. L'escare [137], quand il a avalé l'ameçon du pescheur, ses compagnons s'assemblent en foule autour de luy et rongent la ligne; et, si d'avanture il y en a un qui ayt donné dedans la nasse, les autres luy baillent la queuë par dehors, et luy la serre tant qu'il peut à belles dents; ils le tirent ainsin au dehors et l'entrainent. Les barbiers [138], quand l'un de leurs compagnons est engagé, mettent la ligne contre leur dos, dressant un'espine qu'ils ont dentelée comme une scie, à tout laquelle ils la scient et coupent.

Quant aux particuliers offices que nous tirons l'un de l'autre pour le service de la vie, il s'en void plusieurs pareils exemples parmy elles. Ils tiennent que la baleine ne marche jamais qu'elle n'ait au devant d'elle un petit poisson semblable au gayon [139] de mer, qui s'appelle pour cela la guide; la baleine le suit, se laissant mener et tourner aussi facilement que le timon faict retourner le navire; et, en recompense aussi, au lieu que toute autre chose soit beste ou vaisseau qui entre dans l'horrible chaos de la bouche de ce monstre, est incontinant perdu et englouti, ce petit poisson s'y retire en toute seurté et y dort, et pendant son sommeil la baleine ne bouge; mais aussi tost qu'il sort, elle se met à le suivre sans cesse; et si, de fortune, elle l'escarte, elle va errant ça et là, et souvant se froissant contre les rochers, comme un vaisseau qui n'a point de gouvernail; ce que Plutarque tesmoigne avoir veu en l'isle d'Anticyre.

Il y a une pareille societé entre le petit oyseau qu'on nomme le roytelet, et le crocodile; le roytelet sert de sentinelle à ce grand animal; et si l'ichneaumon, son ennemy, aproche pour le combatre, ce petit oyseau, de peur qu'il ne le surprenne endormy, va de son chant et à coup de bec l'esveillant et l'advertissant de son danger; il vit des demeurans [140] de ce monstre qui le reçoit familierement en sa bouche et luy permet de becqueter dans ses machoueres et entre ses dents, et y recueillir les morceaux de cher qui y sont demeurez; et s'il veut fermer la bouche, il l'advertit premierement d'en sortir, en la serrant peu à peu, sans l'estreindre et l'offencer.

Cette coquille qu'on nomme la nacre, vit aussi ainsin avec le pinnothere, qui est un petit animal de la sorte d'un cancre, luy servant d'huissier et de portier, assis à l'ouverture de cette coquille qu'il tient continuellement entrebaillée et ouverte, jusques à ce qu'il y voye entrer quelque petit poisson propre à leur prise; car lors il entre dans la nacre, et luy va pinsant la chair vive, et la contraint de fermer sa coquille; lors eux deux ensemble mangent la proye enfermée dans leur fort.

En la maniere de vivre des tuns [141], on y remerque une singuliere science de trois parties de la Mathematique. Quant à l'Astrologie, ils l'enseignent à l'homme; car ils s'arrestent au lieu où le solstice d'hyver les surprend, et n'en bougent jusques à l'equinoxe ensuyvant; voylà pourquoy Aristote mesme leur concede volontiers cette science. Quant à la Geometrie et Arithmetique, ils font tousjours leur bande de figure cubique, carrée en tout sens, et en dressent un corps de bataillon solide, clos et environné tout à l'entour, à six faces toutes égales; puis nagent en cette ordonnance carrée, autant large derriere que devant, de façon que, qui en void et conte un rang, il peut aisément nombrer toute la trouppe, d'autant que le nombre de la profondeur est égal à la largeur, et la largeur à la longueur.

Quant à la magnanimité, il est malaisé de luy donner un visage plus apparent que en ce faict du grand chien qui fut envoyé des Indes au Roy Alexandre. On lui presenta premierement un cerf pour le combattre, et puis un sanglier, et puis un ours : il n'en fit compte et ne daigna se remuer de sa place; mais, quand il veid un lyon, il se dressa incontinent sur ses pieds, montrant manifestement qu'il declaroit celuy-là seul digne d'entrer en combat avecques luy.

// Touchant la repentance et recognoissance des fautes, on recite d'un elephant, lequel ayant tué son gouverneur par impetuosité de cholere, en print un deuil si extreme qu'il ne voulut onques puis manger, et se laissa mourir.

/ Quant à la clemence, on recite d'un tygre, la plus inhumaine beste de toutes, que, luy ayant esté baillé un chevreau, il souffrit deux jours la faim avant que de le vouloir offencer, et le troisième il brisa la cage où il estoit enfermé, pour aller chercher autre pasture, ne se voulant prendre au chevreau, son familier et son hoste.

Et, quant aux droicts de la familiarité et convenance qui se dresse par la conversation [142], il nous advient ordinairement d'apprivoiser des chats, des chiens et des liévres ensemble; mais ce que l'experience apprend à ceux qui voyagent par mer, et notamment en la mer de Sicile, de la condition des halcyons, surpasse toute humaine cogitation. De quelle espece d'animaux a jamais nature tant honoré les couches, la naissance et l'enfantement? car les Poëtes disent bien qu'une seule isle de Delos, estant au paravant vagante [143], fut affermie pour le service de l'enfantement de Latone; mais Dieu a voulu que toute la mer fut arrestée, affermie et applanie, sans vagues, sans vents et sans pluye, cependant que l'alcyon faict ses petits, qui est justement environ le solstice, le plus court jour de l'an; et, par son privilege, nous avons sept jours et sept nuicts, au fin cœur de l'hyver, que nous pouvons naviguer sans danger. Leurs femelles ne reconnoissent autre masle que le leur propre, l'assistent toute leur vie sans jamais l'abandonner; s'il vient à estre debile et cassé, elles le chargent sur leurs espaules, le portent par tout et le servent jusques à la mort. Mais aucune suffisance n'a encores peu attaindre à la connoissance de cette merveilleuse fabrique dequoy l'alcyon compose le nid pour ses petits, ny en deviner la matiere. Plutarque, qui en a veu et manié plusieurs, pense que ce soit des arestes de quelque poisson qu'elle conjoinct et lie ensemble, les entrelassant, les unes de long, les autres de travers, et adjoustant des courbes et des arrondissemens, tellement qu'en fin elle en forme un vaisseau rond prest à voguer; puis, quand elle a parachevé de le construire, elle le porte au batement du flot marin, là où la mer, le battant tout doucement, luy enseigne à radouber ce qui n'est pas bien lié, et à mieux fortifier aux endroits où elle void que sa structure se desment et se lâche pour les coups de mer; et, au contraire, ce qui est bien joinct, le batement de la mer le vous estreinct et vous le serre de sorte qu'il ne se peut ny rompre, ny dissoudre, ou endommager à coups de pierre ny de fer, si ce n'est à toute peine. Et ce qui plus est à admirer, c'est la proportion et figure de la concavité du dedans; car elle est composée et proportionnée de maniere qu'elle ne peut recevoir ny admettre autre chose que l'oiseau qui l'a bastie; car à toute autre chose elle est impenetrable, close

et fermée, tellement qu'il n'y peut rien entrer, non pas
l'eau de la mer seulement. Voilà une description bien claire
de ce bastiment et empruntée de bon lieu; toutesfois
il me semble qu'elle ne nous esclaircit pas encor suffisamment la difficulté de cette architecture. Or de quelle vanité
nous peut-il partir [144] de loger au dessoubs de nous et
d'interpreter desdaigneusement les effects que nous ne
pouvons imiter ny comprendre ?

Pour suivre encore un peu plus loing cette equalité [145]
et correspondance de nous aux bestes, le privilege dequoy
nostre ame se glorifie, de ramener à sa condition tout ce
qu'elle conçoit, de despouiller de qualitez mortelles et
corporelles tout ce qui vient à elle, de renger les choses
qu'elle estime dignes de son accointance, à desvestir et
despouiller leurs conditions corruptibles, et leur faire laisser à part comme vestements superflus et viles, l'espesseur, la longueur, la profondeur, le poids, la couleur,
l'odeur, l'aspreté, la pollisseure, la dureté, la mollesse et
tous accidents sensibles, pour les accommoder à sa condition immortelle et spirituelle, de maniere que Rome et
Paris que j'ay en l'ame, Paris que j'imagine, je l'imagine
et le comprens sans grandeur et sans lieu, sans pierre,
sans plastre et sans bois; ce mesme privilege, dis-je,
semble estre bien évidamment aux bestes; car un cheval
accoustumé aux trompettes, aux harquebusades et aux
combats, que nous voyons tremousser et fremir en dormant,
estendu sur sa litiere, comme s'il estoit en la meslée, il est
certain qu'il conçoit en son ame un son de tabourin sans
bruict, une armée sans armes et sans corps :

> *Quippe videbis equos fortes, cum membra jacebunt*
> *In sommis, sudare tamen, spirareque sæpe,*
> *Et quasi de palma summas contendere vires* [146].

Ce lievre qu'un levrier imagine en songe, après lequel
nous le voyons haleter en dormant, alonger la queuë,
secouer les jarrets et representer parfaitement les mouvemens de sa course, c'est un lievre sans poil et sans os.

> *Venantumque canes in molli sæpe quiete*
> *Jactant crura tamen subito, vocesque repente*
> *Mittunt, et crebras reducunt naribus auras,*
> *Ut vestigia si teneant inventa ferarum.*
> *Experge factique sequuntur inania sæpe*
> *Cervorum simulachra, fugæ quasi dedita cernant :*
> *Donec discussis redeant erroribus ad se* [147].

Les chiens de garde que nous voyons souvent gronder
en songeant, et puis japper tout à faict et s'esveiller en
sursaut, comme s'ils appercevoient quelque estranger
arriver; cet estranger que leur ame void, c'est un homme
spirituel et imperceptible, sans dimension, sans couleur
et sans estre :

> consueta domi catulorum blanda propago
> *Degere, sæpe levem ex oculis volucremque soporem*
> *Discutere, et corpus de terra corripere instant,*
> *Proinde quasi ignotas facies atque ora tueantur* [148].

Quant à la beauté du corps, avant passer outre, il me
faudroit sçavoir si nous sommes d'accord de sa description.
Il est vray-semblable que nous ne sçavons guiere que c'est
beauté en nature et en general, puisque à l'humaine et
nostre beauté nous donnons tant de formes diverses :
/// de laquelle s'il y avoit quelque prescription naturelle,
nous la recognoistrions en commun, comme la chaleur
du feu. Nous en fantasions les formes à nostre poste.

// *Turpis Romano Belgicus ore color* [149].

/ Les Indes la peignent noire et basannée, aux levres
grosses et enflées, au nez plat et large. // Et chargent de
gros anneaux d'or le cartilage d'entre les nazeaux pour le
faire pendre jusques à la bouche; comme aussi la
balievre [150], de gros cercles enrichis de pierreries, si qu'elle
leur tombe sur le menton; et est leur grace de montrer
leurs dents jusques au dessous des racines. Au Peru, les
plus grandes oreilles sont les plus belles, et les estendent
autant qu'ils peuvent par artifice : /// et un homme d'aujourd'hui dict avoir veu en une nation orientale ce soing
de les agrandir en tel credit, et de les charger de poisans
joyaux, qu'à tous coups il passoit son bras vestu, au travers
d'un trou d'oreille. // Il est ailleurs des nations qui noir-
cissent les dents avec grand soing, et ont à mespris de les
voir blanches; ailleurs, ils les teignent de couleur rouge.
/// Non seulement en Basque les femmes se trouvent
plus belles la teste rase, mais assez ailleurs; et, qui plus
est, en certaines contrées glaciales, comme dict Pline. // Les
Mexicanes content entre les beautez la petitesse du front,
et, où elles se font le poil par tout le reste du corps, elles le
nourrissent au front et peuplent par art; et ont en si
grande recommendation la grandeur des tetins, qu'elles
affectent [151] de pouvoir donner la mammelle à leurs enfants

par dessus l'espaule. / Nous formerions ainsi la laideur.
Les Italiens la façonnent grosse et massive, les Espagnols
vuidée et estrillée [152]; et, entre nous, l'un la fait blanche,
l'autre brune; l'un molle et delicate, l'autre forte et vigoureuse; qui y demande de la mignardise et de la douceur,
qui de la fierté et magesté. /// Tout ainsi que la preferance
en beauté, que Platon attribue à la figure spherique, les
Epicuriens la donnent à la pyramidale plus tost ou carrée,
et ne peuvent avaller un dieu en forme de boule.

/ Mais, quoy qu'il en soit, nature ne nous a non plus
privilegez en cela que, au demeurant, sur ses loix communes. Et si nous nous jugeons bien, nous trouverons
que, s'il est quelques animaux moins favorisez en cela
que nous, il y en a d'autres, et en grand nombre, qui le
sont plus, /// « *a multis animalibus decore vincimur* [153] »,
voyre des terrestres, nos compatriotes; car quand aux
marins (laissant la figure, qui ne peut tomber en proportion, tant elle est autre), en coleur, netteté, polissure,
disposition, nous leur cedons assez; et non moins, en
toutes qualitez, aux aërées [154]. Et / cette prerogative que les
Poëtes font valoir de nostre stature droite, regardant vers
le ciel son origine,

> *Pronaque cum spectent animalia cætera terram,*
> *Os homini sublime dedit, cœlúmque videre*
> *Jussit, et erectos ad sydera tollere vultus* [155],

elle est vrayement poëtique, car il y a plusieurs bestioles
qui ont la veuë renversée tout à faict vers le ciel; et l'anco-
leure des chameaux et des austruches, je la trouve encore
plus relevée et droite que la nostre.

/// Quels animaux n'ont la face au haut, et ne l'ont
davant, et ne regardent vis à vis comme nous, et ne descouvrent en leur juste posture autant du ciel et de la terre
que l'homme ?

Et quelles qualités de nostre corporelle constitution en
Platon et en Cicero ne peuvent servir à mille sortes de
bestes ?

/ Celles qui nous retirent le plus, ce sont les plus laides
et les plus abjectes de toute la bande : car, pour l'apparence exterieure et forme du visage, ce sont les magots :

> /// *Simia quam similis, turpissima bestia, nobis* [156] !

/ pour le dedans et parties vitales, c'est le pourceau. Certes,
quand j'imagine l'homme tout nud (ouy en ce sexe qui

semble avoir plus de part à la beauté), ses tares, sa subjection naturelle et ses imperfections, je trouve que nous avons eu plus de raison que nul autre animal de nous couvrir. Nous avons esté excusables de emprunter ceux que nature avoit favorisé en cela plus qu'à nous, pour nous parer de leur beauté et nous cacher soubs leur despouille, laine, plume, poil, soye.

Remerquons, au demeurant, que nous sommes le seul animal duquel le defaut offence nos propres compaignons, et seuls qui avons à nous desrober, en nos actions naturelles, de nostre espece. Vrayement c'est aussi un effect digne de consideration, que les maistres du mestier ordonnent pour remede aux passions amoureuses l'entiere veuë et libre du corps qu'on recherche ; que, pour refroidir l'amitié, il ne faille que voir librement ce qu'on ayme,

> Ille quod obscœnas in aperto corpore partes
> Viderat, in cursu qui fuit, hœsit amor [157].

Et, encore que cette recepte puisse à l'adventure partir d'une humeur un peu delicate et refroidie, si est-ce un merveilleux signe de nostre defaillance [158], que l'usage et la cognoissance nous dégoute les uns des autres. // Ce n'est pas tant pudeur qu'art et prudence, qui rend nos dames si circonspectes à nous refuser l'entrée de leurs cabinets, avant qu'elles soient peintes et parées pour la montre publique,

> / Nec veneres nostras hoc fallit : quo magis ipsæ
> Omnia summopere hos vitæ post scenia celant,
> Quos retinere volunt adstrictoque esse in amore [159] ;

là où, en plusieurs animaux, il n'est rien d'eux que nous n'aimons et qui ne plaise à nos sens, de façon que de leurs excremens mesmes et de leur descharge [160] nous tirons non seulement de la friandise au manger, mais nos plus riches ornements et parfums.

Ce discours ne touche que nostre commun ordre, et n'est pas si sacrilege d'y vouloir comprendre ces divines, supernaturelles et extraordinaires beautez qu'on voit par fois reluire entre nous comme des astres soubs un voile corporel et terrestre.

Au demeurant, la part mesme que nous faisons aux animaux des faveurs de nature, par nostre confession [161], elle leur est bien avantageuse. Nous nous attribuons des biens imaginaires et fantastiques, des biens futurs et absens, desquels l'humaine capacité ne se peut d'elle mesme respondre, ou des biens que nous nous attribuons faucement par la licence de nostre opinion, comme la raison, la science et l'honneur ; et à eux nous laissons en partage des biens essentiels, maniables et palpables : la paix, le repos, la sécurité, l'innocence et la santé ; la santé, dis-je, le plus beau et le plus riche present que nature nous sache faire. De façon que la Philosophie, voire la Stoïque, ose bien dire que Heraclitus et Pherecides, s'ils eussent peu eschanger leur sagesse avecques la santé et se delivrer par ce marché, l'un de l'hydropisie, l'autre de la maladie pediculaire qui le pressoit, qu'ils eussent bien faict. Par où ils donnent encore plus grand pris à la sagesse, la comparant et contrepoisant à [162] la santé, qu'ils ne font en cette autre proposition qui est aussi des leurs. Ils disent que si Circé eust presenté à Ulysses deux breuvages, l'un pour faire devenir un homme de fol sage, l'autre de sage fol, qu'Ulysses eust deu plustost accepter celuy de la folie, que de consentir que Circé eust changé sa figure humaine en celle d'une beste ; et disent que la sagesse mesme eust parlé à luy en cete maniere : « Quitte moy, laisse moy là, plustost que de me loger sous la figure et corps d'un asne. » Comment ? cette grande et divine sapience, les Philosophes la quittent donc pour ce voile corporel et terrestre ? Ce n'est donc plus par la raison, par le discours et par l'ame que nous excellons sur les bestes ; c'est par nostre beauté, nostre beau teint et nostre belle disposition de membres, pour laquelle il nous faut mettre nostre intelligence, nostre prudence et tout le reste à l'abandon.

Or j'accepte cette naïfve et franche confession. Certes ils ont cogneu que ces parties là, dequoy nous faisons tant de feste, ce n'est que vaine fantasie. Quand les bestes auroient donc toute la vertu, la science, la sagesse et suffisance Stoïque, ce seroyent tousjours de bestes : ny ne seroyent pourtant comparables à un homme miserable, meschant et insensé. /// Enfin tout ce qui n'est pas comme nous sommes, n'est rien qui vaille. Et Dieu mesme, pour se faire valoir, il faut qu'il y retire, comme nous dirons tantost. Par où il appert que / ce n'est par vray discours, mais par une fierté folle et opiniatreté, que nous nous preferons aux autres animaux et nous sequestrons de leur condition et societé.

Mais, pour revenir à mon propos, nous avons pour nostre part l'inconstance, l'irresolution, l'incertitude, le deuil, la superstition, la solicitude [163] des choses à venir, voire, après nostre vie, l'ambition, l'avarice, la jalousie, l'envie, les appetits desreglez, forcenez et indomptables, la guerre, le mensonge, la desloyauté, la detraction [164] et la curiosité. Certes, nous avons estrangement surpaié ce beau discours dequoy nous nous glorifions, et cette capacité de juger et connoistre, si nous l'avons achetée au pris de ce nombre infiny de passions ausquelles nous sommes incessamment en prise. // S'il ne nous plaist de faire encore valoir, comme faict bien Socrates, cette notable prerogative sur les autres animaux, que, où nature leur a prescript certaines saisons et limites à la volupté Venerienne, elle nous en a lasché la bride à toutes heures et occasions. /// « *Ut vinum ægrotis, quia prodest raro, nocet sæpissime, melius est non adhibere omnino, quam, spe dubiæ salutis, in apertam perniciem incurrere : sic haud scio an melius fuerit humano generi motum istum celerem cogitationis, acumen, solertiam, quam rationem vocamus, quoniam pestifera sint multis, admodum paucis, salutaria, non dari omnino, quam tam munifice et tam large dari* [165]. »

/ De quel fruit pouvons nous estimer avoir esté à Varro et Aristote cette intelligence de tant de choses ? Les a elle exemptez des incommoditez humaines ? ont-ils esté deschargez des accidents qui pressent un crocheteur [166] ? ont-ils tiré de la Logique quelque consolation à la goute ? pour avoir sçeu comme cette humeur se loge aux jointures, l'en ont-ils moins sentie ? sont ils entrez en composition de la mort pour sçavoir qu'aucunes nations s'en resjouissent, et du cocuage, pour sçavoir les femmes estre communes en quelque region ? Au rebours, ayant tenu le premier reng en sçavoir, l'un entre les Romains, l'autre entre les Grecs, et en la saison où la science fleurissoit le plus, nous n'avons pas pourtant apris qu'ils ayent eu aucune particuliere excellence en leur vie; voire le Grec a assez affaire à se descharger d'aucunes tasches notables en la siene.

// A l'on trouvé que la volupté et la santé soient plus savoureuses à celuy qui sçait l'Astrologie et la Grammaire ?

Illiterati num minus nervi rigent [167] ?

et la honte et pauvreté moins importunes ?

Scilicet et morbis et debilitate carebis,
Et luctum et curam effugies, et tempora vitæ
Longa tibi post hæc fato meliore dabuntur [168].

J'ay veu en mon temps cent artisans, cent laboureurs, plus

sages et plus heureux que des recteurs de l'université, et
lesquels j'aimerois mieux ressembler. La doctrine, ce
m'est advis, tient rang entre les choses necessaires à la vie,
comme la gloire, la noblesse, la dignité /// ou, pour le plus,
comme la beauté, la richesse / et telles autres qualitez qui
y servent voyrement [169], mais de loin, et un peu plus par
fantasie que par nature.

/// Il ne nous faut guiere non plus [170], d'offices, de regles
et de loix de vivre, en nostre communauté, qu'il en faut
aux grüës et aux fourmis en la leur. Et, ce neant-moins
nous voyons qu'elles s'y conduisent très-ordonnément sans
erudition [171]. Si l'homme estoit sage, il prenderoit le vray
pris de chasque chose selon qu'elle seroit la plus utile et
propre à sa vie.

/ Qui nous contera par nos actions et deportemens, il
s'en trouvera plus grand nombre d'excellens entre les
ignorans qu'entre les sçavans : je dy en toute sorte de
vertu. La vieille Rome me semble en avoir bien porté de
plus grande valeur, et pour la paix et pour la guerre, que
cette Rome sçavante qui se ruyna soy-mesme. Quand le
demeurant seroit tout pareil, au moins la preud'homie et
l'innocence demeureroient du costé de l'ancienne, car elle
loge singulierement bien avec la simplicité.

Mais je laisse ce discours, qui me tireroit plus loin que
je ne voudrois suivre. J'en diray seulement encore cela,
que c'est la seule humilité et submission qui peut effectuer [172] un homme de bien. Il ne faut pas laisser au jugement de chacun la cognoissance de son devoir; il le lui
faut prescrire, non pas le laisser choisir à son discours;
autrement, selon l'imbecillité et varieté infinie de nos
raisons et opinions, nous nous forgerions en fin des devoirs
qui nous mettroient à nous manger les uns les autres,
comme dit Epicurus. La premiere loy que Dieu donna
jamais à l'homme, ce fust une loy de pure obeïssance; ce
fust un commandement nud et simple où l'homme n'eust
rien à connoistre et à causer [173]; /// d'autant que l'obeyr est
le principal office d'une ame raisonnable, recognoissant
un celeste superieur et bienfacteur. De l'obeir et ceder
naist toute autre vertu, comme du cuider tout peché. // Et,
au rebours, la premiere tentation qui vint à l'humaine
nature de la part du diable, sa premiere poison, s'insinua
en nous par les promesses qu'il nous fit de science et de
cognoissance : « *Eritis sicut dii, scientes bonum et malum* [174]. »
/// Et les Sereines [175], pour piper Ulisse, en Homere, et
l'attirer en leurs dangereux et ruineux laqs [176], lui offrent
en don la science. / La peste de l'homme, c'est l'opinion de

sçavoir. Voilà pourquoy l'ignorance nous est tant recommandée par nostre religion comme piece propre à la
creance et à l'obeïssance. /// « *Cavete ne quis vos decipiat
per philosophiam et inanes seductiones secundum elementa
mundi* [177]. »

/ En cecy y a il une generale convenance entre tous les
philosophes de toutes sectes, que le souverain bien consiste
en la tranquillité de l'ame et du corps. // Mais où la
trouvons-nous ?

> / *Ad summum sapiens uno minor est Jove : dives,*
> *Liber, honoratus, pulcher, rex denique regum ;*
> *Præcipue sanus, nisi cum pituita molesta est* [178].

Il semble, à la verité, que nature, pour la consolation de
nostre estat miserable et chetif, ne nous ait donné en
partage que la presumption. C'est ce que dit Epictete :
que l'homme n'a rien proprement sien que l'usage de ses
opinions. Nous n'avons que du vent et de la fumée en
partage. // Les dieux ont la santé en essence, dict la philosophie, et la maladie en intelligence ; l'homme, au rebours,
possede ses biens par fantasie, les maux en essence. / Nous
avons eu raison de faire valoir les forces de nostre imagination, car tous nos biens ne sont qu'en songe. Oyez
braver [179] ce pauvre et calamiteux animal : « Il n'est rien,
dict Cicero, si doux que l'occupation des lettres, de ces
lettres, dis-je, par le moyen desquelles l'infinité des choses,
l'immense grandeur de nature, les cieux en ce monde
mesme, et les terres et les mers nous sont descouvertes ;
ce sont elles qui nous ont appris la religion, la moderation,
la grandeur de courage, et qui ont arraché nostre ame des
tenebres pour luy faire voir toutes choses hautes, basses,
premieres, dernieres et moyennes ; ce sont elles qui nous
fournissent dequoy bien et heureusement vivre, et nous
guident à passer nostre aage sans desplaisir et sans offence. »
Cettuy-cy ne semble il pas parler de la condition de Dieu
tout-vivant et tout-puissant ?

Et, quant à l'effect, mille femmelettes ont vescu au village une vie plus equable, plus douce et plus constante
que ne fust la sienne.

> *Deus ille fuit, Deus, inclute Memmi,*
> *Qui princeps vitæ rationem invenit eam, quæ*
> *Nunc appellatur sapientia, quique per artem*
> *Fluctibus e tantis vitam tantisque tenebris*
> *In tam tranquilla et tam clara luce locavit* [180].

Voylà des paroles trèsmagnifiques et belles; mais un bien
legier accidant mist l'entendement de cettuy-cy [181] en pire
estat que celuy du moindre bergier, nonobstant ce Dieu
præcepteur et cette divine sapience. De mesme impudence
est /// cette promesse du livre de Democritus : « Je m'en vay
parler de toutes choses »; et ce sot tiltre qu'Aristote nous
preste : de Dieux mortels; et / ce jugement de Chrisippus,
que Dion estoit aussi vertueux que Dieu. Et mon Seneca
recognoit, dit-il, que Dieu luy a donné le vivre, mais qu'il
a de soy le bien vivre; /// conformément à cet autre : « *In
virtute vere gloriamur; quod non contingeret, si id donum a
deo, non a nobis haberemus* [182]. » Ceci est aussi de Seneque :
que le sage a la fortitude [183] pareille à Dieu, mais en l'humaine foiblesse; par où il le surmonte [184]. / Il n'est rien si
ordinaire que de rencontrer des traicts de pareille temerité.
Il n'y a aucun de nous qui s'offence tant de se voir apparier
à Dieu, comme il faict de se voir deprimer [185] au reng des
autres animaux : tant nous sommes plus jaloux de nostre
interest que de celuy de nostre createur.

Mais il faut mettre aux pieds cette sote vanité, et secouer
vivement et hardiment les fondemens ridicules sur quoy
ces fausses opinions se bastissent. Tant qu'il pensera voir
quelque moyen et quelque force de soy, jamais l'homme
ne recognoistra ce qu'il doit à son maistre; il fera tousjours
de ses œufs poules, comme on dit; il le faut mettre en
chemise.

Voyons quelque notable exemple de l'effet de sa philosophie :

Possidonius, estant pressé d'une si douloureuse maladie
qu'elle luy faisoit tordre les bras et grincer les dents,
pensoit bien faire la figue à la douleur, pour s'escrier contre
elle : « Tu as beau faire, si ne diray-je pas que tu sois mal. »
Il sent les mesmes passions que mon laquays, mais il se
brave sur ce qu'il contient au moins sa langue sous les
loix de sa secte.

/// « *Re succumbere non oportebat verbis gloriantem* [186]. »

Archesilas estoit malade de la goutte; Carneades, l'estant
venu visiter et s'en retournant tout fasché, il le rappella
et, luy montrant ses pieds et sa poitrine : « Il n'est rien
venu de là icy », luy dict-il. Cestuy cy a un peu meilleure
grace, car il sent avoir du mal et voudroit en estre depestré;
mais de ce mal pourtant son cœur n'en est pas abbattu et
affoibli. L'autre se tient en sa roideur, plus, ce crains je,
verbale qu'essentielle. Et Dionysius Heracleotes, affligé

d'une cuison vehemente des yeux, fut rangé à quitter ces
resolutions Stoïques.

/ Mais quand la science feroit par effect ce qu'ils disent,
d'émousser et rabatre l'aigreur des infortunes qui nous
suyvent, que fait elle que ce que fait beaucoup plus purement l'ignorance, et plus evidemment ? Le philosophe
Pyrrho, courant en mer le hazart d'une grande tourmente,
ne presentoit à ceux qui estoyent avec luy à imiter que la
securité d'un porceau qui voyageoit avecques eux, regardant cette tempeste sans effroy. La philosophie, au bout
de ses preceptes, nous renvoye aux exemples d'un athlete
et d'un muletier, ausquels on void ordinairement beaucoup
moins de ressentiment de mort, de douleur et d'autres
inconveniens, et plus de fermeté que la science n'en fournit
onques à aucun qui n'y fust nay et preparé de soy mesmes
par habitude naturelle. Qui faict qu'on incise et taille les
tendres membres d'un enfant plus aisément que les
nostres, si ce n'est l'ignorance ? /// Et ceux d'un cheval ?
/ Combien en a rendu de malades la seule force de l'imagination ? Nous en voyons ordinairement se faire seigner,
purger et mediciner pour guerir des maux qu'ils ne sentent
qu'en leurs discours. Lors que les vrais maux nous faillent,
la science nous preste les siens. Cette couleur et ce teint
vous presagent quelque defluxion catarreuse; cette saison
chaude vous menasse d'une émotion fievreuse; cette cou-
peure de la ligne vitale de vostre main gauche vous advertit
de quelque notable et voisine [187] indisposition. Et en fin elle
s'en adresse tout detroussément à la santé mesme. Cette
allegresse et vigueur de jeunesse ne peut arrester en une
assiete; il luy faut desrober du sang et de la force, de peur
qu'elle ne se tourne contre vous mesmes. Comparés la
vie d'un homme asservy à telles imaginations à celle d'un
laboureur se laissant aller après son appetit naturel, mesu-
rant les choses au seul sentiment present, sans science
et sans prognostique, qui n'a du mal que lors qu'il l'a;
où l'autre a souvent la pierre en l'ame avant qu'il l'ait
aux reins; comme s'il n'estoit point assez à temps pour
souffrir le mal lors qu'il y sera, il l'anticipe par fantasie,
et luy court au devant.

Ce que je dy de la medecine, se peut tirer [188] par exemple
generalement à toute science. De là est venue cette ancienne
opinion des philosophes qui logeoient le souverain bien
à la recognoissance de la foiblesse de nostre jugement.
Mon ignorance me preste autant d'occasion d'esperance
que de crainte, et, n'ayant autre regle de ma santé que celle
des exemples d'autruy et des evenemens que je vois ailleurs

en pareille occasion, j'en trouve de toutes sortes et m'arreste aux comparaisons qui me sont plus favorables. Je reçois la santé les bras ouverts, libre, plaine et entiere, et esguise mon appetit à la jouïr, d'autant plus qu'elle m'est à present moins ordinaire et plus rare; tant s'en faut que je trouble son repos et sa douceur par l'amertume d'une nouvelle et contrainte forme de vivre. Les bestes nous montrent assez combien l'agitation de nostre esprit nous apporte de maladies.

/// Ce qu'on nous dict de ceux du Bresil, qu'ils ne mouroyent que de vieillesse, et qu'on attribue à la serenité et tranquillité de leur air, je l'attribue plustost à la tranquillité et serenité de leur ame, deschargée de toute passion et pensée et occupation tenduë ou desplaisante, comme gens qui passoyent leur vie en une admirable simplicité et ignorance, sans lettres, sans loy, sans roy, sans relligion quelconque.

/ Et d'où vient, ce qu'on voit par experience, que les plus grossiers et plus lours sont plus fermes et plus desirables aux executions amoureuses, et que l'amour d'un muletier se rend souvent plus acceptable que celle d'un galant homme, sinon que en cetuy cy l'agitation de l'ame trouble sa force corporelle, la rompt et lasse ?

Comme elle lasse aussi et trouble ordinairement soymesmes. Qui la desment [189], qui la jette plus coustumierement à la manie [190] que sa promptitude, sa pointe, son agilité, et en fin sa force propre ? // Dequoy se faict la plus subtile folie, que de la plus subtile sagesse ? Comme des grandes amitiez naissent des grandes inimitiez; des santez vigoreuses, les mortelles maladies; ainsi des rares et vifves agitations de nos ames, les plus excellentes manies et plus detraquées; il n'y a qu'un demy tour de cheville à passer de l'un à l'autre. / Aux actions des hommes insansez, nous voyons combien proprement s'avient la folie avecq les plus vigoureuses operations de nostre ame. Qui ne sçait combien est imperceptible le voisinage d'entre la folie avecq les gaillardes elevations d'un esprit libre et les effects d'une vertu supreme et extraordinaire ? Platon dict les mechancoliques plus disciplinables et excellans : aussi n'en est il point qui ayent tant de propencion à la folie. Infinis esprits se treuvent ruinez par leur propre force et souplesse. Quel saut vient de prendre, de sa propre agitation et allegresse, l'un des plus judicieux, ingenieux et plus formés à l'air de cette antique et pure poisie, qu'autre poëte Italien aye de long temps esté [191] ? N'a il pas dequoy sçavoir gré à cette sienne vivacité meurtriere ? à cette clarté qui l'a

aveuglé ? à cette exacte et tendue apprehension de la raison
qui l'a mis sans raison ? à la curieuse et laborieuse queste
des sciences qui l'a conduit à la bestise ? à cette rare aptitude aux exercices de l'ame, qui l'a rendu sans exercice et
sans ame ? J'eus plus de despit encore que de compassion,
de le voir à Ferrare en si piteux estat, survivant à soy-
mesmes, mesconnoissant et soy et ses ouvrages, lesquels,
sans son sçeu, et toutesfois à sa veuë, on a mis en lumiere
incorrigez et informes.

Voulez vous un homme sain, le voulez vous reglé et en
ferme et seure posteure ? affublez le de tenebres, d'oisiveté
et de pesanteur. /// Il nous faut abestir pour nous assagir,
et nous esblouir pour nous guider.

/ Et, si on me dit que la commodité d'avoir le goust
froid et mousse aux douleurs et aux maux, tire après soy
cette incommodité de nous rendre aussi, par consequent,
moins aiguz et frians à la jouissance des biens et des plaisirs,
cela est vray ; mais la misere de nostre condition porte que
nous n'avons pas tant à jouir qu'à fuir, et que l'extreme
volupté ne nous touche pas comme une legiere douleur.
/// « *Segnius homines bona quam mala sentiunt* [192]. » / Nous
ne sentons point l'entiere santé comme la moindre des
maladies,

> *pungit*
> *In cute vix summa violatum plagula corpus,*
> *Quando valere nihil quemquam movet. Hoc juvat unum,*
> *Qod me non torquet latus aut pes : cætera quisquam*
> *Vix queat aut sanum sese, aut sentire valentem* [193].

Notre bien estre, ce n'est que la privation d'estre mal.
Voylà pourquoy la secte de philosophie qui a le plus faict
valoir la volupté, encore l'a elle rengée à la seule indolence [194]. Le n'avoir point de mal, c'est le plus avoir de
bien que l'homme puisse esperer ; /// comme disoit
Ennius :

> *Nimium boni est, cui nihil est mali* [195].

/ Car ce mesme chatouillement et esguisement qui se rencontre en certains plaisirs et semble nous enlever au dessus
de la santé simple et de l'indolence, cette volupté active,
mouvante, et, je ne sçay comment, cuisante et mordante,
celle là mesme ne vise qu'à l'indolence comme à son but.
l'appetit qui nous ravit [196] à l'accointance des femmes, il ne
cherche qu'à chasser la peine que nous apporte le desir
ardent et furieux, et ne demande qu'à l'assouvir et se loger
en repos et en l'exemption de cette fievre. Ainsi des autres.

Je dy donq que, si la simplesse nous achemine à point
n'avoir de mal, elle nous achemine à un très-heureux estat
selon nostre condition.

/// Si ne la faut il point imaginer si plombée [197], qu'elle
soit du tout sans goust. Car Crantor avoit bien raison de
combattre l'indolence, d'Epicurus, si on la batissoit si
profonde que l'abort [198] mesme et la naissance des maux en
fut à dire. Je ne loüe point cette indolence qui n'est ny
possible ny desirable. Je suis content de n'estre pas malade ;
mais, si je le suis, je veux sçavoir que je le suis ; et, si on
me cauterise ou incise, je le veux sentir. De vray, qui
desracineroit la cognoissance du mal, il extirperoit quand
et quand la cognoissance de la volupté, et en fin aneantiroit
l'homme : « *Istud nihil dolere, non sine magna mercede
contingit immanitatis in animo, stuporis in corpore* [199]. »

Le mal est à l'homme bien à son tour. Ny la douleur
ne luy est tousjours à fuïr, ny la volupté tousjours à suivre.

/ C'est un très-grand avantage pour l'honneur de l'ignorance que la science mesme nous rejette entre ses bras,
quand elle se trouve empeschée à nous roidir contre la
pesanteur des maux ; elle est contrainte de venir à cette
composition, de nous lâcher la bride et donner congé
de nous sauver en son giron, et nous mettre soubs sa
faveur à l'abri des coups et injures de la fortune. Car que
veut elle dire autre chose, quand elle nous presche de
/// retirer nostre pensée des maux qui nous tiennent, et
l'entretenir [200] des voluptez perdues, et de / nous servir,
pour consolation des maux presens, de la souvenance des
biens passez, et d'appeler à nostre secours un contentement esvanouy pour l'opposer à ce qui nous presse :
/// « *levationes ægritudinum in avocatione a cogitanda molestia
et revocatione ad contemplandas voluptates ponit* [201] ? » si
ce n'est que, où la force luy manque, elle veut user de
ruse, et donner un tour de souplesse et de jambe, où la
vigueur du corps et des bras vient à luy faillir. Car, non
seulement à un philosophe, mais simplement à un homme
rassis, quand il sent par effect l'alteration cuisante d'une
fievre chaude, quelle monnoye est-ce de le payer de la
souvenance de la douceur du vin Grec ? // Ce seroit plustost lui empirer son marché,

Che ricordarsi il ben doppia la noia [202].

/ De mesme condition est cet autre conseil que la philosophie donne, de maintenir en la memoire seulement le bonheur passé, et d'en effacer les desplaisirs que nous avons

soufferts, comme si nous avions en nostre pouvoir la science de l'oubly. /// Et conseil duquel nous valons moins, encore un coup.

Suavis est laborum præteritorum memoria [203].

/ Comment la philosophie, qui me doit mettre les armes à la main pour combattre la fortune, qui me doit roidir le courage pour fouler aux pieds toute les adversitez humaines, vient elle à cette mollesse de me faire conniller [204] par ces destours coüards et ridicules ? Car la memoire nous represente non pas ce que nous choisissons, mais ce qui luy plaist. Voire il n'est rien qui imprime si vivement quelque chose en nostre souvenance que le desir de l'oublier : c'est une bonne maniere de donner en garde et d'empreindre en nostre ame quelque chose que de la solliciter de la perdre. /// Et cela est faux : « *Est situm in nobis, ut et adversa quasi perpetua oblivione obruamus, et secunda jucunde et suaviter meminerimus* [205]. » Et cecy est vray : « *Memini etiam quæ nolo, oblivisci non possum quæ volo* [206]. » / Et de qui est ce conseil ? de celuy /// « *qui se unus sapientem profiteri sit ausus* [207] »,

/ *Qui genus humanum ingenio superavit, et omnes*
Præstrinxit stellas, exortus uti ætherius sol [208].

De vuyder et desmunir la memoire est ce pas le vray et propre chemin à l'ignorance ? /// « *Iners malorum remedium ignorantia est* [209]. » / Nous voyons plusieurs pareils preceptes par lesquels on nous permet d'emprunter du vulgaire des apparences frivoles, où la raison vive et forte ne peut assez, pourveu qu'elles nous servent de contentement et de consolation. Où ils ne peuvent guerir la playe, ils sont contents de l'endormir et pallier. Je croy qu'ils ne me nieront pas cecy que, s'ils pouvoient adjouster de l'ordre et de la constance en un estat de vie qui se maintint en plaisir et en tranquillité par quelque foiblesse et maladie de jugement, qu'ils ne l'acceptassent :

potare et spargere flores
Incipiam, patiarque vel inconsultus haberi [210].

Il se trouveroit plusieurs philosophes de l'advis de Lycas: cettuy-cy [211] ayant au demeurant ses meurs bien reglées. vivant doucement et paisiblement en sa famille, ne manquant à nul office de son devoir envers les siens et estrangiers, se conservant trèsbien des choses nuisibles, s'estoit

par quelque alteration de sens, imprimé en la fantasie
une resverie; c'est qu'il pensoit estre perpetuellement aux
theatres à y voir des passetemps, des spectacles et des plus
belles comedies du monde. Guery qu'il fust par les medecins de cette humeur peccante, à peine qu'il ne les mit en
procès pour le restablir en la douceur de ces imaginations,

> pol ! me occidistis, amici,
> Non servastis, ait, cui sic extorta voluptas,
> Et demptus per vim mentis gratissimus error [212] ;

d'une pareille resverie à celle de Thrasilaus, fils de Pytho-
dorus, qui se faisoit à croire que tous les navires qui
relaschoient du port de Pyrée et y abordoient, ne travail-
loient que pour son service : se resjouyssant de la bonne
fortune de leur navigation, les recueillant avec joye. Son
frere Crito l'ayant faict remettre en son meilleur sens, il
regrettoit cette sorte de condition en laquelle il avoit vescu
plein de liesse et deschargé de tout desplaisir. C'est ce que
dit ce vers ancien Grec, qu'il y a beaucoup de commodité à
n'estre pas si advisé,

> 'Εν τῷ φρονεῖν γὰρ μηδὲν ἥδιστος βίος [213],

et l'*Ecclesiaste* : « En beaucoup de sagesse, beaucoup de
desplaisir »; et, « qui acquiert science, s'acquiert du travail
et tourment ».

Cela mesme à quoy en general la philosophie consent,
cette derniere recepte qu'elle ordonne à toute sorte de
necessitez, qui est de mettre fin à la vie que nous ne pouvons supporter : /// « *Placet ? pare. Non placet ? quacumque
vis, exi* [214]. »

« *Pungit dolor ? Vel fodiat sane. Si nudus es, da jugulum ;
sin tectus armis Vulcaniis, id est fortitudine, resiste* [215] »; et
ce mot des Grecs convives [216] qu'ils y appliquent : « *Aut
bibat, aut abeat* [217] » (qui sonne plus sortablement en la
langue d'un Gascon qui change volontiers en V le B, qu'en
celle de Cicero);

> / Vivere si recte nescis, decede peritis ;
> Lusisti satis, edisti satis atque bibisti ;
> Tempus abire tibi est, ne potum largius æquo
> Rideat et pulset lasciva decentius ætas [218] ;

qu'est-ce autre chose qu'une confession de son impuissance
et un renvoy non seulement à l'ignorance, pour y estre

à couvert, mais à la stupidité mesme, au non sentir et au non estre ?

> *Democritum postquam matura vetustas*
> *Admonuit memorem motus languescere mentis,*
> *Sponte sua leto caput obvius obtulit ipse* [219].

C'est ce que disoit Antisthenes, qu'il falloit faire provision ou de sens pour entendre, ou de licol pour se pendre ; et ce que Chrysippus alleguoit sur ce propos du poëte Tyrtæus,

> *De la vertu, ou de mort approcher.*

/// Et Crates disoit que l'Amour se guerissoit par la faim, si non par le temps ; et, à qui ces deux moïens ne plairroient, par la hart.

// Celuy Sextius duquel Senecque et Plutarque parlent avec si grande recommandation, s'estant jetté, toutes choses laissées, à l'estude de la philosophie, delibera de se precipiter en la mer, voyant le progrez de ses estudes trop tardif et trop long. Il couroit à la mort, au deffaut de la science. Voicy les mots de la loy sur ce subject : Si d'aventure il survient quelque grand inconvénient qui ne se puisse remedier, le port est prochain ; et se peut on sauver à nage hors du corps comme hors d'un esquif qui faict eau : car c'est la crainte de mourir, non pas le desir de vivre, qui tient le fol attaché au corps.

/ Comme la vie se rend par la simplicité plus plaisante, elle s'en rend aussi plus innocente et meilleure, comme je commençois tantost à dire. « Les simples, dit S. Paul, et les ignorans s'eslevent et saisissent du ciel : et nous, à tout nostre sçavoir, nous plongeons aux abismes infernaux. » Je ne m'arreste ny à Valentian [220], ennemy declaré de la science et des lettres, ny à Licinius, tous deux Empereurs Romains, qui les nommoient le venin et la peste de tout estat politique ; ny à Mahumet, qui, /// comme j'ay entendu, / interdict la science à ses hommes ; mais l'exemple de ce grand Lycurgus, et son authorité doit certes avoir grand pois ; et la reverence de cette divine police Lacedemonienne, si grande, si admirable et si long temps fleurissante en vertu et en bon heur, sans aucune institution ny exercice de lettres. Ceux qui reviennent de ce monde nouveau, qui a esté descouvert du temps de nos peres par les Espaignols, nous peuvent tesmoigner combien ces nations, sans magistrat et sans loy, vivent plus legitimement et plus regléement que les nostres, où il y a plus d'officiers et de loix qu'il n'y a d'autres hommes et qu'il n'y a d'actions,

> *Di cittatorie piene e di libelli,*
> *D'esamine e di carte, di procure,*
> *Hanno le máni e il seno, et gran fastelli*
> *Di chiose, di consigli e di letture :*
> *Per cui le faculta de poverelli*
> *Non sono mai ne le citta sicure;*
> *Hanno dietro e dinanzi, e d'ambi ilati,*
> *Notai procuratori e advocati* [221].

C'estoit ce que disoit un senateur Romain des derniers siecles que leurs predecesseurs avoient l'aleine puante à l'ail, et l'estomac musqué de bonne conscience; et qu'au rebours ceux de son temps ne sentoient au dehors que le parfum, puans au dedans toute sorte de vices; c'est à dire, comme je pense, qu'ils avoient beaucoup de sçavoir et de suffisance, et grand faute de preud'hommie. L'incivilité [222], l'ignorance, la simplesse, la rudesse s'accompaignent volontiers de l'innocence; la curiosité, la subtilité, le sçavoir trainent la malice à leur suite; l'humilité, la crainte, l'obeissance, la debonnaireté (qui sont les pieces principales pour la conservation de la société humaine) demandent une ame vuide, docile et presumant peu de soy.

Les Chrestiens ont une particuliere cognoissance combien la curiosité est un mal naturel et originel en l'homme. Le soing de s'augmenter en sagesse et en science, ce fut la premiere ruine du genre humain; c'est la voye par où il s'est precipité à la damnation eternelle. L'orgueil est sa perte et sa corruption : c'est l'orgueil qui jette l'homme à quartier des voyes communes, qui luy fait embrasser les nouvelletez, et aimer mieux estre chef d'une trouppe errante et desvoyée au sentier de perdition, aymer mieux estre regent et precepteur d'erreur et de mensonge, que d'estre disciple en l'eschole de verité, se laissant mener et conduire par la main d'autruy à la voye batuë et droicturiere. C'est, à l'avanture, ce que dict ce mot Grec ancien, que la superstition suit l'orgueil et luy obeit comme à son pere : ἡ δεισιδαιμονία καθάπερ πατρὶ τῷ τυφῷ πείθεται [223].

/// O cuider! combien tu nous empesches! Après que Socrates fut adverti que le Dieu de sagesse luy avoit attribué le surnom de sage, il en fut estonné; et, se recherchant et secouant par tout, n'y trouvoit aucun fondement à cette divine sentence. Il en sçavoit de justes, temperans, vaillans, sçavans comme luy, et plus eloquents, et plus beaux, et plus utiles au païs. Enfin il se resolut qu'il n'estoit distingué des autres et n'estoit sage que par ce qu'il ne s'en tenoit pas; et que son Dieu estimoit bestise singuliere à l'homme l'opinion de science et de sagesse : et que sa meilleure doctrine estoit la doctrine de l'ignorance, et sa meilleure sagesse, la simplicité.

/ La saincte parole declare miserables ceux d'entre nous qui s'estiment. « Bourbe et cendre, leur dit-elle, qu'as-tu à te glorifier ? » Et ailleurs : « Dieu a faict l'homme semblable à l'ombre; de laquelle qui jugera, quand, par l'esloignement de la lumière, elle sera esvanouye ? » Ce n'est rien à la verité que de nous. Il s'en faut tant que nos forces conçoivent la hauteur divine, que, des ouvrages de nostre createur, ceux-là portent mieux sa marque et sont mieux siens, que nous entendons le moins. C'est aux Chrestiens une occasion de croire, que de rencontrer une chose incroiable. Elle est d'autant plus selon raison, qu'elle est contre l'humaine raison. // Si elle estoit selon raison, ce ne seroit plus miracle; et, si elle estoit selon exemple, ce ne seroit plus chose singuliere. /// « *Melius scitur deus nesciendo* [224] », dict S. Augustin; et Tacitus : « *Sanctius est ac reverentius de actis deorum credere quam scire* [225]. »

Et Platon estime qu'il y ayt quelque vice d'impieté à trop curieusement s'enquerir et de Dieu et du monde, et des causes premieres des choses.

« *Atque illum quidem parentem hujus universitatis invenire difficile ; et, quum jam inveneris, indicare in vulgus, nefas* », dict Cicero [226].

/ Nous disons bien puissance, verité, justice : ce sont paroles qui signifient quelque chose de grand; mais cette chose là, nous ne la voyons aucunement, ny ne la concevons. // Nous disons que Dieu craint, que Dieu se courrouce, que Dieu ayme,

Immortalia mortali sermone notantes [227] ;

ce sont toutes agitations et émotions qui ne peuvent loger en Dieu selon nostre forme; ny nous, l'imaginer selon la sienne. / C'est à Dieu seul de se cognoistre et d'interpreter ses ouvrages. /// Et le faict en nostre langue, improprement, pour s'avaller et descendre à nous, qui sommes à terre, couchez. La prudence, comment luy peut elle convenir, qui est l'eslite [228] entre le bien et le mal, veu que nul mal ne le touche ? Quoy la raison et l'intelligence, desquelles nous nous servons pour, par les choses obscures, arriver aux apparentes, veu qu'il n'y a rien d'obscur à Dieu ? La justice, qui distribue à chacun ce qui luy appar-

tient, engendrée pour la société et communauté des
hommes, comment est-elle en Dieu ? La tempérance,
comment ? qui est la moderation des voluptés corporelles,
qui n'ont nulle place en la divinité. La fortitude [229] à porter
la douleur, le labeur, les dangers, luy appartiennent aussi
peu, ces trois choses n'ayans nul accès près de luy. Parquoy Aristote le tient egallement exempt de vertu et de
vice.

« *Neque gratia neque ira teneri potest, quod quæ talia essent,*
imbecilla essent omnia [230]. »

/ La participation que nous avons à la connoissance de
la verité, quelle qu'elle soit, ce n'est pas par nos propres
forces que nous l'avons acquise. Dieu nous a assez apris
cela par les tesmoins [231] qu'il a choisi du vulgaire, simples
et ignorans, pour nous instruire de ses admirables secrets :
nostre foy ce n'est pas nostre acquest, c'est un pur present
de la liberalité d'autruy. Ce n'est pas par discours ou
par nostre entendement que nous avons receu nostre religion, c'est par authorité et par commandement estranger.
La foiblesse de nostre jugement nous y ayde plus que la
force, et nostre aveuglement plus que nostre clervoyance.
C'est par l'entremise de nostre ignorance plus que de nostre
science que nous sommes sçavans de ce divin sçavoir. Ce
n'est pas merveille si nos moyens naturels et terrestres ne
peuvent concevoir cette connoissance supernaturelle et
celeste : apportons y seulement du nostre l'obeissance et
la subjection. Car, comme il est escrit : « Je destruiray
la sapience des sages, et abbatray la prudence des prudens.
Où est le sage ? où est l'écrivain ? Où est le disputateur de
ce siècle ? Dieu n'a-il pas abesty la sapience de ce monde ?
Car, puis que le monde n'a point cogneu Dieu par sapience,
il luy a pleu, par la vanité de la predication, sauver les
croyans. »

Si me faut-il voir en fin s'il est en la puissance de
l'homme de trouver ce qu'il cherche, et si cette queste
qu'il a employé depuis tant de siecles, l'a enrichy de
quelque nouvelle force et de quelque verité solide.

Je croy qu'il me confessera, s'il parle en conscience,
que tout l'acquest qu'il a retiré d'une si longue poursuite,
c'est d'avoir appris à reconnoistre sa foiblesse. L'ignorance qui estoit naturellement en nous, nous l'avons, par
longue estude, confirmée et averée. Il est advenu aux
gens véritablement sçavans ce qui advient aux espics de
bled : ils vont s'eslevant et se haussant, la teste droite et
fiere, tant qu'ils sont vuides; mais, quand ils sont pleins
et grossis de grain en leur maturité, ils commencent à

s'humilier et à baisser les cornes. Pareillement, les hommes ayant tout essayé et tout sondé, n'ayant trouvé en cet amas de science et provision de tant de choses diverses rien de massif et ferme, et rien que vanité, ils ont renoncé à leur presomption et reconneu leur condition naturelle.

/// C'est ce que Velleius reproche à Cotta et à Cicero, qu'ils ont appris de Philo n'avoir rien appris.

Pherecydes, l'un des sept sages, escrivant à Thales, comme il expiroit : « J'ay, dict-il, ordonné aux miens, après qu'ils m'auront enterré, de t'apporter mes escrits; s'ils contentent et toy et les autres sages, publie les; sinon, supprime les; ils ne contiennent nulle certitude qui me satisface à moymesmes. Aussi ne fay-je pas profession de sçavoir la vérité, et d'y atteindre. J'ouvre les choses plus que je ne les descouvre. » / Le plus sage homme qui fut onques [232], quand on luy demanda ce qu'il sçavoit, respondit qu'il sçavoit cela, qu'il ne sçavoit rien. Il verifioit ce qu'on dit, que la plus grande part de ce que nous sçavons, est la moindre de celles que nous ignorons; c'est à dire que ce mesme que nous pensons sçavoir, c'est une piece, et bien petite, de nostre igrorance.

/// Nous sçavons les choses en songe, dict Platon, et les ignorons en verité.

« *Omnes pene veteres nihil cognosci, nihil percipi, nihil sciri posse dixerunt; angustos sensus, imbecillos animos, brevia curricula vitæ* [233]. »

/ Cicero mesme, qui devoit au sçavoir tout son vaillant [234], Valerius dict que sur sa vieillesse il commença à desestimer les lettres. /// Et pendant qu'il les traictoit, c'estoit sans obligation d'aucun parti, suivant ce qui luy sembloit probable, tantost en l'une secte, tantost en l'autre; se tenant tousjours sous la dubitation de l'Academie,

« *Dicendum est, sed ita ut nihil affirmem, quæram omnia, dubitans plerumque et mihi diffidens* [235]. »

/ J'auroy trop beau jeu si je vouloy considerer l'homme en sa commune façon et en gros, et le pourroy faire pourtant par sa regle propre, qui juge la verité non par le poids des voix, mais par le nombre. Laissons là le peuple,

Qui vigilans stertit,
Mortua cui vita est prope jam vivo atque videnti [236],

qui ne se sent point, qui ne se juge point, qui laisse la plus part de ses facultez naturelles oisives. Je veux prendre l'homme en sa plus haute assiete. Considerons le en ce

petit nombre d'hommes excellens et triez qui, ayant esté
douez d'une belle et particuliere force naturelle, l'ont
encore roidie et esguisée par soin, par estude et par art,
et l'ont montée au plus haut point de sagesse où elle puisse
atteindre. Ils ont manié leur ame à tout sens et à tout
biais, l'ont appuyée et estançonnée [237] de tout le secours
estranger qui luy a esté propre, et enrichie et ornée de
tout ce qu'ils ont peu emprunter, pour sa commodité,
du dedans et dehors du monde; c'est en eux que loge la
hauteur extreme de l'humaine nature. Ils ont reglé le
monde de polices et de loix; ils l'ont instruict par arts et
sciences, et instruict encore par l'exemple de leurs meurs
admirables. Je ne mettray en compte que ces gens-là,
leur tesmoignage et leur experience. Voyons jusques où
ils sont allez et à quoy ils se sont tenus. Les maladies et
les defauts que nous trouverons en ce college là, le monde
les pourra hardiment bien avouër pour siens.

Quiconque cherche quelque chose, il en vient à ce
point : ou qu'il dict qu'il l'a trouvée, ou qu'elle ne se
peut trouver, ou qu'il en est encore en queste. Toute la
philosophie est départie en ces trois genres. Son dessein
est de chercher la verité, la science et la certitude. Les Peripateticiens, Epicuriens, Stoïciens et autres ont pensé l'avoir
trouvée. Ceux-cy ont estably les sciences que nous avons,
et les ont traittées comme notices certaines. Clitomachus,
Carneades et les Academiciens ont desesperé de leur
queste, et jugé que la verité ne se pouvoit concevoir par nos
moyens. La fin de ceux-cy, c'est la foiblesse et humaine
ignorance; ce party a eu la plus grande suyte et les sectateurs les plus nobles.

Pyrrho et autres Skeptiques ou Epechistes [238] /// desquels
les dogmes plusieurs anciens ont tenu tirez de Homere,
des sept sages, d'Archilochus, d'Eurypides, et y attachent
Zeno, Democritus, Xenophanes, / disent qu'ils sont encore
en cherche de la verité. Ceux-cy jugent que ceux qui
pensent l'avoir trouvée, se trompent infiniement; et qu'il y
a encore de la vanité trop hardie en ce second degré qui
asseure que les forces humaines ne sont pas capables d'y
atteindre. Car cela, d'establir la mesure de nostre puissance,
de connoistre et juger la difficulté des choses, c'est une
grande et extreme science, de laquelle ils doubtent que
l'homme soit capable.

Nil sciri quisquis putat, id quoque nescit
An sciri possit quo se nil scire fatetur [239].

L'ignorance qui se sçait, qui se juge et qui se condamne, ce n'est pas une entiere ignorance : pour l'estre, il faut qu'elle s'ignore soy-mesme. De façon que la profession des Pyrrhoniens est de branler, douter et enquerir, ne s'asseurer de rien, de rien ne se respondre. Des trois actions de l'ame, l'imaginative, l'appetitive et la consentante, ils en reçoivent les deux premieres; la dernière, ils la soustiennent et la maintiennent ambigüe, sans inclination ny approbation d'une part ou d'autre, tant soit-elle legere.

/// Zenon peignoit de geste son imagination sur cette partition des facultez de l'ame : la main espandue et ouverte, c'estoit apparence; la main à demy serrée et les doigts un peu croches, consentement; le poing fermé, comprehention; quand, de la main gauche, il venoit encore à clorre ce poing plus estroit, science.

/ Or cette assiette de leur jugement, droicte et inflexible, recevant tous objets sans application et consentement, les achemine à leur Ataraxie, qui est une condition de vie paisible, rassise, exempte des agitations que nous recevons par l'impression de l'opinion et science que nous pensons avoir des choses. D'où naissent la crainte, l'avarice, l'envie, les desirs immoderez, l'ambition, l'orgueil, la superstition, l'amour de nouvelleté, la rebellion, la desobeissance, l'opiniatreté et la pluspart des maux corporels. Voire ils s'exemptent par là de la jalousie [240] de leur discipline. Car ils debattent d'une bien molle façon. Ils ne craignent point la revenche à leur dispute. Quand ils disent que le poisant va contre bas [241], ils seroient bien marris qu'on les en creut; et cerchent qu'on les contredie, pour engendrer la dubitation et surceance [242] de jugement, qui est leur fin. Ils ne mettent en avant leurs propositions que pour combattre celles qu'ils pensent que nous ayons en nostre creance. Si vous prenez la leur, ils prendront aussi volontiers la contraire à soustenir : tout leur est un; ils n'y ont aucun chois. Si vous establissez que la nege soit noire, ils argumentent au rebours qu'elle est blanche. Si vous dites qu'elle n'est ny l'un, ny l'autre, c'est à eux à maintenir qu'elle est tous les deux. Si, par certain jugement, vous tenez que vous n'en sçavez rien, ils vous maintiendront que vous le sçavez. Oui, et si, par un axiome affirmatif, vous asseurez que vous en doutez, ils vous iront debattant que vous n'en doutez pas, ou que vous ne pouvez juger et establir que vous en doutez. Et, par cette extremité de doubte qui se secoue soy-mesme, ils se separent et se divisent de plusieurs opinions, de celles mesmes qui ont maintenu en plusieurs façons le doubte et l'ignorance.

// Pourquoy ne leur sera il permis, disent-ils, comme il
est entre les dogmatistes à l'un dire vert, à l'autre jaune,
à eux aussi de doubter ? est il chose qu'on vous puisse
proposer pour l'advouer ou refuser, laquelle il ne soit pas
loisible de considerer comme ambiguë ? Et, où les autres
sont portez, ou par la coustume de leur païs, ou par l'institution des parens, ou par rencontre, comme par une
tempeste, sans jugement et sans chois, voire le plus souvent
avant l'aage de discretion, à telle ou telle opinion, à la
secte ou Stoïque ou Epicurienne, à laquelle ils se treuvent
hippothequez, asserviz et collez comme à une prise qu'ils
ne peuvent desmordre : /// « *ad quamcumque disciplinam
velut tempestate delati, ad eam tanquam ad saxum adhæres-
cunt* [243] », // pourquoy à ceux cy ne sera il pareillement
concedé de maintenir leur liberté, et considerer les choses
sans obligation et servitude ? /// « *Hoc liberiores et solutiores
quod integra illis est judicandi potestas* [244]. » N'est-ce pas
quelque advantage de se trouver desengagé de la necessité
qui bride les autres ? // Vaut-il pas mieux demeurer en
suspens que de s'infrasquer en tant d'erreurs que l'humaine
fantaisie a produictes ? Vaut il pas mieux suspendre sa
persuasion que de se mesler à ces divisions seditieuses et
quereleuses ? /// Qu'iray-je choisir ? — Ce qu'il vous plaira,
pourveu que vous choisissez! — Voilà une sotte responce,
à la quelle pourtant il semble que tout le dogmatisme arrive,
par qui il ne nous est pas permis d'ignorer ce que nous
ignorons. // Prenez le plus fameux party, il ne sera jamais si
seur qu'il ne vous faille, pour le deffendre, attaquer et
combatre cent et cent contraires partis. Vaut il pas mieux
se tenir hors de cette meslée ? Il vous est permis d'espouser,
comme vostre honneur et vostre vie, la creance d'Aristote
sur l'Eternité de l'ame, et desdire et desmentir Platon
là dessus; et à eux il sera interdit d'en douter ? /// S'il est
loisible à Panætius de soustenir son jugement autour des
aruspices, songes, oracles, vaticinations, desquelles choses
les Stoïciens ne doubtent aucunement, pourquoy un sage
n'osera-il en toutes choses ce que cettuy cy ose en celles
qu'il a apprinses de ses maistres, establies du commun
consentement de l'eschole de laquelle il est sectateur et
professeur ? // Si c'est un enfant qui juge, il ne sçait que
c'est; si c'est un sçavant, il est præoccupé [245]. Ils se sont
reservez un merveilleux advantage au combat, s'estant
deschargez du soing de se couvrir. Il ne leur importe qu'on
les frape, pourveu qu'ils frappent; et font leurs besongnes
de tout. S'ils vainquent, vostre proposition cloche; si vous,

la leur. S'ils faillent, ils verifient l'ignorance; si vous faillez, vous la verifiez. S'ils preuvent que rien ne se sçache, il va bien; s'ils ne les sçavent pas prouver, il est bon de mesmes. /// « *Ut, quum in eadem re paria contrariis in partibus momenta inveniuntur, facilius ab utraque parte assertio sustineatur* [246]. »

Et font estat de trouver bien plus facilement pour quoy une chose soit fauce, que non pas qu'elle soit vraie; et ce qui n'est pas, que ce qui est; et ce qu'ils ne croient pas, que ce qu'ils croient.

/ Leurs façons de parler sont : Je n'establis rien; il n'est non plus ainsi qu'ainsin, ou que ny l'un ny l'autre; je ne le comprens point; les apparences sont égales par tout; la loy de parler et pour et contre, est pareille. /// Rien ne semble vray, qui ne puisse sembler faux. / Leur mot sacramental, c'est ἐπέχω [247], c'est à dire je soutiens, je ne bouge. Voylà leurs refreins, et autres de pareille substance. Leur effect, c'est une pure, entiere et très-parfaicte surceance et suspension de jugement. Ils se servent de leur raison pour enquerir et pour debatre, mais non pas pour arrester et choisir. Quiconque imaginera une perpetuelle confession d'ignorance, un jugement sans pente et sans inclination, à quelque occasion que ce puisse estre, il conçoit le Pyrronisme. J'exprime cette fantasie autant que je puis, par ce que plusieurs la trouvent difficile à concevoir; et les autheurs mesmes la representent un peu obscurement et diversement.

Quant aux actions de la vie, ils sont en cela de la commune façon. Ils se prestent et accommodent aux inclinations naturelles, à l'impulsion et contrainte des passions, aux constitutions des loix et des coustumes et à la tradition des arts. /// « *Non enim nos Deus ista scire, sed tantummodo uti voluit* [248]. » / Ils laissent guider à ces choses là leurs actions communes, sans aucune opination ou jugement. Qui fait que je ne puis pas bien assortir à ce discours ce que on dict de Pyrrho. Ils le peignent stupide et immobile, prenant un train de vie farouche et inassociable, attendant le hurt des charretes, se presentant aux precipices, refusant de s'accommoder aux lois. Cela est encherir sur sa discipline. Il n'a pas voulu se faire pierre ou souche; il a voulu se faire homme vivant, discourant et raisonnant, jouïssant de tous plaisirs et commoditez naturelles, embesoignant et se servant de toutes ces pieces corporelles et spirituelles en regle et droicture. Les privileges fantastiques, imaginaires et faux, que l'homme s'est usurpé, de regenter, d'ordonner, d'establir la verité, il les a, de bonne foy, renoncez et quittez.

/// Si n'est-il point de secte qui ne soit contrainte de
permettre à son sage de suivre assez de choses non comprinses, ny perceuës, ny consenties, s'il veut vivre. Et,
quand il monte en mer, il suit ce dessein, ignorant s'il luy
sera utile, et se plie à ce que le vaisseau est bon, le pilote
experimenté, la saison commode, circonstances probables
seulement : après lesquelles il est tenu d'aller et se laisser
remuer aux apparences, pourveu qu'elles n'ayent point
d'expresse contrarieté. Il a un corps, il a une ame; les
sens le poussent, l'esprit l'agite. Encores qu'il ne treuve
point en soy cette propre et singuliere marque de juger et
qu'il s'aperçoive qu'il ne doit engager son consentement,
attendu qu'il peut estre quelque faux pareil à ce vray, il ne
laisse de conduire les offices de sa vie pleinement et com-
modément. Combien y a il d'arts qui font profession de
consister en la conjecture plus qu'en la science; qui ne
decident pas du vray et du faux et suivent seulement ce
qui semble ? Il y a, disent-ils, et vray et faux, et y a en
nous dequoy le chercher, mais non pas dequoy l'arrester
à la touche. Nous en valons bien mieux de nous laisser
manier sans inquisition à l'ordre du monde. Une ame
garantie de prejugé a un merveilleux avancement vers la
tranquillité. Gens qui jugent et contrerollent leurs juges
ne s'y soubmettent jamais deuëment. Combien, et aux
loix de la religion et aux lois politiques, se trouvent plus
dociles et aisez à mener les esprits simples et incurieux,
que ces esprits surveillants et pædagogues des causes
divines et humaines.

/ Il n'est rien en l'humaine invention où il y ait tant
de verisimilitude [249] et d'utilité. Cette-cy presente l'homme
nud et vuide, recognoissant sa foiblesse naturelle, propre
à recevoir d'en haut quelque force estrangere, desgarni
d'humaine science, et d'autant plus apte à loger en soy la
divine, aneantissant son jugement pour faire plus de place
à la foy; /// ny mescreant, / ny establissant aucun dogme
contre les observances communes; humble, obeïssant,
disciplinable, studieux [250]; ennemi juré d'hæresie, et
s'exemptant par consequant des vaines et irreligieuses
opinions introduites par les fauces sectes. // C'est une carte
blanche preparée à prendre du doigt de Dieu telles formes
qu'il luy plaira y graver. Plus nous nous renvoyons et com-
mettons à Dieu, et renonçons à nous, mieux nous en valons.
/ Accepte, dit l'Ecclesiaste, en bonne part les choses au visage et au goust qu'elles se presentent à toy, du jour à la
journée; le demeurant est hors de ta connoissance. /// « Do-
minus scit cogitationes hominum, quoniamvanæ sunt [251]. »

/ Voylà comment, des trois generales sectes de Philosophie, les deux font expresse profession de dubitation et
d'ignorance ; et, en celle des dogmatistes, qui est troisième,
il est aysé à descouvrir que la plus part n'ont pris le visage
de l'asseurance que pour avoir meilleure mine. Ils n'ont
pas tant pensé nous establir quelque certitude, que nous
montrer jusques où ils estoyent allez en cette chasse de
la verité : /// « *Quam docti fingunt, magis quam norunt* [252]. »

Timæus, ayant à instruire Socrates de ce qu'il sçait
des Dieux, du monde et des hommes, propose d'en parler
comme un homme à un homme ; et qu'il suffit, si ses raisons
sont probables comme les raisons d'un autre : car les
exactes raisons n'estre en sa main, ny en mortelle main. Ce
que l'un de ses sectateurs a ainsin imité : « *Ut potero,
explicabo : nec tamen, ut Pythius Apollo, certa ut sint et fixa,
quæ dixero ; sed, ut homunculus, probabilia conjectura
sequens* [253] », et cela sur le discours du mespris de la mort,
discours naturel et populaire. Ailleurs il l'a traduit sur le
propos mesme de Platon : « *Si forte, de deorum natura
ortuque mundi disserentes, minus id quod habemus in animo
consequimur, haud erit mirum. Æquum est enim meminisse et
me qui disseram, hominem esse, et vos qui judicetis ; ut, si
probabilia dicentur, nihil ultra requiratis* [254]. »

/ Aristote nous entasse ordinairement un grand nombre
d'autres opinions et d'autres creances, pour y comparer la
sienne et nous faire voir de combien il est allé plus outre,
et combien il a approché de plus près la verisimilitude :
car la verité ne se juge point par authorité et tesmoignage
d'autruy. /// Et pourtant evita religieusement Epicurus d'en
alleguer en ses escrits. / Cettuy là est le prince des dogmatistes ; et si, nous aprenons de luy que le beaucoup sçavoir
aporte l'occasion de plus doubter. On le void à escient se
couvrir souvant d'obscurité si espesse et inextricable, qu'on
n'y peut rien choisir de son advis. C'est par effect un
Pyrrhonisme soubs une forme resolutive [255].

/// Oyez la protestation de Cicero, qui nous explique la
fantasie d'autruy par la sienne : « *Qui requirunt quid de
quaque re ipsi sentiamus, curiosius id faciunt quam necesse est.
Hæc in philosophia ratio contra omnia disserendi nullamque
rem aperte judicandi, profecta a Socrate, repetita ab Arcesila,
confirmata a Carneade, usque ad nostram viget ætatem. Hi
sumus qui omnibus veris falsa quædam adjuncta esse dicamus,
tanta similitudine ut in iis nulla insit certe judicandi et
assentiendi nota* [256]. »

// Pourquoi non Aristote seulement, mais la plus part
des philosophes ont affecté la difficulté, si ce n'est pour

faire valoir la vanité du subject et amuser la curiosité de
nostre Esprit, luy donnant où se paistre, à ronger cet os
creux et descharné ? /// Clitomachus affirmoit n'avoir
jamais sçeu par les escrits de Carneades entendre de quelle
opinion il estoit. // Pourquoy a evité aux siens Epicurus la
facilité et Heraclytus en a esté surnommé σκοτεινός [257] ?
La difficulté est une monoye /// que les sçavans employent,
comme les joueurs de passe-passe, pour ne descouvrir la
vanité de leur art, et // de laquelle l'humaine bestise se
paye ayséement :

> Clarus, ob obscuram linguam, magis inter inanes...
> Omnia enim stolidi magis admirantur amantque
> Inversis quæ sub verbis latitantia cernunt [258].

/// Cicero reprend aucuns de ses amis d'avoir accoustumé de mettre à l'astrologie, au droit, à la dialectique et
à la geometrie plus de temps que ne meritoyent ces arts;
et que cela les divertissoit [259] des devoirs de la vie, plus
utiles et honnestes. Les philosophes Cyrenaïques mespri-
soyent esgalement la physique et la dialectique. Zenon,
tout au commencement des livres de sa *Republique*, declaroit inutiles toutes les liberales disciplines.
/ Chrysippus disoit que ce que Platon et Aristote
avoyent escrit de la Logique, ils l'avoient escrit par jeu et
par exercice; et ne pouvoit croire qu'ils eussent parlé à
certes d'une si vaine matiere. /// Plutarque le dit de la
metaphysique. / Epicurus l'eust encore dit de la Rhetorique, de la Grammaire, /// poesie, mathematiques, et,
hors la physique, de toutes les sciences. / Et Socrates de
toutes aussi sauf celle seulement qui traite des meurs et de
la vie. /// De quelque chose qu'on s'enquist à lui, il ramenoit en premier lieu tousjours l'enquerant à rendre compte
des conditions de sa vie presente et passée, lesquelles il
examinoit et jugeoit, estimant tout autre apprentissage
subsecutif à celuy-là et supernumeraire [260].
« *Parum mihi placeant eæ litteræ quæ ad virtutem docto-
ribus nihil profuerunt* [261]. » / La plus part des arts ont esté
ainsi mesprisées par le sçavoir mesmes. Mais ils n'ont pas
pensé qu'il fut hors de propos d'exercer et esbattre leur
esprit ès choses où il n'y avoit aucune solidité profitable.
Au demeurant, les uns ont estimé Plato dogmatiste; les
autres, dubitateur; les autres, en certaines choses l'un, et
en certaines choses l'autre.
/// Le conducteur de ses dialogismes [262], Socrates, va
tousjours demandant et esmouvant la dispute, jamais

l'arrestant, jamais satisfaisant, et dict n'avoir autre science
que la science de s'opposer. Homere, leur autheur, a planté
egalement les fondemens à toutes les sectes de philosophie,
pour montrer combien il estoit indifferent par où nous
allassions. De Plato nasquirent dix sectes diverses, dict on.
Aussi, à mon gré, jamais instruction ne fut titubante et
rien asseverante, si la sienne ne l'est. Socrates disoit
que les sages femmes, en prenant ce mestier de faire engendrer les autres, quittent le mestier d'engendrer, elles;
que luy, par le tiltre de sage homme que les dieux lui ont
deferé, s'est aussi desfaict, en son amour virile et mentale,
de la faculté d'enfanter; et se contente d'aider et favorir [263]
de son secours les engendrans, ouvrir leur nature [264], grais-
ser leurs conduits, faciliter l'issue de leur enfantement,
juger d'iceluy, le baptizer, le nourrir, le fortifier, le mail-
lotter et circonscrire [265] : exerçant et maniant son engin [266]
aux perils et fortunes d'autruy.

/ Il est ainsi de la part des autheurs de ce tiers genre :
// comme les anciens ont remarqué des escripts d'Anaxagoras, Democritus, Parmenides, Zenophanes et autres.
/ Ils ont une forme d'escrire douteuse en substance et un
dessein enquerant plustost qu'instruisant, encore qu'ils
entresement leur stile de cadences [267] dogmatistes. Cela se
voit il pas aussi bien /// et en Seneque / et en Plutarque ?
/// Combien disent ils, tantost d'un visage, tantost d'un
autre, pour ceux qui y regardent de prez! Et les reconci-
liateurs des jurisconsultes devroient premierement les
concilier chacun à soy.

Platon me semble avoir aymé cette forme de philosopher
par dialogues, à escient, pour loger plus decemment en
diverses bouches la diversité et variation de ses propres
fantasies.

Diversement traicter les matieres est aussi bien les traicter que conformément, et mieux : à sçavoir plus copieuse-
ment et utillement. Prenons exemple de nous. Les
arrests [268] font le point extreme du parler dogmatiste et
resolutif [269]; si est ce que ceux que nos parlemens pré-
sentent au peuple les plus exemplaires, propres à nourrir
en luy la reverance qu'il doit à cette dignité, principalement
par la suffisance des personnes qui l'exercent, prennent
leur beauté non de la conclusion, qui est à eux quotidienne,
et qui est commune à tout juge, tant comme de la discepta-
tion [270] et agitation des diverses et contraires ratiocinations
que la matiere du droit souffre.

Et le plus large champ aux reprehensions des uns philosophes à l'encontre des autres, se tire des contradictions

et diversitez en quoy chacun d'eux se trouve empestré, ou à escient pour montrer la vacillation de l'esprit humain autour de toute matiere, ou forcé ignorammant par la volubilité et incomprehensibilité de toute matiere.

/ Que signifie ce refrein : En un lieu glissant et coulant suspendons nostre creance ? car, comme dit Euripides,

> *Les œuvres de Dieu en diverses*
> *Façons nous donnent des traverses,*

// semblable à celuy qu'Empedocles semoit souvent en ses livres, comme agité d'une divine fureur et forcé de la verité [271] : Non, non, nous ne sentons rien, nous ne voyons rien ; toutes choses nous sont occultes, il n'en est aucune de laquelle nous puissions establir quelle elle est : /// revenant à ce mot divin, « *Cogitationes mortalium timidæ, et incertæ adinventiones nostræ et providentiæ* [272]. » / Il ne faut pas trouver estrange si gens desesperez de la prise n'ont pas laissé de avoir plaisir à la chasse : l'estude estant de soy une occupation plaisante, et si plaisante que, parmy les voluptez, les Stoïciens defendent aussi celle qui vient de l'exercitation de l'esprit, y veulent de la bride, /// et treuvent de l'intemperance à trop sçavoir.

/ Democritus, ayant mangé à sa table des figues qui sentoient le miel, commença soudain à chercher en son esprit d'où leur venoit cette douceur inusitée, et, pour s'en esclaircir, s'aloit lever de table pour voir l'assiete du lieu où ces figues avoyent esté cueillies ; sa chambriere, ayant entendu la cause de ce remuement, luy dit en riant qu'il ne se penast plus pour cela, car c'estoit qu'elle les avoit mises en un vaisseau où il y avoit eu du miel. Il se despita dequoy elle luy avoit osté l'occasion de cette recherche et desrobé matiere à sa curiosité : « Va, luy dit-il, tu m'as fait desplaisir ; je ne lairray pourtant d'en chercher la cause comme si elle estoit naturelle. » /// Et ne faillit de treuver quelque raison vraye d'un effect faux et supposé. / Cette histoire d'un fameux et grand Philosophe nous represente bien clairement cette passion studieuse qui nous amuse à la poursuite des choses de l'acquet desquelles nous sommes desesperez. Plutarque recite un pareil exemple de quelqu'un qui ne vouloit pas estre esclaircy de ce dequoy il estoit en doute, pour ne perdre le plaisir de le chercher ; comme l'autre qui ne vouloit pas que son medecin luy ostat l'alteration de la fievre, pour ne perdre le plaisir de l'assouvir en beuvant. /// « *Satius est supervacua discere quam nihil* [273]. »

Tout ainsi qu'en toute pasture il y a le plaisir souvent seul; et tout çe que nous prenons, qui est plaisant, n'est pas tousjours nutritif ou sain. Pareillement, ce que nostre esprit tire de la science, ne laisse pas d'estre voluptueux, encore qu'il ne soit ny alimentant, ny salutaire.

// Voicy comme ils disent : La consideration de la nature est une pasture propre à nos espris; elle nous esleve et enfle, nous fait desdaigner les choses basses et terriennes par la comparaison des superieures et celestes; la recherche mesme des choses occultes et grandes est trèsplaisante, voire à celuy qui n'en acquiert que la reverence et crainte d'en juger. Ce sont des mots de leur profession. La vaine image de cette maladive curiosité se voit plus expressement encores en cet autre exemple qu'ils ont par honneur si souvent en la bouche. Eudoxus souhetoit et prioit les Dieux qu'il peut une fois voir le soleil de près, comprendre sa forme, sa grandeur et sa beauté, à peine d'en estre brulé soudainement. Il veut, au pris de sa vie, acquerir une science de laquelle l'usage et possession luy soit quand et quand ostée, et, pour cette soudaine et volage cognoissance, perdre toutes autres cognoissances qu'il a et qu'il peut acquerir par après.

/ Je ne me persuade pas aysement qu'Epicurus, Platon et Pythagoras nous ayent donné pour argent contant leurs Atomes, leurs Idées et leurs Nombres. Ils estoient trop sages pour establir leurs articles de foy de chose si incertaine et si debatable. Mais, en cette obscurité et ignorance du monde, chacun de ces grands personnages s'est travaillé d'apporter une telle quelle image [274] de lumiere, et ont promené leur ame à des inventions qui eussent au moins une plaisante et subtile apparence : /// pourveu que, toute fausse, elle se peust maintenir contre les oppositions contraires : « *unicuique ista pro ingenio finguntur, non ex scientiæ vi* [275]. » / Un ancien à qui on reprochoit qu'il faisoit profession de la Philosophie, de laquelle pourtant en son jugement il ne tenoit pas grand compte, respondit que cela, c'estoit vraymant philosopher. Ils ont voulu considerer tout, balancer tout, et ont trouvé cette occupation propre à la naturelle curiosité qui est en nous. Aucunes choses, ils les ont escrites pour le besoin de la société publique, comme leurs religions; et a esté raisonnable, pour cette consideration, que les communes opinions, ils n'ayent voulu les espelucher au vif, aux fins de n'engendrer du trouble en l'obeissance des loix et coustumes de leur pays.

/// Platon traicte ce mystere d'un jeu assez descouvert [276]. Car, où il escrit selon soy, il ne prescrit rien à certes.

Quand il faict le legislateur, il emprunte un style regentant
et asseverant [277], et si y mesle hardiment les plus fantastiques de ses inventions, autant utiles à persuader à la
commune que ridicules à persuader à soy-mesmes, sachant
combien nous sommes propres à recevoir toutes impressions, et, sur toutes, les plus farouches et enormes.

Et pourtant, en ses loix, il a grand soing qu'on ne chante
en publiq que des poësies desquelles les fabuleuses feintes
tendent à quelque utile fin; et, estant si facile d'imprimer
tous fantosmes en l'esprit humain, que c'est injustice de
ne le paistre plustost de mensonges profitables que de
mensonges ou inutiles ou dommageables. Il dict tout
destroussément [278] en sa *Republique* que, pour le profit
des hommes, il est souvent besoin de les piper. Il est aisé
à distinguer les unes sectes avoir plus suivy la verité, les
autres l'utilité, par où celles cy ont gaigné crédit. C'est la
misere de nostre condition, que souvent ce qui se presente
à nostre imagination pour le plus vray, ne s'y presente pas
pour le plus utile à nostre vie. Les plus hardies sectes,
Epicurienne, Pyrrhonienne, nouvelle Academique, encore
sont elles contrainctes de se plier à la loy civile, au bout
du compte.

/ Il y a d'autres subjets qu'ils ont belutez [279], qui à
gauche, qui à dextre, chacun se travaillant à y donner
quelque visage, à tort ou à droit. Car, n'ayans rien trouvé
de si caché dequoy ils n'ayent voulu parler, il leur est souvent force de forger des conjectures foibles et folles, non
qu'ils les prinsent eux mesmes pour fondement, ne pour
establir quelque verité, mais pour l'exercice de leur estude :
/// « *Non tam id sensisse quod dicerent, quam exercere ingenia
materiæ difficultate videntur voluisse* [280]. »

/ Et, si on ne le prenoit ainsi, comme couvririons [281]
nous une si grande inconstance, varieté et vanité d'opinions
que nous voyons avoir esté produites par ces ames excellentes et admirables ? Car, pour exemple, qu'est-il plus
vain que de vouloir deviner Dieu par nos analogies et
conjectures, le regler et le monde à nostre capacité et à
nos loix, et nous servir aux despens de la divinité de ce
petit eschantillon de suffisance qu'il luy a pleu despartir à
nostre naturelle condition ? Et, par ce que nous ne pouvons
estendre nostre veuë jusques en son glorieux siege, l'avoir
ramené ça bas à nostre corruption et à nos miseres ?

De toutes les opinions humaines et anciennes touchant
la religion, celle là me semble avoir eu plus de vraysemblance et plus d'excuse, qui reconnoissoit Dieu comme
une puissance incomprehensible, origine et conservatrice

de toutes choses, toute bonté, toute perfection, recevant
et prenant en bonne part l'honneur et la reverence que
les humains luy rendoient soubs quelque visage, sous
quelque nom et en quelque maniere que ce fut :

> /// *Jupiter omnipotens rerum, regumque deumque*
> *Progenitor genitrixque* [282].

Ce zele universellement a esté veu du ciel de bon œil.
Toutes polices ont tiré fruit de leur devotion : les hommes,
les actions impies, ont eu par tout les evenemens sortables [283].
Les histoires payennes reconnoissent de leur dignité, ordre,
justice et des prodiges et oracles employez à leur profit
et instruction en leurs religions fabuleuses : Dieu, par sa
misericorde, daignant à l'avanture fomenter par ces bene-
fices temporels les tendres principes d'une telle quelle
brute connoissance que la raison naturelle nous a donné de
luy aux travers des fausses images de nos songes.

Non seulement fausses, mais impies aussi et injurieuses
sont celles que l'homme a forgé de son invention.

/ Et, de toutes les religions que Saint Paul trouva en
credit à Athenes, celle qu'ils avoyent desdiée à une divinité
cachée et inconnue luy sembla la plus excusable.

/// Pythagoras adombra [284] la verité de plus près, jugeant
que la connoissance de cette cause premiere et estre des
estres devoit estre indefinie, sans prescription, sans declaration ; que ce n'estoit autre chose que l'extreme effort de
nostre imagination vers la perfection, chacun en amplifiant
l'idée selon sa capacité. Mais si Numa entreprint de
conformer à ce projet la devotion de son peuple, l'attacher
à une religion purement mentale, sans objet prefix et sans
meslange materiel, il entreprit chose de nul usage ; l'esprit
humain ne se sçauroit maintenir vaguant en cet infini de
pensées informes ; il les luy faut compiler en certaine image
à son modelle. La majesté divine s'est ainsi pour nous
aucunement laissé circonscrire aux limites corporels :
ses sacremens supernaturels et celestes ont des signes de
nostre terrestre condition ; son adoration s'exprime par
offices et paroles sensibles ; car c'est l'homme, qui croid
et qui prie. Je laisse à part les autres argumens qui
s'employent à ce subject. Mais à peine me feroit on accroire
que la veuë de nos crucifix et peinture de ce piteux supplice [285], que les ornemens et mouvemens ceremonieux de
nos eglises, que les voix accommodées à la devotion de
nostre pensée, et cette esmotion des sens n'eschauffent l'ame
des peuples, d'une passion religieuse, de très-utile effect.

/ De celles ausquelles on a donné corps, comme la nécessité l'a requis, parmy cette cecité universelle, je me fusse, ce me semble, plus volontiers attaché à ceux qui adoroient le Soleil,

> *La lumiere commune,*
> *L'œil du monde ; et si Dieu au chef porte des yeux,*
> *Les rayons du Soleil sont ses yeux radieux,*
> *Qui donnent vie à tous, nous maintiennent et gardent,*
> *Et les faicts des humains en ce monde regardent :*
> *Ce beau, ce grand soleil qui nous faict les saisons,*
> *Selon qu'il entre ou sort de ses douze maisons ;*
>
> *Qui remplit l'univers de ses vertus connues ;*
> *Qui, d'un traict de ses yeux, nous dissipe les nues :*
> *L'esprit, l'ame du monde, ardant et flamboyant,*
> *En la course d'un jour tout le Ciel tournoyant ;*
> *Plein d'immense grandeur, rond, vagabond et ferme ;*
> *Lequel tient dessoubs luy tout le monde pour terme ;*
> *En repos sans repos ; oisif, et sans sejour ;*
> *Fils aisné de nature et le pere du jour* [286].

D'autant qu'outre cette sienne grandeur et beauté, c'est la piece de cette machine [287] que nous descouvrons la plus esloignée de nous, et, par ce moyen, si peu connuë, qu'ils estoient pardonnables d'en entrer en admiration et reverance.

/// Thales, qui le premier s'enquesta de telle matiere, estima Dieu un esprit qui fit d'eau toutes choses ; Anaximander, que les dieux estoyent mourans et naissans à diverses saisons, et que c'estoyent des mondes infinis en nombre ; Anaximenes, que l'air estoit Dieu, qu'il estoit produit et immense, tousjours mouvant. Anaxagoras, le premier, a tenu la description et maniere de toutes choses estre conduite par la force et raison d'un esprit infini. Alcmæon a donné la divinité au soleil, à la lune, aux astres et à l'ame. Pythagoras a faict Dieu un esprit espandu par la nature de toutes choses, d'où nos ames sont desprinses ; Parmenides, un cercle entourant le ciel et maintenant le monde par l'ardeur de la lumiere. Empedocles disoit estre des dieux les quatre natures desquelles toutes choses sont faictes ; Protagoras, n'avoir que dire, s'ils sont ou non, ou quels ils sont ; Democritus, tantost que les images et leurs circuitions [288] sont dieux, tantost cette nature qui eslance ces images, et puis nostre science et intelligence. Platon dissipe sa creance à divers visages ; il dict, au *Timæe*, le pere du monde ne se pouvoir nommer ; aux *Loix*, qu'il ne se faut enquerir de son estre; et ailleurs, en ces mesmes livres, il faict le monde, le ciel, les astres, la terre et nos ames Dieux, et reçoit en outre ceux qui ont esté receus par l'ancienne institution en chasque republique. Xeno-phon rapporte un pareil trouble de la discipline de Socrates; tantost qu'il ne se faut enquerir de la forme de Dieu, et puis il luy faict establir que le Soleil est Dieu, et l'ame Dieu; qu'il n'y en a qu'un, et puis qu'il y en a plu-sieurs. Speusippus, neveu de Platon, faict Dieu certaine force gouvernant les choses, et qu'elle est animale; Aristote, asture que c'est l'esprit; asture le monde; asture il donne un autre maistre à ce monde, et asture faict Dieu l'ardeur du ciel. Zenocrates en faict huict : les cinq nommez entre les planetes, le sixiesme composé de toutes les estoilles fixes comme de ses membres, le septiesme et huictiesme, le soleil et la lune. Heraclides Ponticus ne faict que vaguer entre les advis, et en fin prive Dieu de senti-ment et le faict remuant de forme à autre, et puis dict que c'est le ciel et la terre. Theophraste se promeine de pareille irresolution entre toutes ses fantasies, attribuant l'inten-dance du monde tantost à l'entendement, tantost au ciel, tantost aux estoilles; Strato, que c'est Nature ayant la force d'engendrer, augmenter et diminuer, sans forme et sentiment; Zeno, la loy naturelle, commandant le bien et prohibant le mal, laquelle loy est un animant, et oste les Dieux accoustumez, Jupiter, Juno, Vesta; Diogenes Apol-loniates, que c'est l'aage [289]. Xenophanes faict Dieu rond, voyant, oyant, non respirant, n'ayant rien de commun avec l'humaine nature. Ariston estime la forme de Dieu incom-prenable, le prive de sens et ignore s'il est animant ou autre chose; Cleanthes, tantost la raison, tantost le monde, tan-tost l'ame de Nature, tantost la chaleur supreme entour-nant et enveloppant tout. Perseus, auditeur [290] de Zeno, a tenu qu'on a surnommé Dieu ceux qui avoyent apporté quelque notable utilité à l'humaine vie et les choses mesmes profitables. Chrysippus faisoit un amas confus de toutes les precedentes sentences et comptoit, entre mille formes de Dieux qu'il faict, les hommes aussi qui sont immorta-lisez. Diagoras et Theodorus nioyent tout sec qu'il y eust des Dieux. Epicurus faict les dieux luisans, transparens et perflables, logez, comme entre deux forts, entre deux mon-des, à couvert des coups, revestus d'une humaine figure et de nos membres, lesquels membres leur sont de nul usage.

Ego deum genus esse semper dixi, et dicam cœlitum;
Sed eos non curare opinor, quid agat humanum genus [291].

Fiez vous à vostre philosophie; vantez vous d'avoir trouvé la feve au gasteau, à voir ce tintamarre de tant de cervelles philosophiques! Le trouble des formes mondaines a gaigné sur moy que les diverses mœurs et fantasies aux miennes [292] ne me desplaisent pas tant comme elles m'instruisent, ne m'enorgueillissent pas tant comme elles m'humilient en les conferant; et tout autre choix que celuy qui vient de la main expresse de Dieu, me semble choix de peu de prerogative. Je laisse à part les trains de vie monstrueux et contre nature. Les polices du monde ne sont pas moins contraires en ce subject que les escholes; par où nous pouvons apprendre que la Fortune mesme n'est pas plus diverse et variable que nostre raison, ny plus aveugle et inconsiderée.

/ Les choses les plus ignorées sont plus propres à estre deifiées. /// Parquoy de faire de nous des Dieux, / comme l'ancienneté, cela surpasse l'extreme foiblesse de discours. J'eusse encore plustost suivy ceux qui adoroient le serpent, le chien et le bœuf; d'autant que leur nature et leur estre nous est moins connu; et avons plus de loy d'imaginer ce qu'il nous plaist de ces bestes-là et leur attribuer des facultez extraordinaires. Mais d'avoir faict ues dieux de nostre condition, de laquelle nous devons connoistre l'imperfection, leur avoir attribué le desir, la cholere, les vengeances, les mariages, les generations et les parentelles [293], l'amour et la jalousie, nos membres et nos os, nos fievres et nos plaisirs, /// nos morts, nos sepultures, / il faut que cela soit party d'une merveilleuse yvresse de l'entendemain humain,

> // *Quæ procul usque adeo divino ab numine distant,*
> *Inque Deum numero quæ sint indigna videri* [294].

/// « *Formæ, ætates, vestitus, ornatus noti sunt : genera, conjugia, cognationes omniaque traducta ad similitudinem imbecillitatis humanæ : nam et perturbatis animis inducuntur; accipimus enim deorum cupiditates, ægritudines, iracundias* [295]. » / Comme d'avoir attribué la divinité /// non seulement à la foy, à la vertu, à l'honneur, concorde, liberté, victoire, piété; mais aussi à la volupté, fraude, mort, envie, vieillesse, misere, / à la peur, à la fievre et à la male fortune, et autres injures de nostre vie fresle et caduque.

> // *Quid juvat hoc, templis nostros inducere mores ?*
> *O curvæ in terris animæ et cœlestium inanes* [296] !

/// Les Ægyptiens, d'une impudente prudence, defendoyent sur peine de la hart que nul eust à dire que Serapis et Isis, leurs Dieux, eussent autres fois esté hommes; et nul n'ignoroit qu'ils ne l'eussent esté. Et leur effigie representée le doigt sur la bouche signifioit, dict Varro, cette ordonnance mysterieuse à leurs prestres de taire leur origine mortelle, comme par raison necessaire annullant toute leur veneration.

/ Puis que l'homme desiroit tant de s'apparier [297] à Dieu, il eust mieux faict, dict Cicero, de ramener à soy les conditions divines et les attirer çà bas, que d'envoyer là haut sa corruption et sa misere; mais, à le bien prendre, il a faict en plusieurs façons et l'un et l'autre, de pareille vanité d'opinion.

Quand les Philosophes espeluchent la hierarchie de leurs dieux et font les empressez à distinguer leurs alliances, leurs charges et leur puissance, je ne puis pas croire qu'ils parlent à certes. Quand Platon nous deschiffre le vergier de Pluton et les commoditez ou peines corporelles qui nous attendent encore après la ruine et aneantissement de nos corps, et les accommode au ressentiment que nous avons en cette vie,

> Secreti celant calles, et myrtea circum
> Sylva tegit; curæ non ipsa in morte relinquunt [298];

quand Mahumet promet aux siens un paradis tapissé, paré d'or et de pierrerie, peuplé de garses d'excellente beauté, de vins et de vivres singuliers, je voy bien que ce sont des moqueurs qui se plient à nostre bestise pour nous emmieler et attirer par ces opinions et esperances, convenables à nostre mortel appetit. /// Si, sont aucuns des nostres tombez en pareille erreur, se promettant après la resurrection une vie terrestre et temporelle, accompaignée de toutes sortes de plaisirs et commoditez mondaines. / Croyons nous que Platon, luy qui a eu ses conceptions si celestes, et si grande accointance à la divinité, que le surnom luy en est demeuré, ait estimé que l'homme, cette pauvre creature, eut rien en luy applicable à cette incomprehensible puissance? et qu'il ait creu que nos prises languissantes fussent capables, ny la force de nostre sens assez robuste, pour participer à la beatitude ou peine eternelle? Il faudroit luy dire de la part de la raison humaine :

« Si les plaisirs que tu nous promets en l'autre vie sont de ceux que j'ay senti çà bas, cela n'a rien de commun avec l'infinité. Quand tous mes cinq sens de nature seroient

combles de liesse, et cette ame saisie de tout le contentement qu'elle peut desirer et esperer, nous sçavons ce
qu'elle peut : cela, ce ne seroit encores rien. S'il y a quelque
chose du mien, il n'y a rien de divin. Si cela n'est autre que
ce qui peut appartenir à cette nostre condition presente,
il ne peut estre mis en compte. /// Tout contentement des
mortels est mortel. / La reconnoissance de nos parens, de
nos enfans et de nos amis, si elle nous peut toucher et
chatouiller en l'autre monde, si nous tenons encores à un
tel plaisir, nous sommes dans les commoditez terrestres
et finies. Nous ne pouvons dignement concevoir la grandeur de ces hautes et divines promesses, si nous les
pouvons aucunement concevoir : pour dignement les
imaginer, il faut les imaginer inimaginables, indicibles et
incomprehensibles, /// et parfaictement autres que celles de
nostre miserable experience. / « Œuil ne sçauroit voir, dict
Saint Paul, et ne peut monter en cœur d'homme l'heur
que Dieu a preparé aux siens. » Et si, pour nous en rendre
capables, on reforme et rechange nostre estre (comme tu
dis, Platon, par tes purifications), ce doit estre d'un si
extreme changement et si universel que, par la doctrine
physique, ce ne sera plus nous,

> // *Hector erat tunc cum bello certabat ; at ille,*
> *Tractus ab Æmonio, non erat Hector, equo* [299].

/ « Ce sera quelque autre chose qui recevra ces recompenses,

> // *quod mutatur, dissolvitur ; interit ergo :*
> *Trajiciuntur enim partes atque ordine migrant* [300].

/ « Car, en la Metempsicose de Pythagoras et changement
d'habitation qu'il imaginoit aux ames, pensons nous que
le lyon dans lequel est l'ame de Cæsar espouse les passions
qui touchoient Cæsar, /// ny que ce soit luy ? Si c'estoit
encore luy, ceux là auroyent raison qui, combattans cette
opinion contre Platon, luy reprochent que le fils se pourroit
trouver à chevaucher sa mere, revestuë d'un corps de
mule, et semblables absurditez. Et pensons nous / qu'ès
mutations qui se font des corps des animaux en autres
de mesme espece, les nouveaux venus ne soient autres que
leurs predecesseurs ? Des cendres d'un phœnix s'engendre,
dit-on, un ver, et puis un autre phœnix ; ce second Phœnix,
qui peut imaginer qu'il ne soit autre que le premier ?
Les vers qui font nostre soye, on les void comme mourir et
assecher, et de ce mesme corps se produire un papillon, et

de là un autre ver, qu'il seroit ridicule estimer estre encores le premier. Ce qui a cessé une fois d'estre, n'est plus,

> *Nec si materiam nostram collegerit ætas*
> *Post obitum, rursumque redegerit, ut sita nunc est,*

> *Atque iterum nobis fuerint data lumina vitæ,*
> *Pertineat quidquam tamen ad nos id quoque factum,*
> *Interrupta semel cum sit repetentia nostra* [301].

« Et quand tu dis ailleurs, Platon, que ce sera la partie spirituelle de l'homme à qui il touchera de jouyr des recompenses de l'autre vie, tu nous dis chose d'aussi peu d'apparence,

> // *Scilicet, avolsus radicibus, ut nequit nullam*
> *Dispicere ipse oculus rem, seorsum corpore toto* [302].

/ « Car, à ce compte, ce ne sera plus l'homme, ny nous, par conséquent, à qui touchera cette jouyssance; car nous sommes bastis de deux pieces principales essentielles, desquelles la separation c'est la mort et ruyne de nostre estre,

> // *Inter enim jacta est vitai pausa, vageque*
> *Deerrarunt passim motus ab sensibus omnes* [303].

/ « Nous ne disons pas que l'homme souffre quand les vers luy rongent ses membres dequoy il vivoit, et que la terre les consomme,

> *Et nihil hoc ad nos, qui coitu conjugioque*
> *Corporis atque animæ consistimus uniter apti* [304]. »

Davantage, sur quel fondement de leur justice peuvent les dieux reconnoistre et recompenser à l'homme, après sa mort, ses actions bonnes et vertueuses, puis que ce sont eux-mesmes qui les ont acheminées et produites en luy ? Et pourquoy s'offencent ils et vengent sur luy les vitieuses, puis qu'ils l'ont eux-mesmes produict en cette condition fautiere, et que, d'un seul clin de leur volonté, ils le peuvent empescher de faillir ? Epicurus opposeroit-il pas cela à Platon avec grand apparence de l'humaine raison, /// s'il ne se couvroit souvent par cette sentence : Qu'il est impossible d'establir quelque chose de certain de l'immortelle nature par la mortelle ? / Elle ne fait que fourvoyer par tout, mais specialement quand elle se mesle

des choses divines. Qui le sent plus evidamment que nous ?
Car, encores que nous luy ayons donné des principes certains et infaillibles, encores que nous esclairions ses pas
par la saincte lampe de la verité qu'il a pleu à Dieu nous
communiquer, nous voyons pourtant journellement, pour
peu qu'elle se démente du sentier ordinaire et qu'elle se
destourne ou escarte de la voye tracée et battuë par l'Eglise,
comme tout aussi tost elle se perd, s'embarrasse et s'entrave, tournoyant et flottant dans cette mer vaste, trouble
et ondoyante des opinions humaines, sans bride et sans
but. Aussi tost qu'elle pert ce grand et commun chemin,
elle va se divisant et dissipant en mille routes diverses.

L'homme ne peut estre que ce qu'il est, ny imaginer que
selon sa portée. // C'est plus grande presomption, dict
Plutarque, à ceux qui ne sont qu'hommes d'entreprendre
de parler et discourir des dieux et des demy-dieux que ce
n'est à un homme ignorant de musique, vouloir juger
de ceux qui chantent, ou à un homme qui ne fut jamais
au camp, vouloir disputer des armes et de la guerre, en
presumant comprendre par quelque legere conjecture les
effets d'un art qui est hors de sa cognoissance. / L'ancienneté [305] pensa, ce croy-je, faire quelque chose pour la grandeur divine, de l'apparier à l'homme, la vestir de ses
facultez et estrener de ses belles humeurs /// et plus honteuses necessitez, / luy offrant de nos viandes à manger, /// de
nos danses, mommeries et farces à la resjouïr, / de nos
vestemens à se couvrir et maisons à loger, la caressant par
l'odeur des encens et sons de la musique, festons et bou-
quets, /// et, pour l'accommoder à noz vitieuses passions,
flatant sa justice d'une inhumaine vengeance, l'esjouïssant
de la ruine et dissipation des choses par elle creées et
conservées (comme Tib. Sempronius qui fit brusler, pour
sacrifice à Vulcan, les riches despouilles et armes qu'il avoit
gaigné sur les ennemis en la Sardaigne; et Paul Æmile,
celles de Macedoine à Mars et à Minerve; et Alexandre,
arrivé à l'Océan Indique, jetta en mer, en faveur de Thetis,
plusieurs grands vases d'or); remplissant en outre ses
autels d'une boucherie non de bestes innocentes seulement,
mais d'hommes aussi, / ainsi que plusieurs nations, et
entre autres la nostre, avoient en usage ordinaire. Et croy
qu'il n'en est aucune exempte d'en avoir faict essay,

Sulmone creatos
Quattuor hic juvenes, totidem quos educat Ufens,
Viventes rapit, inferias quos immolet umbris [306].

/// Les Getes se tiennent immortels, et leur mourir n'est que s'acheminer vers leur Dieu Zamolxis. De cinq en cinq ans ils depeschent vers luy quelqu'un d'entre eux pour le requerir des choses necessaires. Ce deputé est choisi au sort. Et la forme de le depescher, après l'avoir de bouche informé de sa charge, est que, de ceux qui l'assistent, trois tiennent debout autant de javelines sur lesquelles les autres le lancent à force de bras. S'il vient à s'enferrer en lieu mortel et qu'il trespasse soudain, ce leur est certain argument de faveur divine; s'il en eschappe, ils l'estiment meschant et execrable, et en deputent encores un autre de mesmes.

Amestris, mere de Xerxes, devenue vieille, fit pour une fois ensevelir tous vifs quatorze jouvenceaux des meilleures maisons de Perse, suyvant la religion du pays, pour gratifier à quelque Dieu sousterrain.

Encores aujourd'hui, les idolles de Themistitan se cimentent du sang des petits enfans, et n'aiment sacrifice que de ces pueriles et pures ames : justice affamée du sang de l'innocence,

> *Tantum religio potuit suadere malorum* [307] !

// Les Carthaginois immoloient leurs propres enfans à Saturne; et qui n'en avoit point, en achetoit, estant cependant le pere et la mere tenus d'assister à cet office avec contenance gaye et contente. / C'estoit une estrange fantasie de vouloir payer la bonté divine de nostre affliction, comme les Lacedemoniens qui mignardoient leur Diane par le bourrellement des jeunes garçons qu'ils faisoient foiter en sa faveur, souvent jusques à la mort. C'estoit une humeur farouche de vouloir gratifier l'architecte de la subversion [308] de son bastiment, et de vouloir garentir la peine deue aux coulpables par la punition des non coulpables; et que la povre Iphigenia, au port d'Aulide, par sa mort et immolation, deschargeast envers Dieu l'armée des Grecs des offences qu'ils avoient commises :

> // *Et casta inceste, nubendi tempore in ipso,*
> *Hostia concideret mactatu mœsta parentis* [309] ;

/// et ces deux belles et genereuses ames des deux Decius pere et fils, pour propitier [310] la faveur des Dieux envers les affaires Romaines, s'allassent jetter à corps perdu à travers le plus espais des ennemis.

« *Quæ fuit tanta deorum iniquitas, ut placari populo*

Romano non possent, nisi tales viri occidissent [311]. » / Joint que
ce n'est pas au criminel de se faire foiter à sa mesure et à son
heure; c'est au juge // qui ne met en compte de chastiement
que la peine qu'il ordonne, /// et ne peut attribuer à punition ce qui vient à gré à celui qui le souffre. La vengeance
divine presuppose nostre dissentiment entier pour sa
justice et pour nostre peine.

// Et fut ridicule l'humeur de Policrates, tyran de Samos,
lequel, pour interrompre le cours de son continuel bon
heur et le compenser, alla jetter en mer le plus cher et
precieux joyeau qu'il eust, estimant que, par ce malheur
aposté [312], il satisfaisoit à la revolution et vicissitude de la
fortune; /// et elle, pour se moquer de son ineptie, fit que
ce mesme joyeau revinst encore en ses mains, trouvé au
ventre d'un poisson. / Et puis /// à quel usage les deschi-
remens et desmembremens des Corybantes, des Menades,
et, en noz temps, des Mahometans qui se balaffrent les
visages, l'estomach, les membres, pour gratifier leur prophete, veu que / l'offence consiste en la volonté, non /// en
la poictrine, aux yeux, aux genitoires, en l'embonpoinct,
/ aux espaules et au gosier. /// « *Tantus est perturbatæ mentis
et sedibus suis pulsæ furor, ut sic Dii placentur, quemadmodum
ne homines quidem sæviunt* [313]. »

Cette contexture naturelle regarde par son usage non
seulement nous, mais aussi le service de Dieu et des autres
hommes : c'est injustice de l'affoler à notre escient, comme
de nous tuer pour quelque pretexte que ce soit. Ce semble
estre grande lacheté et trahison de mastiner [314] et corrompre les functions du corps, stupides et serves, pour
espargner à l'ame la sollicitude de les conduire selon raison.

« *Ubi iratos deos timent, qui sic propitios habere merentur ?
In regiæ libidinis voluptatem castrati sunt quidam; sed nemo
sibi, ne vir esset, jubente domino, manus intulit* [315]. »

/ Ainsi remplissoient ils leur religion de plusieurs mauvais effects,

sæpius olim
Religio peperit scelerosa atque impia facta [316].

Or rien du nostre ne se peut assortir ou raporter, en
quelque façon que ce soit, à la nature divine qui ne la
tache et marque d'autant d'imperfection. Cette infinie
beauté, puissance et bonté, comment peut elle souffrir
quelque correspondance et similitude à chose si abjecte
que nous sommes, sans un extreme interest et dechet de
sa divine grandeur ?

/// « *Infirmum dei fortius est hominibus, et stultum dei sapientius est hominibus* [117]. »

Stilpon le philosophe [318], interrogé si les Dieux s'esjouissent de nos honneurs et sacrifices : « Vous estes indiscret, respondit-il; retirons nous à part, si vous voulez parler de cela. »

Toutesfois nous luy prescrivons des bornes, nous tenons sa puissance assiegée par nos raisons (j'appelle raison nos resveries et nos songes, avec la dispense de la philosophie, qui dit le fol mesme et le meschant forcener par raison, mais que c'est une raison de particuliere forme); nous le voulons asservir aux apparences vaines et foibles de nostre entendement, luy qui a fait et nous et nostre cognoissance. Par ce que rien ne se fait de rien, Dieu n'aura sçeu bastir le monde sans matiere. Quoy! Dieu nous a-il mis en mains les clefs et les derniers ressorts de sa puissance ? s'est-il obligé à n'outrepasser les bornes de nostre science ? Mets le cas, ô homme, que tu ayes peu remarquer icy quelques traces de ses effets : penses-tu qu'il y ait employé tout ce qu'il a peu et qu'il ait mis toutes ses formes et toutes ses idées en cet ouvrage ? Tu ne vois que l'ordre et la police de ce petit caveau [319] où tu es logé, au moins si tu la vois : sa divinité a une juridiction infinie au delà; cette piece n'est rien au pris du tout :

> *omnia cum cœlo terraque marique*
> *Nil sunt ad summam summaï totius omnem* [320] :

c'est une loy municipalle que tu allegues, tu ne sçays pas quelle est l'universelle. Attache toy à ce à quoy tu es subjet, mais non pas luy; il n'est pas ton confraire, ou concitoyen, ou compaignon; s'il s'est aucunement communiqué à toy, ce n'est pas pour se ravaler à ta petitesse, ny pour te donner le contrerolle de son pouvoir. Le corps humain ne peut voler aux nues, c'est pour toy; le Soleil bransle sans sejour sa course ordinaire; les bornes des mers et de la terre ne se peuvent confondre; l'eau est instable et sans fermeté; un mur est, sans froissure, impenetrable à un corps solide; l'homme ne peut conserver sa vie dans les flammes; il ne peut estre et au ciel et en la terre, et en mille lieux ensemble corporellement. C'est pour toy qu'il a faict ces regles; c'est toy qu'elles attachent. Il a tesmoigné aux Chrestiens qu'il les a toutes franchies, quand il luy a pleu. De vray, pourquoy, tout puissant comme il est, auroit il restreint ses forces à certaine mesure ? en faveur de qui auroit il renoncé son privilege ? Ta raison n'a en aucune autre chose plus

de verisimilitude et de fondement qu'en ce qu'elle te
persuade la pluralité des mondes :

> // *Terramque, et solem, lunam, mare, cætera quæ sunt*
> *Non esse unica, sed numero magis innumerali* [321].

/ Les plus fameux esprits du temps passé l'ont creue, et
aucuns des nostres mesmes, forcez par l'apparence de la
raison humaine. D'autant qu'en ce bastiment que nous
voyons, il n'y a rien seul et un,

> // *cum in summa res nulla sit una,*
> *Unica quæ gignatur, et unica solaque crescat* [322],

/ et que toutes les especes sont multipliées en quelque
nombre; par où il semble n'estre pas vray-semblable que
Dieu ait faict ce seul ouvrage sans compaignon, et que la
matiere de cette forme ait esté toute espuisée en ce seul
individu :

> // *Quare etiam atque etiam tales fateare necesse est*
> *Esse alios alibi congressus materiaï,*
> *Qualis hic est avido complexu quem tenet æther* [323] :

/ notamment si c'est un animant, comme ses mouvemens
le rendent si croyable /// que Platon l'asseure, et plusieurs
des nostres [324] ou le confirment ou ne l'osent infirmer; non
plus que cette ancienne opinion que le ciel, les estoiles, et
autres membres du monde, sont creatures composées de
cors et ame, mortelles en consideration de leur composition, mais immortelles par la determination du createur.
/ Or, s'il y a plusieurs mondes, comme /// Democritus,
/ Epicurus et presque toute la philosophie a pensé, que
sçavons nous si les principes et les regles de cettuy touchent
pareillement les autres ? Ils ont à l'avanture autre visage
et autre police. /// Epicurus les imagine ou semblables ou
dissemblables. / Nous voyons en ce monde une infinie
difference et varieté pour la seule distance des lieux. Ny
le bled, ni le vin se voit, ny aucun de nos animaux en ces
nouvelles terres que nos peres ont descouvert; tout y est
divers. /// Et, au temps passé, voyez en combien de parties
du monde on n'avoit connaissance ny de Bacchus ny de
Ceres. / Qui en voudra croire Pline /// et Herodote, / il y a
des especes d'hommes en certains endroits qui ont fort
peu de ressemblance à la nostre.

  // Et y a des formes mestisses et ambiguës entre

l'humaine nature et la brutale. Il y a des contrées où les hommes naissent sans teste, portant les yeux et la bouche en la poitrine ; où ils sont tous androgynes ; où ils marchent de quatre pates, où ils n'ont qu'un œil au front, et la teste plus semblable à celle d'un chien qu'à la nostre ; où ils sont moitié poissons par embas et vivent en l'eau ; où les femmes s'accouchent à cinq ans et n'en vivent que huict ; où ils ont la teste si dure et la peau du front, que le fer n'y peut mordre et rebouche [325] contre ; où les hommes sont sans barbe, /// des nations sans usage et connoissance de feu ; d'autres qui rendent le sperme de couleur noire.

// Quoy, ceux qui naturellement se changent en loups, /// en jumens, // et puis encore en hommes ? Et, s'il en est ainsi, / comme dict Plutarque ; que, en quelque endroit des Indes, il y aye des hommes sans bouche, se nourrissans de la senteur de certaines odeurs, combien y a il de nos descriptions fauces ? il n'est plus risible [326], ny à l'avanture capable de raison et de société. L'ordonnance et la cause de nostre bastiment interne seroyent, pour la plus part, hors de propos.

Davantage [327], combien y a il de choses en nostre cognoissance, qui combatent ces belles regles que nous avons taillées et prescrites à nature ? et nous entreprendrons d'y attacher Dieu mesme ! Combien de choses appellons nous miraculeuses et contre nature ? /// Cela se faict par chaque homme et par chaque nation selon la mesure de son ignorance. / Combien trouvons nous de proprietez ocultes et de quint'essences ? car, aller selon nature, pour nous, ce n'est qu'aller selon nostre intelligence, autant qu'elle peut suyvre et autant que nous y voyons : ce qui est au delà, est monstrueux et desordonné. Or, à ce conte, aux plus avisez et aux plus habiles tout sera donc monstrueux : car à ceux là l'humaine raison a persuadé qu'elle n'avoit ny pied, ny fondement quelconque, non pas seulement pour asseurer /// si la neige est blanche (et Anaxagoras la disoit estre noire) ; s'il y a quelque chose, ou s'il n'y a nulle chose ; s'il y a science ou ignorance (Metrodorus Chius nioit l'homme le pouvoir dire) ; / ou si nous vivons : comme Euripides est en doute si la vie que nous vivons est vie, ou si c'est ce que nous appellons mort, qui soit vie :

> Τὶς δ'οἶδεν εἰ ζῆν τοῦθ ὅ κέκληται θανεῖν,
> Τὸ ζῆν δὲ θνήσκειν ἔστι [328].

// Et non sans apparence : car pourquoy prenons nous titre d'estre, de cet instant qui n'est qu'une eloise dans le cours

infini d'une nuict eternelle, et une interruption si briefve
de nostre perpetuelle et naturelle condition ? /// la mort
occupant tout le devant et tout le derriere de ce moment,
et une bonne partie encore de ce moment. // D'autres jurent
qu'il n'y a point de mouvement, que rien ne bouge, ///
comme les suivans de Melissus (car, s'il n'y a qu'un, ny le
mouvement sphærique ne luy peut servir, ny le mouvement
de lieu à autre, comme Platon preuve), // qu'il n'y a ny
generation ni corruption en nature.

/// Protagoras dict qu'il n'y a rien en nature que le
doubte; que, de toutes choses, on peut esgalement disputer, et de cela mesme, si on peut esgalement disputer de
toutes choses; Nausiphanez, que, des choses qui semblent,
rien est non plus que non est, qu'il n'y a autre certain que
l'incertitude; Parmenides, que, de ce qu'il semble, il n'est
aucune chose en general, qu'il n'est qu'un; Zenon, qu'un
mesme n'est pas, et qu'il n'y a rien.

Si un estoit, il seroit ou en un autre ou en soy-mesme;
s'il est en un autre, ce sont deux; s'il est en soy-mesme ce
sont encore deux, le comprenant et le comprins. Selon
ces dogmes, la nature des choses n'est qu'un'ombre ou
fauce ou vaine.

/ Il m'a tousjours semblé qu'à un homme Chrestien cette
sorte de parler est pleine d'indiscretion et d'irreverance :
Dieu ne peut mourir, Dieu ne se peut desdire, Dieu ne
peut faire cecy ou cela. Je ne trouve pas bon d'enfermer
ainsi la puissance divine soubs les loix de nostre parolle.
Et l'apparance qui s'offre à nous en ces propositions, il la
faudroit representer plus reveramment et plus religieusement.

Nostre parler a ses foiblesses et ses defauts, comme tout
le reste. La plus part des occasions des troubles du monde
sont Grammairiennes. Nos procez ne naissent que du
debat de l'interpretation des loix; et la plus part des guerres,
de cette impuissance de n'avoir sçeu clairement exprimer
les conventions et traictez d'accord des princes. Combien
de querelles et combien importantes a produit au monde le
doubte du sens de cette syllabe : *hoc* [329] ! // Prenons la
clause [330] que la logique mesmes nous presentera pour la
plus claire. Si vous dictes : Il faict beau temps, et que vous
dissiez verité, il fait donc beau temps. Voylà pas une forme
de parler certaine ? Encore nous trompera elle. Qu'il soit
ainsi, suyvons l'exemple. Si vous dictes : Je ments, et que
vous dissiez vray, vous mentez donc. L'art, la raison,
la force de la conclusion de cette cy sont pareilles à l'autre;
toutes fois nous voylà embourbez. / Je voy les philosophes

Pyrrhoniens qui ne peuvent exprimer leur generale conception en aucune maniere de parler; car, il leur faudrait un
nouveau langage. Le nostre est tout formé de propositions
affirmatives, qui leur sont du tout ennemies. De façon que,
quand ils disent : « Je doute », on les tient incontinent
à la gorge pour leur faire avouër qu'au moins assurent et
sçavent ils cela, qu'ils doubtent. Ainsin on les a contraints
de se sauver dans cette comparaison de la medecine, sans
laquelle leur humeur seroit inexplicable; quand ils pro-
noncent : « J'ignore », ou : « Je doubte », ils disent que cette
proposition s'emporte elle mesme, quant et quant le reste,
ny plus ne moins que la rubarbe qui pousse hors les mauvaises humeurs et s'emporte hors quant et quant elle
mesmes.

// Cette fantaisie est plus seurement conceuë par inter-
rogation : « Que sçay-je ? » comme je la porte à la devise
d'une balance.

/ Voyez comment on se prevaut de cette sorte de parler
pleine d'irreverence. Aux disputes qui sont à present en
nostre religion, si vous pressez trop les adversaires, ils vous
diront tout destrousséement [331] qu'il n'est pas en la puissance de Dieu de faire que son corps soit en paradis et en la
terre, et en plusieurs lieux ensemble. Et ce moqueur
ancien, comment il en fait son profit! Au moins, dit-il,
est ce une non legiere consolation à l'homme de ce qu'il
voit Dieu ne pouvoir pas toutes choses ; car il ne se peut
tuer quand il le voudroit, qui est la plus grande faveur que
nous ayons en nostre condition; il ne peut faire les mortels
immortels; ny revivre les trespassez; ny que celuy qui a
vescu, n'ait point vescu; celuy qui a eu des honneurs, ne
les ait point eus; n'ayant autre droit sur le passé que de
l'oubliance. Et, afin que cette société de l'homme à Dieu
s'accouple encore par des exemples plaisans, il ne peut
faire que deux fois dix ne soyent vingt. Voilà ce qu'il dict,
et qu'un Chrestien devroit eviter de passer par sa bouche,
là où, au rebours, il semble que les hommes recerchent
cette fole fierté de langage, pour ramener Dieu à leur
mesure,

> cras vel atra
> Nube polum pater occupato,
> Vel sole puro; non tamen irritum
> Quodcumque retro est, efficiet, neque
> Diffinget infectumque reddet
> Quod fugiens semel hora vexit [332].

Quand nous disons que l'infinité des siecles, tant passez

qu'avenir, n'est à Dieu qu'un instant; que sa bonté, sapience, puissance sont mesme chose avecques son essence,
nostre parole le dict, mais nostre intelligence ne l'appre-
hende point. Et toutesfois nostre outrecuidance veut faire
passer la divinité par nostre estamine [333]. Et de là s'engendrent toutes les resveries et erreurs desquelles le monde
se trouve saisi, ramenant et poisant à sa balance chose si
esloignée de son poix. /// « *Mirum quo procedat improbitas
cordis humani, parvulo aliquo invitata successu* [334]. »

Combien insolemment rebroüent Epicurus les Stoïciens
sur ce qu'il tient l'estre veritablement bon et heureux
n'appartenir qu'à Dieu, et l'homme sage n'en avoir qu'un
ombrage et similitude! / Combien temerairement ont ils
attaché Dieu à la destinée (à la mienne volonté, qu'aucuns
du surnom de Chrestiens ne le facent pas encore!) et
Thales, Platon et Pythagoras l'ont asservy à la necessité!
Cette fierté de vouloir descouvrir Dieu par nos yeux a faict
qu'un grand personnage des nostres a donné à la divinité
une forme corporelle. // Et est cause de ce qui nous
advient tous les jours d'attribuer à Dieu les evenements
d'importance, d'une particuliere assignation. Parce qu'ils
nous poisent, il semble qu'ils luy poisent aussi et qu'il y
regarde plus entier et plus attentif qu'aux evenemens qui
nous sont legiers ou d'une suite ordinaire. /// « *Magna dii
curant, parva negligunt* [335]. » Escoutez son exemple, il vous
esclaircira de sa raison : « *Nec in regnis quidem reges omnia
minima curant* [336]. »

Comme ci ce luy estoit plus et moins de remuer un
empire ou la feuille d'un arbre, et si la providence s'exerçoit autrement, inclinant l'evenement d'une bataille, que
le sault d'une puce! La main de son gouvernement se
preste à toutes choses de pareille teneur, mesme force et
mesme ordre; nostre interest n'y apporte rien; nos mouvements et nos mesures ne le touchent pas.

« *Deus ita artifex magnus in magnis, ut minor non sit in
parvis* [237]. » Nostre arrogance nous remet tousjours en
avant cette blasphemeuse appariation. Par ce que nos
occupations nous chargent, Strato a estrené les Dieux de
toute immunité d'offices, comme sont leurs prestres. Il
faict produire et maintenir toutes choses à Nature, et de
ses pois et mouvemens construit les parties du monde,
deschargeant l'humaine nature de la crainte des jugemens
divins. « *Quod beatum æternumque sit, id nec habere negotii
quidquam, nec exhibere alteri* [338]. » Nature veut qu'en choses
pareilles il y ait relation pareille. Le nombre donc infini
des mortels conclut un pareil nombre d'immortels. Les

choses infinies qui tuent et nuisent, en presupposent autant
qui conservent et profitent. Comme les ames des Dieux,
sans langue, sans yeux, sans oreilles, sentent entre eux
chacun ce que l'autre sent, et jugent nos pensées : ainsi
les ames des hommes, quand elles sont libres et desprinses
du corps par le sommeil ou par quelque ravissement,
divinent, prognostiquent et voyent choses qu'elles ne
sçauroyent voir, meslées aux corps.

/ Les hommes, dict Sainct Paul, sont devenus fols,
cuidans estre sages; et ont mué la gloire de Dieu incorruptible en image de l'homme corruptible.

// Voyez un peu ce bastelage des deifications anciennes.
Après la grande et superbe pompe de l'enterrement,
comme le feu venoit à prendre au haut de la pyramide et
saisir le lict du trespassé, ils laissoyent en mesme temps
eschaper un aigle, lequel, s'en volant à mont, signifioit que
l'ame s'en alloit en paradis. Nous avons mille medailles,
et notamment de cette honneste femme de Faustine,
où cet aigle est representé emportant à la chevremorte [339]
vers le ciel ces ames deifiées. C'est pitié que nous nous
pipons de nos propres singeries et inventions,

> *Quod finxere, timent* [340] :

comme les enfans qui s'effrayent de ce mesme visage
qu'ils ont barbouillé et noircy à leur compaignon. /// « *Quasi
quidquam infelicius sit homine cui sua figmenta dominan-
tur* [341]. » C'est bien loin d'honorer celuy qui nous a faict,
que d'honorer celuy que nous avons faict. // Auguste eust
plus de temples que Juppiter, servis avec autant de religion
et creance de miracles. Les Thasiens, en recompense des
biens-faicts qu'ils avoyent receuz d'Agesilaus, luy vindrent
dire qu'ils l'avoyent canonisé : « Vostre nation, leur dict-il,
a elle ce pouvoir de faire Dieu qui bon lui semble ? Faictes
en, pour voir, l'un d'entre vous, et puis, /// quand j'auray
veu comme il s'en sera trouvé, // je vous diray grandmercy
de vostre offre. »

/// L'homme est bien insensé. Il ne sçauroit forger un
ciron, et forge des Dieux à douzaines.

Oyez Trismegiste [342] loüant nostre suffisance : De toutes
les choses admirables a surmonté l'admiration, que
l'homme aye peu trouver la divine nature et la faire.

// Voici des argumens de l'escole mesme de la philosophie,

> *Nosse cui Divos et cœli numina soli,*
> *Aut soli nescire, datum* [343].

Si Dieu est, il est animal [344]; s'il est animal, il a sens; et s'il a sens, il est subject à corruption. S'il est sans corps, il est sans ame, et par consequant sans action; et, s'il a corps, il est perissable. Voylà pas triomfé ?

/// Nous sommes incapables d'avoir faict le monde; il y a donc quelque nature plus excellente qui y a mis la main. — Ce seroit une sotte arrogance de nous estimer la plus parfaicte chose de cet univers; il y a donc quelque chose de meilleur; cela, c'est Dieu. — Quand vous voyez une riche et pompeuse demeure, encore que vous ne sçachez qui en est le maistre, si ne direz vous pas qu'elle soit faicte pour des rats. Et cette divine structure que nous voyons du palais celeste, n'avons nous pas à croire que ce soit le logis de quelque maistre plus grand que nous ne sommes ? Le plus haut est-il pas tousjours le plus digne ? et nous sommes placez au bas. — Rien, sans ame et sans raison, ne peut produire un animant capable de raison. Le monde nous produit, il a donc ame et raison. — Chaque part de nous est moins que nous. Nous sommes part du monde. Le monde est donc fourni de sagesse et de raison, et plus abondamment que nous ne sommes. — C'est belle chose d'avoir un grand gouvernement. Le gouvernement du monde appartient donc à quelque heureuse nature. — Les astres ne nous font pas de nuisance; ils sont donc pleins de bonté . — // Nous avons besoing de nourriture; aussi ont donc les Dieux, et se paissent des vapeurs de ça bas. /// Les biens mondains ne sont pas biens à Dieu; ce ne sont donc pas biens à nous. — L'offencer [345] et l'estre offencé sont egalement tesmoignages d'imbecillité; c'est donc follie de craindre Dieu. — Dieu est bon par sa nature, l'homme par son industrie, qui est plus. — La sagesse divine et l'humaine sagesse n'ont autre distinction, si non que celle-là est eternelle. Or la durée n'est aucune accession à la sagesse; parquoy nous voilà compaignons. — // Nous avons vie, raison et liberté, estimons la bonté, la charité et la justice; ces qualitez sont donc en luy. Somme le bastiment et le desbastiment, les conditions de la divinité se forgent par l'homme, selon la relation à soy. Quel patron et quel modele! Estirons, eslevons et grossissons les qualitez humaines tant qu'il nous plaira; enfle toy, pauvre homme, et encore, et encore, et encore :

Non, si te ruperis, inquit [346].

/// « *Profecto non Deum, quem cogitare non possunt, sed*

semetipsos pro illo cogitantes, non illum sed se ipsos non illi sed sibi comparant [347]. »

// Es choses naturelles, les effects ne raportent qu'à demy leurs causes : quoy cette-cy ? elle est au dessus de l'ordre de nature; sa condition est trop hautaine, trop esloignée et trop maistresse, pour souffrir que noz conclusions l'atachent et la garrotent. Ce n'est par nous qu'on y arrive, cette route est trop basse. Nous ne sommes non plus près du ciel sur le mont Senis [348] qu'au fons de la mer; consultez en, pour voir, avec vostre astrolabe. Ils ramenent Dieu jusques à l'accointance charnelle des femmes : à combien de fois, à combien de generations ? Paulina, femme de Saturninus, matrone de grande reputation à Romme, pensant coucher avec le Dieu Serapis, se trouva entre les bras d'un sien amoureux par le maquerelage des prestres de ce temple.

/// Varro, le plus subtil et le plus savant autheur Latin, en ses livres de la *Theologie*, escrit que le secrestin de Hercules, jettant au sort, d'une main pour soy, de l'autre pour Hercules, joüa contre luy un souper et une garse : s'il gaignoit, aux despens des offrandes; s'il perdoit, aux siens. Il perdit, paya son soupper et sa garse. Son nom fut Laurentine, qui veid de nuict ce dieu entre ses bras, luy disant au surplus que lendemain, le premier qu'elle rencontreroit, la payeroit celestement de son salaire. Ce fut Taruntius, jeune homme riche, qui la mena chez luy et, avec le temps, la laissa heretiere. Elle, à son tour, esperant faire chose aggreable à ce dieu, laissa heretier le peuple Romain : pourquoy on luy attribua des honneurs divins.

Comme s'il ne suffisoit pas que, par double estoc [349], Platon fut originellement descendu des Dieux, et avoir pour autheur commun de sa race Neptune, il estoit tenu pour certain à Athenes que Ariston, ayant voulu joüir de la belle Perictione, n'avoit sceu; et fut averti en songe par le Dieu Appollo de la laisser impollue et intacte jusqu'à ce qu'elle fut accouchée; c'estoient le pere et mere de Platon. Combien y a il, ès histoires, de pareils cocuages procurez par les Dieux contre les pauvres humains ? et des maris injurieusement descriez en faveur des enfans ?

En la religion de Mahumet, il se trouve, par la croyance de ce peuple, assés de Merlins [350] : assavoir enfans sans pere, spirituels, nays divinement au ventre des pucelles; et portent un nom qui le signifie en leur langue.

// Il nous faut noter qu'à chaque chose il n'est rien plus

cher et plus estimable que son estre /// (le lion, l'aigle, le dauphin ne prisent rien au dessus de leur espece); // et que chacune raporte les qualitez de toutes autres choses à ses propres qualitez; lesquelles nous pouvons bien estendre et racourcir, mais c'est tout; car, hors de ce raport et de ce principe, nostre imagination ne peut aller, ne peut rien diviner autre, et est impossible qu'elle sorte de là, et qu'elle passe au delà. /// D'où naissent ces anciennes conclusions : De toutes les formes, la plus belle est celle de l'homme; Dieu donc est de cette forme. Nul ne peut estre heureux sans vertu, ny la vertu estre sans raison, et nulle raison loger ailleurs qu'en l'humaine figure; Dieu est donc revestu de l'humaine figure.

« *Ita est informatum, anticipatumque mentibus nostris ut homini, cum de deo cogitet, forma occurrat humana* [351]. »

// Pourtant disoit plaisamment Xenophanes, que si les animaux se forgent des dieux, comme il est vraysemblable qu'ils facent, ils les forgent certainement de mesme eux, et se glorifient, comme nous. Car pourquoy ne dira un oison ainsi : « Toutes les pieces de l'univers me regardent; la terre me sert à marcher, le Soleil à m'esclairer, les estoilles à m'inspirer leurs influances ; j'ay telle commodité des vents, telle des eaux; il n'est rien que cette voute regarde si favorablement que moy; je suis le mignon de nature; est-ce pas l'homme qui me traite, qui me loge, qui me sert ? c'est pour moy qu'il faict et semer et mouldre; s'il me mange, aussi faict il bien l'homme son compaignon, et si fay-je moy les vers qui le tuent et qui le mangent. » Autant en diroit une grue, et plus magnifiquement encore pour la liberté de son vol et la possession de cette belle et haute region : /// « *tam blanda conciliatrix et tam sui est lena ipsa natura* [352] ».

// Or donc, par ce mesme trein, pour nous sont les destinées, pour nous le monde; il luit, il tonne pour nous; et le createur et les creatures, tout est pour nous. C'est le but et le point où vise l'université des choses. Regardés le registre que la philosophie a tenu, deux mille ans et plus, des affaires celestes : les dieux n'ont agi, n'ont parlé que pour l'homme; elle ne leur attribue autre consultation et autre vacation : les voylà contre nous en guerre,

> *domitósque Herculea manu*
> *Telluris juvenes, unde periculum*
> *Fulgens contremuit domus*
> *Saturni veteris* [353];

les voicy partisans de noz troubles, /// pour nous rendre la pareille de ce que, tant de fois, nous sommes partisans des leurs,

> // Neptunus muros magnoque emota tridenti
> Fundamenta quatit, totamque a sedibus urbem
> Eruit. Hic Juno Scæas sævissima portas
> Prima tenet [354].

/// Les Cauniens, pour la jalousie de la domination de leurs Dieux propres, prennent armes en dos le jour de leur devotion, et vont courant toute leur banlieue, frappant l'air par cy par là atout leurs glaives, pourchassant ainsin à outrance et bannissant les dieux estrangiers de leur territoire. // Leurs puissances sont retranchées selon nostre necessité : qui guerit les chevaux, qui les hommes, /// qui la peste, // qui la teigne, qui la tous, /// qui une sorte de gale, qui un'autre (« adeo minimis etiam rebus prava religio inserit deos [355] »); // qui faict naistre les raisins, qui les aulx; qui a la charge de la paillardise, qui de la marchandise /// (à chaque race d'artisans un dieu), // qui a sa province en oriant et son credit, qui en ponant :

> hic illius arma,
> Hic currus fuit [356].

/// O sancte Apollo, qui umbilicum certum terrarum obtines [357]!
> Pallada Cecropidæ, Minoïa Creta Dianam,
> Vulcanum tellus Hipsipilea colit,
> Junonem Sparte Pelopeiadesque Mycenæ !
> Pinigerum Fauni Mænalis ora caput ;
> Mars Latio venerandus erat [358].

// Qui n'a qu'un bourg ou une famille en sa possession, /// qui loge seul; qui en compaignie ou volontaire ou necessaire.

> Junctaque sunt magno templa nepotis avo [359].

// Il en est de si chetifs et populaires (car le nombre s'en monte jusques à trante six mille), qu'il en faut entasser bien cinq ou six à produire un espic de bled, et en prennent leurs noms divers : /// trois à une porte, celuy de l'ais, celuy du gond, celuy du seuil; quatre à un enfant, protecteurs de son maillol [360], de son boire, de son manger, de son tetter; aucuns certains, aucuns incertains et doubteux; aucuns qui n'entrent pas encores en Paradis :

Quos quoniam cœli nondum dignamur honore,
Quas dedimus certe terras habitare sinamus [361] ;

il en est de physiciens [362], de poëtiques, de civils ; aucuns,
moyens [363] entre la divine et l'humaine nature, mediateurs,
entremetteurs de nous à Dieu ; adorez par certain second
ordre d'adoration et diminutif ; infinis en tiltres et offices ;
les uns bons, les autres mauvais. // Il en est de vieux et
cassez, et en est de mortels : car Chrysippus estimoit
qu'en la dernière conflagration du monde tous les dieux
auroyent à finir, sauf Juppiter. /// L'homme forge mille
plaisantes societez entre Dieu et luy. Est-il pas son compa-
triote ?

                    Jovis incunabula Creten [364].

Voicy l'excuse que nous donnent, sur la consideration
de ce subject, Scevola, grant Pontife, et Varro, grand
theologien, en leur temps : Qu'il est besoin que le peuple
ignore beaucoup de choses vrayes et en croye beaucoup
de fausses : « *Cum veritatem qua liberetur, inquirat, credatur
ei expedire, quod fallitur* [365]. »

// Les yeux humains ne peuvent apercevoir les choses
que par les formes de leur cognoissance. /// Et ne nous
souvient pas quel sault print le miserable Phaeton pour
avoir voulu manier les renes des chevaux de son pere d'une
main mortelle. Nostre esprit retombe en pareille profondeur, se dissipe et se froisse de mesme, par sa temerité.
// Si vous demandez à la philosophie de quelle matiere est
le ciel et le Soleil, que vous respondra elle, sinon de fer, ou
/// avecq Anaxagoras, // de pierre, et telle estoffe de nostre
usage ? /// S'enquiert on à Zenon que c'est que nature ?
« Un feu, dict-il, artiste, propre à engendrer, procedant
regléement. » // Archimedes, maistre de cette science qui
s'attribue la presseance sur toutes les autres en verité et
certitude : « Le Soleil, dict-il, est un Dieu de fer enflammé. »
Voylà pas une belle imagination produicte de la beauté et
inevitable necessité des demonstrations geometriques ! Non
pourtant si inevitable /// et utile que Socrates n'ayt estimé
qu'il suffisoit en sçavoir jusques à pouvoir arpenter la
terre qu'on donnoit et recevoit, et // que Poliænus qui
en avoit esté fameux et illustre docteur, ne les ayt prises
à mespris, commes plaines de fauceté et de vanité apparente, après qu'il eust gousté les doux fruicts des jardins
poltronesques [366] d'Epicurus.

/// Socrates, en Xenophon, sur ce propos d'Anaxagoras,
estimé par l'antiquité entendu au dessus tous autres ès

choses celestes et divines, dict qu'il se troubla du cerveau, comme font tous hommes qui perscrutent immoderéement les cognoissances qui ne sont de leur appartenance. Sur ce qu'il faisoit le Soleil une pierre ardente, il ne s'advisoit pas qu'une pierre ne luit point au feu, et, qui pis est, qu'elle s'y consomme [367]; en ce qu'il faisoit un du Soleil et du feu, que le feu ne noircist pas ceux qu'il regarde; que nous regardons fixement le feu; que le feu tue les plantes et les herbes. C'est, à l'advis de Socrates, et au mien aussi, le plus sagement jugé du ciel que n'en juger point.

Platon, ayant à parler des Daimons au *Timée* : « C'est entreprinse, dict il, qui surpasse nostre portée. Il en faut croire ces anciens qui se sont dicts engendrez d'eux. C'est contre raison de refuser foy aux enfans des Dieux, encore que leur dire ne soit establi par raisons necessaires ni vraisemblables, puis qu'ils nous respondent de parler de choses domestiques et familieres. »

/ Voyons si nous avons quelque peu plus de clarté en la cognoissance des choses humaines et naturelles.

N'est ce pas une ridicule entreprinse, à celles ausquelles, par nostre propre confession, nostre science ne peut atteindre, leur aller forgeant un autre corps, et prestant une forme fauce, de nostre invention : comme il se void au mouvement des planettes, auquel d'autant que nostre esprit ne peut arriver, ny imaginer sa naturelle conduite, nous leur prestons, du nostre, des ressors materiels, lourds et corporels :

> *temo aureus, aurea summæ*
> *Curvatura rotæ, radiorum argenteus ordo* [368].

Vous diriez que nous avons eu des cochers, des charpentiers et des peintres, qui sont allez dresser là haut des engins à divers mouvemens, /// et ranger les rouages et entrelassemens des corps celestes bigarrez en couleur autour du fuseau de la necessité, selon Platon :

> // *Mundus domus est maxima rerum,*
> *Quam quinque altitonæ fragmine zonæ*
> *Cingunt, per quam limbus pictus bis sex signis*
> *Stellimicantibus, altus in obliquo æthere, lunæ*
> *Bigas acceptat* [369].

Ce sont tous songes et fanatiques [370] folies. Que ne plaist-il un jour à nature nous ouvrir son sein de nous faire voir au propre les moyens et la conduicte et ses mouvements, et y preparer nos yeux! O Dieu! quels abus, quels mescontes nous trouverions en nostre pauvre science : /// je suis trompé si elle tient une seule chose droitement en son poinct; et m'en partiray d'icy plus ignorant toute autre chose que mon ignorance.

Ay je pas veu en Platon ce divin mot, que nature n'est rien qu'une poësie œnigmatique ? comme peut estre qui diroit une peinture voilée et tenebreuse, entreluisant d'une infinie varieté de faux jours à exercer nos conjectures.

« *Latent ista omnia crassis occultata et circumfusa tenebris, ut nulla acies humani ingenii tanta sit, quæ penetrare in cœlum, terram intrare possit* [371]. »

Et certes la philosophie n'est qu'une poësie sophistiquée. D'où tirent ces auteurs anciens toutes leurs authoritez, que des poëtes ? Et les premiers furent poëtes eux mesmes et la traicterent en leur art. Platon n'est qu'un poëte descousu. Timon l'appelle, par injure, grand forgeur de miracles.

/ Tout ainsi que les femmes employent des dents d'yvoire où les leurs naturelles leur manquent, et, au lieu de leur vray teint, en forgent un de quelque matiere estrangere; comme elles font des cuisses de drap et de feutre, et de l'embonpoinct de coton, et, au veu et sçeu d'un chacun, s'embellissent d'une beauté fauce et empruntée : ainsi faict la science // (et nostre droict mesme a, dict-on, des fictions legitimes sur lesquelles il fonde la verité de sa justice); / elle nous donne en payement et en presupposition les choses qu'elle mesmes nous aprend estre inventées : car ces épicycles, excentriques, concentriques, dequoy l'Astrologie s'aide à conduire le bransle de ses estoilles, elle nous les donne pour le mieux qu'elle ait sçeu inventer en ce sujet; comme aussi au reste la philosophie nous presente non pas ce qui est, ou ce qu'elle croit, mais ce qu'elle forge ayant plus d'apparence et de gentillesse. /// Platon, sur le discours de l'estat de nostre corps et de celuy des bestes : « Que ce que nous avons dict soit vray, nous en asseurerions, si nous avions sur ce la confirmation d'un oracle; seulement nous asseurons que c'est le plus vray-semblablement que nous ayons sceu dire. »

/ Ce n'est pas au ciel seulement qu'elle envoye ses cordages, ses engins et ses roües. Considerons un peu ce qu'elle dit de nous mesmes et de nostre contexture. Il n'y a pas plus de retrogradation, trepidation, accession, reculement, ravissement [372] aux astres et corps celestes, qu'ils en ont forgé en ce pauvre petit corps humain. Vrayement ils ont eu par là raison de l'appeler le petit monde, tant ils ont employé de pieces et de visages à le maçonner et bastir. Pour accommoder les mouvemens qu'ils voyent en l'homme, les diverses functions et facultez que nous sentons en nous, en combien de parties ont-ils divisé nostre ame ? en combien de sieges logée ? à combien d'ordres et estages ont-ils départy ce pauvre homme, outre les naturels et perceptibles ? et à combien d'offices et de vacations ? Ils en font une chose publique imaginaire. C'est un subject qu'ils tiennent et qu'ils manient : on leur laisse toute puissance de la descoudre, renger, rassembler et estoffer, chacun à sa fantasie ; et si, ne le possedent pas encore. Non seulement en verité, mais en songe mesmes, ils ne le peuvent regler, qu'il ne s'y trouve quelque cadence ou quelque son qui eschappe à leur architecture, toute énorme qu'elle est, et rapieçée de mille lopins faux et fantastiques. /// Et ce n'est pas raison de les excuser. Car, aux peintres, quand ils peignent le ciel, la terre, les mers, les monts, les isles escartées, nous leur condonons [373] qu'ils nous en rapportent seulement quelque marque legiere ; et, comme de choses ignorées, nous contentons d'un tel quel ombrage et feinte. Mais quand ils nous tirent après le naturel en un subject qui nous est familier et connu, nous exigeons d'eux une parfaicte et exacte representation, des lineamens et des couleurs, et les mesprisons s'ils y faillent.

/ Je sçay bon gré à la garse Milesienne [374] qui, voyant le philosophe Thales s'amuser continuellement à la contemplation de la voute celeste et tenir tousjours les yeux eslevez contremont, luy mit en son passage quelque chose à le faire broncher, pour l'advertir qu'il seroit temps d'amuser son pensement aux choses qui estoient dans les nues, quand il auroit prouveu à celles qui estoient à ses pieds. Elle lui conseilloit certes bien de regarder plustost à soy qu'au ciel. /// Car, comme dit Democritus par la bouche de Cicero,

Quod est ante pedes, nemo spectat ; cœli scrutantur plagas [375].

/ Mais nostre condition porte que la cognoissance de ce que nous avons entre mains est aussi esloignée de nous, et aussi bien au dessus des nues, que celle des astres. /// Comme dict Socrates en Platon, qu'à quiconque se mesle de la philosophie, on peut faire le reproche que faict cette femme à Thales, qu'il ne void rien de ce qui est devant luy. Car tout philosophe ignore ce que faict son voisin ; ouy et ce [376] qu'il faict luy-mesme, et ignore ce qu'ils sont tous deux, ou bestes ou hommes.

/ Ces gens icy, qui trouvent les raisons de Sebond trop

foibles, qui n'ignorent rien, qui gouvernent le monde, qui
sçavent tout,

> *Quæ mare compescant causæ; quid temperet annum ;*
> *Stellæ sponte sua jussæve vagentur et errent ;*
> *Quid premat obscurum Lunæ, quid proferat orbem ;*
> *Quid velit et possit rerum concordia discors* [377] *;*

n'ont ils pas quelquefois sondé, parmy leurs livres, les
difficultez qui se presentent à cognoistre leur estre propre ?
Nous voyons bien que le doigt se meut, et que le pied
se meut; qu'aucunes parties se branslent d'elles mesmes
sans notre congé, et que d'autres, nous les agitons par
nostre ordonnance; que certaine apprehension engendre la
rougeur, certaine autre la palleur; telle imagination agit en
la rate seulement, telle autre au cerveau; l'une nous cause
le rire, l'autre le pleurer; telle autre transit et estonne tous
nos sens, et arreste le mouvement de nos membres. /// A tel
object l'estomac se soulève; à tel autre quelque partie
plus basse. / Mais comme une impression spirituelle face
une telle faucée [378] dans un subject massif et solide, et la
nature de la liaison et cousture de ces admirables ressorts,
jamais homme ne l'a sçeu. /// « *Omnia incerta ratione et in*
naturæ majestate abdita [379] », dict Pline; et S. Augustin :
« *Modus quo corporibus adhærent spiritus, omnino mirus est,*
nec comprehendi ab homine potest : et hoc ipse homo est [380]. »
/ Et si, ne le met on pas pourtant en doute, car les opinions
des hommes sont reçeues à la suitte des creances anciennes,
par authorité et à credit, comme si c'estoit religion et loy.
On reçoit comme un jargon ce qui en est communement
tenu; on reçoit cette verité avec tout son bastiment et atte-
lage d'argumens et de preuves, comme un corps ferme et
solide qu'on n'esbranle plus, qu'on ne juge plus. Au
contraire, chacun, à qui mieux mieux, va plastrant et
confortant [381] cette creance receue, de tout ce que peut sa
raison, qui est un util souple, contournable et accommodable à toute figure [382]. Ainsi se remplit le monde et se
confit en fadesse et en mensonge.

Ce qui fait qu'on ne doute de guere de choses, c'est que
les communes impressions, on ne les essaye jamais; on
n'en sonde point le pied, où gist la faute et la foiblesse;
on ne debat que sur les branches; on ne demande pas si
cela est vray, mais s'il a esté ainsin ou ainsin entendu. On
ne demande pas si Galen a rien dit qui vaille, mais s'il a
dit ainsi ou autrement. Vrayement c'estoit bien raison que
cette bride et contrainte de la liberté de nos jugements, et

cette tyrannie de nos creances, s'estandit jusques aux escholes et aux arts. Le Dieu de la science scholastique, c'est Aristote; c'est religion de debatre de ses ordonnances, comme de celles de Lycurgus à Sparte. Sa doctrine nous sert de loy magistrale, qui est à l'avanture autant fauce qu'une autre. Je ne sçay pas pourquoy je n'acceptasse autant volontiers ou les idées de Platon, ou les atomes d'Epicurus, ou le plain et le vuide de Leucippus et Democritus, ou l'eau de Thales, ou l'infinité de nature d'Anaximander, ou l'air de Diogenes, ou les nombres et symmetrie de Pythagoras, ou l'infiny de Parmenides, ou l'un de Musæus, ou l'eau et le feu d'Apollodorus, ou les parties similaires d'Anaxagoras, ou la discorde et amitié d'Empedocles, ou le feu de Heraclitus, ou toute autre opinion de cette confusion infinie d'advis et de sentences que produit cette belle raison humaine par sa certitude et clairvoyance en tout ce dequoy elle se mesle, que je feroy l'opinion d'Aristote, sur ce subject des principes des choses naturelles : lesquels principes il bastit de trois pieces, matiere, forme et privation. Et qu'est-il plus vain que de faire l'inanité mesme cause de la production des choses ? La privation, c'est une negative; de quelle humeur en a-il peu faire la cause et origine des choses qui sont ? Cela toutesfois ne s'auseroit esbranler, que pour l'exercice de la Logique. On n'y debat rien pour le mettre en doute, mais pour defendre l'auteur de l'eschole des objections estrangeres : son authorité, c'est le but au delà duquel il n'est pas permis de s'enquerir.

Il est bien aisé, sur des fondemens avouez [383], de bastir ce qu'on veut; car, selon la loy et ordonnance de ce commencement, le reste des pièces du bastiment se conduit ayséement, sans se démentir. Par cette voye nous trouvons notre raison bien fondée, et discourons à boule veue [384]; car nos maistres præoccupent et gaignent avant main autant de lieu [385] en nostre creance qu'il leur en faut pour conclurre après ce qu'ils veulent, à la mode des Geometriens, par leurs demandes avouées; le consentement et approbation que nous leur prestons leur donnant dequoy nous trainer à gauche et à dextre, et nous pyroueter à leur volonté. Quiconque est creu de ses presuppositions, il est nostre maistre et nostre Dieu; il prendra le plant de ses fondemens si ample et si aisé que, par iceux, il nous pourra monter, s'il veut, jusques aux nuës. En cette pratique et negotiation de science nous avons pris pour argent content le mot de Pythagoras, que chaque expert doit estre creu en son art. Le dialecticien se rapporte au grammairien

de la signification des mots; le rhetoricien emprunte du
dialecticien les lieux des arguments; le poëte, du musicien
les mesures; le geometrien, de l'arithmeticien les proportions; les metaphysiciens prennent pour fondement les
conjectures de la physique. Car chasque science a ses principes presupposez par où le jugement humain est bridé
de toutes parts. Si vous venez à choquer cette barriere en
laquelle gist la principale erreur, ils ont incontinent cette
sentence en la bouche, qu'il ne faut pas débattre contre
ceux qui nient les principes.

Or n'y peut-il avoir des principes aux hommes, si la
divinité ne les leur a revelez; de tout le demeurant, et le
commencement, et le milieu et la fin, ce n'est que songe
et fumée. A ceux qui combatent par presupposition [386], il
leur faut presupposer au contraire le mesme axiome dequoy
on debat. Car toute presupposition humaine et toute
enunciation a autant d'authorité que l'autre, si la raison
n'en faict la difference. Ainsin il les faut toutes mettre à
la balance; et premierement les generalles, et celles qui
nous tyrannisent. /// L'impression de la certitude est un
certain tesmoignage de folie et d'incertitude extreme; et
n'est point de plus folles gens, ny moins philosophes que
les *philodoxes* [387] de Platon. / Il faut sçavoir si le feu est
chaut, si la neige est blanche, s'il y a rien de dur ou de mol
en nostre cognoissance.

Et quand à ces responces dequoy il se faict des contes
anciens : comme à celui qui mettoit en doubte la chaleur,
à qui on dict qu'il se jettast dans le feu; à celuy qui nioit
la froideur de la glace, qu'il s'en mit dans le sein : elles
sont très-indignes de la profession philosophique. S'ils
nous eussent laissé en nostre estat naturel, recevans les
apparences estrangeres selon qu'elles se presentent à nous
par nos sens, et nous eussent laissé aller après nos appetits
simples et reglez par la condition de nostre naissance, ils
auroient raison de parler ainsi; mais c'est d'eux que nous
avons appris de nous rendre juges du monde; c'est d'eux
que nous tenons cette fantasie, que la raison humaine
est contrerolleuse generalle de tout ce qui est au dehors
et au dedans de la voute celeste, qui embrasse tout, qui
peut tout, par le moyen de laquelle tout se sçait et connoit.

Cette response seroit bonne parmy les Canibales, qui
jouissent l'heur d'une longue vie, tranquille et paisible
sans les preceptes d'Aristote, et sans la connoissance du
nom de la physique. Cette response vaudroit mieux à
l'adventure et auroit plus de fermeté que toutes celles
qu'ils emprunteront de leur raison et de leur invention.

De cette-cy seroient capables avec nous tous les animaux et tout ce où le commandement est encor pur et simple de la loy naturelle; mais eux, ils y ont renoncé. Il ne faut pas qu'ils me dient : « Il est vray, car vous le voyez et sentez ainsin »; il faut qu'ils me dient si, ce que je pense sentir, je le sens pourtant en effect; et, si je le sens, qu'ils me dient après pourquoy je le sens, et comment, et quoy; qu'ils me dient le nom, l'origine, les tenans et aboutissans de la chaleur, du froid, les qualitez de celuy qui agit et de celuy qui souffre; ou qu'ils me quittent [388] leur profession, qui est de ne recevoir ny approuver rien que par la voye de la raison; c'est leur touche à toutes sortes d'essais; mais certes c'est une touche pleine de faulceté, d'erreur, de foiblesse et defaillance.

Par où la voulons nous mieux esprouver que par elle mesme ? S'il ne la faut croire parlant de soy, à peine sera-elle propre à juger des choses estrangeres; si elle connoit quelque chose, au moins sera ce son estre et son domicile. Elle est en l'ame, et partie ou effect d'icelle : car la vraye raison est essentielle, de qui nous desrobons le nom à faulces enseignes, elle loge dans le sein de Dieu; c'est là son giste et sa retraite, c'est de là où elle part quand il plaist à Dieu nous en faire voir quelque rayon, comme Pallas saillit de la teste de son père pour se communiquer au monde.

Or voyons ce que l'humaine raison nous a appris de soy et de l'ame; /// non de l'ame en general, de la quelle quasi toute philosophie rend les corps celestes et les premiers corps participans; ny de celle que Thales attribuoit aux choses mesmes qu'on tient inanimées, convié par la consideration de l'aimant; mais de celle qui nous appartient, que nous devons mieux cognoistre.

> // *Ignoratur enim quæ sit natura animaï,*
> *Nata sit, an contra nascentibus insinuetur.*
> *Et simul intereat nobiscum morte dirempta,*
> *An tenebras orci visat vastasque lacunas,*
> *An pecudes alias divinitus insinuet se* [389].

/ A Crates et Dicæarchus, qu'il n'y en avoit du tout point, mais que le corps s'esbranloit ainsi d'un mouvement naturel; à Platon, que c'estoit une substance se mouvant de soy-mesme; à Thales, une nature sans repos; à Asclepiades, une exercitation des sens; à Hesiodus et Anaximander, chose composée de terre et d'eau; à Parmenides, de terre et de feu; à Empedocles, de sang,

Sanguineam vomit ille animam [390] ;

à Possidonius, Cleantes et Galen, une chaleur ou complexion chaleureuse,

Igneus est ollis vigor, et cœlestis origo [391] ;

à Hypocrates, un esprit espandu par le corps ; à Varro,
un air receu par la bouche, eschauffé au poulmon, attrempé
au cœur et espandu par tout le corps ; à Zeno, la quint'essence des quatre elemens ; à Heraclides Ponticus, la
lumiere ; à Xenocrates et aux Ægyptiens, un nombre
mobile ; aux Chaldées, une vertu sans forme determinée,

// *habitum quemdam vitalem corporis esse,*
Harmoniam Græci quam dicunt [392].

/ N'oublions pas Aristote : ce qui naturellement fait mouvoir le corps, qu'il nomme entelechie ; d'une autant froide
invention que nulle autre, car il ne parle ny de l'essence,
ny de l'origine, ny de la nature de l'ame, mais en remerque
seulement l'effect. Lactance, Seneque, et la meilleure part
entre les dogmatistes, ont confessé que c'estoit chose qu'ils
n'entendoient pas. /// Et, après tout ce denombrement
d'opinions : « *Harum sententiarum quæ vera sit, deus aliquis
viderit* [393] », dict Cicero. / Je connoy par moy, dict S. Ber-
nard, combien Dieu est incomprehensible, puis que, les
pieces de mon estre propre, je ne les puis comprendre.
/// Heraclytus, qui tenoit tout estre plein d'ames et de
daimons, maintenoit pourtant qu'on ne pouvoit aller tant
avant vers la cognoissance de l'ame qu'on y peust arriver,
si profonde estre son essence.

/ Il n'y a pas moins de dissention ny de debat à la loger.
Hipocrates et Hierophilus la mettent au ventricule du
cerveau ; Democritus et Aristote, par tout le corps,

// *Ut bona sæpe valetudo cum dicitur esse*
Corporis, et non est tamen hæc pars ulla valentis [394] ;

/ Epicurus, en l'estomac,

// *Hic exsultat enim pavor ac metus, hæc loca circum*
Lætitiæ mulcent [395].

/ Les Stoïciens, autour et dedans le cœur ; Erasistratus,
joignant la membrane de l'epicrane ; Empedocles, au sang ;
comme aussi Moyse, qui fut la cause pourquoy il defendit

de manger le sang des bestes, auquel leur ame est jointe;
Galen a pensé que chaque partie du corps ait son ame;
Strato l'a logée entre les deux sourcils. /// « *Qua facie quidem sit animus, aut ubi habitet, ne quærendum quidem est* [396] »,
dict Cicero. Je laisse volontiers à cet homme ses mots
propres. Irois-je alterer à l'eloquence son parler ? Joint
qu'il y a peu d'acquest à desrober la matiere de ses inventions : elles sont et peu frequentes, et peu roides, et peu
ignorées. / Mais la raison pourquoy Chrysippus l'argumente autour du cœur, comme les autres de sa secte,
n'est pas pour estre oubliée : « C'est par ce, dit-il, que
quand nous voulons asseurer quelque chose, nous mettons
la main sur l'estomac; et quand nous voulons prononcer
ἐγώ, qui signifie moy, nous baissons vers l'estomac la
machouere d'embas. » Ce lieu ne se doit passer sans
remerquer la vanité d'un si grand personnage. Car, outre
ce que ces considerations sont d'elles mesmes infinimant
legieres, la derniere ne preuve que aux Grecs, qu'ils ayent
l'ame en cet endroit là. Il n'est jugement humain, si tendu,
qui ne sommeille par fois.

/// Que craignons nous à dire ? Voylà les Stoïciens, peres
de l'humaine prudence, qui trouvent que l'ame d'un
homme accablé sous une ruine, traine et ahanne [397] longtemps à sortir, ne se pouvant demesler de la charge, comme
une souris prinse à la trapelle.

Aucuns tiennent que le monde fut faict pour donner
corps par punition aux esprits decheus, par leur faute, de
la pureté en quoy ils avoyent esté creés, la premiere
creation n'ayant esté qu'incorporelle; et que, selon qu'ils
se sont plus ou moins esloignez de leur spiritualité, on les
incorpore plus ou moins alaigrement ou lourdement. De
là vient la varieté de tant de matiere creée. Mais l'esprit
qui fut, pour sa peine, investi du corps du soleil, devoit
avoir une mesure d'alteration bien rare et particuliere.
Les extremitez de nostre perquisition [398] tombent toutes
en esblouyssement : comme dict Plutarque de la teste [399]
des histoires, qu'à la mode des chartes [400] l'orée [401] des terres
cognuës est saisie de marets, forests profondes, deserts et
lieux inhabitables. Voilà pourquoy les plus grossieres et
pueriles ravasseries se treuvent plus en ceux qui traittent
les choses plus hautes et plus avant, s'abysmans en leur
curiosité et presomption. La fin et le commencement de
science se tiennent en pareille bestise. Voyez prendre à
mont l'essor à Platon en ses nuages poetiques; voyez chez
luy le jargon des Dieux. Mais à quoy songeoit il quand
/ il definit l'homme un animal à deux pieds, sans plume;

fournissant à ceux qui avoient envie de se moquer de luy
une plaisante occasion : car, ayans plumé un chapon vif,
ils l'aloient nommant l'homme de Platon.

Et quoy les Epicuriens ? de quelle simplicité estoyent
ils allez premierement imaginer que leurs atomes, qu'ils
disoyent estre des corps ayants quelque pesanteur et un
mouvement naturel contre bas, eussent basti le monde ;
jusques à ce qu'ils fussent avisez par leurs adversaires que,
par cette description, il n'estoit pas possible qu'elles se
joignissent et se prinsent l'une à l'autre, leur cheute estant
ainsi droite et perpendiculaire, et engendrant par tout des
lignes parallelles ? Parquoy, il fut force qu'ils y adjou-
tassent depuis un mouvement de costé, fortuite, et qu'ils
fournissent encore à leurs atomes des queues courbes et
crochues, pour les rendre aptes à s'attacher et se coudre.

/// Et lors mesme, ceux qui les poursuyvent de cette
autre consideration, les mettent ils pas en peine ? Si les
atomes ont, par sort, formé tant de sortes de figures, pour
quoy ne se sont ils jamais rencontrez à faire une maison, un
soulier ? Pour quoy, de mesme, ne croid on qu'un nombre
infini de lettres grecques versées emmy la place, seroyent
pour arriver à la contexture de l'*Iliade* ? Ce qui est capable
de raison, dict Zeno, est meilleur que ce qui n'en est
point capable : il n'est rien meilleur que le monde ; il est
donc capable de raison. Cotta, par cette mesme argumentation, faict le monde mathematicien ; et le faict musicien
et organiste par cette autre argumentation, aussi de Zeno :
Le tout est plus que la partie ; nous sommes capables de
sagesse et parties du monde : il est donc sage.

/ Il se void infinis pareils exemples, non d'argumens
faux seulement, mais ineptes, ne se tenans point, et accu-
sans leurs autheurs non tant d'ignorance que d'imprudence,
ès reproches que les philosophes se font les uns aux autres
sur les dissentions de leurs opinions et de leurs sectes.
/// Qui fagoteroit suffisamment un amas des asneries de
l'humaine prudence, il diroit merveilles.

J'en assemble volontiers comme une montre, par quelque
biais non moins utile à considerer que les opinions saines
et moderées. / Jugeons par là ce que nous avons à estimer
de l'homme, de son sens et de sa raison, puis qu'en ces
grands personnages, et qui ont porté si haut l'humaine
suffisance, il s'y trouve des deffauts si apparens et si grossiers. Moy, j'ayme mieux croire qu'ils ont traité la science
casuellement, ainsi qu'un jouet à toutes mains, et se sont
esbatus de la raison comme d'un instrument vain et frivole, mettant en avant toutes sortes d'inventions et de

fantasies, tantost plus tendues, tantost plus lâches. Ce mesme Platon qui definit l'homme comme une poule, il dit ailleurs, après Socrates, qu'il ne sçait à la verité que c'est que l'homme, et que c'est l'une des pieces du monde d'autant difficile connoissance. Par cette varieté et instabilité d'opinions, ils nous menent comme par la main, tacitement, à cette resolution de leur irresolution. Ils font profession de ne presenter pas tousjours leur avis en visage descouvert et apparent; ils l'ont caché tantost sous des umbrages fabuleux de la Poësie, tantost soubs quelque autre masque; car nostre imperfection porte encores cela, que la viande crue n'est pas tousjours propre à nostre estomac : il la faut assecher, alterer et corrompre. Ils font de mesmes : ils obscurcissent par fois leurs naïfves opinions et jugemens, et les falsifient, pour s'accommoder à l'usage publique. Ils ne veulent pas faire profession expresse d'ignorance et de l'imbecillité de la raison humaine, /// pour ne faire peur aux enfans; / mais ils nous la descouvrent assez soubs l'apparence d'une science trouble et inconstante.

// Je conseillois, en Italie, à quelqu'un qui estoit en peine de parler Italien, que, pourveu qu'il ne cerchast qu'à se faire entendre, sans y vouloir autrement exceller, qu'il employast seulement les premiers mots qui luy viendroyent à la bouche, Latins, François, Espaignols ou Gascons, et qu'en y adjoustant la terminaison Italienne, il ne faudroit jamais à rencontrer quelque idiome du pays, ou Thoscan, ou Romain, ou Venitien, ou Piemontois, ou Napolitain, et de se joindre à quelqu'une de tant de formes. Je dis de mesme de la Philosophie; elle a tant de visages et de varieté, et a tant dict, que tous nos songes et resveries s'y trouvent. L'humaine phantasie ne peut rien concevoir en bien et en mal qui n'y soit. /// « *Nihil tam absurde dici potest quod non dicatur ab aliquo philosophorum* [401 bis]. » // Et j'en laisse plus librement aller mes caprices en public; d'autant que, bien qu'ils soyent nez chez moy et sans patron, je sçay qu'ils trouveront leur relation à quelque humeur ancienne; et ne faudra quelqu'un de dire : « Voylà d'où il le print! »

/// Mes meurs sont naturelles; je n'ay point appellé à les bastir le secours d'aucune discipline. Mais, toutes imbecilles qu'elles sont, quand l'envie m'a pris de les reciter, et que, pour les faire sortir en publiq un peu plus decemment, je me suis mis en devoir de les assister et de discours et d'exemples, ce a esté merveille à moy mesmes de les rencontrer, par cas d'adventure, conformes à tant d'exemples et discours philosophiques. De quel regiment [402] estoit ma vie, je ne l'ay appris qu'après qu'elle est exploitée et employée.

Nouvelle figure : un philosophe impremedité et fortuite! / Pour revenir à nostre ame, ce que Platon a mis la raison au cerveau, l'ire au cœur et la cupidité au foye, il est vraysemblable que ça esté plustost une interpretation des mouvemens de l'ame, qu'une division et separation qu'il en ayt voulu faire, comme d'un corps en plusieurs membres. Et la plus vraysemblable de leurs opinions est que c'est tousjours une ame qui, par sa faculté, ratiocine, se souvient, comprend, juge, desire et exerce toutes ses autres operations par divers instrumens du corps (comme le nocher gouverne son navire selon l'experience qu'il en a, ores tendant ou lâchant une corde, ores haussant l'antenne ou remuant l'aviron, par une seule puissance conduisant divers effets); et qu'elle loge au cerveau : ce qui apert de ce que les blessures et accidens qui touchent cette partie, offencent incontinent les facultez de l'ame; de là, il n'est pas inconvenient [403] qu'elle s'escoule par le reste du corps :

> /// *medium non deserit unquam*
> *Cœli Phœbus iter; radiis tamen omnia lustrat* [404];

/ comme le soleil espand du ciel en hors sa lumiere et ses puissances, et en remplit le monde

> *Cætera pars animæ per totum dissita corpus*
> *Paret, et ad numen mentis momenque movetur* [405].

Aucuns ont dit qu'il y avoit une ame generale, comme un grand corps, duquel toutes les ames particulieres estoyent extraictes et s'y en retournoyent, se remeslant tousjours à cette matiere universelle,

> *Deum namque ire per omnes*
> *Terrasque tractusque maris cœlumque profundum :*
> *Hinc pecudes, armenta, viros, genus omne ferarum,*
> *Quemque sibi tenues nascentem arcessere vitas;*
> *Scilicet huc reddi deinde, ac resoluta referri*
> *Omnia : nec morti esse locum* [406];

d'autres, qu'elles ne faisoyent que s'y resjoindre et r'atacher; d'autres, qu'elles estoyent produites de la substance divine; d'autres, par les anges, de feu et d'air. Aucuns, de

toute ancienneté; aucuns, sur l'heure mesme du besoing.
Aucuns les font descendre du rond de la Lune et y retourner. Le commun des anciens, qu'elles sont engendrées de
pere en fils, d'une pareille maniere et production que
toutes autres choses naturelles, argumentans cela par la
ressemblance des enfans aux peres,

> *Instillata patris virtus tibi* [407] :
>
> . . . .
> *Fortes creantur fortibus et bonis* [408],

et qu'on void escouler des peres aux enfans, non seulement
les marques du corps, mais encores une ressemblance
d'humeurs, de complexions et inclinations de l'ame :

> *Denique cur acris violentia triste leonum*
> *Seminium sequitur; dolus vulpibus, et fuga cervis*
> *A patribus datur, et patrius pavor incitat artus;*
> *Si non certa suo quia semine seminioque*
> *Vis animi pariter crescit cum corpore toto* [409] ?

que là dessus se fonde la justice divine, punissant aux
enfans la faute des peres; d'autant que la contagion des
vices paternels est aucunement empreinte en l'ame des
enfans, et que le desreglement de leur volonté les touche.

Davantage, que, si les ames venoyent d'ailleurs que
d'une suite naturelle, et qu'elles eussent esté quelque autre
chose hors du corps, elles auroyent recordation de leur
estre premier, attendu les naturelles facultez qui luy sont
propres de discourir, raisonner et se souvenir :

> // *si in corpus nascentibus insinuatur,*
> *Cur superante actam ætatem meminisse nequimus,*
> *Nec vestigia gestarum rerum ulla tenemus* [410] ?

/ Car, pour faire valoir la condition de nos ames comme
nous voulons, il les faut presupposer toutes sçavantes,
lors qu'elles sont en leur simplicité et pureté naturelle.
Par ainsin elles eussent esté telles, estant exemptes de la
prison corporelle, aussi bien avant que d'y entrer, comme
nous esperons qu'elles seront après qu'elles en seront sorties. Et de ce sçavoir, il faudroit qu'elles se ressouvinssent
encore estant au corps, comme disoit Platon que ce que
nous aprenions n'estoit qu'un ressouvenir de ce que
nous avions sçeu : chose que chacun, par experience, peut
maintenir estre fauce. En premier lieu, d'autant qu'il ne

nous ressouvient justement que de ce qu'on nous apprend, et que, si la memoire faisoit purement son office, au moins nous suggereroit elle quelque traict outre l'apprentissage. Secondement, ce qu'elle sçavoit, estant en sa pureté, c'estoit une vraye science, connoissant les choses comme elles sont par sa divine intelligence, là où icy on luy faict recevoir la mensonge et le vice, si on l'en instruit! Enquoy elle ne peut employer sa reminiscence, cette image et conception n'ayant jamais logé en elle. De dire que la prison corporelle estouffe de maniere ses facultez naifves qu'elles y sont toutes esteintes, cela est premierement contraire à cette autre creance, de reconnoistre ses forces si grandes, et les operations que les hommes en sentent en cette vie, si admirables que d'en avoir conclud cette divinité et æternité passée, et l'immortalité a-venir :

> // Nam, si tantopere est animi mutata potestas
> Omnis ut actarum exciderit retinentia rerum,
> Non, ut opinor, ea ab leto jam longior errat [411].

/ En outre, c'est icy, chez nous et non ailleurs, que doivent estre considerées les forces et les effects de l'ame; tout le reste de ses perfections luy est vain et inutile : c'est de l'estat present que doit estre payée et reconnue toute son immortalité, et de la vie de l'homme qu'elle est contable seulement. Ce seroit injustice de luy avoir retranché ses moyens et ses puissances; de l'avoir desarmée, pour, du temps de sa captivité et de sa prison, de sa foiblesse et maladie, du temps où elle auroit esté forcée et contrainte, tirer le jugement et une condemnation de durée infinie et perpetuelle; et de s'arrester à la consideration d'un temps si court, qui est à l'avanture d'une ou de deux heures, ou, au pis aller, d'un siecle, qui n'a non plus de proportion à l'infinité qu'un instant, pour, de ce moment d'intervalle, ordonner et establir définitivement de tout son estre. Ce seroit une disproportion inique de tirer une recompense eternelle en consequence d'une si courte vie.

/// Platon, pour se sauver de cet inconvenient, veut que les païemens futurs se limitent à la durée de cent ans relativement à l'humaine durée; et des nostres assez leur ont donné bornes temporelles.

/ Par ainsin ils jugeoient que sa generation suyvoit la commune condition des choses humaines, comme aussi sa vie, par l'opinion d'Epicurus et de Democritus, qui a esté la plus receuë, suyvant ces belles apparences, qu'on la voyoit naistre à mesme que le corps en estoit capable;

on voyoit eslever ses forces comme les corporelles; on y reconnoissoit la foiblesse de son enfance, et, avec le temps, sa vigeur et sa maturité; et puis sa declination [412] et sa vieillesse, et en fin sa decrepitude,

> *gigni pariter cum corpore, et una*
> *Crescere sentimus, pariterque senescere mentem* [413].

Ils l'apercevoyent capable de diverses passions et agitée de plusieurs mouvemens penibles, d'où elle tomboit en lassitude et en douleur, capable d'alteration et de changement, d'alegresse, d'assopissement et de langueur, subjecte à ses maladies et aux offences, comme l'estomac ou le pied,

> || *mentem sanari, corpus ut ægrum*
> *Cernimus, et flecti medicina posse videmus* [414] ;

/ esblouye et troublée par la force du vin; desmue de son assiete par les vapeurs d'une fievre chaude; endormie par l'application d'aucuns medicamens, et reveillée par d'autres

> || *corpoream naturam animi esse necesse est,*
> *Corporeis quoniam telis ictuque laborat* [415].

/ On luy voyoit estonner et renverser toutes ses facultez par la seule morsure d'un chien malade, et n'y avoir nulle si grande fermeté de discours, nulle suffisance, nulle vertu, nulle resolution philosophique, nulle contention de ses forces qui la peut exempter de la subjection de ces accicens; la salive d'un chetif mastin, versée sur la main de Socrates, secouër toute sa sagesse et toutes ses grandes et si reglées imaginations, les aneantir de maniere qu'il ne restat aucune trace de sa connoissance premiere :

> || *vis animaï*
> *Conturbatur. . . . . . et divisa seorsum*
> *Disjectatur, eodem illo distracta veneno* [416] ;

/ et ce venin ne trouver non plus de resistance en cette ame qu'en celle d'un enfant de quatre ans; venin capable de faire devenir toute la philosophie, si elle estoit incarnée, furieuse et insensée; si que Caton, qui tordoit le col à la mort mesme et à la fortune, ne peut souffrir la veuë d'un miroir, ou de l'eau, accablé d'espouvantement et d'effroy, quand il seroit tombé, par la contagion d'un chien enragé, en la maladie que les medecins nomment Hydroforbie :

> // *vis morbi distracta per artus*
> *Turbat agens animam, spumantes æquore salso*
> *Ventorum ut validis fervescunt viribus undæ* [417].

/ Or, quant à ce point, la philosophie a bien armé l'homme pour la souffrance de tous autres accidens, ou de patience, ou, si elle couste trop à trouver, d'une deffaite infallible, en se desrobant tout à fait du sentiment; mais ce sont moyens qui servent à une ame estant à soy et en ses forces, capable de discours et de deliberation non pas à cet inconvenient où, chez un philosophe, une ame devient l'ame d'un fol, troublée, renversée et perdue : ce que plusieurs occasions produisent comme une agitation trop vehemente que, par quelque forte passion, l'ame peut engendrer en soy mesme ou une blessure en certain endroit de la persone, ou une exhalation de l'estomac nous jectant à un esblouissement et tournoyement de teste,

> // *morbis in corporis, avius errat*
> *Sæpe animus : dementit enim, deliraque fatur;*
> *Interdumque gravi Lethargo fertur in altum*
> *Æternumque soporem, oculis nutuque cadenti* [418].

/ Les philosophes n'ont, ce me semble, guiere touché cette corde.

/// Non plus qu'une autre de pareille importance. Ils ont ce dilemme tousjours en la bouche pour consoler nostre mortelle condition : « Ou l'ame est mortelle, ou immortelle. Si mortelle, elle sera sans peine; si immortelle, elle ira en amendant. » Ils ne touchent jamais l'autre branche : « Quoy, si elle va en empirant ? » et laissent aux poëtes les menaces des peines futures. Mais par là ils se donnent un beau jeu. Ce sont deux omissions qui s'offrent à moy souvent en leurs discours. Je reviens à la premiere.

/ Cette ame pert le goust du souverain bien Stoïque, si constant et si ferme. Il faut que nostre belle sagesse se rende en cet endroit et quitte les armes. Au demeurant, ils consideroient aussi, par la vanité de l'humaine raison, que le meslange et societe de deux pièces si diverses, comme est le mortel et l'immortel, est inimaginable :

> *Quippe etenim mortale æterno jungere, et una*
> *Consentire putare, et fungi mutua posse,*
> *Desipere est. Quid enim diversius esse putandum est,*
> *Aut magis inter se disjunctum discrepitansque,*
> *Quam mortale quod est, immortali atque perenni*
> *Junctum, in concilio sævas tolerare procellas* [419] ?

Davantage, ils sentoyent l'ame s'engager en la mort,
comme le corps,

// *simul ævo fessa fatiscit* [420] :

/// ce que, selon Zeno, l'image du sommeil nous montre
assez; car il estime que c'est une defaillance et cheute de
l'ame aussi bien que du corps : « *Contrahi animum et quasi
labi putat atque concidere* [421]. » / Et ce, qu'on apercevoit en
aucuns sa force et sa vigueur se maintenir en la fin de la
vie, ils le raportoyent à la diversité des maladies, comme
on void les hommes en cette extremité maintenir qui un
sens, qui un autre, qui l'ouir, qui le fleurer, sans alteration;
et ne se voit point d'affoiblissement si universel, qu'il n'y
reste quelques parties entieres et vigoureuses :

// *Non alio pacto quam si, pes cum dolet ægri,
In nullo caput interea sit forte dolore* [422].

La veuë de nostre jugement se rapporte à la verité,
comme faict l'œil du chat-huant à la splendeur du Soleil
ainsi que dit Aristote. Par où le sçaurions nous mieux
convaincre que par si grossiers aveuglemens en une si
apparente lumiere ?

/ Car l'opinion contraire de l'immortalité de l'ame,
/// laquelle Cicero dict avoir esté premierement introduitte,
au moins du tesmoignage des livres, par Pherecydes Syrus,
du temps du Roy Tullus (d'autres en attribuent l'invention
à Thales, et autres à d'autres), / c'est la partie de l'humaine
science traictée avec plus de reservation et de doute. Les
dogmatistes les plus fermes sont contraints en cet endroict
principalement se rejetter à l'abry des ombrages de
l'Academie. Nul ne sçait ce qu'Aristote a establi de ce
subject : /// non plus que tous les anciens en general, qui
le manient d'une vacillante creance : « *rem gratissimam
promittentium magis quam probantium* [423] ». / Il s'est caché
soubs le nuage de paroles et sens difficiles et non intelligibles, et a laissé à ses sectateurs autant à debattre sur son
jugement que sur la matiere. Deux choses leur rendoient
cette opinion plausible : l'une, que, sans l'immortalité des
ames, il n'y auroit plus de quoy asseoir les vaines esperances
de la gloire, qui est une consideration de merveilleux credit
au monde; l'autre, que c'est une très-utile impression,
/// comme dict Platon, / que les vices, quand ils se desro-
beront à la veue obscure et incertaine de l'humaine justice;
demeurent tousjours en butte à la divine, qui les poursui-
vra, voire après la mort des coupables.

/// Un soing extreme tient l'homme d'alonger son estre,
il y a pourveu par toutes ses pieces. Et pour la conservation
du corps sont les sepultures; pour la conservation du nom,
la gloire.

Il a employé toute son opinion à se rebastir, impatient
de sa fortune, et à s'estançonner par ses inventions. L'ame,
par son trouble et sa foiblesse ne pouvant tenir sur son
pied, va questant de toutes parts des consolations, esperances et fondemens en des circonstances estrangeres où
elle s'attache et se plante; et, pour legers et fantastiques
que soyt son invention les luy forge, s'y repose plus seurement
qu'en soy, et plus volontiers.

/ Mais les plus ahurtez [424] à cette si juste et claire persuasion de l'immortalité de nos esprits, c'est merveille comme
ils se sont trouvez courts et impuissans à l'establir par leurs
humaines forces : /// « *Somnia sunt non docentis, sed optan-
tis* [425] », disoit un ancien. / L'homme peut reconnoistre,
par ce tesmoignage, qu'il doit à la fortune et au rencontre,
la verité qu'il descouvre luy seul, puis que, lors mesme
qu'elle luy est tombée en main, il n'a pas dequoy la saisir
et la maintenir, et que sa raison n'a pas la force de s'en
prevaloir. Toutes choses produites par nostre propre discours et suffisance, autant vrayes que fauces, sont subjectes
à incertitude et debat. C'est pour le chastiement de nostre
fierté et instruction de nostre misere et incapacité, que
Dieu produisit le trouble et la confusion de l'ancienne tour
de Babel. Tout ce que nous entreprenons sans son assistance, tout ce que nous voyons sans la lampe de sa grace,
ce n'est que vanité et folie; l'essence mesme de la verité,
qui est uniforme et constante, quand la fortune nous en
donne la possession, nous la corrompons et abastardissons
par nostre foiblesse. Quelque train que l'homme preigne de
soy, Dieu permet qu'il arrive tousjours à cette mesme
confusion, de la quelle il nous represente si vivement
l'image par le juste chastiement dequoy il batit l'outrecuidance de Nembrot [426] et aneantit les vaines entreprinses
du bastiment de sa Pyramide : /// « *Perdam sapientiam
sapientium, et prudentiam prudentium reprobabo* [427]. » / La
diversité d'ydiomes et de langues, dequoy il trouble cet
ouvrage, qu'est ce autre chose que cette infinie et perpetuelle altercation et discordance d'opinions et de raisons
qui accompaigne et embrouille le vain bastiment de
l'humaine science. /// Et l'embrouille utillement. Qui nous
tiendroit, si nous avions un grain de connoissance ? Ce
sainct m'a faict grand plaisir : « *Ipsa veritatis occultatio aut
humilitatis exercitatio est, aut elationis attritio* [428]. » Jusques

à quel poinct de presomption et d'insolence ne portons nous nostre aveuglement et nostre bestise ?

/ Mais, pour reprendre mon propos, c'estoit vrayment bien raison que nous fussions tenus à Dieu seul, et au benefice de sa grace, de la verité d'une si noble creance, puis que de sa seule liberalité nous recevons le fruit de l'immortalité, lequel consiste en la jouyssance de la beatitude eternelle.

/// Confessons ingenuement que Dieu seul nous l'a dict, et la foy : car leçon n'est ce pas de nature et de nostre raison. Et qui retentera [429] son estre et ses forces, et dedans et dehors, sans ce privilege divin; qui verra l'homme sans le flatter, il n'y verra ny efficace, ny faculté qui sente autre chose que la mort et la terre. Plus nous donnons, et devons, et rendons à Dieu, nous en faisons d'autant plus Chrestiennement.

Ce que ce philosophe Stoïcien dict tenir du fortuite consentement de la voix populere, valoit il pas mieux qu'il le tinst de Dieu ? » *Cum de animorum æternitate disserimus, non leve momentum apud nos habet consensus hominum aut timentium inferos, aut colentium. Utor hac publica persuasione* [430]. »

/ Or la foiblesse des argumens humains sur ce subject se connoit singulierement par les fabuleuses circonstances qu'ils ont adjoustées à la suite de cette opinion, pour trouver de quelle condition estoit cette nostre immortalité. /// Laissons les Stoïciens — « *usuram nobis largiuntur tanquam cornicibus : diu mansuros aïunt animos; semper negant* [431] » — qui donnent aux ames une vie au delà de ceste cy, mais finie. / La plus universelle et plus receuë opinion, et qui dure jusques à nous en divers lieux, ç'a esté celle de laquelle on fait autheur Pythagoras, non qu'il en fust le premier inventeur, mais d'autant qu'elle receut beaucoup de poix et de credit par l'authorité de son approbation; c'est que les ames, au partir de nous, ne faisoient que rouler de l'un corps à un autre, d'un lyon à un cheval, d'un cheval à un Roy, se promenants ainsi sans cesse de maison en maison.

/// Et luy, disoit se souvenir avoir esté Æthalides, despuis Euphorbus, en après Hermotimus, en fin de Pyrrhus estre passé en Pythagoras, ayant memoire de soy de deux cents six ans. Adjoustoyent aucuns que ces ames remontent au ciel par fois et après en devallent encores :

> *O pater, anne aliquas ad cœlum hinc ire putandum est*
> *Sublimes animas iterumque ad tarda reverti*
> *Corpora ? Quæ lucis miseris tam dira cupido* [432] ?

Origene les faict aller et venir eternellement du bon ou mauvais estat. L'opinion que Varro recite est qu'en 440 ans de revolution elles se rejoignent à leur premier corps, Chrysippus, que cela doit advenir après certain espace de temps non limité.

Platon, qui dict tenir de Pindare et de l'ancienne poësie cette creance des infinies vicissitudes de mutation ausquelles l'ame est preparée, n'ayant ny les peines ny les recompenses en l'autre monde que temporelles, comme sa vie en cestuy-cy n'est que temporelle, conclud en elle une singuliere science des affaires du ciel, de l'enfer et d'icy où elle a passé, repassé et séjourné à plusieurs voyages : matiere à sa reminiscence.

Voici son progrès [433] ailleurs : Qui a bien vescu, il se rejoint à l'astre auquel il est assigné; qui mal, il passe en femme, et si, lors mesme, il ne se corrige point, il se rechange en beste de condition convenable à ses meurs vitieuses, et ne verra fin à ses punitions qu'il ne soit revenu à sa naïfve constitution, s'estant par la force de la raison défaict des qualitez grossieres, stupides et elementaires qui estoyent en luy.

/ Mais je ne veux oublier l'objection que font à cette transmigration de corps à un autre les Epicuriens. Elle est plaisante. Ils demandent quel ordre il y auroit si la presse des mourans venoit à estre plus grande que des naissans : car les ames deslogées de leur giste seroient à se fouler à qui prendroit place la premiere dans ce nouvel estuy. Et demandent aussi à quoy elles passeroient leur temps, ce pendant qu'elles attendroient qu'un logis fut apresté. Ou, au rebours, s'il naissoit plus d'animaux qu'il n'en mourroit, ils disent que les corps seroient en mauvais party, attendant l'infusion de leur ame, et en adviendroit qu'aucuns d'iceus se mourroient avant que d'avoir esté vivans :

> *Denique connubia ad veneris partusque ferarum*
> *Esse animas præsto deridiculum esse videtur,*
> *Et spectare immortales mortalia membra*
> *Innumero numero, certareque præproperanter*
> *Inter se, quæ prima potissimaque insinuetur* [434].

D'autres ont arresté l'ame au corps des trespassez pour en animer les serpents, les vers et autres bestes qu'on dit s'engendrer de la corruption de nos membres, voire et de nos cendres. D'autres la divisent en une partie mortelle, et l'autre immortelle. Autres la font corporelle, et ce

neantmoins immortelle. Aucuns la font immortelle, sans
science et sans cognoissance. Il y en a aussi qui ont estimé
que des ames des condamnez il s'en faisoit des diables
/// (et aulcuns des nostres [435] l'ont ainsi jugé); / comme
Plutarque pense qu'il se face des dieux de celles qui sont
sauvées; car il est peu de choses que cet autheur là establisse
d'une façon de parler si resolue qu'il faict cette-cy, maintenant par tout ailleurs une maniere dubitatrice et ambiguë.
« Il faut estimer (dit-il) et croire fermement que les
ames des hommes vertueux selon nature et selon justice
divine deviennent, d'hommes, saincts; et de saincts, demy-
dieux; et de demy-dieux, après qu'ils sont parfaitement,
comme ès sacrifices de purgation, nettoyez et purifiez,
estans delivrez de toute passibilité [436] et de toute mortalité,
ils deviennent, non par aucune ordonnance civile, mais
à la verité et selon raison vraysemblable, dieux entiers
et parfaits, en recevant une fin très-heureuse et très-glo-
rieuse. » Mais qui le voudra voir, luy qui est des plus
retenus pourtant et moderez de la bande, s'escarmoucher
avec plus de hardiesse et nous conter ses miracles sur ce
propos je le renvoye à son discours *de la Lune* et *du Dæmon
de Socrates*, là où, aussi evidemment qu'en nul autre lieu,
il se peut adverer les mysteres de la philosophie avoir
beaucoup d'estrangetez communes avec celles de la poesie :
l'entendement humain se perdant à vouloir sonder et
controller toutes choses jusques au bout; tout ainsi
comme, lassez et travaillez de la longue course de nostre
vie, nous retombons en enfantillage. — Voylà les belles
et certaines instructions que nous tirons de la science
humaine sur le subject de nostre ame.

Il n'y a point moins de temerité en ce qu'elle nous
apprend des parties corporelles. Choisissons en un ou deux
exemples, car autrement nous nous perdrions dans cette
mer trouble et vaste des erreurs medecinales. Sçachons si
on s'accorde au moins en cecy : de quelle matiere les
hommes se produisent les uns des autres. /// Car, quant à
leur premiere production, ce n'est pas merveille si, en
chose si haute et ancienne, l'entendement humain se
trouble et dissipe. Archelaus le physicien, duquel Socrates
fut le disciple et le mignon selon Aristoxenus, disoit et les
hommes et les animaux avoir esté faicts d'un limon laic-
teux, exprimé par la chaleur de la terre. / Pithagoras dict
notre semence estre l'escume de notre meilleur sang; Platon, l'escoulement de la moelle de l'espine du dos, ce qu'il
argumente de ce que cet endroit se sent le premier de la
lasseté de la besongne; Alcmeon, partie de la substance

du cerveau; et qu'il soit ainsi, dit-il, les yeux troublent
à ceux qui se travaillent outre mesure à cet exercice;
Democritus, une substance extraite de toute la masse
corporelle; Epicurus, extraicte de l'ame et du corps; Aristote, un excrement tiré de l'aliment du sang, le dernier
qui s'espand en nos membres; autres, du sang cuit et
digeré par la chaleur des genitoires, ce qu'ils jugent de ce
qu'aus extremes efforts on rend des gouttes de pur sang :
enquoy il semble qu'il y ayt plus d'apparence, si on peut
tirer quelque apparence d'une confusion si infinie. Or,
pour mener à effect cette semence, combien en font-ils
d'opinions contraires ? Aristote et Democritus tiennent que
les femmes n'ont point de sperme, et que ce n'est qu'une
sueur qu'elles eslancent par la chaleur du plaisir et du
mouvement, qui ne sert de rien à la generation; Galen, au
contraire, et ses suyvans, que, sans la rencontre des
semences, la generation ne se peut faire. Voylà les medecins, les philosophes, les jurisconsultes et les theologiens
aux prises, pesle mesle avecques nos femmes, sur la dispute
à quels termes les femmes portent leur fruict. Et moy je
secours, par l'exemple de moy-mesme, ceux d'entre eux
qui maintiennent la grossesse d'onze moys. Le monde est
basty de cette experience : il n'est si simple femmelette qui
ne puisse dire son advis sur toutes ces contestations, et si,
nous n'en sçaurions estre d'accord.

En voylà assez pour verifier que l'homme n'est non plus
instruit de la connoissance de soy en la partie corporelle
qu'en la spirituelle. Nous l'avons proposé luy mesmes à
soy, et sa raison à sa raison, pour voir ce qu'elle nous en
diroit. Il me semble assez avoir montré combien peu elle
s'entend en elle mesme.

/// Et qui ne s'entend en soy, en quoy se peut-il entendre ?

«*Quasi vero mensuram ullius rei possit agere, qui sui nesciat*[437].»

Vrayement Protagoras nous en contoit de belles, faisant
l'homme la mesure de toutes choses, qui ne sceut jamais
seulement la sienne. Si ce n'est luy, sa dignité ne permettra
pas qu'autre creature ayt cet advantage. Or, luy, estant
en soy si contraire et l'un jugement en subvertissant
l'autre sans cesse, cette favorable proposition n'estoit
qu'une risée qui nous menoit à conclurre par necessité la
neantise du compas et du compasseur.

Quand Thales estime la cognoissance de l'homme très-
difficile à l'homme, il luy apprend la cognoissance de toute
autre chose luy estre impossible.

/ Vous [438], pour qui j'ay pris la peine d'estendre un si long corps contre ma coustume, ne refuyrez poinct de maintenir vostre Sebond par la forme ordinaire d'argumenter dequoy vous estes tous les jours instruite, et exercerez en cela vostre esprit et vostre estude : car ce dernier tour d'escrime icy, il ne le faut employer que comme un extreme remede. C'est un coup desesperé, auquel il faut abandonner vos armes pour faire perdre à vostre adversaire les siennes, et un tour secret, duquel il se faut servir rarement et reservéement. C'est grande temerité de vous perdre vous mesmes pour perdre un autre.

// Il ne faut pas vouloir mourir pour se venger, comme fit Gobrias : car, estant aux prises bien estroictes avec un seigneur de Perse, Darius y survenant l'espée au poing, qui craignoit de frapper, de peur d'assener Gobrias, il luy cria qu'il donnast hardiment, quand il devroit donner au travers tous les deux.

/// Des armes et conditions de combat si desesperées qu'il est hors de creance que l'un ny l'autre se puisse sauver, je les ay veu condamner, ayant esté offertes. Les Portugais prindrent 14 Turcs en la mer des Indes, lesquels, impatiens de leur captivité, se resolurent, et leur succeda, à mettre et eux et leurs maistres, et le vaisseau en cendre, frotant des clous de navire l'un contre l'autre, tant qu'une estincelle de feu tombat sur les barrils de poudre à canon qu'il y avoit.

/ Nous secouons icy les limites et dernieres clotures des sciences, ausquelles l'extremité est vitieuse, comme en la vertu. Tenez vous dans la route commune, il ne faict mie bon estre si subtil et si fin. Souvienne vous de ce que dit le proverbe Thoscan : « *Chi troppo s'assottiglia si scavezza* [439]. » Je vous conseille, en vos opinions et en vos discours, autant qu'en vos mœurs et en toute autre chose, la moderation et l'attrempance, et la fuite de la nouvelleté et de l'estrangeté. Toutes les voyes extravagantes me fachent. Vous qui, par l'authorité que vostre grandeur vous apporte, et encores plus par les avantages que vous donnent les qualitez plus vostres, pouvez d'un clin d'œil commander à qui il vous plaist, deviez donner cette charge à quelqu'un qui fist profession des lettres, qui vous eust bien autrement appuyé et enrichy cette fantasie. Toutesfois en voicy assez pour ce que vous en avez à faire.

Epicurus disoit des loix que les pires nous estoient si necessaires que, sans elles, les hommes s'entremangeroient les uns les autres. /// Et Platon, à deux doits près, que, sans

loix, nous viverions comme bestes brutes; et s'essaye à le
verifier. / Nostre esprit est un util vagabond, dangereux
et temeraire : il est malaisé d'y joindre l'ordre et la mesure.
Et, de mon temps, ceus qui ont quelque rare excellence
au dessus des autres et quelque vivacité extraordinaire,
nous les voyons quasi tous desbordez en licence d'opinions
et de meurs. C'est miracle s'il s'en rencontre un rassis et
sociable. On a raison de donner à l'esprit humain les
barrieres les plus contraintes qu'on peut. En l'estude,
comme au reste, il luy faut compter et reigler ses marches,
il luy faut tailler par art les limites de sa chasse. On le
bride et garrote de religions, de loix, de coustumes, de
science, de preceptes, de peines et recompenses mortelles
et immortelles; encores voit-on que, par sa volubilité et
dissolution, il eschappe à toutes ces liaisons. C'est un corps
vain, qui n'a par où estre saisi et assené [440]; un corps divers
et difforme, auquel on ne peut assoir neud ni prise.
// Certes il est peu d'ames si reiglées, si fortes et bien nées,
à qui on se puisse fier de leur propre conduicte, et qui
puissent, avec moderation et sans temerité, voguer en la
liberté de leurs jugements au delà des opinions communes.
Il est plus expedient de les mettre en tutelle.

C'est un outrageus [441] glaive que l'esprit, /// à son posses-
seur mesme, / pour qui ne sçait s'en armer ordonnéement
et discrettement. /// Et n'y a point de beste à qui plus justement il faille donner des orbieres [442] pour tenir sa veuë
subjecte et contrainte devant ses pas, et la garder d'extravaguer ny çà, ny là, hors les ornieres que l'usage et les loix
luy tracent. / Parquoy il vous siera mieux de vous resserrer
dans le train accoustumé, quel qu'il soit, que de jetter
vostre vol à cette licence effrenée. Mais si quelqu'un de
ces nouveaux docteurs [443] entreprend de faire l'ingenieux
en vostre presence, aux despens de son salut et du vostre;
pour vous deffaire de cette dangereuse peste qui se repand
tous les jours en vos cours, ce preservatif, à l'extreme
necessité, empeschera que la contagion de ce venin
n'offencera ny vous, ny vostre assistance.

La liberté donq et gaillardise de ces esprits anciens produisoit en la philosophie et sciences humaines plusieurs
sectes d'opinions differentes, chacun entreprenant de juger
et de choisir pour prendre party. Mais à present /// que les
hommes vont tous un train, « *qui certis quibusdam destina-*
tisque sententiis addicti et consecrati sunt, ut etiam quæ non
probant, cogantur defendere [444] », et / que nous recevons les
arts par civile authorité et ordonnance, /// si que les escholes
n'ont qu'un patron et pareille institution et discipline

circonscrite, / on ne regarde plus ce que les monnoyes
poisent et valent, mais chacun à son tour les reçoit selon le
pris que l'approbation commune et le cours leur donne.
On ne plaide pas de l'alloy [445], mais de l'usage : ainsi se
mettent également toutes choses. On reçoit la medecine
comme la Geometrie; et les batelages, les enchantemens,
les liaisons [446], le commerce des esprits des trespassez, les
prognostications, les domifications [447], et jusques à cette
ridicule poursuitte de la pierre philosophale, tout se met
sans contredict. Il ne faut que sçavoir que le lieu de Mars
loge au milieu du triangle de la main, celui de Venus au
pouce, et de Mercure au petit doigt; et que, quand la
mensale [448] coupe le tubercle [449] de l'enseigneur [450], c'est
signe de cruauté; quand elle faut soubs le mitoyen [451]
et que la moyenne naturelle [452] fait un angle avec la vitale [453]
soubs mesme endroit, que c'est signe d'une mort miserable.
Que si, à une femme, la naturelle est ouverte, et ne ferme
point l'angle avec la vitale, cela denote qu'elle sera mal
chaste. Je vous appelle vous mesme à tesmoin, si avec cette
science un homme ne peut passer avec reputation et
faveur parmy toutes compaignies.

   Theophrastus disoit que l'humaine cognoissance, ache-
minée par les sens, pouvoit juger des causes des choses
jusques à certaine mesure, mais qu'estant arrivée aux
causes extremes et premieres, il falloit qu'elle s'arrestat et
qu'elle rebouchat [454], à cause ou de sa foiblesse ou de la
difficulté des choses. C'est une opinion moyenne et douce,
que nostre suffisance nous peut conduire jusques à la
cognoissance d'aucunes choses, et qu'elle a certaines
mesures de puissance, outre lesquelles c'est temerité de
l'employer. Cette opinion est plausible et introduicte par
gens de composition [455]; mais il est malaisé de donner
bornes à nostre esprit : il est curieux et avide, et n'a
point occasion de s'arrester plus tost à mille pas qu'à cinquante. Ayant essayé par experience que ce à quoy l'un
s'estoit failly, l'autre y est arrivé; et que ce qui estoit
incogneu à un siecle, le siecle suyvant l'a esclaircy; et que
les sciences et les arts ne se jettent pas en moule, ains se
forment et figurent peu à peu en les maniant et pollissant
à plusieurs fois, comme les ours façonnent leurs petits
en les lechant à loisir : ce que ma force ne peut descouvrir,
je ne laisse pas de le sonder et essayer; et, en retastant et
pétrissant cette nouvelle matiere, la remuant et l'eschau-
fant, j'ouvre à celuy qui me suit quelque facilité pour en
jouir plus à son ayse, et la luy rends plus souple et plus
maniable,

ut hymettia sole
Cera remollescit, tractataque pollice, multas
Vertitur in facies, ipsoque fit utilis usu [456].

Autant en fera le second au tiers : qui est cause que la difficulté ne me doit pas desesperer, ny aussi peu mon impuissance, car ne n'est que la mienne. L'homme est capable de toutes choses, comme d'aucunes ; et s'il advouë, comme dit Theophrastus, l'ignorance des causes premieres et des principes, qu'il me quitte hardiment tout le reste de sa science : si le fondement luy faut, son discours est par terre ; le disputer et l'enquerir n'a autre but et arrest que les principes ; si cette fin n'arreste son cours, il se jette à une irresolution infinie. /// « *Non potest aliud alio magis minusve comprehendi, quoniam omnium rerum una est definitio comprehendendi* [457]. »

/ Or il est vray-semblable que, si l'ame sçavoit quelque chose, elle se sçavoit premierement elle mesme ; et, si elle sçavoit quelque chose hors d'elle, ce seroit son corps et son estuy, avant toute autre chose. Si on void jusques aujourd'hui les dieux de la medecine se debatre de nostre anatomie,

Mulciber in Trojam, pro Troja stabat Apollo [458],

quand attendons nous qu'ils en soyent d'accord ? Nous nous sommes plus voisins que ne nous est la blancheur de la nege ou la pesanteur de la pierre. Si l'homme ne se connoit, comment connoit il ses fonctions et ses forces ? Il n'est pas à l'avanture que quelque notice veritable ne loge chez nous, mais c'est par hazard. Et d'autant que par mesme voye, mesme façon et conduite, les erreurs se reçoivent en nostre ame, elle n'a pas dequoy les distinguer, ny dequoy choisir la verité du mensonge.

Les Academiciens recevoyent quelque inclination de jugement, et trouvoyent trop crud de dire qu'il n'estoit pas plus vray-semblable que la nege fust blanche que noire, et que nous ne fussions non plus asseurez du mouvement d'une pierre qui part de nostre main, que de celui de la huictiesme sphere. Et pour éviter cette difficulté et estrangeté, qui ne peut à la verité loger en nostre imagination que malaiséement, quoy qu'ils establissent que nous n'estions aucunement capables de sçavoir, et que la verité est engoufrée dans des profonds abysmes où la veuë humaine ne peut penetrer, si advouoint-ils les unes choses plus vray-semblables que les autres, et recevoyent en leur jugement cette faculté de se pouvoir incliner plustost à une apparence qu'à un'autre : ils luy permettoyent cette propension, luy defandant toute resolution.

L'advis des Pyrrhoniens est plus hardy et, quant et quant, plus vray-semblable. Car cette inclination Academique et cette propension à une proposition plustost qu'à une autre, qu'est-ce autre chose que la recognoissance de quelque plus apparente verité en cette cy qu'en celle là ? Si nostre entendement est capable de la forme, des lineamens, du port et du visage de la verité, il la verroit entiere aussi bien que demie, naissante et imperfecte. Cette apparence de verisimilitude qui les faict pendre plustost à gauche qu'à droite, augmentez la ; cette once de verisimilitude qui incline la balance, multipliez la de cent, de mille onces, il en adviendra en fin que la balance prendra party tout à faict, et arrestera un chois et une verité entiere. Mais comment se laissent ils plier à la vray-semblance, s'ils ne cognoissent le vray ? Comment cognoissent ils la semblance de ce dequoy ils ne cognoissent pas l'essence ? Ou nous pouvons juger tout à faict, ou tout à faict nous ne le pouvons pas. Si noz facultez intellectuelles et sensibles sont sans fondement et sans pied, si elles ne font que floter et vanter, pour neant laissons nous emporter nostre jugement à aucune partie de leur operation, quelque apparence qu'elle semble nous presenter; et la plus seure assiette de nostre entendement, et la plus heureuse, ce seroit celle là où il se maintiendroit rassis, droit, inflexible, sans bransle et sans agitation. /// « *Inter visa vera aut falsa ad animi assensum nihil interest* [459]. »

/ Que les choses ne logent pas chez nous en leur forme et en leur essence, et n'y facent leur entrée de leur force propre et authorité, nous le voyons assez : par ce que, s'il estoit ainsi, nous les recevrions de mesme façon; le vin seroit tel en la bouche du malade qu'en la bouche du sain. Celuy qui a des crevasses aux doits, ou qui les a gourdes, trouveroit une pareille durté au bois ou au fer qu'il manie, que fait un autre. Les subjets estrangers se rendent donc à nostre mercy; ils logent chez nous comme il nous plaist. Or si de nostre part nous recevions quelque chose sans alteration, si les prises humaines estoient assez capables et fermes pour saisir la verité par noz propres moyens, ces moyens estans communs à tous les hommes, cette verité se rejecteroit de main en main de l'un à l'autre. Et au moins se trouveroit il une chose au monde, de tant qu'il y en a, qui se croiroit par les hommes d'un consentement universel. Mais ce, qu'il ne se void aucune propo-

sition qui ne soit debatue et controverse entre nous, ou
qui ne le puisse estre, montre bien que nostre jugement
naturel ne saisit pas bien clairement ce qu'il saisit. Car
mon jugement ne le peut faire recevoir au jugement de
mon compaignon : qui est signe que je l'ay saisi par quelque
autre moyen que par une naturelle puissance qui soit en
moy et en tous les hommes.

Laissons à part cette infinie confusion d'opinions qui
se void entre les philosophes mesmes, et ce debat perpetuel et universel en la connoissance des choses. Car cela
est presuposé très-veritablement, que de aucune chose les
hommes, je dy les sçavans les mieux nais, les plus suffisans,
ne sont d'accord, non pas que le ciel soit sur nostre teste;
car ceux qui doutent de tout, doutent aussi de cela; et ceux
qui nient que nous puissions aucune chose comprendre,
disent que nous n'avons pas compris que le ciel soit sur
nostre teste; et ces deux opinions sont en nombre, sans
comparaison, les plus fortes.

Outre cette diversité et division infinie, par le trouble
que nostre jugement nous donne à nous mesmes, et l'incertitude que chacun sent en soy, il est aysé à voir qu'il
a son assiete bien mal assurée. Combien diversement
jugeons nous des choses ? combien de fois changeons
nous nos fantasies ? Ce que je tiens aujourd'huy et ce
que je croy, je le tiens et le croy de toute ma croyance;
tous mes utils et tous mes ressorts empoignent cette
opinion et m'en respondent sur tout ce qu'ils peuvent.
Je ne sçaurois ambrasser aucune verité ny conserver avec
plus de force que je fay cette cy. J'y suis tout entier, j'y
suis voyrement; mais ne m'est-il pas advenu, non une fois,
mais cent, mais mille, et tous les jours, d'avoir ambrassé
quelqu'autre chose à tout ces mesmes instrumens, en cette
mesme condition, que depuis j'aye jugée fauce ? Au moins
faut il devenir sage à ses propres despans. Si je me suis
trouvé souvent trahy sous cette couleur, si ma touche [460]
se trouve ordinairement fauce et ma balance inegale et
injuste, quelle asseurance en puis-je prendre à cette fois
plus qu'aux autres ? N'est-ce pas sottise de me laisser tant
de fois piper à un guide ? Toutesfois que la fortune nous
remue cinq cens fois de place, qu'elle ne face que vuyder
et remplir sans cesse, comme dans un vaisseau, dans nostre
croyance autres et autres opinions, tousjours la presente et la
derniere c'est la certaine et l'infallible. Pour cette cy il
faut abandonner les biens, l'honneur, la vie et le salut, et
tout,

posterior res illa reperta,
Perdit, et immutat sensus ad pristina quæque [461].

// Quoy qu'on nous presche, quoy que nous aprenons, il faudroit tousjours se souvenir que c'est l'homme qui donne et l'homme qui reçoit; c'est une mortelle main qui nous le presente, c'est une mortelle main qui l'accepte. Les choses qui nous viennent du ciel ont seules droict et auctorité de persuasion; seules, marque de verité; laquelle aussi ne voyons nous pas de nos yeux, ny ne la recevons par nos moyens : cette sainte et grande image ne pourroit pas en un si chetif domicile, si Dieu pour cet usage ne le prepare, si Dieu ne le reforme et fortifie par sa grace et faveur particuliere et supernaturelle.

/ Au moins devroit nostre condition fautiere nous faire porter [462] plus moderément et retenuement en noz changemens. Il nous devroit souvenir, quoy que nous receussions en l'entendement, que nous y recevons souvent des choses fauces, et que c'est par ces mesmes utils qui se démentent et qui se trompent souvent.

Or n'est-il pas merveille s'ils se dementent, estant si aisez à incliner et à tordre par bien legeres occurrences. Il est certain que nostre apprehension, nostre jugement et les facultez de nostre ame en general souffrent selon les mouvemens et alterations du corps, lesquelles alterations sont continuelles. N'avons nous pas l'esprit plus esveillé, la memoire plus prompte, le discours plus vif en santé qu'en maladie ? La joye et la gayeté ne nous font elles pas recevoir les subjets qui se presentent à nostre ame d'un tout autre visage que le chagrin et la melancholie ? Pensez-vous que les vers de Catulle ou de Sapho rient à un vieillart avaritieux et rechigné comme à un jeune homme vigoureux et ardent ? // Cleomenes, fils d'Anaxandridas, estant malade, ses amys luy reprochoient qu'il avoit des humeurs et fantasies nouvelles et non accoustumées : « Je croy bien, fit-il; aussi ne suis-je pas celuy que je suis estant sain; estant autre, aussi sont autres mes opinions et fantasies. » / En la chicane de nos palais ce mot est en usage, qui se dit des criminels qui rencontrent les juges en quelque bonne trampe, douce et debonnaire : *gaudeat de bona fortuna,* qu'il jouisse de ce bon heur; car il est certain que les jugemens se rencontrent par fois plus tendus à la condamnation, plus espineux et aspres, tantost plus faciles, aisez et enclins à l'excuse. Tel qui raporte de sa maison la douleur de la goute, la jalousie, ou le larrecin de son valet, ayant toute l'ame teinte et abreuvée de colere,

il ne faut pas douter que son jugement ne s'en altere vers
cette part là. // Ce venerable senat d'Areopage jugeoit de
nuict, de peur que la veuë des poursuivans corrompit sa
justice. / L'air mesme et la serenité du ciel nous apporte
quelque mutation, comme dit ce vers Grec en Cicero,

> *Tales sunt hominum mentes, quali pater ipse*
> *Juppiter auctifera lustravit lampade terras* [463].

Ce ne sont pas seulement les fievres, les breuvages et les
grands accidens qui renversent nostre jugement; les
moindres choses du monde le tournevirent. Et ne faut
pas douter, encores que nous ne le sentions pas, que, si
la fièvre continue peut atterrer notre ame, que la tierce
n'y apporte quelque alteration selon sa mesure et proportion. Si l'apoplexie assoupit et esteint tout à fait la veuë
de nostre intelligence, il ne faut pas doubter que le morfondement [464] ne l'esblouisse; et, par consequent, à peine
se peut il rencontrer une seule heure en la vie où nostre
jugement se trouve en sa deuë assiete, nostre corps estant
subject à tant de continuelles mutations, et estofé de tant
de sortes de ressorts, que (j'en croy les medecins) combien
il est malaisé qu'il n'y en ayt tousjours quelqu'un qui tire
de travers.

Au demeurant, cette maladie ne se descouvre pas si
aiséement, si elle n'est du tout extreme et irremediable,
d'autant que la raison va tousjours, et torte, et boiteuse,
et deshanchée, et avec le mensonge comme avec la verité.
Par ainsin, il est malaisé de descouvrir son mesconte et
desreglement. J'appelle tousjours raison cette apparence
de discours que chacun forge en soy; cette raison, de la
condition de laquelle il y en peut avoir cent contraires
autour d'un mesme subject, c'est un instrument de plomb
et de cire, alongeable, ployable et accommodable à tous
biais et à toutes mesures; il ne reste [465] que la suffisance de
le sçavoir contourner. Quelque bon dessein qu'ait un juge,
s'il ne s'escoute de prez, à quoy peu de gens s'amusent,
l'inclination à l'amitié, à la parenté, à la beauté et à la
vengeance, et non pas seulement choses si poisantes,
mais cet instinct fortuite qui nous faict favoriser une chose
plus qu'une autre, et qui nous donne, sans le congé de la
raison, le chois en deux pareils subjects, ou quelque
umbrage [466] de pareille vanité, peuvent insinuer insensiblement en son jugement la recommandation ou deffaveur
d'une cause et donner pente à la balance.

Moy qui m'espie de plus prèz, qui ay les yeux incessam-

ment tendus sur moy, comme celuy qui n'ay pas fort
à-faire ailleurs,

> quis sub Arcto
> *Rex gelidæ metuatur oræ,*
> *Quod Tyridatem terreat, unice*
> *Securus* [467],

à peine oseroy-je dire la vanité et la foiblesse que je trouve
chez moy. J'ay le pied si instable et si mal assis, je le trouve
si aysé à croler [468] et si prest au branle, et ma veuë si desreglée, que à jun je me sens autre qu'après le repas; si
ma santé me rid et la clarté d'un beau jour, me voylà
honneste homme; si j'ay un cor qui me presse l'orteil,
me voylà renfroigné, mal plaisant et inacessible. // Un
mesme pas de cheval me scmble tantost rude, tantost aysé,
et mesme chemin à cette heure plus court, une autre fois
plus long, et une mesme forme ores plus, ores moins
agreable. / Maintenant je suis à tout faire, maintenant à
rien faire; ce qui m'est plaisir à cette heure, me sera quelque
fois peine. Il se faict mille agitations indiscretes et casuelles
chez moy. Ou l'humeur melancholique me tient, ou la
cholerique; et de son authorité privée à cet'heure le
chagrin prédomine en moy, à cet' heure l'alegresse. Quand
je prens des livres, j'auray apperceu en tel passage des graces
excellentes et qui auront feru [469] mon ame; qu'un'autre
fois j'y retombe, j'ay beau le tourner et virer, j'ay beau
le plier et le manier, c'est une masse inconnue et informe
pour moy.

// En mes escris mesmes je ne retrouve pas tousjours l'air
de ma premiere imagination; je ne sçay ce que j'ay voulu
dire, et m'eschaude souvent à corriger et y mettre un
nouveau sens, pour avoir perdu le premier, qui valloit
mieux. Je ne fay qu'aller et venir : mon jugement ne tire
pas tousjours avant; il flotte, il vague,

> *velut minuta magno*
> *Deprensa navis in mari vesaniente vento* [470].

Maintes-fois (comme il m'advient de faire volontiers)
ayant pris pour exercice et pour esbat à maintenir une
contraire opinion à la mienne, mon esprit, s'applicant et
tournant de ce costé là, m'y attache si bien que je ne trouve
plus la raison de premier advis, et m'en despars. Je m'entraine quasi où je penche, comment que ce soit, et m'emporte de mon pois.

Chacun à peu près en diroit autant de soy, s'il se regar-

doit comme moy. Les prescheurs sçavent que l'emotion
qui leur vient en parlant, les anime vers la creance, et
qu'en cholere nous nous adonnons plus à la deffence de
nostre proposition, l'imprimons en nous et l'embrassons
avec plus de vehemence et d'approbation que nous ne
faisons estant en nostre sens froid et reposé. Vous recitez
simplement une cause à l'advocat, il vous y respond chan-
cellant et doubteux : vous sentez qu'il luy est indifferent
de prendre à soustenir l'un ou l'autre party; l'avez vous
bien payé pour y mordre et pour s'en formaliser [471], commence il d'en estre interessé, y a-il eschauffé sa volonté ? sa
raison et sa science s'y eschauffent quant et quant; voilà
une apparente et indubitable verité qui se presente à son
entendement; il y descouvre une toute nouvelle lumiere,
et le croit à bon escient, et se le persuade ainsi. Voire, je
ne scay si l'ardeur qui naist du despit et de l'obstination
à l'encontre de l'impression et violence du magistrat et
du danger, /// ou l'interest de la reputation // n'ont envoyé
tel homme soustenir jusques au feu l'opinion pour laquelle,
entre ses amys, et en liberté, il n'eust pas voulu s'eschauder
le bout du doigt.

/ Les secousses et esbranlemens que nostre ame reçoit
par les passions [472] corporelles, peuvent beaucoup en elle,
mais encore plus les siennes propres, ausquelles elle est
si fort en prinse qu'il est à l'advanture soustenable qu'elle
n'a aucune autre alleure et mouvement que du souffle de
ses vents, et que, sans leur agitation, elle resteroit sans
action, comme un navire en pleine mer que les vents
abandonnent de leur secours. Et qui maintiendroit cela
/// suivant le parti des Peripateticiens / ne nous feroit pas
beaucoup de tort, puis qu'il est connu que la pluspart
des plus belles actions de l'ame procedent et ont besoin
de cette impulsion des passions. La vaillance, disent-ils,
ne se peut parfaire sans l'assistance de la cholere.

/// *Semper Ajax fortis, fortissimus tamen in furore* [473].

Ny ne court on sus aux meschants et aux ennemis
assez vigoureusement, si on n'est courroucé. Et veulent
que l'advocat inspire le courrous aux juges pour en tirer
justice. Les cupiditez esmeurent Themistocles, esmeurent
Demosthenes; et ont poussé les philosophes aux travaux,
veillées et peregrinations; nous meinent à l'honneur, à la
doctrine, à la santé, fins utiles. Et cette lascheté d'ame à
souffrir l'ennuy et la fascherie sert à nourrir en la conscience la penitence et la repentance et à sentir les fleaux de

Dieu pour nostre chastiment et les fleaux de la correction politique. / La compassion sert d'aiguillon à la // clemence, et la prudence de nous conserver et gouverner est esveillée par nostre crainte; et combien de belles actions par l'ambition ? combien par la presomption ? / Aucune eminente et gaillarde vertu en fin n'est sans quelque agitation desreglée. Seroit-ce pas l'une des raisons qui auroit meu les Epicuriens à descharger Dieu de tout soin et sollicitude de nos affaires, d'autant que les effects mesmes de sa bonté ne se pouvoient exercer envers nous sans esbranler son repos par le moyen des passions, qui sont comme des piqueures et sollicitations acheminans l'ame aux actions vertueuses ? /// Ou bien ont ils creu autrement et les ont prinses comme tempestes qui desbauchent honteusement l'ame de sa tranquilité ? « *Ut maris tranquillitas intelligitur, nulla, ne minima quidem, aura fluctus commovente : sic animi quietus et placatus status cernitur, quum perturbatio nulla est qua moveri queat* [474]. »

/ Quelles differences de sens et de raison, quelle contrarieté d'imaginations nous presente la diversité de nos passions! Quelle asseurance pouvons nous donq prendre de chose si instable et si mobile, subjecte par sa condition à la maistrise du trouble, /// n'allant jamais qu'un pas forcé et emprunté ? / Si nostre jugement est en main [475] à la maladie mesmes et à la perturbation; si c'est de la folie et de la temerité qu'il est tenu de recevoir l'impression des choses, quelle seurté pouvons nous attendre de luy ?

/// N'y a il point de la hardiesse à la philosophie d'estimer des hommes qu'ils produisent leurs plus grands effects et plus approchans de la divinité, quand ils sont hors d'eux et furieux et insensez ? Nous nous amendons par la privation de nostre raison et son assoupissement. Les deux voies naturelles pour entrer au cabinet des Dieux et y preveoir le cours des destinées sont la fureur et le sommeil. Cecy est plaisant à considerer : par la dislocation que les passions apportent à nostre raison, nous devenons vertueux; par son extirpation que la fureur ou l'image de la mort apporte, nous devenons prophetes et divins [476]. Jamais plus volontiers je ne l'en creus. C'est un pur enthousiasme que la saincte verité a inspiré en l'esprit philosophique, qui luy arrache, contre sa proposition, que l'estat tranquille de nostre ame, l'estat rassis, l'estat plus sain que la philosophie luy puisse acquerir, n'est pas son meilleur estat. Nostre veillée est plus endormie que le dormir; nostre sagesse, moins sage que la folie; noz songes vallent mieux que noz discours. La pire place que nous puissions prendre, c'est en nous. Mais pense elle pas que nous ayons l'advisement de [477] remarquer que la voix qui faict l'esprit, quand il est despris [478] de l'homme, si clair-voyant, si grand, si parfaict et, pendant qu'il est en l'homme, si terrestre, ignorant et tenebreux, c'est une voix partant de l'esprit qui est partie de l'homme terrestre, ignorant et tenebreux, et à cette cause voix infiable [479] et incroyable ?

/ Je n'ay point grande experience de ces agitations vehementes (estant d'une complexion molle et poisante) desquelles la pluspart surprennent subitement nostre ame, sans luy donner loisir de se connoistre. Mais cette passion qu'on dict estre produite par l'oisiveté au cœur des jeunes hommes, quoy qu'elle s'achemine avec loisir et d'un progrés mesuré, elle represente bien evidemment, à ceux qui ont essayé de s'opposer à son effort, la force de cette conversion et alteration que nostre jugement souffre. J'ay autrefois entrepris de me tenir bandé pour la soustenir et rabatre (car il s'en faut tant que je sois de ceux qui convient les vices, que je ne les suis pas seulement, s'ils ne m'entrainent); je la sentois naistre, croistre, et s'augmenter en despit de ma resistance, et en fin, tout voyant et vivant, me saisir et posseder de façon que, comme d'une yvresse, l'image des choses me commençoit à paroistre autre que de coustume; je voyois evidemment grossir et croistre les avantages du subjet que j'allois désirant, et agrandir et enfler par le vent de mon imagination; les difficultez de mon entreprinse s'aiser [480] et se planir, mon discours et ma conscience se tirer arriere; mais, ce feu estant evaporé, tout à un instant, comme de la clarté d'un esclair, mon ame reprendre une autre sorte de veuë, autre estat et autre jugement; les difficultez de la retraite me sembler grandes et invincibles, et les mesmes choses de bien autre goust et visage que la chaleur du desir ne me les avoit presentées. Lequel plus veritablement ? Pyrrho n'en sçait rien. Nous ne sommes jamais sans maladie. Les fiévres ont leur chaud et leur froid; des effects d'une passion ardente nous retombons aux effects d'une passion frilleuse.

// Autant que je m'estois jetté en avant, je me relance d'autant en arriere :

> Qualis ubi alterno procurrens gurgite pontus
> Nunc ruit ad terras, scopulisque superjacit undam,
> Spumeus, extremamque sinu perfundit arenam;
> Nunc rapidus retro atque æstu revoluta resorbens
> Saxa fugit, littusque vado labente relinquit [481].

/ Or de la cognoissance de cette mienne volubilité j'ay
par accident engendré en moy quelque constance d'opinions, et n'ay guiere alteré les miennes premieres et naturelles. Car, quelque apparence qu'il y ayt en la nouvelleté,
je ne change pas aiséement, de peur que j'ay de perdre au
change. Et, puis que je ne suis pas capable de choisir, je
pren le chois d'autruy et me tien en l'assiette où Dieu m'a
mis. Autrement, je ne me sçauroy garder de rouler sans
cesse. Ainsi me suis-je, par la grace de Dieu, conservé
entier, sans agitation et trouble de conscience, aux
anciennes creances de nostre religion, au travers de tant de
sectes et de divisions que nostre siecle a produittes. Les
escrits des anciens, je dis les bons escrits, pleins et solides,
me tentent et remuent quasi où ils veulent; celuy que j'oy
me semble tousjours le plus roide; je les trouve avoir
raison chacun à son tour, quoy qu'ils se contrarient. Cette
aisance que les bons esprits ont de rendre ce qu'ils veulent
vray-semblable, et qu'il n'est rien si estrange à quoy ils
n'entreprennent de donner assez de couleur, pour tromper
une simplicité pareille à la mienne, cela montre evidemment la foiblesse de leur preuve. Le ciel et les estoilles ont
branlé trois mille ans; tout le monde l'avoit ainsi creu,
jusques à ce que /// Cleanthes le Samien ou, selon Theophraste, Nicetas Sicarusien / s'avisa de maintenir que
c'estoit la terre qui se mouvoit /// par le cercle oblique du
Zodiaque tournant à l'entour de son aixieu; / et, de nostre
temps, Copernicus a si bien fondé cette doctrine, qu'il s'en
sert très-regléement à toutes les consequences Astronomiques. Que prendrons nous de là, sinon qu'il ne nous doit
chaloir le quel ce soit des deux ? Et qui sçait qu'une tierce
opinion, d'icy à mille ans, ne renverse les deux precedentes ?

> Sic volvenda ætas commutat tempora rerum :
> Quod fuit in pretio, fit nullo denique honore ;
> Porro aliud succedit, et e contemptibus exit,
> Inque dies magis appetitur, floretque repertum
> Laudibus, et miro est mortales inter honore [482].

Ainsi, quand il se presente à nous quelque doctrine nouvelle, nous avons grande occasion de nous en deffier, et
de considerer qu'avant qu'elle fut produite, sa contraire
estoit en vogue; et, comme elle a esté renversée par cette-cy,
il pourra naistre à l'advenir une tierce invention qui
choquera de mesme la seconde. Avant que les principes
qu'Aristote a introduicts fussent en credit, d'autres prin-

cipes contentoient la raison humaine, comme ceux-cy nous contentent à cette heure. Quelles lettres [483] ont ceux-cy, quel privilege particulier, que le cours de nostre invention s'arreste à eux, et qu'à eux appartient pour tout le temps advenir la possession de nostre creance ? ils ne sont non plus exempts du boute-hors qu'estoient leurs devanciers. Quand on me presse d'un nouvel argument, c'est à moy à estimer que, ce à quoy je ne puis satisfaire, un autre y satisfera ; car de croire toutes les apparences desquelles nous ne pouvons nous deffaire, c'est une grande simplesse. Il en adviendroit par là que tout le vulgaire, /// et nous sommes tous du vulgaire, / auroit sa creance contournable [484] comme une girouette ; car leur ame, estant molle et sans resistance, seroit forcée de recevoir sans cesse autres et autres impressions, la derniere effaçant tousjours la trace de la precedente. Celuy qui se trouve foible, il doit respondre, suyvant la pratique qu'il en parlera à son conseil, ou s'en raporter aux plus sages, desquels il a receu son apprentissage. Combien y a-il que la medecine est au monde ? On dit qu'un nouveau venu, qu'on nomme Paracelse, change et renverse tout l'ordre des regles anciennes, et maintient que jusques à cette heure elle n'a servy qu'à faire mourir les hommes. Je croy qu'il verifiera ayséement cela ; mais de mettre ma vie à la preuve de sa nouvelle experience, je trouve que ce ne seroit pas grand sagesse.

Il ne faut pas croire à chacun, dict le precepte, par ce que chacun peut dire toutes choses.

Un homme de cette profession de nouvelletez et de reformations physiques me disoit, il n'y a pas long temps, que tous les anciens s'estoient evidemment mescontez en la nature et mouvemens des vents, ce qu'il me feroit très-evidemment toucher à la main, si je voulois l'entendre. Apres que j'eus eu un peu de patience à ouyr ses arguments, qui avoient tout plein de verisimilitude : « Comment donc, luy fis-je, ceux qu navigeoient soubs les loix de Theophraste, alloient ils en occident, quand ils tirioient en levant ? alloient-ils à costé, ou à reculons ? — C'est la fortune, me respondit-il : tant y a qu'ils se mescontoient. » Je luy repliquay lors que j'aymois mieux suyvre les effets que la raison.

Or ce sont choses qui se choquent souvent ; et m'a l'on dit qu'en la Geometrie (qui pense avoir gaigné le haut point de certitude parmy les sciences) il se trouve des demonstrations inevitables, subvertissans la verité de l'experience : comme Jaques Peletier me disoit chez moy qu'il avoit trouvé deux lignes [485] s'acheminans l'une vers l'autre pour se joindre, qu'il verifioit toutefois ne pouvoir jamais, jusques à l'infinité, arriver à se toucher; et les Pyrrhoniens ne se servent de leurs argumens et de leur raison que pour ruiner l'apparence de l'experience; et est merveille jusques où la souplesse de nostre raison les a suivis à ce dessein de combattre l'evidence des effects : car ils verifient que nous ne nous mouvons pas, que nous ne parlons pas, qu'il n'y a point de poisant ou de chaut, avecques une pareille force d'argumentations que nous verifions les choses plus vray-semblables. Ptolemeus, qui a esté un grand personnage, avoit establi les bornes de nostre monde; tous les philosophes anciens ont pensé en tenir la mesure, sauf quelques Isles escartées qui pouvoient eschapper à leur cognoissance; c'eust esté Pyrrhoniser, il y a mille ans, que de mettre en doute la science de la Cosmographie, et les opinions qui en estoient receuës d'un chacun; // c'estoit heresie d'avouer des Antipodes; / voilà de nostre siecle une grandeur infinie de terre ferme, non pas une isle ou une contrée particuliere, mais une partie esgale à peu près en grandeur à celle que nous cognoissions, qui vient d'estre descouverte. Les Geographes de ce temps ne faillent pas d'asseurer que meshuy tout est trouvé et que tout est veu,

Nam quod adest præsto, placet, et pollere videtur [486].

Sçavoir mon, si Ptolomée s'y est trompé autrefois sur les fondemens de sa raison, si ce ne seroit pas sottise de me fier maintenant à ce que ceux cy en disent, /// et s'il n'est pas plus vray-semblable que ce grand corps que nous appellons le monde, est chose bien autre que nous ne jugeons.

Platon tient qu'il change de visage à tout sens; que le ciel, les estoilles et le soleil renversent par fois le mouvement que nous y voyons, changeant l'Orient en Occident. Les prestres Ægyptiens dirent à Herodote que depuis leur premier Roy, de quoy il y avoit onze mille tant d'ans (et de tous leurs Roys ils luy feirent veoir les effigies en statues tirées après le vif), le Soleil avoit changé quatre fois de route; que la mer et la terre se changent alternativement l'un en l'autre; que la naissance du monde est indeterminée; Aristote, Cicero, de mesmes; et quelqu'un d'entre nous [487], qu'il est, de toute eternité, mortel et renaissant à plusieurs vicissitudes, appellant à tesmoins Salomon et Esaïe, pour eviter ces oppositions que Dieu a esté quel-

quefois createur sans creature, qu'il a esté oisif, qu'il s'est
desdict de son oisiveté, mettant la main à cet ouvrage,
et qu'il est par consequent subjet à mutation. En la plus
fameuse des Grecques escoles, le monde est tenu pour un
Dieu faict par un autre Dieu plus grand, et est composé
d'un corps et d'une ame qui loge en son centre, s'espandant
par nombres de musique à sa circonferance, divin, très-
heureux, très-grand, très-sage, eternel. En luy sont d'autres
Dieux, la terre, la mer, les astres, qui s'entretiennent [488]
d'une harmonieuse et perpetuelle agitation et danse divine,
tantost se rencontrans, tantost s'esloignans, se cachans,
se montrans, changeans de rang, ores davant et ores
derriere. Heraclitus establissoit le monde estre composé par
feu et, par l'ordre des destinées, se devoir enflammer et
resoudre en feu quelque jour, et quelque jour encore
renaistre. Et des hommes dict Apuleie : « *Sigillatim mortales,
cunctim perpetui* [489]. » Alexandre escrivit à sa mere la
narration d'un prestre Ægyptien tirée de leurs monumens, tesmoignant l'ancienneté de cette nation infinie et
comprenant la naissance et progrez des autres païs au
vray. Cicero et Diodorus disent de leur temps que les
Chaldéens tenoient regitre de quatre cens mille tant d'ans ;
Aristote, Pline et autres, que Zoroastre vivoit six mille ans
avant l'aage de Platon. Platon dict que ceux de la ville de
Saïs ont des memoires par escrit de huit mille ans, et que
la ville d'Athenes fut bastie mille ans avant ladicte ville de
Saïs ; // Epicurus, qu'en mesme temps que les choses sont
icy comme nous les voyons, elles sont toutes pareilles, et
en mesme façon, en plusieurs autres mondes. Ce qu'il eust
dit plus assuréement, s'il eust veu les similitudes et conve-
nances [490] de ce nouveau monde des Indes occiden-
tales avec le nostre, presant et passé, en si estranges
exemples.

/// En verité, considerant ce qui est venu à nostre
science du cours de cette police terrestre, je me suis souvent esmerveillé de voir, en une très grande distance de
lieux et de temps, les rencontres d'un grand nombre d'opinions populaires monstrueuses et des mœurs et creances
sauvages, et qui, par aucun biais, ne semblent tenir à nostre
naturel discours. C'est un grand ouvrier de miracles que
l'esprit humain ; mais cette relation a je ne sçay quoy
encore de plus heteroclite ; elle se trouve aussi en noms,
en accidens et en mille autres choses. // Car on y trouve des
nations n'ayans, que nous sachons ouy nouvelles de nous,
où la circoncision estoit en credit ; où il y avoit des estats
et grandes polices maintenuës par des femmes, sans

hommes; où nos jeusnes et nostre caresme estoit representé, y adjoustant l'abstinence des femmes; où nos croix
estoient en diverses façons en credit : icy on en honoroit
les sepultures; on les appliquoit là, et nomméement celle
de S. André, à se deffendre des visions nocturnes et à
les mettre sur les couches des enfans contre les enchantemens; ailleurs ils en rencontrerent une de bois, de grande
hauteur, adorée pour Dieu de la pluye, et celle là bien fort
avant dans la terre ferme; on y trouva une bien expresse
image de nos penitentiers; l'usage des mitres, le cœlibat
des prestres, l'art de diviner [491] par les entrailles des
animaux sacrifiez, /// l'abstinence de toute sorte de chair
et poisson à leur vivre [492] // la façon aux prestres d'user en
officiant de langue particuliere et non vulgaire; et cette
fantasie, que le premier dieu fut chassé par un second, son
frere puisné; qu'ils furent creés avec toutes commoditez,
lesquelles on leur a depuis retranchées pour leur peché,
changé leur territoire et empiré leur condition naturelle;
qu'autrefois ils ont esté submergez par l'innondation des
eaux celestes; qu'il ne s'en sçauva que peu de familles qui
se jetterent dans les hauts creux des montaignes, lesquels
creux ils boucherent, si que l'eau n'y entra poinct, ayant
enfermé là dedans plusieurs sortes d'animaux; que, quand
ils sentirent la pluye cesser, ils mirent hors des chiens,
lesquels estans revenus nets et mouillez, ils jugerent l'eau
n'estre encore guiere abaissée; depuis, en ayant fait sortir
d'autres et les voyans revenir bourbeux, ils sortirent
repeupler le monde, qu'ils trouverent plain seulement de
serpens.

On rencontra en quelque endroit la persuasion du jour
du jugement, si qu'ils s'offençoient merveilleusement
contre les Espaignols, qui espendoient les os des trespassez
en fouillant les richesses des sepultures, disant que ces os
escartez ne se pourroient facilement rejoindre; la trafique
par eschange, et non autre, foires et marchez pour cet
effect; des neins et personnes difformes pour l'ornement
des tables des princes; l'usage de la fauconnerie selon la
nature de leurs oiseaux; subsides tyranniques; delicatesses
de jardinages; dances, sauts bateleresques; musique d'instrumens; armoiries; jeux de paume, jeu de dez et de sort
auquel ils s'eschauffent souvent jusques à s'y jouer eux
mesmes et leur liberté; medecine non autre que de charmes;
la forme d'escrire par figures; creance d'un seul premier
homme, pere de tous les peuples; adoration d'un dieu qui
vesquit autrefois homme en parfaite virginité, jeusne et
pœnitence, preschant la loy de nature et des cerimonies de

la religion, et qui disparut du monde sans mort naturelle;
l'opinion des geants; l'usage de s'enyvrer de leurs breuvages et de boire d'autant [493], ornemens religieux peints
d'ossements et testes de morts, surplys, eau beniste, asper-
gez; femmes et serviteurs qui se presentent à l'envy à
se brusler et enterrer avec le mary ou maistre trespassé;
loy que les aisnez succedent à tout le bien, et n'est reservé
aucune part au puisné, que d'obeissance; coustume, à la
promotion de certain office de grande authorité, que celuy
qui est promeu prend un nouveau nom et quitte le sien;
de verser de la chaux sur le genou de l'enfant freschement
nay, en luy disant : « Tu es venu de poudre et retourneras
en poudre »; l'art des augures.

Ces vains ombrages de nostre religion qui se voyent
en aucuns exemples, en tesmoignent la dignité et la divinité. Non seulement elle s'est aucunement insinuée en
toutes les nations infideles de deçà par quelque imitation,
mais à ces barbares aussi comme par une commune et
supernaturelle inspiration. Car on y trouva aussi la creance
du purgatoire, mais d'une forme nouvelle; ce que nous
donnons au feu, ils le donnent au froid, et imaginent les
ames et purgées et punies par la rigueur d'une extreme
froidure. Et m'advertit cet exemple d'une autre plaisante
diversité : car, comme il s'y trouva des peuples qui
aymoyent à deffubler [494] le bout de leur membre et en
retranchoient la peau à la Mahumetane et à la Juifve, il s'y
en trouva d'autres qui faisoient si grande conscience de le
deffubler qu'à tout des petits cordons ils portoient leur
peau bien soigneusement estirée et attachée au dessus, de
peur que ce bout ne vit l'air. Et de cette diversité aussi,
que, comme nous honorons les Roys et les festes en nous
parant des plus honnestes vestements que nous ayons,
en aucunes regions, pour montrer toute disparité [495] et
submission à leur Roy, les subjects se presentoyent à luy en
leurs plus viles habillements, et entrant au palais prennent
quelque vieille robe deschirée sur la leur bonne, à ce que
tout le lustre et l'ornement soit au maistre. Mais suyvons.

/ Si nature enserre dans les termes de son progrez ordinaire, comme toutes autres choses, aussi les creances, les
jugemens et opinions des hommes; si elles ont leur revolution, leur raison, leur naissance, leur mort, comme les
chous; si le ciel les agite et les roule à sa poste, quelle
magistrale authorité et permanante leur allons nous
attribuant ? // Si par experience nous touchons à la main
que la forme de nostre estre despend de l'air, du climat
et du terroir où nous naissons, non seulement le tainct, la

taille, la complexion et les contenances, mais encore les facultez de l'ame, /// « *et plaga cœli non solum ad robur corporum, sed etiam animorum facit* [496] », dict Vegece; et que la Deesse fondatrice de la ville d'Athenes choisit à la situer une temperature de pays qui fist les hommes prudents, comme les prestres d'Ægipte aprindrent à Solon, « *Athenis tenue cœlum, ex quo etiam acutiores putantur Attici; crassum Thebis itaque pingues Thebani et valentes* [497] »; // en maniere que, ainsi que les fruicts naissent divers et les animaux, les hommes naissent aussi plus ou moins belliqueux, justes, temperans et dociles : ici subjects au vin, ailleurs au larecin ou à la paillardise; icy enclins à superstition, ailleurs à la mescreance; /// icy à la liberté, icy à la servitude; // capables d'une science ou d'un art, grossiers ou ingenieux, obeïssans ou rebelles, bons ou mauvais, selon que porte l'inclination du lieu où ils sont assis, et prennent nouvelle complexion si on les change de place, comme les arbres; qui fut la raison pour laquelle Cyrus ne voulut accorder aux Perses de abandonner leur païs aspre et bossu pour se transporter en un autre doux et plain [498], /// disant que les terres grasses et molles font les hommes mols, et les fertiles les esprits infertiles; // si nous voyons tantost fleurir un art, une opinion, tantost une autre, par quelque influance celeste; tel siecle produire telles natures et incliner l'humain genre à tel ou tel ply; les esprits des hommes tantost gaillars, tantost maigres, comme nos chams; que deviennent toutes ces belles prerogatifves dequoy nous nous allons flatant ? Puis qu'un homme sage se peut mesconter, et cent hommes, et plusieurs nations, voire et l'humaine nature selon nous se mesconte plusieurs siecles en cecy ou en cela, quelle seureté avons nous que par fois elle cesse de se mesconter /// et qu'en ce siecle elle ne soit en mesconte ?

/ Il me semble, entre autres tesmoignages de nostre imbecillité, que celuy-cy ne merite pas d'estre oublié, que par desir mesmes l'homme ne sçache trouver ce qu'il luy faut; que, non par jouyssance, mais par imagination et par souhait, nous ne puissions estre d'accord de ce dequoy nous avons besoing pour nous contenter. Laissons à nostre pensée tailler et coudre à son plaisir, elle ne pourra pas seulement desirer ce qui luy est propre, /// et se satisfaire :

// *quid enim ratione timemus*
Aut cupimus ? quid tam dextro pede concipis, ut te
Conatus non pœniteat votique peracti [499] ?

/ C'est pourquoy /// Socrates ne requeroit les dieux sinon de luy donner ce qu'ils sçavoient luy estre salutaire. Et la priere des Lacedemoniens, publique et privée, portoit simplement les choses bonnes et belles leur estre octroyées, remettant à la discretion divine le triage et choix d'icelles.

> // *Conjugium petimus partumque uxoris ; at illis*
> *Notum qui pueri qualisque futura sit uxor* [500].

/ Et le Chrestien supplie Dieu *que sa volonté soit faite*, pour ne tomber en l'inconvenient que les poëtes feignent du Roy Midas. Il requist les dieux que tout ce qu'il toucheroit se convertit en or. Sa prière fut exaucée : son vin fut or, son pain or et la plume de sa couche, et d'or sa chemise et son vestement ; de façon qu'il se trouva accablé soubs la jouissance de son desir et estrené d'une commodité insuportable. Il luy falut desprier ses prieres,

> *Attonitus novitate mali, divesque miserque,*
> *Effugere optat opes, et quæ modo voverat, odit* [501].

// Disons de moy-mesme. Je demandois à la fortune, autant qu'autre chose, l'ordre Sainct Michel, estant jeune, car c'estoit lors l'extreme marque d'honneur de la noblesse Françoise et très-rare. Elle me l'a plaisamment accordé. Au lieu de me monter et hausser de ma place pour y avaindre, elle m'a bien plus gratieusement traité, elle l'a ravallé et rabaissé jusques à mes espaules et au dessoubs.

/// Cleobis et Biton, Trophonius et Agamedes, ayans requis, ceux là leur deesse, ceux cy leur dieu, d'une recompense digne de leur pieté, eurent la mort pour present, tant les opinions celestes sur ce qu'il nous faut sont diverses aux nostres.

/ Dieu pourroit nous ottroyer les richesses, les honneurs, la vie et la santé mesme, quelquefois à nostre dommage ; car tout ce qui nous est plaisant, ne nous est pas tousjours salutaire. Si, au lieu de la guerison, il nous envoye la mort ou l'empirement de nos maux, « *Virga tua et baculus tuus ipsa me consolata sunt* [502] », il le fait par les raisons de sa providence, qui regarde bien plus certainement ce qui nous est deu que nous ne pouvons faire ; et le devons prendre en bonne part, comme d'une main très-sage et très-amie :

> // *si consilium vis*
> *Permittes ipsis expendere numinibus, quid*
> *Conveniat nobis, rebusque sit utile nostris :*
> *Carior est illis homo quam sibi* [503].

Car de les requerir des honneurs, des charges, c'est les
requerir qu'ils vous jettent à une bataille ou au jeu de dez,
ou telle autre chose de laquelle l'issue vous est incognue
et le fruict doubteux.

/ Il n'est point de combat si violent entre les philosophes, et si aspre, que celuy qui se dresse sur la question
du souverain bien de l'homme, /// duquel, par le calcul de
Varro, nasquirent 288 sectes.

« *Qui autem de summo bono dissentit, de tota philosophiæ
ratione dissentit* [504]. »

/ *Tres mihi convivæ prope dissentire videntur,*
Poscentes vario multum diversa palato :
Quid dem ? quid non dem ? Renuis tu quod jubet alter ;
Quod petis, id sane est invisum acidumque duobus [505].

Nature devroit ainsi respondre à leurs contestations et à
leurs debats.

Les uns disent nostre bien-estre loger en la vertu,
d'autres en la volupté, d'autres au consentir à nature; qui,
en la science; /// qui, à n'avoir point de douleur; / qui, à ne
se laisser emporter aux apparences (et à cette fantasie
semble retirer cet'autre, // de l'antien Pythagoras,

/ *Nil admirari prope res est una, Numici,*
Solaque quæ possit facere et servare beatum [506],

qui est la fin de la secte Pyrrhoniene); /// Aristote attribue à
magnanimité rien n'admirer [507]. / Et disoit Archesilas les
soustenemens [508] et l'estat droit et inflexible du jugement
estre les biens, mais les consentements et applications
estre les vices et les maux. Il est vray qu'en ce qu'il
l'establissoit par axiome certain, il se départoit du Pyrrhonisme. Les Pyrrhoniens, quand ils disent que le souverain
bien c'est l'Ataraxie, qui est l'immobilité du jugement, ils
ne l'entendent pas dire d'une façon affirmative; mais le
mesme bransle de leur ame qui leur faict fuir les precipices
et se mettre à couvert du serein, celuy là mesme leur
presente cette fantasie et leur en faict refuser une
autre.

// Combien je desire que, pendant que je vis, ou quelque
autre, ou Justus Lipsius, le plus sçavant homme qui
nous reste, d'un esprit très-poly et judicieux, vrayement
germain à [509] mon Turnebus, eust et la volonté, et la
santé, et assez de repos pour ramasser en un registre, selon
leurs divisions et leurs classes, sincerement et curieuse-

ment, autant que nous y pouvons voir, les opinions de l'ancienne philosophie sur le subject de nostre estre et de noz meurs, leurs controverses, le credit et suitte des pars [510], l'application de la vie des autheurs et sectateurs à leurs preceptes ès accidens memorables et exemplaires. Le bel ouvrage et utile que ce seroit!

/ Au demeurant, si c'est de nous que nous tirons le reglement de nos meurs, à quelle confusion nous rejettons nous! Car ce que nostre raison nous y conseille de plus vraysemblable, c'est generalement à chacun d'obeir aux loix de son pays, // comme est l'advis de Socrates inspiré, dict-il, d'un conseil divin. / Et par là que veut elle dire, sinon que nostre devoir n'a autre regle que fortuite? La verité doit avoir un visage pareil et universel. La droiture et la justice, si l'homme en connoissoit qui eust corps et veritable essence, il ne l'atacheroit pas à la condition des coustumes de cette contrée ou de celle là; ce ne seroit pas de la fantasie des Perses ou des Indes que la vertu prendroit sa forme. Il n'est rien subject à plus continuelle agitation que les loix. Depuis que je suis nay, j'ai veu trois et quatre fois rechanger celles des Anglois, noz voisins, non seulement en subject politique, qui est celuy qu'on veut dispenser de constance, mais au plus important subject qui puisse estre, à sçavoir de la religion. Dequoy j'ay honte et despit, d'autant plus que c'est une nation à laquelle ceux de mon quartier [511] ont eu autrefois une si privée accointance, qu'il reste encore en ma maison aucunes traces de nostre ancien cousinage.

/// Et chez nous icy, j'ai veu telle chose qui nous estoit capitale [512], devenir legitime; et nous, qui en tenons d'autres sommes de mesmes, selon l'incertitude de la fortune guerriere, d'estre un jour criminels de lèze majesté humaine et divine, nostre justice tombant à la merci de l'injustice, et, en l'espace de peu d'années de possession, prenant une essence contraire.

Comment pouvoit ce Dieu ancien plus clairement accuser en l'humaine cognoissance l'ignorance de l'estre divin, et apprendre aux hommes que la religion n'estoit qu'une piece de leur invention, propre à lier leur societé, qu'en declarant, comme il fit, à ceux qui en recherchoient l'instruction de son trepied, que le vrai culte à chacun estoit celuy qu'il trouvoit observé par l'usage du lieu où il estoit? O Dieu! quelle obligation n'avons-nous à la benignité de nostre souverain createur pour avoir desniaisé nostre creance de ces vagabondes et arbitraires devotions et l'avoir logée sur l'eternelle base de sa saincte parolle!

/ Que nous dira donc en cette necessité la philosophie ? Que nous suyvons les loix de nostre pays ? c'est à dire cette mer flotante des opinions d'un peuple ou d'un Prince, qui me peindront la justice d'autant de couleurs et la reformeront en autant de visages qu'il y aura en eux de changemens de passion ? Je ne puis pas avoir le jugement si flexible. Quelle bonté est-ce que je voyois hyer en credit, et demain plus, /// et que le traict d'une riviere faict crime ? Quelle verité que ces montaignes bornent, qui est mensonge au monde qui se tient au delà ?

/ Mais ils sont plaisans quand, pour donner quelque certitude aux loix, ils disent qu'il y en a aucunes fermes, perpetuelles et immuables, qu'ils nomment naturelles, qui sont empreintes en l'humain genre par la condition de leur propre essence. Et, de celles là, qui en fait le nombre de trois, qui de quatre, qui plus, qui moins : signe que c'est une marque aussi douteuse que le reste. Or ils sont si defortunez [513] (car comment puis-je autrement nommer cela que deffortune, que d'un nombre de loix si infiny il ne s'en rencontre au moins une que la fortune /// et temerité du sort / ait permis estre universellement receuë par le consentement de toutes les nations ?), ils sont, dis-je, si miserables que de ces trois ou quatre loix choisies il n'en y a une seule qui ne soit contredite et desadvoüée, non par une nation, mais par plusieurs. Or c'est là seule enseigne vray-semblable, par laquelle ils puissent argumenter aucunes loix naturelles, que l'université [514] de l'approbation. Car ce que nature nous auroit veritablement ordonné, nous l'ensuivrions sans doubte d'un commun consentement. Et non seulement toute nation, mais tout homme particulier, ressentiroit la force et la violence que luy feroit celuy qui le voudroit pousser au contraire de cette loy. Qu'ils m'en montrent, pour voir, une de cette condition. Protagoras et Ariston ne donnoyent autre essence à la justice des loix que l'authorité et opinion du legislateur ; et que, cela mis à part, le bon et l'honneste perdoyent leurs qualitez et demeuroyent des noms vains de choses indifferentes. Thrasimacus, en Platon, estime qu'il n'y a point d'autre droit que la commodité du superieur. Il n'est chose en quoy le monde soit si divers qu'en coustumes et loix. Telle chose est icy abominable, qui apporte recommandation ailleurs, comme en Lacedemone la subtilité de desrober [515]. Les mariages entre les proches sont capitalement [516] defendus entre nous, ils sont ailleurs en honneur,

gentes esse feruntur

In quibus et nato genitrix, et nata parenti
Jungitur, et pietas geminato crescit amore [517].

Le meurtre des enfans, meurtre des peres, communication
de femmes, trafique de voleries, licence à toutes sortes de
voluptez, il n'est rien en somme si extreme qui ne se trouve
receu par l'usage de quelque nation.

// Il est croyable qu'il y a des loix naturelles, comme il se
voit ès autres creatures; mais en nous elles sont perdues,
cette belle raison humaine s'ingerant par tout de maistriser
et commander, brouillant et confondant le visage des
choses selon sa vanité et inconstance. /// « *Nihil itaque
amplius nostrum est : quod nostrum dico, artis est* [518]. »

/ Les subjets ont divers lustres et diverses considerations; c'est de là que s'engendre principalement la diversité
d'opinions. Une nation regarde un subject par un visage,
et s'arreste à celuy là; l'autre, par un autre.

Il n'est rien si horrible à imaginer que de manger son
pere. Les peuples qui avoyent anciennement cette coustume, la prenoyent toutesfois pour tesmoignage de pieté et
de bonne affection, cerchant par là à donner à leurs proge-
niteurs la plus digne et honorable sepulture, logeant en
eux mesmes et comme en leurs moelles les corps de leurs
peres et leurs reliques [519], les vivifiant aucunement et
regenerant par la transmutation en leur chair vive au
moyen de la digestion et du nourrissement. Il est aysé à
considerer quelle cruauté et abomination c'eust esté, à des
hommes abreuvez et imbus de cette superstition, de jetter
la despouille des parens à la corruption de la terre et
nourriture des bestes et des vers.

Licurgus considera au larrecin la vivacité, diligence,
hardiesse et adresse qu'il y a à surprendre quelque chose
de son voisin, et l'utilité qui revient au public, que chacun
en regarde plus curieusement à la conservation de ce qui
est sien; et estima que de cette double institution, à
assaillir et à defandre, il s'en tiroit du fruit à la discipline [520]
militaire (qui estoit la principale science et vertu à quoy il
vouloit duire cette nation) de plus grande consideration
que n'estoit le desordre et l'injustice de se prevaloir de la
chose d'autruy.

Dionysius le tyran offrit à Platon une robe à la mode de
Perse, longue, damasquinée et parfumée; Platon la refusa,
disant qu'estant nay homme, il ne se vestiroit pas volontiers de robe de femme; mais Aristippus l'accepta, avec
cette responce : Que nul accoutrement ne pouvoit corrompre un chaste courage. /// Ses amis tançoient sa lascheté

de prendre si peu à cœur que Dionysius luy eust craché au visage : « Les pescheurs, dict-il, souffrent bien d'estre baignés des ondes de la mer depuis la teste jusqu'aux pieds pour attraper un goujon. » Diogenes lavoit ses choux, et le voyant passer : « Si tu sçavois vivre de choux, tu ne ferois pas la cour à un tyran. » A quoy Aristippus : « Si tu sçavoit vivre entre les hommes, tu ne laverois pas des choux. » / Voilà comment la raison fournit d'apparence à divers effects. // C'est un pot à deux ances, qu'on peut saisir à gauche et à dextre

> bellum, o terra hospita, portas ;
> Bello armantur equi, bellum hæc armenta minantur.
> Sed tamen iidem olim curru succedere sueti
> Quadrupedes, et frena jugo concordia ferre ;
> Spes est pacis [521].

/// On preschoit Solon de n'espandre pour la mort de son fils des larmes impuissantes et inutiles : « Et c'est pour cela, dict-il, que plus justement je les espans, qu'elles sont inutiles et impuissantes. » La femme de Socrates rengregeoit [522] son deuil par telle circonstance : « O qu'injustement le font mourir ces meschans juges ! — Aimerois tu donc mieux que ce fut justement ? » luy repliqua il.

/ Nous portons les oreilles percées [523]; les Grecs tenoient cela pour une marque de servitude. Nous nous cachons pour jouir de nos femmes, les Indiens le font en public. Les Schythes immoloyent les estrangers en leurs temples, ailleurs les temples servent de franchise [524].

> // Inde furor vulgi, quod numina vicinorum
> Odit quisque locus, cum solos credat habendos
> Esse Deos quos ipse colit [525].

/ J'ay ouy parler d'un juge, lequel, où il rencontroit un aspre conflit entre Bartolus et Baldus [526], et quelque matiere agitée de plusieurs contrarietez, mettoit au marge de son livre : Question pour l'amy ; c'est à dire que la verité estoit si embrouillée et debatue qu'en pareille cause il pourroit favoriser celle des parties que bon luy sembleroit. Il ne tenoit qu'à faute d'esprit et de suffisance qu'il ne peut mettre par tout : Question pour l'amy. Les advocats et les juges de nostre temps trouvent à toutes causes assez de biais pour les accommoder où bon leur semble. A une science si infinie, dépandant de l'authorité de tant d'opinions et d'un subject si arbitraire, il ne peut estre qu'il n'en

naisse une confusion extreme de jugemens. Aussi n'est-il
guiere si cler procés auquel les advis ne se trouvent divers.
Ce qu'une compaignie a jugé, l'autre le juge au contraire,
et elle mesmes au contraire une autre fois. Dequoy nous
voyons des exemples ordinaires par cette licence, qui tasche
merveilleusement la cerimonieuse authorité et lustre [527] de
nostre justice, de ne s'arrester aux arrests, et courir des
uns aux autres juges pour decider d'une mesme cause.

Quant à la liberté des opinions philosophiques touchant
le vice et la vertu, c'est chose où il n'est besoing de s'estendre, et où il se trouve plusieurs advis qui valent mieux
teus que publiez /// aux faibles esprits. // Arcesilaus disoit
n'estre considerable en la paillardise, /// de quel costé et
// par où on le fut. /// « *Et obscœnas voluptates, si natura
requirit, non genere, aut loco, aut ordine, sed forma, œtate,
figura, metiendas Epicurus putat* [528]. »

« *Ne amores quidem sanctos a sapiente alienos esse arbitran-
tur* [529]. » — « *Quœramus ad quam usque œtatem juvenes
amandi sint* [530]. » Ces deux derniers lieux Stoïques et, sur
ce propos, le reproche de Dicæarchus à Platon mesme,
montrent combien la plus saine philosophie souffre de
licences esloignées de l'usage commun et excessives.

/ Les loix prennent leur authorité de la possession et de
l'usage; il est dangereux de les ramener à leur naissance;
elles grossissent et s'ennoblissent en roulant, comme nos
rivieres; suyvez les contremont jusques à leur source, ce
n'est qu'un petit surjon d'eau à peine reconnoissable, qui
s'enorgueillit ainsi et se fortifie en vieillissant. Voyez les
anciennes considerations qui ont donné le premier branle
à ce fameux torrent, plein de dignité, d'horreur et de reverence : vous les trouverez si legeres et si delicates, que ces
gens icy qui poisent tout et le ramenent à la raison, et qui
ne reçoivent rien par authorité et à credit, il n'est pas merveille s'ils ont leurs jugemens souvent très-esloignez des
jugemens publiques. Gens qui prennent pour patron
l'image premiere de nature, il n'est pas merveille si, en la
plupart de leurs opinions, ils gauchissent la voye commune.
Comme, pour exemple : peu d'entre eux eussent approuvé
les conditions contrainctes de nos mariages; /// et la plus
part ont voulu les femmes communes et sans obligation. / Ils
refusoient nos ceremonies. Chrysippus disoit qu'un philosophe fera une douzaine de culebutes en public, voire sans
haut de chausses, pour une douzaine d'olives. /// A peine
eust il donné advis à Clisthenes de refuser la belle Agariste,
sa fille, à Hippoclides, pour luy avoir veu faire l'arbre
fourché [531] sur une table.

Metroclez lascha un peu indiscretement un pet en disputant, en presence de son eschole, et se tenoit en sa maison,
caché de honte jusques à ce que Crates le fut visiter; et
adjoutant à ses consolations et raisons l'exemple de sa
liberté, se mettant à peter à l'envi avec luy, il luy osta ce
scrupule, et de plus le retira à sa secte Stoïque, plus franche,
de la secte Peripatetique, plus civile, laquelle jusques lors
il avoit suivi.

Ce que nous appelons honnesteté, de n'oser faire à
descouvert ce qui nous est honneste de faire à couvert,
ils l'appelloient sottise; et de faire le fin à taire et desadvoüer ce que nature, coustume et nostre desir publient et
proclament de nos actions, ils l'estimoient vice. Et leur
sembloit que c'estoit affoler les mysteres de Venus que de
les oster du retiré sacraire [532] de son temple pour les
exposer à la veuë du peuple, et que tirer ses jeux hors du
rideau, c'estoit les avilir (c'est une espece de poix que la
honte; la recelation, reservation, circonscription, parties de
l'estimation); que la volupté très-ingenieusement faisoit
instance, sous le masque de la vertu, de n'estre prostituée
au milieu des carrefours, foulée des pieds et des yeux de la
commune, trouvant à dire la dignité et commodité de ses
cabinets accoustumez. De là / disent aucuns, que d'oster
les bordels publiques, c'est non seulement espandre par
tout la paillardise qui estoit assignée à ce lieu là, mais
encore esguillonner les hommes à ce vice par la malaisance [533] :

> *Mœchus es Aufidiæ, qui vir, Corvine, fuisti ;*
> *Rivalis fuerat qui tuus, ille vir est.*
> *Cur aliena placet tibi, quæ tua non placet uxor ?*
> *Numquid securus non potes arrigere* [534] *?*

Cette experience se diversifie en mille exemples :

> *Nullus in urbe fuit tota qui tangere vellet*
> *Uxorem gratis, Cæciliane, tuam,*
> *Dum licuit ; sed nunc, positis custodibus, ingens*
> *Turba fututorum est. Ingeniosus homo es* [535].

On demandoit à un philosophe, qu'on surprit à mesme,
ce qu'il faisoit. Il respondit tout froidement : « Je plante
un homme », ne rougissant non plus d'estre rencontré en
cela, que si on l'eust trouvé plantant des aulx.

/// C'est, comme j'estime, d'une opinion trop tendre et
respectueuse, qu'un grant et religieux auteur tient cette

action si necessairement obligée à l'occultation [536] et à la
vergoigne [537], qu'en la licence des embrassements cyniques
il ne se peut persuader que la besoigne en vint à sa fin,
ains qu'elle s'arrestoit à representer des mouvemens lascifs
seulement, pour maintenir l'impudence de la profession
de leur eschole; et que, pour eslancer ce que la honte
avoit contraint et retiré, il leur estoit encore après besoin
de chercher l'ombre. Il n'avoit pas veu assez avant en
leur desbauche. Car Diogenes, exerçant en publiq sa mas-
turbation, faisoit souhait en presence du peuple assistant,
qu'il peut ainsi saouler son ventre en le frottant. A ceux
qui luy demandoient pourquoy il ne cherchoit lieu plus
commode à manger qu'en pleine rue : « C'est, respondoit
il, que j'ay faim en pleine rue. » Les femmes philosophes,
qui se mesloient à leur secte, se mesloient aussi à leur
personne en tout lieu, sans discretion : et Hipparchia ne
fut receuë en la societé de Crates qu'en condition de suyvre
en toutes choses les us et coustumes de sa regle. Ces philosophes icy donnoient extreme prix à la vertu et refusoient
toutes autres disciplines que la morale; si est ce qu'en
toutes actions ils attribuoyent la souveraine authorité à
l'election [538] de leur sage et au dessus des loix; et n'ordon-
noyent aux voluptez autre bride / que la moderation et la
conservation de la liberté d'autruy.

Heraclitus et Protagoras, de ce que le vin semble amer
au malade et gracieux au sain, l'aviron tortu dans l'eau et
droit à ceux qui le voient hors de là, et de pareilles apparences contraires qui se trouvent aux subjects, argumen-
terent que tous subjects avoient en eux les causes de ces
apparences; et qu'il y avoit au vin quelque amertume qui se
rapportoit au goust du malade, l'aviron certaine qualité
courbe se rapportant à celuy qui le regarde dans l'eau. Et ainsi
de tout le reste. Qui est dire que tout est en toutes choses et
par consequent rien en aucune, car rien n'est où tout est.

Cette opinion me ramentoit l'experience que nous
avons, qu'il n'est aucun sens ny visage, ou droict, ou
amer, ou doux, ou courbe, que l'esprit humain ne trouve
aux escrits qu'il entreprend de fouiller. En la parole la
plus nette, pure et parfaicte qui puisse estre [539], combien de
faulceté et de mensonge a lon fait naistre ? quelle heresie
n'y a trouvé des fondements assez et tesmoignages, pour
entreprendre et pour se maintenir ? C'est pour cela que les
autheurs de telles erreurs ne se veulent jamais departir de
cette preuve, du tesmoignage de l'interpretation des mots.
Un personnage de dignité, me voulant approuver par
authorité cette queste de la pierre philosophale où il est

tout plongé, m'allegua dernierement cinq ou six passages
de la Bible, sur lesquels il disoit s'estre premierement fondé
pour la descharge de sa conscience (car il est de profession
ecclesiastique); et, à la verité, l'invention n'en estoit pas
seulement plaisante, mais encore bien proprement accom-
modée à la deffence de cette belle science.

Par cette voye se gaigne le credit des fables divinatrices.
Il n'est prognostiqueur, s'il a cette authorité qu'on le
daigne feuilleter, et rechercher curieusement tous les plis et
lustres de ses paroles, à qui on ne face dire tout ce qu'on
voudra, comme aux Sybilles : car il y a tant de moyens
d'interpretation qu'il est malaisé que, de biais ou de droit
fil, un esprit ingenieux ne rencontre en tout sujet quelque
air qui luy serve à son poinct.

/// Pourtant, se trouve un stile nubileux [540] et doubteux
en si frequent et ancien usage! Que l'autheur puisse gaigner
cela d'attirer et enbesoigner à soy la posterité (ce que non
seulement la suffisance [541], mais autant ou plus la faveur
fortuite de la matiere peut gaigner); qu'au demeurant il se
presente, par bestise ou par finesse, un peu obscurement
et diversement : il ne lui chaille [542]! Nombre d'esprits, le
belutans [543] et secouans, en exprimeront quantité de formes
ou selon, ou à costé, ou au contraire de la sienne, qui lui
feront toutes honneur. Il se verra enrichi des moyens de
ses disciples, comme les regents du Lendit [544].

/ C'est ce qui a faict valoir plusieurs choses de neant,
qui a mis en credit plusieurs escrits, et chargé de toute
sorte de matiere qu'on a voulu : une mesme chose recevant
mille et mille, et autant qu'il nous plaist d'images et
considerations diverses. /// Est-il possible qu'Homere aye
voulu dire tout ce qu'on luy faict dire; et qu'il se soit
presté à tant et si diverses figures que les theologiens,
legislateurs, capitaines, philosophes, toute sorte de gens
qui traittent sciences, pour differemment et contrairement
qu'ils les traittent, s'appuyent de luy, s'en rapportent à
luy : maistre general à tous offices, ouvrages et artisans;
general conseillier à toutes entreprises. / Quiconque a eu
besoin d'oracles et de predictions, en y a trouvé pour son
faict. Un personnage sçavant, et de mes amis, c'est merveille quels rencontres et combien admirables il en faict
naître en faveur de nostre religion; et ne se peut ayséement departir de cette opinion, que ce ne soit le dessein
d'Homere (si luy est cet autheur aussi familier qu'à
homme de nostre siecle). /// Et ce qu'il trouve en faveur de
la nostre, plusieurs anciennement l'avoient trouvé en
faveur des leurs.

Voyez demener et agiter Platon. Chacun, s'honorant de l'appliquer à soi, le couche du costé qu'il le veut. On le promeine et l'insere à toutes les nouvelles opinions que le monde reçoit; et le differente lon [545] à soy-mesmes selon le different cours des choses. On faict desadvoüer à son sens les mœurs licites en son siecle, d'autant qu'elles sont illicites au nostre. Tout cela vifvement et puissamment, autant qu'est puissant et vif l'esprit de l'interprete.

/ Sur ce mesme fondement qu'avoit Heraclitus et cette sienne sentence, que toutes choses avoient en elles les visages qu'on y trouvoit, Democritus en tiroit une toute contraire conclusion, c'est que les subjects n'avoient du tout rien de ce que nous y trouvions; et de ce que le miel estoit doux à l'un et amer à l'autre, il argumentoit qu'il n'estoit ni doux, ny amer. Les Pyrrhoniens diroient qu'ils ne sçavent s'il est doux ou amer, ou ny l'un ny l'autre, ou tous les deux : car ceux-cy gaignent tousjours le haut point de la dubitation.

/// Les Cyrenayens tenoyent que rien n'estoit percep-tible par le dehors, et que cela estoit seulement perceptible qui nous touchoit par l'interne attouchement, comme la douleur et la volupté; ne recognoissans ny ton, ny couleur, mais certaines affections seulement qui nous en venoient; et que l'homme n'avoit autre siege de son jugement. Protagoras estimoit estre vrai à chacun ce qui semble à chacun. Les Epicuriens logent aux sens tout jugement et en la notice des choses et en la volupté. Platon a voulu le jugement de la verité et la verité mesmes, retirée des opinions et des sens, appartenir à l'esprit et à la cogitation.

/ Ce propos m'a porté sur la consideration des sens, ausquels gist le plus grand fondement et preuve de nostre ignorance. Tout ce qui se connoist, il se connoist sans doubte par la faculté du cognoissant; car, puis que le jugement vient de l'operation de celuy qui juge, c'est raison que cette operation il la parface par ses moiens et volonté, non par la contrainte d'autruy, comme il advien-droit si nous connoissions les choses par la force et selon la loy de leur essence. Or toute cognoissance s'achemine en nous par les sens : ce sont nos maistres.

// via qua munita fidei
Proxima fert humanum in pectus templaque mentis [546].

/ La science commence par eux et se resout en eux. Après tout, nous ne sçaurions non plus qu'une pierre, si nous ne sçavions qu'il y a son, odeur, lumiere, saveur, mesure, pois, mollesse, durté, aspreté, couleur, polisseure, largeur, profondeur. Voylà le plant [547] et les principes de tout le bastiment de nostre science. /// Et, selon aucuns, science n'est autre chose que sentiment. / Quiconque me peut pousser à contredire les sens, il me tient à la gorge, il ne me sçauroit faire reculer plus arriere. Les sens sont le commencement et la fin de l'humaine cognoissance :

> Invenies primis ab sensibus esse creatam
> Notitiam veri, neque sensus posse refelli...
> Quid majore fide porro quam sensus haberi
> Debet [548] ?

Qu'on leur attribue le moins qu'on pourra, tousjours faudra il leur donner cela, que par leur voye et entremise s'achemine toute nostre instruction. Cicero dict que Chrisippus, ayant essayé de rabattre de la force des sens et de leur vertu, se representa à soy mesmes des argumens au contraire et des oppositions [549] si vehementes, qu'il n'y peut satisfaire. Sur quoy Carneades, qui maintenoit le contraire party, se vantoit de se servir des armes mesmes et paroles de Chrysippus pour le combattre, et s'escrioit à cette cause contre luy : « O miserable, ta force t'a perdu! » Il n'est aucun absurde selon nous plus extreme que de maintenir que le feu n'eschaufe point, que la lumiere n'esclaire point, qu'il n'y a point de pesanteur au fer, ny de fermeté, qui sont notices que nous apportent les sens, ny creance ou science en l'homme qui se puisse comparer à celle-là en certitude.

La premiere consideration que j'ay sur le subject des sens, c'est que je mets en doubte que l'homme soit prouveu de tous sens naturels. Je voy plusieurs animaux qui vivent une vie entiere et parfaicte, les uns sans la veuë, autres sans l'ouye : qui sçait si en nous aussi il ne manque pas encore un, deux, trois et plusieurs autres sens ? car, s'il en manque quelqu'un, nostre discours n'en peut descouvrir le defaut. C'est le privilege des sens d'estre l'extreme borne de nostre apercevance; il n'y a rien au delà d'eux qui nous puisse servir à les descouvrir; voire ny l'un sens n'en peut descouvrir l'autre,

> // An poterunt oculos aures reprehendere, an aures
> Tactus, an hunc porro tactum sapor arguet oris,
> An confutabunt nares, oculive revincent [550] ?

/ Ils font trestous [551] la ligne extreme de nostre faculté,

> seorsum cuique potestas
> *Divisa est, sua vis cuique est* [552].

Il est impossible de faire concevoir à un homme naturellement aveugle qu'il n'y void pas, impossible de luy faire
desirer la veuë et regretter son defaut.

Parquoy nous ne devons prendre aucune asseurance de
ce que nostre ame est contente et satisfaicte de ceux que
nous avons, veu qu'elle n'a pas dequoy sentir en cela sa
maladie et son imperfection, si elle y est. Il est impossible de dire chose à cet aveugle, par discours, argument
ny similitude [553], qui loge en son imagination aucune
apprehension de lumiere, de couleur et de veuë. Il n'y a
rien plus arriere qui puisse pousser le sens en evidence.
Les aveugles nais, qu'on void desirer à y voir, ce n'est pas
pour entendre ce qu'ils demandent : ils ont appris de nous
qu'ils ont à dire quelque chose, qu'ils ont quelque chose
a desirer, qui est en nous, /// la quelle ils nomment bien, et
ses effects et consequences; / mais ils ne sçavent pourtant
pas que c'est, ny ne l'aprehendent [554] ny près, ny loin.

J'ay veu un gentil-homme de bonne maison, aveugle
nay, au moins aveugle de tel aage qu'il ne sçait que c'est
que de veuë; il entend si peu ce qui luy manque, qu'il
use et se sert comme nous des paroles propres au voir et
les applique d'une mode toute sienne et particuliere.
On luy presentoit un enfant du quel il estoit parrain;
l'ayant pris entre ses bras : « Mon Dieu! dict-il, le bel
enfant! qu'il le faict beau voir! qu'il a le visage guay! »
Il dira comme l'un d'entre nous : « Cette sale a une belle
veuë; il faict clair, il faict beau soleil. » Il y a plus : car,
par ce que ce sont nos exercices que la chasse, la paume,
la bute [555], et qu'il l'a ouy dire, il s'y affectionne et s'y embe-
soigne, et croid y avoir la mesme part que nous y avons;
il s'y picque [556] et s'y plaist, et ne les reçoit pourtant que
par les oreilles. On luy crie que voylà un liévre, quand
on est en quelque esplanade où il puisse picquer [557]; et puis
on luy dict encore que voilà un liévre pris : le voylà aussi
fier de sa prise, comme il oit dire aux autres qu'ils le sont.
L'esteuf [558], il le prend à la main gauche et le pousse à tout
sa raquette; de la harquebouse, il en tire à l'adventure
et se paye de ce que ses gens luy disent qu'il est ou haut,
ou costié.

Que sçait-on si le genre humain faict une sottise pareille,
à faute de quelque sens, et que par ce defaut la plus part
du visage des choses nous soit caché ? Que sçait-on si
les difficultez que nous trouvons en plusieurs ouvrages de

nature viennent de là ? et si plusieurs effets des animaux
qui excedent nostre capacité, sont produits par la faculté
de quelque sens que nous ayons à dire ? et si aucuns d'entre
eux ont une vie plus pleine par ce moyen et entiere que la
nostre ? Nous saisissons la pomme quasi par tous nos
sens ; nous y trouvons de la rougeur, de la polisseure, de
l'odeur et de la douceur ; outre cela, elle peut avoir
d'autres vertus, comme d'asseicher ou restreindre, ausquelles nous n'avons point de sens qui se puisse rapporter.
Les proprietez que nous apellons occultes en plusieurs
choses, comme a l'aimant d'attirer le fer, n'est-il pas vray-
semblable qu'il y a des facultez sensitives en nature,
propres à les juger et à les appercevoir, et que le défaut de
telles facultez nous apporte l'ignorance de la vraye essence
de telles choses ? C'est à l'avanture quelque sens particulier
qui descouvre aux coqs l'heure du matin et de minuict,
et les esmeut [559] à chanter ; /// qui apprend aux poules,
avant tout usage et experience, de craindre un esparvier,
et non une oye, ny un paon, plus grandes bestes ; qui advertit les poulets de la qualité hostile qui est au chat contre
eux et à ne se desffier du chien, s'armer contre le mione-
ment [560], voix aucunement flateuse, non contre l'abaier [561],
voix aspre et quereleuse ; aux frelons, aux fourmis et aux
rats, de choisir tousjours le meilleur fromage et la meilleure
poire avant que d'y avoir tasté, / et qui achemine le cerf,
/// l'elefant, le serpent / à la cognoissance de certaine herbe
propre à leur guerison. Il n'y a sens qui n'ait une grande
domination, et qui n'apporte par son moyen un nombre
infiny de connoissances. Si nous avions à dire l'intelligence
des sons, de l'harmonie et de la voix, cela apporteroit une
confusion inimaginable à tout le reste de notre science.
Car, outre ce qui est attaché au propre effect de chaque
sens, combien d'argumens, de consequences et de conclusions tirons nous aux autres choses par la comparaison
de l'un sens à l'autre! Qu'un homme entendu imagine
l'humaine nature producte originellement sans la veuë,
et discoure combien d'ignorance et de trouble luy apporteroit un tel defaut, combien de tenebres et d'aveuglement
en nostre asme : on verra par là combien nous importe à
la cognoissance de la verité la privation d'un autre tel
sens, ou de deux, ou de trois, si elle est en nous. Nous
avons formé une verité par la consultation et concurrence [562] de nos cinq sens ; mais à l'advanture falloit-il
l'accord de huict ou de dix sens et leur contribution pour
l'appercevoir certainement et en son essence.

Les sectes qui combattent la science de l'homme, elles

la combatent principalement par l'incertitude et foiblesse
de nos sens : car, puis que toute cognoissance vient en
nous par leur entremise et moyen, s'ils faillent au raport
qu'ils nous font, s'ils corrompent ou alterent ce qu'ils
nous charrient du dehors, si la lumière qui par eux s'écoule
en nostre ame est obscurcie au passage, nous n'avons plus
que tenir. De cette extreme difficulté sont nées toutes ces
fantasies : que chaque subjet a en soy tout ce que nous
y trouvons; qu'il n'a rien de ce que nous y pensons trouver; et celle des Epicuriens, que le Soleil n'est non plus
grand que ce que vostre veuë le juge,

> || *Quidquid id est, nihilo fertur majore figura*
> *Quam nostris oculis quam cernimus, esse videtur* [563] ;

/ que les apparences qui representent un corps grand à
celuy qui en est voisin, et plus petit à celuy qui en est
esloigné, sont toutes deux vrayes,

> || *Nec tamen hic oculos falli concedimus hilum*
> *Proinde animi vitium hoc oculis adfingere noli* [564] ;

/ et resoluement qu'il n'y a aucune tromperie aux sens;
qu'il faut passer à leur mercy, et cercher ailleurs des raisons pour excuser la difference et contradiction que nous
y trouvons; voyre inventer toute autre mensonge et resverie (ils en viennent jusques là) plustost que d'accuser les
sens. /// Timagoras juroit que, pour presser ou biaizer son
œil, il n'avoit jamais aperceu doubler la lumière de la
chandelle, et que cette semblance [565] venoit du vice de
l'opinion, non de l'instrument. / De toutes les absurditez,
la plus absurde /// aux Epicuriens / est desavoüer la force
et effect des sens.

> *Proinde quod in quoque est his visum tempore, verum est.*
> *Et, si non potuit ratio dissolvere causam,*
> *Cur ea quæ fuerint juxtim quadrata, procul sint*
> *Visa rotunda, tamen, præstat rationis egentem*
> *Reddere mendosè causas utriusque figuræ,*
> *Quam manibus manifesta suis emittere quoquam,*
> *Et violare fidem primam, et convellere tota*
> *Fundamenta quibus nixatur vita salusque.*
> *Non modo enim ratio ruat omnis, vita quoque ipsa*
> *Concidat extemplo, nisi credere sensibus ausis,*
> *Præcipitesque locos vitare, et cætera quæ sint*
> *In genere hoc fugienda* [566].

/// Ce conseil desespéré et si peu philosophique ne represente autre chose, si non que l'humaine science ne se peut maintenir que par raison desraisonnable, folle et forcenée; mais qu'encore vaut-il mieux que l'homme, pour se faire valoir, s'en serve et de tout autre remede, tant fantastique soit il, que d'avouer sa necessaire bestise: verité si desavantageuse! Il ne peut fuir que les sens ne soient les souverains maistres de sa cognoissance; mais ils sont incertains et falsibliables à toutes circonstances. C'est là où il faut se battre à outrance, et, si les forces justes nous faillent, comme elles font, y employer l'opiniastreté, la temerité, l'impudence.

// Au cas que ce que disent les Epicuriens soit vray, asçavoir que nous n'avons pas de science si les apparences des sens sont fauces; et ce que disent les Stoïciens, s'il est aussi vray que les apparences des sens si fauces qu'elles ne nous peuvent produire aucune science, nous conclurrons, aux despens de ces deux grandes sectes dogmatistes, qu'il n'y a point de science.

/ Quant à l'erreur et incertitude de l'operation des sens, chacun s'en peut fournir autant d'exemples qu'il luy plaira, tant les fautes et tromperies qu'ils nous font sont ordinaires. Au retantir [567] d'un valon, le son d'une trompette semble venir devant nous, qui vient d'une lieue derriere :

// *Exstantesque procul medio de gurgite montes*
Iidem apparent longe diversi licet...
Et fugere ad puppim colles campique videntur
Quos agimus propter navim...
    Ubi in medio nobis equus acer obhæsit
Flumine, equi corpus transversum ferre videtur
Vis, et in adversum flumen contrudere raptim [568].

/ A manier une balle d'arquebouse soubs le second doigt, celuy du milieu estant entrelassé par dessus, il faut extremement se contraindre, pour advoüer, qu'il n'y en ait qu'une, tant le sens nous en represente deux. Car que les sens soyent maintesfois maistres du discours, et le contraignent de recevoir des impressions qu'il sçait et juge estre fauces, il se void à tous coups. Je laisse à part celuy de l'atouchement, qui a ses operations plus voisines, plus vives et substantielles, qui renverse tant de fois, par l'effet de la douleur qu'il apporte au corps, toutes ces belles resolutions Stoïques, et contraint de crier au ventre celuy qui a estably en son ame ce dogme avec toute resolution, que la colique, comme toute autre maladie et douleur,

est chose indifferente, n'ayant la force de rien rabatre du
souverain bonheur et felicité en laquelle le sage est logé
par sa vertu. Il n'est cœur si mol que le son de nos tabou-
rins et de nos trompetes n'eschaufe; ny si dur que la
douceur de la musique n'esveille et ne chatouille; ny ame
si revesche qui ne se sente touchée de quelque reverence
à considerer cette vastité sombre de nos Eglises, la diversité d'ornemens et ordre de nos ceremonies, et ouyr le
son devotieux de nos orgues, et la harmonie si posée et
religieuse de nos voix. Ceux mesme qui y entrent avec
mespris, sentent quelque frisson dans le cœur, et quelque
horreur [569] qui les met en deffiance de leur opinion.

// Quant à moy, je ne m'estime point assez fort pour ouyr
en sens rassis des vers d'Horace et de Catulle, chantez
d'une voix suffisante par une belle et jeune bouche.

/// Et Zenon avoit raison de dire que la voix estoit la
fleur de la beauté. On m'a voulu faire accroire qu'un
homme, que tous nous autres François cognoissons,
m'avoit imposé en me recitant des vers qu'il avoit faicts,
qu'ils n'estoient pas tels sur le papier qu'en l'air, et que
mes yeux en feroyent contraire jugement à mes oreilles,
tant la prononciation a de credit à donner prix et façon
aux ouvrages qui passent à sa merci. Sur quoy Philoxenus
ne fut pas fascheux, lequel oyant un donner mauvais ton
à quelque sienne composition, se print à fouler aux pieds
et casser de la brique qui estoit à luy, disant : « Je romps
ce qui est à toi, comme tu corromps ce qui est à moy. »

/ A quoy faire ceux mesmes qui se sont donnez la mort
d'une certaine resolution, destournoyent ils la face pour
ne voir le coup qu'ils se faisoyent donner ? et ceux qui
pour leur santé desirent et commandent qu'on les incise
et cauterise, ne peuvent soustenir la veuë des aprets, utils
et opération du chirurgien ? attendu que la veuë ne doit
avoir aucune participation à cette douleur. Cela ne sont
ce pas propres exemples a verifier l'authorité que les sens
ont sur le discours ? Nous avons beau sçavoir que ces
tresses sont empruntées d'un page ou d'un laquais; que
cette rougeur est venue d'Espaigne, et cette blancheur et
polisseure de la mer Oceane, encore faut-il que la veuë
nous force d'en trouver le subject plus aimable et plus
agreable, contre toute raison. Car en cela il n'y a rien du sien.

Auferimur cultu; gemmis auroque teguntur
Crimina : pars minima est ipsa puella sui
Sæpe ubi sit quod ames inter tam multa requiras :
Decipit hac oculos Ægide, dives amor [570].

Combien donnent à la force des sens les poëtes, qui font
Narcisse esperdu de l'amour de son ombre,

> *Cunctaque miratur, quibus est mirabilis ipse;*
> *Se cupit imprudens; et qui probat, ipse probatur;*
> *Dumque petit, petitur; pariterque accendit et ardet* [571];

et l'entendement de Pygmalion si troublé par l'impression
de la veuë de sa statue d'ivoire, qu'il l'aime et la serve [572]
pour vive [573]!

> *Oscula dat reddique putat, sequiturque tenetque,*
> *Et credit tactis digitos insidere membris;*
> *Et metuit pressos veniat ne livor in artus* [574].

Qu'on loge un philosophe dans une cage de menus filets
de fer cler-semez, qui soit suspendue au haut des tours
nostre Dame de Paris, il verra par raison evidente qu'il
est impossible qu'il en tombe, et si, ne se sçauroit garder
(s'il n'a accoustumé le mestier des recouvreurs) que la
veuë de cette hauteur extreme ne l'espouvante et ne le
transisse. Car nous avons assez affaire de nous asseurer aux
galeries qui sont en nos clochiers, si elles sont façonnées
à jour, encores qu'elles soyent de pierre. Il y en a qui n'en
peuvent pas seulement porter la pensée. Qu'on jette une
poutre entre ces deux tours, d'une grosseur telle qu'il nous
la faut à nous promener dessus : il n'y a sagesse philosophique de si grande fermeté qui puisse nous donner courage d'y marcher comme nous le ferions, si elle estoit à
terre. J'ay souvent essayé cela en nos montaignes de deça
(et si suis de ceux qui ne s'effrayent que mediocrement de
telles choses) que je ne pouvoy souffrir la veuë de cette
profondeur infinie sans horreur et tremblement de jarrets
et de cuisses, encores qu'il s'en fallut bien ma longueur
que je ne fusse du tout au bort, et n'eusse sçeu choir si je
ne me fusse porté à escient au dangier. J'y remerquay aussi,
quelque hauteur qu'il y eust, pourveu qu'en cette pente
il s'y presentast un arbre ou bosse de rochier pour soustenir
un peu la veuë et la diviser, que cela nous allege et donne
asseurance, comme si c'estoit chose dequoy à la cheute
nous peussions recevoir secours; mais que les precipices
coupez [575] et uniz, nous ne les pouvons pas seulement
regarder sans tournoyement de teste : /// « *ut despici sine
vertigine simul oculorum animique non possit* [576] »; / qui est
une evidente imposture de la veuë. Ce beau philosophe se
creva les yeux pour descharger l'ame de la desbauche

qu'elle en recevoit, et pouvoir philosopher plus en liberté.

Mais, à ce conte, il se devoit aussi faire estouper [577] les oreilles, // que Theophrastus dict estre le plus dangereux instrument que nous ayons pour recevoir des impressions violentes à nous troubler et changer, / et se devoit priver en fin de tous les autres sens, c'est à dire de son estre et de sa vie. Car ils ont tous cette puissance de commander nostre discours et nostre ame. /// « *Fit etiam sæpe specie quadam, sæpe vocum gravitate et cantibus, ut pellantur animi vehementius; sæpe etiam cura et timore* [578]. » / Les medecins tiennent qu'il y a certaines complexions qui s'agitent par aucuns sons et instrumens jusques à la fureur. J'en ay veu qui ne pouvoient ouyr ronger un os soubs leur table sans perdre patience; et n'est guiere homme qui ne se trouble à ce bruit aigre et poignant que font les limes en raclant le fer; comme, à ouyr mascher prez de nous, ou ouyr parler quelqu'un qui ait le passage du gosier ou du nez empesché, plusieurs s'en esmeuvent jusques à la colere et la haine. Ce fleuteur [579] protocole de Gracchus, qui amolissoit, roidissoit et contournoit [580] la vois de son maistre lors qu'il haranguoit à Rome, à quoy servoit il, si le mouvement et qualité du son n'avoit force à esmouvoir et alterer le jugement des auditeurs ? Vrayement il y a bien de quoy faire si grande feste de la fermeté de cette belle piece, qui se laisse manier et changer au branle et accidens d'un si leger vent!

Cette mesme piperie que les sens apportent à nostre entendement, ils la reçoivent à leur tour. Nostre ame par fois s'en revenche de mesme; /// ils mentent et se trompent à l'envy. / Ce que nous voyons et oyons agitez de colere, nous ne l'oyons pas tel qu'il est,

Et solem geminum, et duplices se ostendere Thebas [581],

L'objet que nous aymons nous semble plus beau qu'il n'est,

// *Multimodis igitur pravas turpesque videmus*
Esse in deliciis, summoque in honore vigere [582],

/ et plus laid celuy que nous avons à contre cœur. A un homme ennuyé et affligé, la clarté du jour semble obscurcie et tenebreuse. Nos sens sont non seulement alterez, mais souvent hebetez du tout par les passions de l'ame. Combien de choses voyons nous, que nous n'appercevons pas si nous avons nostre esprit empesché ailleurs ?

> *In rebus quoque apertis noscere possis.*
> *Si non advertas animum, proinde esse, quasi omni*
> *Tempore semotæ fuerint, longeque remotæ* [583].

Il semble que l'ame retire au dedans et amuse les puissances des sens. Par ainsin, et le dedans et le dehors de l'homme est plein de foiblesse et de mensonge.

// Ceux qui ont apparié [584] nostre vie à un songe, ont eut de la raison, à l'avanture plus qu'ils ne pensoyent. Quand nous songeons, nostre ame vit, agit, exerce toutes ses facultez, ne plus ne moins que quand elle veille; mais si plus mollement et obscurement, non de tant certes que la differance y soit comme de la nuit à une clarté vifve; ouy, comme de la nuit à l'ombre : là elle dort, icy elle sommeille plus et moins. Ce sont tousjours tenebres, et tenebres Cymmerienes.

/// Nous veillons dormans, et veillans dormons. Je ne vois pas si clair dans le sommeil; mais, quand au veiller, je ne le trouve jamais assez pur et sans nuage. Encores le sommeil en sa profondeur endort par fois les songes. Mais nostre veiller n'est jamais si esveillé qu'il purge et dissipe bien à point les resveries, qui sont les songes des veillants, et pires que songes.

Nostre raison et nostre ame, recevant les fantasies et opinions qui luy naissent en dormant, et authorisant les actions de nos songes de pareille approbation qu'elle faict celles du jour, pourquoy ne mettons nous en doubte si nostre penser, nostre agir, n'est pas un autre songer et nostre veiller quelque espece de dormir ?

/ Si les sens sont noz premiers juges, ce ne sont pas les nostres qu'il faut seuls appeller au conseil, car en cette faculté les animaux ont autant ou plus de droit que nous. Il est certain qu'aucuns ont l'ouye plus aiguë que l'homme, d'autres la veuë, d'autres le sentiment [585], d'autres l'atouchement ou le goust. Democritus disoit que les Dieux et les bestes avoyent les facultez sensitives beaucoup plus parfaictes que l'homme. Or, entre les effects de leurs sens et les nostres, la difference est extreme. Notre salive nettoye et asseche nos playes, elle tue le serpent :

> *Tantáque in his rebus distantia differitasque est,*
> *Ut quod alis cibus est, aliis fuat acre venenum.*
> *Sæpe etenim serpens, hominis contacta saliva,*
> *Disperit, ac sese mandendo conficit ipsa* [586].

Quelle qualité donnerons nous à la salive ? ou selon nous, ou selon le serpent ? Par quel des deux sens verifierons

nous sa veritable essence que nous cerchons ? Pline dit
qu'il y a aux Indes certains lievres marins qui nous sont
poison, et nous à eux, de maniere que du seul attouchement nous les tuons : qui sera veritablement poison, ou
l'homme ou le poisson ? à qui en croirons nous, ou au
poisson de l'homme, ou à l'homme du poisson ? // Quelque
qualité d'air infecte l'homme, qui ne nuict point au bœuf;
quelque autre, le bœuf, qui ne nuict point à l'homme :
laquelle des deux sera, en verité et en nature, pestilente
qualité ? / Ceux qui ont la jaunisse, ils voyent toutes choses
jaunâtres et plus pasles que nous :

> // *Lurida præterea fiunt quæcunque tuentur*
> *Arquati* [587].

/ Ceux qui ont cette maladie que les medecins nomment
Hyposphragma [588], qui est une suffusion de sang sous la
peau, voient toutes choses rouges et sanglantes. Ces
humeurs qui changent ainsi les operations de nostre veuë,
que sçavons nous si elles predominent aux bestes et leur
sont ordinaires ? Car nous en voyons les unes qui ont les
yeux jaunes comme noz malades de jaunisse, d'autres qui
les ont sanglans de rougeur; à celles là il est vray-semblable
que la couleur des objects paroit autre qu'à nous : quel
jugement des deux sera le vray ? Car il n'est pas dict que
l'essence des choses se raporte à l'homme seul. La durté,
la blancheur, la profondeur et l'aigreur touchent le service et science des animaux, comme la nostre; nature leur
en a donné l'usage comme à nous. Quand nous pressons
l'œil, les corps que nous regardons, nous les apercevons
plus longs et estendus; plusieurs bestes ont l'œil ainsi
pressé : cette longueur est donc à l'avanture la veritable
forme de ce corps, non pas celle que noz yeux lui donnent
en leur assiete ordinaire. // Si nous serrons l'œil par
dessoubs, les choses nous semblent doubles.

> *Bina lucernarum flagrantia lumina flammis*
> *Et duplices hominum facies, et corpora bina* [589].

/ Si nous avons les oreilles empeschées de quelque chose,
ou le passage de l'ouye resserré, nous recevons le son autre
que nous ne faisons ordinairement; les animaux qui ont
les oreilles velues, ou qui n'ont qu'un bien petit trou au
lieu de l'oreille, ils n'oyent par conséquent pas ce que
nous oyons et reçoivent le son autre. Nous voyons aux
festes et aux theatres que, opposant à la lumière des

flambeaux une vitre teinte de quelque couleur, tout ce qui
est en ce lieu nous appert [590] ou vert, ou jaune, ou violet,

> // *Et vulgo faciunt id lutea russaque vela*
> *Et furrugina, cum magnis intenta theatris*
> *Per malos volgata trabesque trementia pendent :*
> *Namque ibi consessum caveai subter, et omnem*
> *Scenai speciem, patrum, matrumque, deorumque*
> *Inficiunt, coguntque suo fluitare colore [591],*

/ il est vray-semblable que les yeux des animaux, que nous
voyons estre de diverse couleur, leur produisent les apparences des corps de mesmes leurs yeux.

Pour le jugement de l'action des sens, il faudroit donc
que nous en fussions premierement d'accord avec les
bestes, secondement entre nous mesmes. Ce que nous ne
sommes aucunement; et entrons en debat tous les coups de
ce que l'un oit, void ou goute quelque chose autrement
qu'un autre; et debatons, autant que d'autre chose, de la
diversité des images que les sens nous raportent. Autrement
oit et voit, par la regle ordinaire de nature, et autrement
gouste un enfant qu'un homme de trente ans, et cettuy-cy
autrement qu'un sexagenaire. Les sens sont aux uns plus
obscurs et plus sombres, aux autres plus ouverts et plus
aigus. Nous recevons les choses autres et autres, selon que
nous sommes et qu'il nous semble. Or nostre sembler
estant si incertain et controversé, ce n'est plus miracle si
on nous dict que nous pouvons avouër que la neige nous
apparoit blanche, mais que d'establir si de son essence elle
est telle et à la verité, nous ne nous en sçaurions respondre :
et, ce commencement esbranlé, toute la science du monde
s'en va necessairement à vau-l'eau. Quoy, que nos sens
mesmes s'entr'empeschent l'un l'autre ? Une peinture
semble eslevée à la veuë, au maniement elle semble plate;
dirons nous que le musc soit aggreable ou non qui resjouit
notre sentiment et offence nostre goust ? Il y a des herbes
et des unguens propres à une partie du corps, qui en
blessent une autre; le miel est plaisant au goust, mal plaisant à la veuë. Ces bagues qui sont entaillées en forme de
plumes, qu'on appelle en devise [592] : pennes sans fin, il n'y
a œil qui en puisse discerner la largeur et qui se sçeut
deffendre de cette piperie, que d'un costé elles n'aillent
en eslargissant, et s'apointant [593] et estressissant par
l'autre, mesmes quand on les roule autour du doigt;
toutesfois au maniement elles vous semblent equables en
largeur et par tout pareilles.

// Ces personnes qui, pour aider leur volupté, se servoient anciennement de miroirs propres à grossir et
aggrandir l'object qu'ils representent, affin que les membres
qu'ils avoient à embesoigner, leur pleussent d'avantage par
cette accroissance oculaire; auquel des deux sens don-
noient-ils gaigné, ou à la veuë qui leur representoit ces
membres gros et grands à souhait, ou à l'attouchement qui
les leur presentoit petits et desdaignables ?

/ Sont-ce nos sens qui prestent au subject ces diverses
conditions, et que les subjects n'en ayent pourtant qu'une ?
comme nous voyons du pain que nous mangeons; ce n'est
que pain, mais nostre usage en faict des os, du sang, de
la chair, des poils et des ongles :

// *Ut cibus, in membra atque artus cum diditur omnes,*
    Disperit, atque aliam naturam sufficit ex se [594].

/ L'humeur que succe la racine d'un arbre, elle se faict
tronz, feuille et fruit; et l'air n'estant qu'un, il se faict,
par l'appplication à une trompette, divers en mille sortes
de sons : sont-ce, dis-je, nos sens qui façonnent demesme
de diverses qualitez ces subjects, ou s'ils les ont telles ?
Et sur ce doubte, que pouvons nous resoudre de leur
veritable essence ? D'avantage, puis que les accidens des
maladies, de la resverie ou du sommeil nous font paroistre
les choses autres qu'elles ne paroissent aux sains, aux
sages et à ceux qui veillent, n'est-il pas vraysemblable que
nostre assiette droicte et nos humeurs naturelles ont
aussi dequoy donner un estre aux choses se rapportant
à leur condition, et les accommoder à soy, comme font
les humeurs desreglées ? et nostre santé aussi capable de
leur fournir son visage, comme la maladie ? /// Pourquoy
n'a le temperé quelque forme des objects relative à soy,
comme l'intempéré, et ne leur imprimera-il pareillement
son caractere ?

Le desgouté charge [595] la fadeur au vin : le sain, la
saveur; l'alteré, la triandise [596].

/ Or, nostre estat accommodant les choses à soy et les
transformant selon soy, nous ne sçavons plus quelles sont
les choses en verité; car rien ne vient à nous que falsifié
et alteré par nos sens. Où le compas, l'esquarre [597] et la
regle sont gauche, toutes les proportions qui s'en tirent,
tous les bastimens qui se dressent à leur mesure, sont aussi
necessairement manques [598] et defaillans [599]. L'incertitude
de nos sens rend incertain tout ce qu'ils produisent :

Denique ut in fabrica, si prava est regula prima,
Normaque si fallax rectis regionibus exit,
Et libella aliqua si ex parte claudicat hilum,
Omnia mendose fieri atque obstipa necessum est,
Prava, cubantia, prona, supina, atque absona tecta,
Jam ruere ut quædam videantur velle, ruantque
Prodita judiciis fallacibus omnia primis.
Hic igitur ratio tibi rerum prava necesse est
Falsaque sit falcis quæcumque a sensibus orta est [600].

Au demeurant, qui sera propre à juger de ces différences ? Comme nous disons, aux debats de la religion,
qu'il nous faut un juge non attaché à l'un ny à l'autre
party, exempt de chois et d'affection, ce qui ne se peut
parmy les Chrestiens, il advient de mesme en cecy ; car,
s'il est vieil, il ne peut juger du sentiment de la vieillesse,
estant luy mesme partie en ce debat ; s'il est jeune, de
mesme ; sain, de mesme ; de mesme, malade, dormant et
veillant. Il nous faudroit quelqu'un exempt de toutes ces
qualitez, afin que, sans præoccupation de jugement, il
jugeast de ces propositions comme à luy indifferentes ; et
à ce conte il nous faudroit un juge qui ne fut pas.

Pour juger des apparences que nous recevons des
subjects, il nous faudroit un instrument judicatoire ; pour
verifier cet instrument, il nous y faut de la demonstration ;
pour verifier la demonstration, un instrument : nous voilà
au rouet [601]. Puis que les sens ne peuvent arrester notre
dispute, estans pleins eux-mesmes d'incertitude, il faut que
ce soit la raison ; aucune raison ne s'establira sans une
autre raison : nous voylà à reculons jusques à l'infiny.
Nostre fantasie ne s'applique pas aux choses estrangeres,
ains elle est conceue par l'entremise des sens ; et les sens
ne comprennent [602] pas le subject [603] estranger, ains seulement leurs propres passions ; et par ainsi la fantasie et
apparence n'est pas du subject, ains seulement de la passion
et souffrance du sens, laquelle passion et subject sont
choses diverses ; parquoy qui juge par les apparences, juge
par chose autre que le subject. Et de dire que les passions
des sens rapportent à l'ame la qualité des subjects estrangers par ressemblance, comment se peut l'ame et l'entendement asseurer de cette ressemblance, n'ayant de soy nul
commerce avec les subjects estrangers ? Tout ainsi comme,
qui ne cognoit pas Socrates, voyant son pourtraict, ne
peut dire qu'il luy ressemble. Or qui voudroit toutesfois
juger par les apparences ; si c'est par toutes, il est impossible, car elles s'entr'empeschent par leurs contrarietez et

discrepances [604], comme nous voyons par experience ; sera ce qu'aucunes apparences choisies reglent les autres ? Il faudra verifier cette choisie par une autre choisie, la seconde par la tierce ; et par ainsi ce ne sera jamais faict.

Finalement, il n'y a aucune constante existence, ny de nostre estre, ny de celuy des objects. Et nous, et nostre jugement, et toutes choses mortelles, vont coulant et roulant sans cesse. Ainsin il ne se peut establir rien de certain de l'un à l'autre, et le jugeant et le jugé estans en continuelle mutation et branle.

Nous n'avons aucune communication à l'estre, par ce que toute humaine nature est tousjours au milieu entre le naistre et le mourir, ne baillant de soy qu'une obscure apparence et ombre, et une incertaine et debile opinion. Et si, de fortune, vous fichez vostre pensée à vouloir prendre son estre, ce sera ne plus ne moins que qui voudroit empoigner l'eau : car tant plus il serrera et pressera ce qui de sa nature coule par tout, tant plus il perdra ce qu'il vouloit tenir et empoigner. Ainsin, estant toutes choses subjectes à passer d'un changement en autre, la raison, y cherchant une reelle subsistance, se trouve deceue, ne pouvant rien apprehender de subsistant et permanant par ce que tout ou vient en estre et n'est pas encore du tout, ou commence à mourir avant qu'il soit nay. Platon disoit que les corps n'avoient jamais existence, ouy bien naissance, /// estimant que Homere eust faict l'ocean pere des Dieus, et Thetis la mere, pour nous montrer que toutes choses sont en fluxion [605], muance et variation perpetuelle : opinion commune à tous les Philosophes avant son temps, comme il dict, sauf le seul Parmenides, qui refusoit mouvement aux choses, de la force du quel il faict grand cas ; / Pythagoras, que toute matiere est coulante et labile [606] ; les Stoïciens, qu'il n'y a point de temps present, et que ce que nous appellons present, n'est que la jointure et assemblage du futur et du passé ; Heraclitus, que jamais homme n'estoit deux fois entré en mesme riviere ; // Epicharmus, que celuy qui a pieça emprunté de l'argent ne le doit pas maintenant ; et que celuy qui cette nuict a esté convié à venir ce matin disner, vient aujourd'huy non convié, attendu que ce ne sont plus eux : ils sont devenus autres ; / et qu'il ne se pouvoit trouver une substance mortelle deux fois en mesme estat, car, par soudaineté et legereté de changement, tantost elle dissipe, tantost elle rassemble ; elle vient et puis s'en va. De façon que ce qui commence à naistre ne parvient jamais jusques à perfection d'estre, pourautant que ce naistre n'acheve jamais, et jamais n'arreste, comme estant à bout, ains, depuis la semence, va tousjours se changeant et muant d'un à autre. Comme de semence humaine se fait premierement dans le ventre de la mere un fruict sans forme, puis un enfant formé, puis, estant hors du ventre, un enfant de mammelle; après il devient garson; puis consequemment un jouvenceau; après un homme faict; puis un homme d'aage; à la fin decrepité vieillard. De maniere que l'aage et generation subsequente va tousjours desfaisant et gastant la precedente :

> // *Mutat enim mundi naturam totius ætas,*
> *Ex alioque alius status excipere omnia debet,*
> *Nec manet ulla sui similis res : omnia migrant,*
> *Omnia commutat natura et vertere cogit* [607].

/ Et puis nous autres sottement craignons une espece de mort, là où nous en avons desjà passé et en passons tant d'autres. Car non seulement, comme disoit Heraclitus, la mort du feu est generation de l'air, et la mort de l'air generation de l'eau, mais encor plus manifestement le pouvons nous voir en nous mesmes. La fleur d'aage se meurt et passe quand la vieillesse survient, et la jeunesse se termine en fleur d'aage d'homme faict, l'enfance en la jeunesse, et le premier aage meurt en l'enfance, et le jour d'hier meurt en celuy du jourd'huy, et le jourd'huy mourra en celuy de demain; et n'y a rien qui demeure ne qui soit tousjours un. Car, qu'il soit ainsi, si nous demeurons tousjours mesmes et uns, comment est-ce que nous nous esjouyssons maintenant d'une chose, et maintenant d'une autre ? Comment est-ce que nous aymons choses contraires ou les haïssons, nous les louons ou nous les blasmons ? Comment avons nous differentes affections, ne retenant plus le mesme sentiment en la mesme pensée ? Car il n'est pas vraysemblable que sans mutation nous prenions autres passions; et ce qui souffre mutation ne demeure pas un mesme, et, s'il n'est pas un mesme, il n'est donc pas aussi. Ains, quant et l'estre tout un, change aussi l'estre simplement, devenant tousjours autre d'un autre. Et par consequent se trompent et mentent les sens de nature, prenans ce qui apparoit pour ce qui est, à faute de bien sçavoir que c'est qui est. Mais qu'est-ce donc qui est véritablement ? Ce qui est eternel, c'est à dire qui n'a jamais eu de naissance, n'y n'aura jamais fin; à qui le temps n'apporte jamais aucune mutation. Car c'est chose

mobile que le temps, et qui apparoit comme en ombre,
avec la matiere coulante et fluante tousjours, sans jamais
demeurer stable ny permanente; à qui appartiennent ces
mots : devant et après, et a esté ou sera, lesquels tout de
prime face montrent evidemment que ce n'est pas chose
qui soit; car ce seroit grande sottise et fauceté toute apparente de dire que cela soit qui n'est pas encore en estre, ou
qui desjà a cessé d'estre. Et quant à ces mots : present,
instant, maintenant, par lesquels il semble que principalement nous soustenons et fondons l'intelligence du temps,
la raison le descouvrant le destruit tout sur le champ : car
elle le fend incontinent et le part [608] en futur et en passé,
comme le voulant voir necessairement desparty en deux.
Autant en advient-il à la nature qui est mesurée, comme
au temps qui la mesure. Car il n'y a non plus en elle rien
qui demeure, ne qui soit subsistant; ains y sont toutes
choses ou nées, ou naissantes, ou mourantes. Au moyen
dequoy ce seroit peché de dire de Dieu, qui est le seul
qui est, qu'il fut ou il sera. Car ces termes là sont
declinaisons [609], passages ou vicissitudes de ce qui ne peut
durer, ny demeurer en estre. Parquoy il faut conclurre que
Dieu seul est, non poinct selon aucune mesure du temps,
mais selon une eternité immuable et immobile, non mesurée par temps, ny subjecte à aucune declinaison; devant
lequel rien n'est, ny ne sera après, ny plus nouveau ou
plus recent, ains un realement [610] estant, qui, par un seul
maintenant emplit le tousjours, et n'y a rien qui veritablement soit que luy seul, sans qu'on puisse dire : Il a esté,
ou : Il sera; sans commencement et sans fin.

A cette conclusion si religieuse d'un homme payen je
veux joindre seulement ce mot d'un tesmoing de mesme
condition, pour la fin de ce long et ennuyeux discours
qui me fourniroit de matiere sans fin : « O la vile chose,
dict-il, et abjecte que l'homme, s'il ne s'esleve au dessus
de l'humanité! » /// Voylà un bon mot et un utile desir,
mais pareillement absurde. Car / de faire la poignée plus
grande que le poing, la brassée plus grande que le bras,
et d'esperer enjamber plus que de l'estanduë de nos jambes,
cela est impossible et monstrueux. Ny que l'homme se
monte au dessus de soy et de l'humanité : car il ne peut
voir que de ses yeux, ny saisir que de ses prises. Il s'eslevera
si Dieu lui preste extraordinairement la main; il s'eslevera,
abandonnant et renonçant à ses propres moyens, et se laissant
hausser et soubslever par les moyens purement celestes.

/// C'est à nostre foy Chrestienne, non à sa vertu Stoïque
de pretendre à cette divine et miraculeuse metamorphose.

CHAPITRE XIII

DE JUGER DE LA MORT D'AUTRUY

/ Quand nous jugeons de l'asseurance d'autruy en la mort, qui est dans doubte la plus remerquable action de la vie humaine, il se faut prendre garde d'une chose : que mal aisément on croit estre arrivé à ce point. Peu de gens meurent resolus que ce soit leur heure derniere, et n'est endroit où la piperie de l'esperance nous amuse plus. Elle ne cesse de corner aux oreilles : « D'autres ont bien esté plus malades sans mourir; l'affaire n'est pas si désesperé qu'on pense; et, au pis aller, Dieu a bien fait d'autres miracles. » Et advient cela de ce que nous faisons trop de cas de nous. Il semble que l'université des choses souffre aucunement de nostre aneantissement, et qu'elle soit compassionnée [1] à nostre estat. D'autant que nostre veuë alterée se represente les choses de mesmes; et nous est advis qu'elles luy faillent à mesure qu'elle leur faut : comme ceux qui voyagent en mer, à qui les montaignes, les campaignes, les villes, le ciel et la terre vont mesme branle, et quant et quant eux,

// *Provehimur portu, terræque urbesque recedunt* [2].

Qui veit jamais vieillesse qui ne louast le temps passé et ne blamast le present, chargeant le monde et les meurs des hommes de sa misere et de son chagrin ?

> *Jamque caput quassans grandis suspirat arator,*
> *Et cum tempora temporibus præsentia confert*
> *Præteritis, laudat fortunas sæpe parentis,*
> *Et crepat antiquum genus ut pietate repletum* [3].

Nous entrainons tout avec nous.
/ D'où il s'ensuit que nous estimons grande chose nostre mort, et qui ne passe pas si aisément, ny sans solenne

consultation des astres, /// « *tot circa unum caput tumul-*
tuantes deos [4] ». / Et le pensons d'autant plus que plus nous
nous prisons. /// Comment ? tant de sciance se perdroit
elle avec tant de dommage, sans particulier soucy des
destinées ? Une ame si rare et examplaire ne coute elle
non plus à tuer qu'une ame populaire et inutile ? Cette
vie, qui en couvre tant d'autres, de qui tant d'autres vies
despendent, qui occupe tant de monde par son usage,
remplit tant de places, se desplace elle comme celle qui
tient à son simple nœud ?

Nul de nous ne pense assez n'estre qu'un.

/ De là viennent ces mots de Cæsar à son pilote, plus
enflez que la mer qui le menassoit :

> *Italiam si, cœlo authore, recusas,*
> *Me pete : sola tibi causa hæc est justa timoris,*
> *Vectorem non nosse tuum... perrumpe procellas,*
> *Tutela secure mei* [5].

Et ceux cy :

> *credit jam digna pericula Cæsar*
> *Fatis esse suis : Tantusque evertere, dixit,*
> *Me superis labor est, parva quem puppe sedentem*
> *Tam magno petiere mari* [6].

// Et cette resverie publique, que le Soleil porta en son
front, tout le long d'un an, le deuil de sa mort :

> *Ille etiam, exstincto miseratus Cæsare Roman,*
> *Cum caput obscura nitidum ferrugine texit* [7];

et mille semblables, dequoy le monde se laisse si ayséement piper, estimant que nos interests alterent le Ciel,
/// et que son infinité se formalise de noz menues distinc-
tions : « *Non tanta cœlo societas nobiscum est, ut nostro fato*
mortalis sit ille quoque siderum fulgor [8]. »

/ Or, de juger la resolution et la constance en celuy qui
ne croit pas encore certainement estre au danger, quoy
qu'il y soit, ce n'est pas raison; et ne suffit pas qu'il soit
mort en cette desmarche, s'il ne s'y estoit mis justement
pour cet effect. Il advient à la pluspart de roidir leur contenance et leurs parolles pour en acquerir reputation, qu'ils
esperent encore jouir vivans. /// D'autant que [9] j'en ay veu
mourir, la fortune a disposé les contenances, non leur
dessein. / Et de ceux mesmes qui se sont anciennement

donnez la mort, il y a bien à choisir [10] si c'est une mort soudaine, ou mort qui ait du temps. Ce cruel Empereur Romain disoit de ses prisonniers qu'il leur vouloit faire sentir la mort; et si quelcun se deffaisoit en prison : « Celuy là m'est eschapé », disoit il. Il vouloit estendre la mort et la faire sentir par les tourmens :

> // *Vidimus et toto quamvis in corpore cæso*
> *Nil animæ letale datum, moremque nefandæ*
> *Durum sævitiæ pereuntis parcere morti* [11].

/ De vray ce n'est pas si grande chose d'establir, tout sain et tout rassis, de se tuer; il est bien aisé de faire le mauvais avant que de venir aux prises : de maniere que le plus effeminé homme du monde, Heliogabalus, parmy ses plus laches voluptez, desseignoit [12] bien de se faire mourir /// delicatement où l'occasion l'en forceroit; et, afin que sa mort ne dementist point le reste de sa vie, avoir fait bastir exprès une tour somptueuse, le bas et le devant de laquelle estoit planché d'ais enrichis d'or et de pierrerie pour se precipiter; et aussi fait faire des cordes d'or et de soye cramoisie pour s'estrangler; et battre une espée d'or pour s'enferrer; et gardoit du venin dans des vaisseaux d'emeraude et de topaze pour s'empoisonner, selon que l'envie lui prendroit de choisir de toutes ces façons de mourir :

> // *Impiger et fortis virtute coacta* [13].

/ Toutesfois, quant à cettuy-cy, la mollesse de ses aprets rend plus vray-semblable que le nez luy eut seigné, qui l'en eut mis au propre [14]. Mais de ceux mesmes qui, plus vigoureux, se sont resolus à l'execution, il faut voir (dis-je) si ç'a esté d'un coup qui ostat le loisir d'en sentir l'effect : car c'est à deviner, à voir escouler la vie peu à peu, le sentiment du corps se meslant à celuy de l'ame, s'offrant le moyen de se repentir, si la constance s'y fut trouvée et l'obstination en une si dangereuse volonté.

Aux guerres civiles de Cæsar, Lucius Domitius, pris en la Prusse [15], s'estant empoisonné, s'en repantit après. Il est advenu de nostre temps que tel, resolu de mourir, et de son premier essay n'ayant donné assez avant, la demangeson de la chair luy repoussant le bras, se reblessa bien fort à deux ou trois fois après, mais ne peut jamais gaigner sur luy d'enfoncer le coup. /// Pendant qu'on faisoit le procès à Plautius Silvanus, Urgulania, sa mere-grant, luy envoya un poignard, duquel n'ayant peu venir à bout de

se tuer, il se fit couper les veines à ses gens. // Albucilla,
du temps de Tibere, s'estant pour se tuer frappée trop
mollement, donna encores à ses parties [16] moyen de l'em-
prisonner et faire mourir à leur mode. Autant en fit le
Capitaine Demosthenes après sa route [17] en la Sicile.
/// Et C. Fimbria, s'estant frappé trop foiblement, impe-
tra [18] de son valet de l'achever. Au rebours, Ostorius, lequel,
ne se pouvant servir de son bras, desdaigna d'employer
celuy de son serviteur à autre chose qu'à tenir le poignard
droit et ferme, et, se donnant le branle, porta lui-mesme
sa gorge à l'encontre, et la transperça. / C'est une viande,
à la vérité, qu'il faut engloutir sans macher, qui [19] n'a le
gosier ferré à glace; et pourtant l'Empereur Adrianus feit
que son medecin merquat et circonscript en son tetin
justement l'endroit mortel où celuy eut à viser, à qui il
donna la charge de le tuer. Voylà pourquoy Cæsar,
quand on luy demandoit quelle mort il trouvoit la plus
souhaitable : « La moins premeditée, respondit-il, et la
plus courte. »

// Si Cæsar l'a osé dire, ce ne m'est plus lacheté de le
croire.

/ Une mort courte, dit Pline, est le souverain heur de
la vie humaine. Il leur fache de le reconnoistre. Nul ne
se peut dire estre resolu à la mort, qui craint à la marchander, qui ne peut la soustenir les yeux ouvers. Ceux qu'on
voit aux supplices courir à leur fin, et haster l'execution et
la presser, ils ne le font pas de resolution : ils se veulent
oster le temps de la considérer. L'estre mort ne les fache
pas, mais ouy bien le mourir,

Emori nolo, sed me esse mortuum nihili æstimo [20].

C'est un degré de fermeté auquel j'ay experimenté que je
pourrois arriver, ainsi que ceux qui se jettent dans les
dangers comme dans la mer, à yeux clos.

/// Il n'y a rien, selon moy, plus illustre en la vie de
Socrates que d'avoir eu trente jours entiers à ruminer le
decret de sa mort; de l'avoir digerée tout ce temps là d'une
très certaine esperance, sans esmoy, sans alteration, et d'un
train d'actions et de parolles ravallé plustost et anonchali [21]
que tendu et relevé par le poids d'une telle cogitation.

/ Ce Pomponius Atticus à qui Cicero escrit, estant
malade, fit appeler Agrippa son gendre, et deux ou trois
autres de ses amys, et leur dit qu'ayant essayé qu'il ne
gaignoit rien à se vouloir guerir, et que tout ce qu'il faisoit
pour allonger sa vie, allongeoit aussi et augmentoit sa

douleur, il estoit deliberé de mettre fin à l'un et à l'autre, les priant de trouver bonne sa deliberation et, au pis aller, de ne perdre point leur peine à l'en détourner. Or, ayant choisi de se tuer par abstinence, voyla sa maladie guerie par accidant : ce remede qu'il avoit employé pour se deffaire, le remet en santé. Les medecins et ses amis, faisans feste d'un si heureux evenement et s'en resjouissans avec luy, se trouverent bien trompez; car il ne leur fut possible pour cela de luy faire changer d'opinion, disant qu'ainsi comme ainsi [22] luy failloit il un jour franchir ce pas, et qu'en estant si avant, il se vouloit oster la peine de recommancer un'autre fois. Cettuy-cy, ayant reconnu la mort tout à loisir, non seulement ne se descourage pas au joindre, mais il s'y acharne; car, estant satis-fait en ce pourquoy il estoit entré en combat, il se picque par braverie d'en voir la fin. C'est bien loing au delà de ne craindre point la mort, que de la vouloir taster et savourer.

/// L'histoire du philosophe Cleanthes est fort pareille. Les gengives [23] luy estoient enflées et pourries; les medecins lui conseillarent d'user d'une grande abstinence. Ayant jeuné deux jours, il est si bien amendé qu'ils luy declarent sa guérison et permettent de retourner à son train de vivre accoustumé. Luy, au rebours, goustant desjà quelque douceur en cette defaillance, entreprend de ne se retirer plus arriere et franchit le pas qu'il avoit si fort avancé.

/ Tullius Marcellinus, jeune homme Romain, voulant anticiper l'heure de sa destinée pour se deffaire d'une maladie qui le gourmandoit plus qu'il ne vouloit souffrir, quoy que les medecins luy en promissent guerison certaine, sinon si soudaine, appella ses amis pour en deliberer. Les uns, dit Seneca, luy donnoyent le conseil que par lacheté ils eussent prins pour eux mesmes; les autres, par flaterie, celuy qu'ils pensoyent luy devoir estre plus agreable. Mais un Stoïcien luy dit ainsi : « Ne te travaille pas, Marcellinus, comme si tu deliberois de chose d'importance : ce n'est pas grand chose que vivre; tes valets et les bestes vivent; mais c'est grand chose de mourir honnestement, sagement et constamment. Songe combien il y a que tu fais mesme chose : manger, boire, dormir; boire, dormir et manger. Nous roüons [24] sans cesse en ce cercle; non seulement les mauvais accidans et insupportables, mais la satieté mesme de vivre donne envie de la mort. » Marcellinus n'avoit besoing d'homme qui le conseillat, mais d'homme qui le secourut. Les serviteurs craignoyent de s'en mesler, mais ce philosophe leur fit entendre que les domestiques sont soupçonnez, lors seulement qu'il est en doubte si la mort du maistre a esté volontaire; autrement, qu'il seroit d'aussi mauvais exemple de l'empescher que de le tuer, d'autant que

Invitum qui servat idem facit occidenti [25].

Après il advertit Marcellinus qu'il ne seroit pas messeant, comme le dessert des tables se donne aux assistans, nos repas faicts, aussi la vie finie, de distribuer quelque chose à ceux qui en ont esté les ministres.

Or estoit Marcellinus de courage franc et liberal : il fit départir quelque somme à ses serviteurs, et les consola. Au reste, il n'y eust besoing de fer ny de sang; il entreprit de s'en aller de cette vie, non de s'en fuir; non d'eschapper à la mort, mais de l'essayer. Et, pour se donner loisir de la marchander [26], ayant quitté toute nourriture, le troisiesme jour après, s'estant faict arroser d'eau tiede, il defaillit peu à peu, et non sans quelque volupté, à ce qu'il disoit. De vray, ceux qui ont eu ces defaillances de cœur qui prennent par foiblesse, disent n'y sentir aucune douleur, voire plustost quelque plaisir, comme d'un passage au sommeil et au repos.

Voyla des morts estudiées et digerées.

Mais, afin que le seul Caton peut fournir à tout exemple de vertu, il semble que son bon destin luy fit avoir mal en la main dequoy il se donna le coup, pour qu'il eust loisir d'affronter la mort et de la coleter, renforceant le courage au dangier, au lieu de l'amollir. Et si ç'eust esté à moy à le representer en sa plus superbe assiete, c'eust esté deschirant tout ensanglanté ses entrailles, plustost que l'espée au poing, comme firent les statueres de son temps. Car ce second meurtre fut bien plus furieux que le premier.

CHAPITRE XIV

COMME NOSTRE ESPRIT S'EMPESCHE SOY-MESMES

/ C'est une plaisante imagination de concevoir un esprit balancé justement entre deux pareilles envyes. Car il est indubitable qu'il ne prendra jamais party, d'autant que l'application et le chois porte inequalité de pris; et qui nous logeroit entre la bouteille et le jambon, avec egal appetit de boire et de menger, il n'y auroit sans doute remede que de mourir de soif et de faim. Pour pourvoir à cet inconvenient, les Stoïciens, quand on leur demande d'où vient en nostre ame l'eslection de deux choses indifferentes, et qui faict que d'un grand nombre d'escus nous en prenions plustost l'un que l'autre, estans tous pareils, et n'y ayans aucune raison qui nous incline à la preferance, respondent que ce mouvement de l'ame est extraordinaire et déreglé, venant en nous d'une impulsion estrangiere, accidentale et fortuite. Il se pourroit dire, ce me semble, plustost, que aucune chose ne se presente à nous où il n'y ait quelque difference, pour legiere qu'elle soit; et que, ou à la veuë ou à l'atouchement, il y a tousjours quelque plus qui nous attire, quoy que ce soit imperceptiblement. Pareillement qui presupposera une fisselle egalement forte par tout, il est impossible de toute impossibilité qu'elle rompe; car par où voulez-vous que la faucée [1] commence ? et de rompre par tout ensemble, il n'est pas en nature. Qui joindroit encore à cecy les propositions Geometriques qui concluent par la certitude de leurs demonstrations le contenu plus grand que le contenant, le centre aussi grand que sa circonference, et qui trouvent deux lignes s'approchant sans cesse l'une de l'autre et ne se pouvant jamais joindre, et la pierre philosophale, et quadrature du cercle, où la raison et l'effect sont si opposites, en tireroit à l'adventure quelque argument pour secourir ce mot hardy de Pline, « *solum certum nihil esse certi, et homine nihil miserius aut superbius* [2] ».

CHAPITRE XV

/ Il n'y a raison qui n'en aye une contraire, dict le plus sage party des philosophes[2]. Je remachois tantost ce beau mot qu'un ancien allegue pour le mespris de la vie : « Nul bien nous peut apporter plaisir, si ce n'est celuy à la perte duquel nous sommes preparez. » /// « *In æquo est dolor amissæ rei et timor amittendæ*[3] »; / voulant gaigner par là que la fruition[4] de la vie ne nous peut estre vrayement plaisante, si nous sommes en crainte de la perdre. Il se pourroit toutes-fois dire, au rebours, que nous serrons et embrassons ce bien, d'autant plus estroit et avecques plus d'affection que nous le voyons nous estre moins seur et craignons qu'il nous soit osté. Car il se sent evidemment, comme le feu se picque à l'assistance du froid, que nostre volonté s'esguise aussi par le contraste :

// *Si nunquam Danaen habuisset ahenea turris,*
Non esset Danae de Jove facta parens[5];

/ et qu'il n'est rien naturellement si contraire à nostre goust que la satieté qui vient de l'aisance, ny rien qui l'éguise tant que la rareté et difficulté. « *Omnium rerum voluptas ipso quo debet fugare periculo crescit*[6]. »

Galla, nega: satiatur amor, nisi gaudia torquent[7].

Pour tenir l'amour en haleine, Licurgue ordonna que les mariez de Lacedemone ne se pourroient prattiquer qu'à la desrobée, et que ce seroit pareille honte de les rencontrer couchés ensemble, qu'avecques d'autres. La difficulté des assignations[8], le dangier des surprises, la honte du lendemain,

et languor, et silentium,
Et latere petitus imo spiritus[9],

c'est ce qui donne pointe à la sauce. /// Combien de jeux
très lascivement plaisants naissent de l'honneste et vergon-
gneuse maniere de parler des ouvrages de l'amour! / La
volupté mesme cerche à s'irriter par la douleur. Elle est
bien plus sucrée quand elle cuit et quand elle escorche.
La Courtisane Flora disoit n'avoir jamais couché avecques
Pompeius, qu'elle ne luy eust faict porter les merques de
ses morsures :

> *Quod petiere premunt arcte, faciuntque dolorem*
> *Corporis, et dentes inlidunt sæpe labellis :*
> *Et stimuli subsunt, qui instigant lædere id ipsum,*
> *Quodcumque est, rabies unde illæ germina surgunt* [10].

Il en va ainsi par tout; la difficulté donne pris aux choses.
/// Ceux de la marque [11] d'Ancone font plus volontiers
leurs veuz à Saint Jaques [12], et ceux de Galice à nostre
Dame de Lorete; on faict au Liege grande feste des bains
de Luques, et en la Toscane de ceux d'Aspa; il ne se voit
guiere de Romain en l'escole de l'escrime à Romme, qui
est plaine de François. Ce grand Caton se trouva, aussi
bien que nous, desgousté de sa femme tant qu'elle fut
siene, et la desira quand elle fut à un autre.
/// J'ay chassé au haras un vieux cheval duquel, à la
senteur des juments, on ne pouvoit venir à bout. La facilité
l'a incontinent saoulé envers les siennes; mais, envers les
estrangeres et la premiere qui passe le long de son pastis,
il revient à ses importuns hannissements et à ses chaleurs
furieuses comme devant.
/ Nostre appetit mesprise et outrepasse ce qui luy est en
main, pour courir après ce qu'il n'a pas :

> *Transvolat in medio posita, et fugientia captat* [13].

Nous defendre quelque chose, c'est nous en donner envie :

> *// nisi tu servare puellam*
> *Incipis, incipiet desinere esse mea* [14].

/ Nous l'abandonner tout à faict, c'est nous en engendrer
mespris. La faute et l'abondance retombent en mesme
inconvenient.

> *Tibi quod superest, mihi quod defit, dolet* [15] :

Le desir et la jouyssance nous mettent pareillement en

peine. La rigueur des maistresses est ennuyeuse, mais l'aisance et la facilité l'est, à dire vérité, encores plus : d'autant que le mescontentement et la cholere naissent de l'estimation en quoy nous avons la chose desirée, éguisent l'amour et le reschauffent; mais la satieté engendre le degoust : c'est une passion mousse, hebetée, lasse et endormie.

// *Si qua volet regnare diu, contemnat amantem* [16] :

> *contemnite, amantes,*
> *Sic hodie veniet si qua negavit heri* [17].

/// Pourquoy inventa Poppæa de masquer les beautez de son visage, que pour les rencherir à ses amans ? / Pourquoy a l'on voylé jusques au dessoubs des talons ces beautez que chacune desire montrer, que chacun desire voir ? Pourquoy couvrent elles de tant d'empeschemens les uns sur les autres les parties où loge principallement nostre desir et le leur ? Et à quoy servent ces gros bastions, dequoy les nostres viennent d'armer leurs flancs [18], qu'à lurrer [19] nostre appetit et nous attirer à elles en nous esloignant ?

> *Et fugit ad salices, et se cupit ante videri* [20].
> // *Interdum tunica duxit operta moram* [21].

/ A quoy sert l'art de cette honte virginalle ? cette froideur rassise, cette contenance severe, cette profession d'ignorance des choses qu'elles sçavent mieux que nous qui les en instruisons, qu'à nous accroistre le desir de vaincre, gourmander et fouler à nostre appetit toute cette ceremonie et ces obstacles ? Car il y a non seulement du plaisir, mais de la gloire encore, d'affolir et desbaucher cette molle douceur et cette pudeur enfantine, et de ranger à la mercy de nostre ardeur une gravité fiere et magistrale : « C'est gloire, disent-ils, de triompher de la rigueur, de la modestie, de la chasteté et de la temperance; et qui desconseille aux Dames ces parties là, il les trahit et soy-mesmes. » Il faut croire que le cœur leur fremit d'effroy, que le son de nos mots blesse la pureté de leurs oreilles, qu'elles nous en haissent et s'accordent à nostre importunité d'une force forcée. La beauté, toute puissante qu'elle est, n'a pas dequoy se faire savourer sans cette entremise. Voyez en Italie, où il y a plus de beauté à vendre, et de la plus fine, comment il faut qu'elle cherche d'autres moyens estrangers

et d'autres arts pour se rendre aggreable; et si, à la verité,
quoy qu'elle face, estant venale et publique, elle demeure
foible et languissante : tout ainsi que, mesme en la vertu,
de deux effets pareils, nous tenons ce neantmoins celuy-là
le plus beau et plus digne auquel il y a plus d'empeschement et de hasard proposé.

C'est un effect de la Providence divine de permettre
sa saincte Eglise estre agitée, comme nous la voyons, de
tant de troubles et d'orages, pour esveiller par ce contraste
les ames pies et les r'avoir de l'oisiveté et du sommeil
où les avoit plongez une si longue tranquillité. Si nous
contrepoisons [22] la perte que nous avons faicte par le
nombre de ceux qui se sont desvoyez, au gain qui nous
vient pour nous estre remis en haleine, resuscité nostre
zèle et nos forces à l'occasion de ce combat, je ne sçay si
l'utilité ne surmonte point le dommage.

Nous avons pensé attacher plus ferme le neud de nos
mariages pour avoir osté tout moyen de les dissoudre;
mais d'autant s'est dépris et relaché le neud de la volonté
et de l'affection, que celuy de la contrainte s'est estroicy.
Et, au rebours, ce qui tint les mariages à Rome si long
temps en honneur et en seurté, fut la liberté de les rompre
qui voudroit. Ils aymoient mieux leurs femmes d'autant
qu'ils les pouvoyent perdre; et, en pleine licence de
divorces, il se passa cinq ans et plus, avant que nul s'en
servit.

Quod licet, ingratum est; quod non licet, acrius urit [23].

A ce propos se pourroit joindre l'opinion d'un ancien,
que les supplices aiguisent les vices plustost qu'ils ne les
amortissent; // qu'ils n'engendrent point le soing de bien
faire, c'est l'ouvrage de la raison et de la discipline, mais
seulement un soing de n'estre surpris en faisant mal :

Latius excisæ pestis contagia serpunt [24].

/ Je ne sçay pas qu'elle soit vraye, mais cecy sçay-je par
l'experience que jamais police ne se trouva reformée par là.
L'ordre et le reglement des meurs depend de quelque
autre moyen.

/// Les histoires Grecques font mention des Argippées,
voisins de la Scythie, qui vivent sans verge et sans baston
à offenser; que non seulement nul n'entreprend d'aller
attaquer, mais quiconque s'y peut sauver, il est en franchise, à cause de leur vertu et saincteté de vie; et n'est

aucun si osé d'y toucher. On recourt à eux pour apoincter [25]
les differens qui naissent entre les hommes d'ailleurs.

// Il y a nation où la closture des jardins et des champs
qu'on veut conserver se faict d'un filet de coton, et se
trouve bien plus seure et plus ferme que nos fossez et
nos hayes.

/// « *Furem signata sollicitant. Aperta effractarius præ-
terit* [26]. » A l'adventure sert entre autres moyens l'aisance à
couvrir ma maison de la violence de nos guerres civiles. La
deffense attire l'entreprinse, et la deffiance l'offense. J'ay
affoibly le dessein des soldats, ostant à leur exploit le
hasard et toute matiere de gloire militere qui a accoustumé
de leur servir de tiltre et d'excuse. Ce qui est faict courageusement, est toujours faict honorablement, en temps où
la justice est morte. Je leur rens la conqueste de ma maison
lasche et traistresse. Elle n'est close à personne qui y hurte.
Il n'y a pour toute provision qu'un portier d'ancien usage
et ceremonie, qui ne sert pas tant à defendre ma porte
qu'à l'offrir plus decemment et gratieusement. Je n'ay ny
garde, ny sentinelle que celle que les astres font pour moi.
    Un gentilhomme a tort de faire montre d'estre en
deffense, s'il ne l'est parfaictement. Qui est ouvert d'un
costé, l'est par tout. Noz peres ne pansarent pas à bastir
des places frontieres. Les moyens d'assaillir, je dy sans
baterie et sans armée, et de surprendre nos maisons,
croissent tous les jours audessus des moyens de se garder.
Les esprits s'esguisent generalement de ce costé là. L'in-
vasion touche tous. La defense non, que les riches. La
mienne estoit forte selon le temps qu'elle fut faicte. Je
n'y ay rien adjouté de ce costé là, et creindroy que sa force
se tournast contre moy-mesme; joint qu'un temps paisible
requerra qu'on les defortifie. Il est dangereux de ne le
pouvoir regaigner. Et est difficile de s'en asseurer.
    Car en matiere de guerres intestines, vostre valet peut
estre du party que vous craignez. Et où la religion sert de
pretexte, les parentez mesmes deviennent infiables [27], avec
couvertute [28] de justice. Les finances publiques n'entretien-
dront pas noz garnisons domestiques : elles s'y espuise-
roient. Nous n'avons pas dequoy le faire sans nostre
ruine, ou, plus incommodement et injurieusement, sans
celle du peuple. L'estat de ma perte ne seroit de guere
pire. Au demeurant, vous y perdez vous ? vos amis mesme
s'amusent, plus qu'à vous plaindre, à accuser vostre invi-
gilance [29] et improvidence [30] et l'ignorance ou nonchalance
aux offices de vostre profession. Ce que tant de maisons
gardées se sont perdues, où ceste-cy dure, me faict soup-

çonner qu'elles se sont perdues de ce qu'elles estoient
gardées. Cela donne et l'envie et la raison à l'assaillant.
Toute garde porte visage de guerre. Qui se jettera, si Dieu
veut, chez moy; mais tant y a que je ne l'y appelleray pas.
C'est la retraite à me reposer des guerres. J'essaye de
soubstraire ce coing à la tempeste publique, comme je fay
un autre coing en mon ame. Nostre guerre a beau changer
de formes, se multiplier et diversifier en nouveaux partis;
pour moy, je ne bouge. Entre tant de maisons armées, moy
seul, que je sache en France, de ma condition, ay fié [31]
purement au ciel la protection de la mienne. Et n'en ay
jamais osté ny cueillier d'argent, ny titre [32]. Je ne veux
ny me creindre, ny me sauver à demi. Si une plaine recognoissance acquiert la faveur divine, elle me durera jusqu'au bout; si non, j'ay tousjours assez duré pour rendre
ma durée remerquable et enregistrable. Comment ? Il y a
bien trente ans [33].

CHAPITRE XVI

DE LA GLOIRE

/ Il y a le nom et la chose; le nom, c'est une voix [1] qui remerque et signifie la chose; le nom, ce n'est pas une partie de la chose ny de la substance, c'est une piece estrangere joincte à la chose, et hors d'elle.

Dieu, qui est en soy toute plenitude et le comble de toute perfection, il ne peut s'augmenter et accroistre au dedans; mais son nom se peut augmenter et accroistre par la benediction et louange que nous donnons à ses ouvrages exterieurs. Laquelle louange, puis que nous ne la pouvons incorporer en luy, d'autant qu'il n'y peut avoir accession de bien, nous l'attribuons à son nom, qui est la piece hors de luy la plus voisine. Voilà comment c'est à Dieu seul à qui gloire et honneur appartient; et il n'est rien si esloigné de raison que de nous en mettre en queste pour nous : car, estans indigens et necessiteux au dedans, nostre essence estant imparfaicte et ayant continuellement besoing d'amelioration, c'est là à quoy nous nous devons travailler. Nous sommes tous creux et vuides; ce n'est pas de vent et de voix que nous avons à nous remplir; il nous faut de la substance plus solide à nous reparer. Un homme affamé seroit bien simple de chercher à se pourvoir plustost d'un beau vestement que d'un bon repas : il faut courir au plus pressé. Comme disent nos ordinaires prieres : « *Gloria in excelsis Deo, et in terra pax hominibus* [2]. » Nous sommes en disette de beauté, santé, sagesse, vertu, et telles parties essentieles; les ornemens externes se chercheront après que nous aurons proveu aux choses necessaires. La Theologie traicte amplement et plus pertinemment ce subject, mais je n'y suis guiere versé.

Chrysippus et Diogenes ont esté les premiers autheurs et les plus fermes du mespris de la gloire; et, entre toutes les voluptez, ils disoient qu'il n'y en avoit point de plus dangereuse ny plus à fuir que celle qui nous vient de l'approbation d'autruy. De vray, l'experience nous en faict sentir plusieurs trahisons bien dommageables. Il n'est chose qui empoisonne tant les Princes que la flatterie, ny rien par où les meschans gaignent plus aiséement credit autour d'eux; ny maquerelage si propre et si ordinaire à corrompre la chasteté des femmes, que de les paistre et entretenir de leurs louanges.

// Le premier enchantement que les Sirenes employent à piper Ulisses, est de cette nature,

> Deça³ vers nous, deça, ô très louable Ulisse,
> Et le plus grand honneur dont la Grèce fleurisse⁴.

/ Ces philosophes là disoient que toute la gloire du monde ne meritoit pas qu'un homme d'entendement estandit seulement le doigt pour l'acquerir :

// *Gloria quantalibet quid erit, si gloria tantum est* ⁵ ?

/ je dis pour elle seule : car elle tire souvent à sa suite plusieurs commoditez pour lesquelles elle se peut rendre desirable. Elles nous acquiert de la bienveillance; elle nous rend moins exposez aux injures et offences d'autruy, et choses semblables.

C'estoit aussi des principaux dogmes d'Epicurus; car ce precepte de sa secte : CACHE TA VIE, qui deffend aux hommes de s'empescher des charges et negotiations publiques, presuppose aussi necessairement qu'on mesprise la gloire, qui est une approbation que le monde fait des actions que nous mettons en evidence. Celuy qui nous ordonne de nous cacher et de n'avoir soing que de nous, et qui ne veut pas que nous soyons connus d'autruy, il veut encores moins que nous en soions honorez et glorifiez. Aussi conseille il à Idomeneus de ne regler aucunement ses actions par l'opinion ou reputation commune, si ce n'est pour éviter les autres incommoditez accidentales que le mespris des hommes luy pourroit apporter.

Ces discours là sont infiniment vrais, à mon advis, et raisonnables. Mais nous sommes, je ne sçay comment, doubles en nous mesmes, qui faict que ce que nous croyons, nous ne le croyons pas, et ne nous pouvons deffaire de ce que nous condamnons. Voyons les dernieres paroles d'Epicurus, et qu'il dict en mourant : elles sont grandes et dignes d'un tel philosophe, mais si ont elles quelque marque de la recommandation de son nom, et de cette humeur qu'il avoit décriée par ses preceptes. Voicy une lettre qu'il dicta un peu avant son dernier souspir :

Epicurus à Hermachus salut

Ce pendant que je passois l'heureux et celuy-là mesmes le dernier jour de ma vie, j'escrivois cecy, accompaigné toutes-fois de telle douleur en la vessie et aux intestins, qu'il ne peut rien estre adjousté à sa grandeur. Mais elle estoit compensée par le plaisir qu'apportoit à mon ame la souvenance de mes inventions et de mes discours. Or toy, comme requiert l'affection que tu as eu dès ton enfance envers moy et la philosophie, embrasse la protection des enfants de Metrodorus.

Voilà sa lettre. Et ce qui me faict interpreter que ce plaisir qu'il dit sentir en son ame, de ses inventions, regarde aucunement la reputation qu'il en esperoit acquerir après sa mort, c'est l'ordonnance de son testament, par lequel il veut que Aminomachus et Thimocrates, ses heritiers, fournissent, pour la celebration de son jour natal, tous les mois de Janvier, les frais que Hermachus ordonneroit et aussi pour la despence qui se feroit, le vingtiesme jour de chasque lune, au traitement des philosophes ses familiers, qui s'assembleroient à l'honneur de la memoire de luy et de Metrodorus.

Carneades a esté chef de l'opinion contraire et a maintenu que la gloire estoit pour elle mesme desirable : tout ainsi que nous ambrassons [6] nos posthumes pour eux mesmes, n'en ayans aucune connoissance ny jouissance. Cette opinion n'a pas failly d'estre plus communement suyvie, comme sont volontiers celles qui s'accommodent le plus à nos inclinations. /// Aristote luy donne le premier rang entre les biens externes : Evite comme deux extremes vicieux l'immoderation et à la rechercher et à la fuir. / Je croy que, si nous avions les livres que Cicero avoit escrit sur ce subject, il nous en conteroit de belles : car cet hommes là fut si forcené de cette passion que, s'il eust osé, il fut, ce crois-je, volontiers tombé en l'excès où tombarent d'autres : que la vertu mesme n'estoit desirable que pour l'honneur qui se tenoit tousjours à sa suitte,

> Paulum sepultæ distat inertiæ
> Celata virtus [7].

Qui est un'opinion si fauce que je suis dépit qu'elle ait jamais peu entrer en l'entendement d'homme qui eust cet honneur de porter le nom de philosophe.

Si cela estoit vray, il ne faudroit estre vertueux qu'en public; et les operations de l'ame, où est le vray siege de

la vertu, nous n'aurions que faire de les tenir en regle et
en ordre, sinon autant qu'elles debvroient venir à la
connoissance d'autruy.

/// N'y va il donc que de faillir [8] finement et subtilement ? « Si tu sçais, dit Carneades, un serpent caché en ce
lieu, auquel, sans y penser, se va seoir celuy de la mort
duquel tu esperes profit, fu fais meschamment si tu ne l'en
advertis ; et d'autant plus que ton action ne doibt estre
connue que de toy. » Si nous ne prenons de nous mesmes
la loy de bien faire, si l'impunité nous est justice, à combien
de sortes de meschancetez avons nous tous les jours à nous
abandonner ! Ce que S. Peduceus fit, de rendre fidèlement
ce que C. Plotius avoit commis à sa seule science de ses
richesses, et ce que j'en ay faict souvent de mesme, je ne
le trouve pas tant loüable comme je trouverois execrable
qu'il y eut failli. Et trouve bon et utile à ramentevoir
en noz jours l'exemple de P. Sextilius Rufus, que Cicero
accuse pour avoir recueilli une heredité contre sa conscience, non seulement non contre les loix, mais par les
loix mesmes. Et M. Crassus et Q. Hortensius, lesquels
à cause de leur authorité et puissance ayans esté pour certaines quotités appelés par un estrangier à la succession
d'un testament faux, à fin que par ce moyen il y establit
sa part, se contantarent de n'estre participants de la fauceté et ne refusarent d'en tirer quelque fruit, assez couverts
s'ils se tenoient à l'abry des accusateurs, et des tesmoins,
et des loix. « *Meminerint Deum se habere testem, id est (ut
ego arbitror) mentem suam* [9]. »

/ La vertu est chose bien vaine et frivole, si elle tire sa
recommendation de la gloire. Pour neant entreprendrions
nous de luy faire tenir son rang à part, et la déjoindrions
de la fortune ; car qu'est-il plus fortuite que la reputation ?
/// « *Profecto fortuna in omni re dominatur : ea res cunctas ex
libidine magis quam ex vero celebrat obscuratque* [10]. » / De
faire que les actions soient connuës et veuës, c'est le pur
ouvrage de la fortune.

/// C'est le sort qui nous applique la gloire selon sa
temerité. Je l'ai veuë fort souvent marcher avant le merite
et souvent outrepasser le merite d'une longue mesure.
Celuy qui, premier, s'advisa de la ressemblance de l'ombre
à la gloire, fit mieux qu'il ne vouloit. Ce sont choses
excellamment vaines.

Elle va aussi quelque fois davant son corps, et quelque
fois l'excede de beaucoup en longueur.

/ Ceux qui apprennent à la noblesse de ne chercher en
la vaillance que l'honneur, /// « *quasi non sit honestum quod*

nobilitatum non sit [11] », / que gaignent ils par là que de les
instruire de ne se hazarder jamais si on ne les voit, et de
prendre bien garde s'il y a des tesmoins qui puissent rapporter nouvelles de leur valeur, là où il se presente mille
occasions de bien faire sans qu'on en puisse estre remarqué ? Combien de belles actions particulieres s'enseve-
lissent dans la foule d'une bataille ? Quiconque s'amuse à
contreroller autruy pendant une telle meslée, il n'y est
guiere embesoigné, et produit contre soy mesmes le
tesmoignage qu'il rend des deportemens de ses compaignons.

/// « *Vera et sapiens animi magnitudo honestum illud quod
maxime natura sequitur, in factis positum, non in gloria
judicat* [12]. » Toute la gloire que je pretens de ma vie, c'est
de l'avoir vescue tranquille : tranquille non selon Metrodorus, ou Arcesilas, ou Aristippus, mais selon moy. Puis
que la philosophie n'a sçeu trouver aucune voye pour la
tranquillité qui fust bonne en commun, que chacun la
cherche en son particulier !

/ A qui doivent Cæsar et Alexandre cette grandeur
infinie de leur renommée, qu'à la fortune ? Combien
d'hommes a elle esteint sur le commencement de leur
progrès, desquels nous n'avons aucune connoissance, qui
y apportoient mesme courage que le leur, si le malheur de
leur sort ne les eut arrestez tout court sur la naissance de
leurs entreprinses ! Au travers de tant et si extremes dangers, il ne me souvient point avoir leu que Cæsar ait esté
jamais blessé. Mille sont morts de moindres perils que /// le
moindre de / ceux qu'il franchit. Infinies belles actions se
doivent perdre sans tesmoignage avant qu'il en vienne une
à profit. On n'est pas tousjours sur le haut d'une bresche
ou à la teste d'une armée, à la veuë de son general, comme
sur un eschaffaut. On est surpris entre la haye et le fossé ; il
faut tenter fortune contre un poullaillier [13] ; il faut dénicher
quatre chetifs harquebousiers d'une grange ; il faut seul
s'escarter de la trouppe et entreprendre seul, selon la
necessité qui s'offre. Et si on prend garde, on trouvera
qu'il advient par experience que les moins esclattantes
occasions sont les plus dangereuses ; et qu'aux guerres qui
se sont passées de nostre temps, il s'est perdu plus de gens
de bien aux occasions legeres et peu importantes et à la
contestation de quelque bicoque, qu'ès lieux dignes et
honnorables.

/// Qui tient sa mort pour mal employée si ce n'est en
occasion signalée, au lieu d'illustrer sa mort, il obscurcit
volontiers sa vie, laissant eschapper cependant plusieurs

justes occasions de se hazarder. Et toutes les justes sont illustres assez, sa conscience les trompetant suffisamment à chacun. « *Gloria nostra est testimonium conscientiæ nostræ* [14]. »

/ Qui n'est homme de bien que par ce qu'on le sçaura, et par ce qu'on l'en estimera mieux après l'avoir sceu ; qui ne veut bien faire qu'en condition que sa vertu vienne a la connoissance des hommes, celuy-là n'est pas homme de qui on puisse tirer beaucoup de service.

> *Credo che'l resto di quel verno cose*
> *Facesse degne di tenerne conto ;*
> *Ma fur sin'a quel tempo si nascose,*
> *Che non è colpa mia s'hor' non le conto :*
> *Perchè Orlanda a far opre virtuose,*
> *Più ch'a narrarle poi, sempre era pronto,*
> *Ne mai fu alcun' de li suoi fatti espresso,*
> *Se non quando hebbe i testimoni appresso* [15].

Il faut aller à la guerre pour son devoir, et en attendre cette recompense, qui ne peut faillir à toutes belles actions, pour occultes qu'elles soient, non pas mesme aux vertueuses pensées : c'est le contentement qu'une conscience bien reglée reçoit en soy de bien faire. Il faut estre vaillant pour soy-mesmes et pour l'avantage que c'est d'avoir son courage logé en une assiette ferme et asseurée contre les assauts de la fortune :

> // *Virtus, repulsæ nescia sordidæ,*
> *Intaminatis fulget honoribus,*
> *Nec sumit aut ponit secures*
> *Arbitrio popularis auræ* [16].

/ Ce n'est pas pour la montre que nostre ame doit jouer son rolle, c'est chez nous au dedans, où nuls yeux ne donnent que les nostres : là elle nous couvre de la crainte de la mort, des douleurs et de la honte mesme ; elle nous asseure là de [17] la perte de nos enfans, de nos amis et de nos fortunes ; et quand l'opportunité s'y presente, elle nous conduit aussi aux hasards de la guerre. /// « *Non emolumento aliquo, sed ipsius honestatis decore* [18]. » / Ce profit est bien plus grand et bien plus digne d'estre souhaité et esperé que l'honneur et la gloire, qui n'est qu'un favorable jugement qu'on faict de nous.

// Il faut trier de toute une nation une douzaine d'hommes pour juger d'un arpent de terre ; et le jugement

de nos inclinations et de nos actions, la plus difficile
matiere et la plus importante qui soit, nous la remettons à
la voix de la commune et de la tourbe, mere d'ignorance,
d'injustice et d'inconstance. /// Est-ce raison faire dependre
la vie d'un sage du jugement des fols ?

« *An quidquam stultius quam quos singulos contemnas, eos
aliquid putare esse universos* [19] »

// Quiconque vise à leur plaire, il n'a jamais faict; c'est
une bute [20] qui n'a ny forme ny prise.

/// « *Nihil tam inæstimabile est quam animi multitudi-
nis* [21] »

Demetrius disoit plaisamment de la voix du peuple,
qu'il ne faisoit non plus de recette de celle qui luy sortoit
par en haut, que de celle qui luy sortoit par en bas.

Celuy-là dict encore plus : « *Ego hoc judico, si quando
turpe non sit, tamen non esse non turpe, quum id a multitudine
laudetur* [22]. »

// Null'art, nulle souplesse d'esprit pourroit conduire
nos pas à la suitte d'un guide si desvoyé et si desreiglé.
En cette confusion venteuse de bruits de raports et opinions vulgaires qui nous poussent, il ne se peut establir
aucune route qui vaille. Ne nous proposons point une fin
si flotante et vagabonde; allons constammant après la
raison; que l'approbation publique nous suyve par là, si
elle veut; et comme elle despend toute de la fortune, nous
n'avons point loy de l'esperer plustost par une autre voye
que par celle là. Quand pour sa droiture je ne suyverois
le droit chemin, je le suyvrois pour avoir trouvé par experience qu'au bout du conte c'est communement le plus
heureux et le plus utile. /// « *Dedit hoc providentia hominibus
munus ut honesta magis juvarent* [23]. » // Le marinier antien
disoit ainsin à Neptune en une grande tempeste : « O Dieu,
tu me sauveras, si tu veux; tu me perderas, si tu veux :
mais si tienderai je tousjours droit mon timon. » J'ay veu
de mon temps mill'hommes souples, mestis [24], ambigus,
et que nul ne doubtoit plus prudans mondains que moy, se
perdre où je me suis sauvé :

> *Risi successu posse carere dolos* [25].

/// Paul AEmile, allant en sa glorieuse expedition de
Macedoine, advertit sur tout le peuple à Rome de contenir
leur langue de ses actions pendant son absence. Que la
licence des jugements est un grand destourbier [26] aux
grands affaires! D'autant que chacun n'a pas la fermeté de
Fabius à l'encontre des voix communes, contraires et inju-

rieuses, qui aima mieux laisser desmembrer son authorité
aux vaines fantasies des hommes, que faire moins bien sa
charge avec favorable reputation et populaire consentement.

// Il y a je ne sçay quelle douceur naturelle à se sentir
louer, mais nous luy prestons trop de beaucoup.

> *Laudari haud metuam, neque enim mihi cornea fibra est;*
> *Sed recti finemque extremumque esse recuso*
> *Euge tuum et belle* [27].

/ Je ne me soucie pas tant quel je sois chez autruy,
comme je me soucie quel je sois en moy mesme. Je veux
estre riche par moy, non par emprunt. Les estrangers ne
voyent que les evenemens et apparences externes; chacun
peut faire bonne mine par le dehors, plein au dedans de
fiebvre et d'effroy. Ils ne voyent pas mon cœur, ils ne
voyent que mes contenances. On a raison de descrier
l'hipocrisie qui se trouve en la guerre : car qu'est il plus
aisé à un homme pratic que de gauchir aux dangers et de
contrefaire le mauvais, ayant le cœur plein de mollesse ?
Il y a tant de moyen d'eviter les occasions de se hazarder
en particulier, que nous aurons trompé mille fois le monde
avant que de nous engager à un dangereux pas; et lors
mesme, nous y trouvant empétrez, nous sçaurons bien
pour ce coup couvrir nostre jeu d'un bon visage et d'une
parolle asseurée, quoy que l'ame nous tremble au dedans.
/// Et qui auroit l'usage de l'anneau Platonique [28], rendant
invisible celuy qui le portoit au doigt, si on luy donnoit le
tour vers le plat de la main, assez de gens souvent se
cacheroient où il se faut presenter le plus, et se repenti-
roient d'estre placez en lieu si honorable, auquel la necessité
les rend asseurez.

> / *Falsus honor juvat, et mendax infamia terret*
> *Quem, nisi mendosum et mendacem* [29] ?

Voylà comment tous ces jugemens qui se font des apparences externes sont merveilleusement incertains et dou-
teux; et n'est aucun si asseuré tesmoing comme chacun à
soy-mesme.

En celles-là combien avons nous de goujats [30], compaignons de nostre gloire ? Celuy qui se tient ferme dans une
tranchée descouverte, que faict il en cela que ne facent
devant luy cinquante pauvres pioniers qui luy ouvrent le
pas et le couvrent de leurs corps pour cinq sous de païe
par jour ?

> // *non, quidquid turbida Roma*
> *Elevet, accedas, examenque improbum in illa*
> *Castiges trutina : nec te quæsiveris extra* [31].

/ Nous appellons agrandir nostre nom, l'estandre et semer en plusieurs bouches ; nous voulons qu'il y soit receu en bonne part, et que cette sienne accroissance luy vienne à profit : voylà ce qu'il y peut avoir de plus excusable en ce dessein. Mais l'excès de cette maladie en va jusques là que plusieurs cerchent de faire parler d'eux en quelque façon que ce soit. Trogus Pompeius dict de Herostratus, et Titus Livius de Manlius Capitolinus, qu'ils estoyent plus desireux de grande que de bonne reputation. Ce vice est ordinaire. Nous nous soignons plus qu'on parle de nous, que comment on en parle ; et nous est assez que nostre nom coure par la bouche des hommes, en quelque condition qu'il y coure. Il semble que l'estre conneu, ce soit aucunement avoir sa vie et sa durée en la garde d'autruy. Moy, je tiens que je ne suis que chez moy ; et, de cette autre mienne vie qui loge en la connoissance de mes amis, /// à la considerer nue et simplement en soy, / je sçay bien que je n'en sens fruict ny jouyssance que par la vanité d'une opinion fantastique. Et quand je seray mort, je m'en resentiray encores beaucoup moins ; /// et si, perderay tout net l'usage des vrayes utilitez qui accidentalement la suyvent par fois ; / je n'auray plus de prise par où saisir la reputation ny par où elle puisse me toucher ny arriver à moy.

Car de m'attendre que mon nom la reçoive, premierement je n'ay point de nom qui soit assez mien : de deux que j'ay, l'un est commun à toute ma race, voire encore à d'autres. Il y a une famille à Paris et à Montpelier qui se surnomme Montaigne ; une autre en Bretaigne et en Xaintonge, de la Montaigne. Le remuement d'une seule syllabe meslera nos fusées [32], de façon que j'auray part à leur gloire, et eux, à l'adventure, à ma honte ; et si, les miens se sont autres-fois surnommez [33] Eyquem, surnom qui touche encore une maison cogneüe en Angleterre. Quant à mon autre nom, il est à quiconque aura envie de le prendre. Ainsi j'honoreray peut estre un crocheteur en ma place. Et puis, quand j'aurois une marque particuliere pour moy, que peut elle marquer quand je n'y suis plus ? Peut elle designer et favorir l'inanité [34] ?

> // *Nunc levior cippus non imprimit ossa ?*
> *Laudat posteritas : nunc non e manibus illis,*

> *Nunc non e tumulo fortunataque favilla*
> *Nascuntur violæ* [35] ?

/ Mais de cecy j'en ay parlé ailleurs.

Au demeurant, en toute une bataille où dix mill'hommes sont stropiez [36] ou tuez, il n'en est pas quinze dequoy on parle. Il faut que ce soit quelque grandeur bien eminente, ou quelque consequence d'importance que la fortune y ait jointe, qui face valoir un'action privée, non d'un harquebousier seulement, mais d'un Capitaine. Car de tuer un homme, ou deux, ou dix, de se presenter courageusement à la mort, c'est à la verité quelque chose à chacun de nous, car il y va de tout; mais pour le monde, ce sont choses si ordinaires, il s'en voit tant tous les jours, et en faut tant de pareilles pour produire un effect notable, que nous n'en pouvons attendre aucune particuliere recommandation,

> // *casus multis hic cognitus ac jam*
> *Tritus, et e medio fortunæ ductus acervo* [37].

/ De tant de miliasses de vaillans hommes qui sont morts depuis quinze cens ans en France, les armes en la main, il n'y en a pas cent qui soyent venus à nostre cognoissance. La memoire non des chefs seulement, mais des batailles et victoires, est ensevelie.

/// Les fortunes de plus de la moitié du monde, à faute de registre, ne bougent de leur place et s'evanouissent sans durée.

Si j'avois en ma possession les evenemens inconnus, j'en penserois très facilement supplanter les connus en toute espece d'exemples.

/ Quoy, que des Romains mesmes et des Grecs, parmy tant d'escrivains et de tesmoins, et tant de rares et nobles exploits, il en est venu si peu jusques à nous ?

> // *Ad nos vix tenuis famæ perlabitur aura* [38].

/ Ce sera beaucoup si, d'icy à cent ans, on se souvient en gros que, de nostre temps, il y a eu des guerres civiles en France.

// Les Lacedemoniens sacrifioient aux muses, entrant en bataille, afin que leurs gestes [39] fussent bien et dignement escris, estimant que ce fut une faveur divine et non commune que les belles actions trouvassent des tesmoings qui leur sçeussent donner vie et memoire.

/ Pensons nous qu'à chaque harquebousade qui nous touche, et à chaque hazard que nous courons, il y ayt

soudain un greffier qui l'enrolle [40] ? et cent greffiers, outre
cela, le pourront escrire, desquels les commentaires ne
dureront que trois jours et ne viendront à la veuë de personne. Nous n'avons pas la millieme partie des escrits
anciens; c'est la fortune qui leur donne vie, ou plus courte,
ou plus longue, selon sa faveur; /// et ce que nous en avons,
il nous est loisible de doubter si c'est le pire, n'ayant pas
veu le demeurant. / On ne faict pas des histoires de choses
de si peu : il faut avoir esté chef à conquerir un Empire
ou un Royaume; il faut avoir gaigné cinquante deux
batailles assignées, tousjours plus foible en nombre, comme
Cæsar. Dix mille bons compaignons et plusieurs grands
capitaines moururent à sa suite, vaillamment et courageusement, desquels les noms n'ont duré qu'autant que leurs
femmes et leurs enfants vesquirent,

> // *quos fama obscura recondit* [41].

/ De ceux mesme que nous voyons bien faire, trois mois
ou trois ans après qu'ils y sont demeurez, il ne s'en parle
non plus que s'ils n'eussent jamais esté. Quiconque considerera avec juste mesure et proportion de quelles gens et
de quels faits la gloire se maintient en la memoire des livres,
il trouvera qu'il y a de nostre siecle fort peu d'actions et
fort peu de personnes qui y puissent pretendre nul droict.
Combien avons nous veu d'hommes vertueux survivre à
leur propre reputation, qui ont veu et souffert esteindre
en leur presence l'honneur et la gloire très-justement
acquise en leurs jeunes ans ? Et, pour trois ans de cette vie
fantastique et imaginaire, allons nous perdant nostre vraye
vie et essentielle, et nous engager à une mort perpetuelle ?
Les sages se proposent une plus belle et plus juste fin à
une si importante entreprise.
/// « *Recte facti, fecisse merces est* [42]. » — « *Officii fructus
ipsum officium est* [43]. »
/ Il seroit à l'advanture excusable à un peintre ou autre
artisan, ou encores à un Rhetoricien ou Grammairien, de
se travailler pour acquerir nom par ses ouvrages; mais les
actions de la vertu, elles sont trop nobles d'elles mesmes
pour rechercher autre loyer que de leur propre valeur,
et notamment pour la chercher en la vanité des jugemens
humains.
Si toutes-fois cette fauce opinion sert au public à contenir les hommes en leur devoir; // si le peuple en est esveillé
à la vertu; si les Princes sont touchez de voir le monde
benir la memoire de Trajan et abominer celle de Neron;

si cela les esmeut de voir le nom de ce grand pendart, autresfois si effroyable et si redoubté, maudit et outragé si librement par le premier escolier qui l'entreprend [44] : / qu'elle accroisse hardiment et qu'on la nourrisse entre nous le plus qu'on pourra.

/// Et Platon, employant toutes choses à rendre ses citoyens vertueus, leur conseille aussi de ne mespriser la bonne reputation et estimation des peuples ; et dict que, par quelque divine inspiration, il advient que les meschans mesmes sçavent souvent, tant de parole que d'opinion, justement distinguer les bons des mauvais. Ce personnage et son pedagogue [45] sont merveilleux et hardis ouvriers à faire joindre les operations et revelations divines tout par tout où faut l'humaine force ; « *ut tragici poetæ confugiunt ad deum, cum explicare argumenti exitum non possunt* [46] ».

Pour tant à l'avanture l'appelloit Timon l'injuriant : le grand forgeur de miracles.

/ Puis que les hommes, par leur insuffisance, ne se peuvent assez payer d'une bonne monnoye, qu'on y employe encore la fauce. Ce moyen a esté practiqué par tous les Legislateurs, et n'est police où il n'y ait quelque meslange ou de vanité ceremonieuse, ou d'opinion mensongere, qui serve de bride à tenir le peuple en office. C'est pour cela que la pluspart ont leurs origines et commencements fabuleux et enrichis de mysteres supernaturels. C'est cela qui a donné credit aux religions bastardes et les a faites favorir [47] aux gens d'entendement ; et pour cela que Numa et Sertorius, pour rendre leurs hommes de meilleure creance, les paissoyent de cette sottise, l'un que la nymphe Egeria, l'autre que sa biche blanche luy apportoit de la part des dieux tous les conseils qu'il prenoit.

/// Et l'authorité que Numa donna à ses loix soubs titre du patronage de cette Deesse, Zoroastre, legislateur des Bactriens et des Perses, la donna aux siennes sous le nom du Dieu Oromasis ; Trismegiste, des Ægyptiens, de Mercure ; Zamolxis, des Scythes, de Vesta ; Charondas, des Chalcides, de Saturne ; Minos, des Candiots, de Juppiter ; Licurgus, des Lacedemoniens, d'Apollo ; Dracon et Solon, des Atheniens, de Minerve. Et toute police a un dieu à sa teste, faucement les autres, veritablement celle que Moïse dressa au peuple de Judée sorty d'Ægypte.

/ La religion des Bedoins, comme dit le sire de Jouinville, portoit entre autres choses que l'ame de celuy d'entre eux qui mouroit pour son prince, s'en alloit en un autre corps plus heureux, plus beau et plus fort que le

premier; au moyen dequoy ils en hazardoient beaucoup
plus volontiers leur vie.

> // *In ferrum mens prona viris, animæque capaces*
> *Mortis, et ignavum est redituræ parcere vitæ* [48].

/ Voylà une creance trèssalutaire, toute vaine qu'elle
puisse être. Chaque nation a plusieurs tels exemples chez
soy; mais ce subject meriteroit un discours à part.

Pour dire encore un mot sur mon premier propos, je
ne conseille non plus aux Dames d'appeller honneur
leur devoir : /// « *ut enim consuetudo loquitur, id solum dicitur*
honestum quod est populari fama gloriosum [49] » ; leur devoir
est le marc [50], leur honneur n'est que l'escorce. / Ny ne
leur conseille de nous donner cette excuse en payement de
leur refus : car je presuppose que leurs intentions, leur
desir et leur volonté, qui sont pieces où l'honneur n'a que
voir, d'autant qu'il n'en paroit rien au dehors, soyent
encore plus reglées que les effects.

> *Quæ, quia non liceat, non facit, illa facit* [51].

L'offence et envers Dieu et en la conscience seroit aussi
grande de le desirer que de l'effectuer. Et puis ce sont
actions d'elles mesmes cachées et occultes; il seroit bienaysé qu'elles en desrobassent quelcune à la connoissance
d'autruy, d'où l'honneur depend, si elles n'avoyent autre
respect à leur devoir, et à l'affection qu'elles portent à la
chasteté pour ellemesme.

/// Toute personne d'honneur choisit de perdre plustost
son honneur, que de perdre sa conscience.

scepticone

CHAPITRE XVII

DE LA PRÆSUMPTION

/ Il y a une autre sorte de gloire, qui est une trop bonne
opinion que nous concevons de nostre valeur. C'est
un'affection inconsiderée, dequoy nous nous cherissons,
qui nous represente à nous mesmes autres que nous ne
sommes : comme la passion amoureuse preste des beautez
et des graces au subjet qu'elle embrasse, et fait que ceux
qui en sont espris, trouvent, d'un jugement trouble et
alteré, ce qu'ils ayment autre et plus parfaict qu'il n'est.

Je ne veux pas que, de peur de faillir de ce costé là,
un homme se mesconnoisse pourtant, ny qu'il pense estre
moins que ce qu'il est. Le jugement doit tout par tout
maintenir son droit : c'est raison qu'il voye en ce subject,
comme ailleurs, ce que la verité luy presente. Si c'est
Cæsar, qu'il se treuve hardiment le plus grand Capitaine
du monde. Nous ne sommes que ceremonie; la ceremonie *conventions*
nous emporte, et laissons la substance des choses; nous
nous tenons aux branches et abandonnons le tronc et le
corps. Nous avons apris aux Dames de rougir oyant seule- *imposed laws upon ourselves*
ment nommer ce qu'elles ne craignent aucunement à faire;
nous n'osons appeler, à droict [1] nos membres, et ne
craignons pas de les employer à toute sorte de desbauche.
La ceremonie nous defend d'exprimer par parolles les
choses licites et naturelles, et nous l'en croyons; la raison
nous defend de n'en faire point d'illicites et mauvaises, et
personne ne l'en croit. Je me trouve icy empestré és loix
de la ceremonie car elle ne permet ny qu'on parle bien de
soy, ny qu'on en parle mal. Nous la lairrons là pour ce
coup.

Ceux que la fortune (bonne ou mauvaise qu'on la doive
appeler) a faict passer la vie en quelque eminent degré,
ils peuvent par leurs actions publiques tesmoigner quels
ils sont. Mais ceux qu'elle n'a employez qu'en foule, /// et
de qui personne ne parlera, si eux mesmes n'en parlent,

/ ils sont excusables s'ils prennent la hardiesse de parler d'eux mesmes envers ceux qui ont interest de les connoistre, à l'exemple de Lucilius :

> Ille velut fidis arcana sodalibus olim
> Credebat libris, neque, si male cesserat, usquam
> Decurrens alio, neque si bene : quo fit ut omnis
> Votiva pateat veluti descripta tabella
> Vita senis [2].

Celuy là commettoit à son papier ses actions et ses pensées, et s'y peignoit tel qu'il se sentoit estre. /// « Nec id Rutilio et Scauro citra fidem aut obtrectationi fuit [3]. »

/ Il me souvient donc que, dès ma plus tendre enfance, on remerquoit en moy je ne sçay quel port de corps et des gestes tesmoignants quelque vaine et sotte fierté. J'en veux dire premierement cecy, qu'il n'est pas inconvenient [4] d'avoir des conditions et des propensions si propres et si incorporées en nous, que nous n'ayons pas moyen de les sentir et reconnoistre. Et de telles inclinations naturelles, le corps en retient volontiers quelque pli sans nostre sçeu et consentement. C'estoit une certaine affetterie consente de sa beauté, qui faisoit un peu pancher la teste d'Alexandre sur un costé et qui rendoit le parler d'Alcibiades mol et gras. Julius Cæsar se gratoit la teste d'un doigt, qui est la contenance d'un homme remply de pensemens penibles; et Ciceron, ce me semble, avoit accoustumé de rincer [5] le nez, qui signifie un naturel moqueur. Tels mouvemens peuvent arriver imperceptiblement en nous. Il y en a d'autres, artificiels, dequoy je ne parle point, comme les salutations et reverences, par où on acquiert, le plus souvent à tort, l'honneur d'estre bien humble et courtois : /// on peut estre humble de gloire. // Je suis assez prodigue de bonnettades, notamment en esté, et n'en reçoys jamais sans revenche, de quelque qualité d'homme que ce soit, s'il n'est à mes gages. Je desirasse d'aucuns Princes que je connois, qu'ils en fussent plus espargnans, et justes dispensateurs; car, ainsin indiscrettement espanduës, elles ne portent plus de coup. Si elles sont sans esgard, elles sont sans effect. Entre les contenances desreglées, n'oublions pas / la morgue de Constantius l'Empereur, qui en publicq tenoit tousjours la teste droite, sans la contourner ou flechir ny çà ny là, non pas seulement pour regarder ceux qui le saluoient à costé, ayant le corps planté immobile, sans se laisser aller au branle de son coche, sans oser ny cracher, ny se moucher, ny essuyer le visage devant les gens.

Je ne sçay si ces gestes qu'on remerquoit en moy, estoient de cette premiere condition, et si à la verité j'avoy quelque occulte propension à ce vice, comme il peut bien estre, et ne puis pas respondre des bransles du corps; mais, quant aux bransles de l'ame, je veux icy confesser ce que j'en sens.

Il y a deux parties en cette gloire : sçavoir est, de s'estimer trop, et n'estimer pas assez autruy. Quant à l'une, /// il me semble premierement ces considerations devoir estre mises en conte, que je me sens pressé d'un'erreur d'âme qui me desplait, et comme inique, et encore plus comme importune. J'essaye à la corriger; mais l'arracher, je ne puis. C'est que je diminue du juste prix des choses que je possede, de ce que je les possede; et hausse le prix aux choses, d'autant qu'elles sont estrangeres, absentes et non miennes. Cette humeur s'espand bien loin. Comme la prerogative de l'authorité faict que les maris regardent les femmes propres [6] d'un vitieux [7] desdain, et plusieurs peres leurs enfants; ainsi fay je, et entre deux pareils ouvrages poiserois [8] toujours contre le mien. Non tant que la jalousie de mon avancement et amandemant trouble mon jugement et m'empesche de me satisfaire, comme que, d'elle mesmes, la maistrise [9] engendre mespris de ce qu'on tient et regente. Les polices, les mœurs loingtaines me flattent, et les langues; et m'apperçoy que le latin me pippe à sa faveur par sa dignité, au delà de ce qui luy appartient, comme aux enfans et au vulgaire. L'Œconomie, la maison, le cheval de mon voisin, en esgale valeur, vaut mieux que le mien, de ce qu'il n'est pas mien. Davantage que [10] je suis très ignorant en mon faict. J'admire l'asseurance et promesse que chacun a de soy, là où il n'est quasi rien que je sçache sçavoir, ny que j'ose me respondre pouvoir faire. Je n'ay point mes moyens en proposition et par estat [11]; et n'en suis instruit qu'après l'effect : autant doubteux de moy que de toute autre chose. D'où il advient, si je rencontre louablement [12] en une besongne, que je le donne plus à ma fortune [13] qu'à ma force : d'autant que je les desseigne [14] toutes au hazard et en crainte. Pareillement / j'ay en general cecy que, toutes les opinions que l'ancienneté a eües de l'homme /// en gros, / celles que j'embrasse plus volontiers et ausquelles je m'attache le plus, ce sont celles qui nous mesprisent, avilissent et aneantissent le plus. La philosophie ne me semble jamais avoir si beau jeu que quand elle combat nostre presomption et vanité, quand elle reconnoit de bonne foy son irresolution, sa foiblesse et son ignorance. Il me semble que la mere

nourrisse des plus fauces opinions et publiques et particulieres, c'est la trop bonne opinion que l'homme a de soy.
Ces gens qui se perchent à chevauchons sur l'epicycle de
Mercure, /// qui voient si avant dans le ciel, / ils m'ar-
rachent les dens; car en l'estude que je fay, duquel le
subject c'est l'homme, trouvant une si extreme varieté de
jugemens, un si profond labyrinthe de difficultez les unes
sur les autres, tant de diversité et incertitude en l'eschole
mesme de la sapience, vous pouvez penser, puis que ces
gens là n'ont peu se resoudre de la connoissance d'eux
mesmes et de leur propre condition, qui est continuellement presente à leurs yeux, qui est dans eux; puis qu'ils
ne sçavent comment branle ce qu'eux mesmes font branler,
nÿ comment nous peindre et deschiffrer les ressorts qu'ils
tiennent et manient eux mesmes, comment je les croirois
de la cause du flux et reflux de la riviere du Nile. La
curiosité de connoistre les choses a esté donnée aux
hommes pour fleau, dit la saincte parole.

Mais, pour venir à mon particulier, il est bien difficile,
ce me semble, que aucun autre s'estime moins, voire que
aucun autre m'estime moins, que ce que je m'estime.

/// Je me tiens [15] de la commune sorte, sauf en ce que
je m'en tiens : coulpable des defectuositez plus basses et
populaires, mais non desadvouées, non excusées; et ne me
prise seulement que de ce que je sçay mon prix.

S'il y a de la gloire, elle est infuse en moy superficiellement par la trahison de ma complexion, et n'a point de
corps qui comparoisse à la veuë de mon jugement.

J'en suis arrosé, mais non pas teint.

/ Car, à la verité, quand aux effects de l'esprit, en
quelque façon que ce soit, il n'est jamais party de moy
chose qui me remplist; et l'approbation d'autruy ne me
paye pas. J'ay le goust tendre et difficile, et notamment en
mon endroit; je me /// desadvoue sans cesse; et me / sens
par tout flotter et fleschir de foiblesse. Je n'ay rien du mien
dequoy satisfaire mon jugement. J'ay la veuë assez claire
et reglée; mais, à l'ouvrer [16], elle se trouble : comme j'essaye
plus evidemment en la poësie. Je l'ayme infiniment; je me
congnois assez aux ouvrages d'autruy; mais je fay, à la
verité, l'enfant quand j'y veux mettre la main; je ne me
puis souffrir. On peut faire le sot par tout ailleurs, mais
non en la Poësie,

mediocribus esse poetis
Non dii, non homines, non concessere columnæ [17].

Pleust à Dieu que cette sentence se trouvat au front des

boutiques de tous nos Imprimeurs, pour en deffendre
l'entrée à tant de versificateurs,

verum
Nil securius est malo Poeta [18].

/// Que n'avons nous de tels peuples ? Dionysius le
pere [19] n'estimoit rien tant de soy que sa poësie. A la saison
des jeux Olympiques, avec des charriots surpassans tous
les autres en magnificence, il envoya aussi des poëtes et des
musiciens pour presenter ses vers, avec des tentes et
pavillons dorez et tapissez royalement. Quand on vint
à mettre ses vers en avant, la faveur et excellence de la
prononciation attira sur le commencement l'attention du
peuple; mais quand, par après, il vint à poiser l'ineptie
de l'ouvrage, il entra premierement en mespris, et, continuant d'aigrir son jugement, il se jetta tantost en furie,
et courut abattre et deschirer par despit tous ses pavillons.
Et ce que ses charriots ne feirent non plus rien qui vaille
en la course, et que la navire qui rapportoit ses gens faillit
la Sicile et fut par la tempeste poussée et fracassée contre
la coste de Tarente, il tint pour certain que c'estoit l'ire
des Dieus irritez comme luy contre ce mauvais poëme.
Et les mariniers mesme eschappez du naufrage alloient
secondant l'opinion de ce peuple.

À la quelle l'oracle qui predit sa mort sembla aussi
aucunement soubscrire. Il portoit que Dionysius seroit
près de sa fin quand il auroit vaincu ceux qui vaudroient
mieux que luy; ce que il interpreta des Carthaginois qui
le surpassoient en puissance. Et, ayant affaire à eux, gau-
chissoit souvant la victoire et la temperoit, pour n'encourir
le sens de cette prediction. Mais il l'entendoit mal : car
le Dieu marquoit le temps de l'avantage que, par faveur
et injustice, il gaigna à Athenes sur les poëtes tragiques
meilleurs que luy, ayant faict jouer à l'envi la sienne, inti-
tulée Les Leneïens; soudain après laquelle victoire il tres-
passa, et en partie pour l'excessive joye qu'il en conceut.

/ Ce que je treuve excusable du mien [20], ce n'est pas de
soy et à la verité, mais c'est à la comparaison d'autres
choses pires, ausquelles je voy qu'on donne credit. Je suis
envieux du bon-heur de ceux qui se sçavent resjouir et
gratifier en leur besongne, car c'est un moyen aisé de se
donner du plaisir, puis qu'on le tire de soy-mesme.
/// Specialement s'il y a un peu de fermeté en leur opi-
niastrise. Je sçay un poëte à qui forts, foibles, en foulle et
en chambre, et le ciel et la terre crient qu'il n'y entend

guere. Il n'en rabat pour tout cela rien de la mesure à quoy il s'est taillé, tousjours recommence, tousjours reconsulte, et tousjours persiste; d'autant plus fort en son avis et plus roidde qu'il touche à luy seul de le maintenir. / Mes ouvrages, il s'en faut tant qu'ils me rient, qu'autant de fois que je les retaste, autant de fois je m'en despite :

> || *Cum relego, scripsisse pudet, quia plurima cerno,*
> *Me quoque, qui feci, judice, digna lini* [21].

/ J'ay tousjours une idée en l'ame /// et certaine image trouble, / qui me presente /// comme en songe / une meilleure forme que celle que j'ay mis en besongne, mais je ne la puis saisir et exploiter. Et cette idée mesme n'est que du moyen estage. Ce que j'argumante par là, que les productions de ces riches et grandes ames du temps passé sont bien loing au delà de l'extreme estendue de mon imagination et souhaict. Leurs escris ne me satisfont pas seulement et me remplissent; mais ils m'estonnent et transissent d'admiration. Je juge leur beauté; je la voy, si non jusques au bout, au moins si avant qu'il m'est impossible d'y aspirer. Quoy que j'entreprenne, je doy un sacrifice aux graces, comme dict Plutarque de quelqu'un, pour pratiquer leur faveur,

> *si quid enim placet,*
> *Si quid dulce hominum sensibus influit,*
> *Debentur lepidis omnia gratiis* [22].

Elles m'abandonnent par tout. Tout est grossier chez moy; il y a faute de gentillesse et de beauté. Je ne sçay faire valoir les choses pour le plus que ce qu'elles valent. Ma façon n'ayde rien à la matiere. Voilà pourquoy il me la faut forte, qui aye beaucoup de prise et qui luise d'elle mesme. /// Quand j'en saisis des populaires et plus gayes, c'est pour me suivre à moy, qui n'aime point une sagesse ceremonieuse et triste, comme faict le monde, et pour m'esgayer, non pour esgayer mon stile, qui les veut plustost graves et severes (au moins si je dois nommer stile un parler informe et sans regle, un jargon populaire et un proceder sans definition, sans partition [23], sans conclusion, trouble, à la guise de celuy d'Amafanius et de Rabirius). / Je ne sçay ny plaire, ny rejouyr, ny chatouiller : le meilleur conte du monde se seche entre mes mains et se ternit. Je ne sçay parler qu'en bon escient [24], et suis du tout denué de cette facilité, que je voy en plusieurs de mes compaignons, d'entretenir les premiers venus et tenir en haleine toute une trouppe, ou amuser, sans se lasser, l'oreille d'un prince de toute sorte de propos, la matiere ne leur faillant jamais, pour cette grace qu'ils ont de sçavoir employer la premiere venue, et l'accommoder à l'humeur et portée de ceux à qui ils ont affaire. // Les princes n'ayment guere les discours fermes, ny moy à faire des contes. / Les raisons premieres et plus aisées, qui sont communément les mieux prinses, je ne sçay pas les employer : mauvais prescheur de commune. /// De toute matiere je dy volontiers les dernieres [25] choses que j'en sçay. Cicero estime que ès traictez de la philosophie le plus difficile membre ce soit l'exorde. S'il est ainsi, je me prens à la conclusion.

/ Si faut-il conduire la corde [26] à toute sorte de tons ; et le plus aigu est celuy qui vient le moins souvent en jeu. Il y a pour le moins autant de perfection à relever une chose vuide qu'à en soustenir une poisante. Tantost il faut superficiellement manier les choses, tantost les profonder. Je sçay bien que la pluspart des hommes se tiennent en ce bas estage, pour ne concevoir les choses que par cette premiere escorse ; mais je sçay aussi que les plus grands maistres et /// Xenophon et / Platon, on les void souvent se relascher à cette basse façon, et populaire, de dire et traiter les choses, la soustenant des graces qui ne leur manquent jamais.

Au demeurant, mon langage n'a rien de facile et poly : il est aspre /// et desdaigneux, / ayant ses dispositions libres et desreglées ; et me plaist ainsi, /// si non par mon jugement, par mon inclination. / Mais je sens bien que par fois je m'y laisse trop aller, et qu'à force de vouloir eviter l'art et l'affectation, j'y retombe d'une autre part :

> brevis esse laboro,
> Obscurus fio [27].

/// Platon dict que le long ou le court ne sont proprietez qui ostent ny donnent prix au langage.

/ Quand j'entreprendroy de suyvre cet autre stile æquable, uny et ordonné, je n'y sçaurois advenir ; et encore que les coupures et cadences de Saluste reviennent plus à mon humeur, si est-ce que je trouve Cæsar et plus grand et moins aisé à representer ; et si mon inclination me porte plus à l'imitation du parler de Seneque, je ne laisse pas d'estimer davantage celuy de Plutarque. Comme à faire, à dire aussi je suy tout simplement ma forme naturelle : d'où c'est à l'adventure que je puis plus à parler qu'à escrire. Le mouvement et action animent les parolles, notamment à ceux qui se remuent brusquement, comme je fay, et qui s'eschauffent. Le port, le visage, la voix, la robbe, l'assiette, peuvent donner quelque pris aux choses qui d'elles mesmes n'en ont guere, comme le babil. Messala se pleint en Tacitus de quelques accoustremens estroits de son temps, et de la façon des bancs où les orateurs avoient à parler, qui affoiblissoient leur eloquence.

Mon langage françois est alteré, et en la prononciation et ailleurs, par la barbarie de mon creu; je ne vis jamais homme des contrées de deçà [28] qui ne sentit bien evidemment son ramage et qui ne blessast les oreilles pures françoises. Si n'est-ce pas pour estre fort entendu en mon Perigordin, car je n'en ay non plus d'usage que de l'Alemand; et ne m'en chaut guere. /// C'est un langage, comme sont autour de moy, d'une bande et d'autre [29], le Poitevin, Xaintongeois, Angoumoisin, Lymosin, Auvergnat : brode [30], trainant, esfoiré [31]. / Il y a bien au-dessus de nous, vers les montaignes, un Gascon que je treuve singulierement beau, sec, bref, signifiant, et à la verité un langage masle et militaire plus qu'autre que j'entende; /// autant nerveux, puissant et pertinant [32], comme le François est gratieus, delicat et abondant.

/ Quant au Latin, qui m'a esté donné pour maternel, j'ay perdu par des-accoustumance la promptitude de m'en pouvoir servir à parler : /// ouy, et à escrire, en quoy autrefois je me faisoy appeler maistre Jean [33]. / Voylà combien peu je vaux de ce costé là.

La beauté est une piece de grande recommandation au commerce des hommes; c'est le premier moyen de conciliation des uns aux autres, et n'est homme si barbare et si rechigné qui ne se sente aucunement frappé de sa douceur. Le corps a une grand'part à nostre estre, il y tient un grand rang; ainsin sa structure et composition sont de bien juste consideration. Ceux qui veulent desprendre nos deux pieces principales et les sequestrer l'une de l'autre, ils ont tort. Au rebours, il les faut r'accoupler et rejoindre. Il faut ordonner à l'ame non de se tirer à quartier, de s'entretenir à part, de mespriser et abandonner le corps (aussi ne le sçauroit elle faire que par quelque singerie contrefaicte), mais de se r'allier à luy, de l'embrasser, le cherir, luy assister, le contreroller, le conseiller, le redresser et ramener quand il fourvoye, l'espouser en somme et luy servir de mary; à ce que leurs effects ne paroissent pas divers et contraires, ains accordans et uniformes. Les Chrestiens ont une particuliere instruction de cette liaison : car ils sçavent que la justice divine embrasse cette société et jointure du corps et de l'ame, jusques à rendre le corps capable des recompenses eternelles; et que Dieu regarde agir tout l'homme, et veut qu'entier il reçoive le chastiement, ou le loyer, selon ses merites.

/// La secte Peripatetique, de toutes les sectes la plus civilisée, attribue à la sagesse ce seul soin de pourvoir et procurer en commun le bien de ces deux parties associées : et montre les autres sectes, pour ne s'estre assez attachées à la consideration de ce meslange, s'estre partialisées [34], cette-cy pour le corps, cette autre pour l'ame, d'une pareille erreur, et avoir escarté leur subject, qui est l'homme, et leur guide, qu'ils advouent en general estre nature.

/ La premiere distinction qui aye esté entre les hommes, et la premiere consideration qui donna les præeminences aux uns sur les autres, il est vray-semblable que ce fut l'advantage de la beauté :

> /// *agros divisere atque dedere*
> *Pro facie cujusque et viribus ingenioque :*
> *Nam facies multum valuit viresque vigebant* [35].

/ Or je suis d'une taille un peu au dessoubs de la moyenne. Ce defaut n'a pas seulement de la laideur, mais encore de l'incommodité, à ceux mesmement qui ont des commandements et des charges : car l'authorité que donne une belle presence [36] et majesté corporelle en est à dire.

/// C. Marius ne recevoit pas volontiers des soldats qui n'eussent six pieds de hauteur. Le *Courtisan* [37] a bien raison de vouloir, pour ce gentilhomme qu'il dresse [38], une taille commune plus tost que tout'autre, et de refuser pour luy toute estrangeté qui le face montrer au doigt. Mais de choisir s'il faut à cette mediocrité qu'il soit plus tost au deçà qu'au delà d'icelle, je ne le ferois pas à un homme militaire.

Les petits hommes, dict Aristote, sont bien jolis, mais non pas beaux; et se connoist en la grandeur la grand'ame, comme la beauté en un grand corps et haut.

/ Les Æthiopes [39] et les Indiens, dit-il, elisants leurs Roys et magistrats, avoient esgard à la beauté et procerité [40] des personnes. Ils avoient raison : car il y a du respect pour ceux qui le suyvent, et pour l'ennemy de l'effroy, de voir à la teste d'une trouppe marcher un chef de belle et riche taille :

// *Ipse inter primos præstanti corpore Turnus*
Vertitur, arma tenens, et toto vertice supra est [41].

Nostre grand Roy divin et celeste, duquel toutes les circonstances doivent estre remarquées avec soing, religion et reverence, n'a pas refusé la recommandation corporelle, « *speciosus forma præ filiis hominum* [42] ».

/// Et Platon, avec la temperance et la fortitude, desire la beauté aux conservateurs de sa republique.

/ C'est un grand despit qu'on s'adresse à vous parmy vos gens, pour vous demander : « Où est monsieur ? » et que vous n'ayez que le reste de la bonnetade [43] qu'on fait à vostre barbier ou à vostre secretaire. Comme il advint au pauvre Philopœmen. Estant arrivé le premier de sa troupe en un logis où on l'attendoit, son hostesse qui ne le connoissoit pas et le voyoit d'assez mauvaise mine, l'employa d'aller un peu aider à ses femmes à puiser de l'eau ou attiser du feu, pour le service de Philopœmen. Les gentils-hommes de sa suitte estans arrivez et l'ayant surpris embesongné à cette belle vacation (car il n'avoit pas failly d'obeyr au commandement qu'on luy avoit faict), lui demanderent ce qu'il faisoit-là : « Je paie, leur respondit-il, la peine de ma laideur. »

Les autres beautez sont pour les femmes ; la beauté de la taille est la seule beauté des hommes. Où est la petitesse, ny la largeur et rondeur du front, ny la blancheur et douceur des yeux, ny la mediocre [44] forme du nez, ny la petitesse de l'oreille et de la bouche, ny l'ordre et blancheur des dents, ny l'espesseur bien unie d'une barbe brune à escorce de chataigne, ny le poil relevé, ny la juste rondeur de teste, ny la frécheur du teint, ny l'air du visage agreable, ny un corps sans senteur, ny la proportion legitime des membres peuvent faire un bel homme.

J'ay au demeurant la taille forte et ramassée ; le visage, non pas gras, mais plein ; la complexion, // entre le jovial et le mélancholique, moiennement / sanguine et chaude,

Unde rigent setis mihi crura, et pectora villis [45] ;

la santé forte et allegre, jusques bien avant en mon aage // rarement troublée par les maladies ./ J'estois tel, car je ne me considere pas à cette heure, que je suis engagé dans les avenuës de la vieillesse, ayant pieça franchy les quarante ans :

// *minutatim vires et robur adultum*
Frangit, et in partem pejorem liquitur ætas [46].

/ Ce que je seray doresenavant, ce ne sera plus qu'un demy estre, ce ne sera plus moy. | Je m'eschape tous les jours et me desrobe à moy,

Singula de nobis anni prædantur euntes [47].

D'adresse et de disposition [48], je n'en ay point eu; et si, suis fils d'un pere très dispost et d'une allegresse qui luy dura jusques à son extreme vieillesse. Il ne trouva guere homme de sa condition qui s'egalast à luy en tout exercice de corps : comme je n'en ay trouvé guiere aucun qui ne me surmontat, sauf au courir (en quoy j'estoy des mediocres [49]). De la musique, ny pour la voix que j'y ay trèninepte, ny pour les instrumens, on ne m'y a jamais sceu rien apprendre. A la danse, à la paume, à la lutte, je n'y ay peu acquerir qu'une bien fort legere et vulgaire suffisance; à nager, à escrimer, à voltiger et à sauter, nulle du tout. Les mains, je les ay si gourdes que je ne sçay pas escrire seulement pour moy : de façon que, ce que j'ay barbouillé, j'ayme mieux le refaire que de me donner la peine de le démesler; /// et ne lis guere mieux. Je me sens poiser aux escoutans. Autrement, bon clerc. / Je ne sçay pas clorre à droit [50] une lettre ny ne sçeuz jamais tailler plume, ny trancher à table, qui vaille, /// ny equipper un cheval de son harnois, ny porter à poinct un oiseau et le lascher, ny parler aux chiens, aux oiseaux, aux chevaux.

/ Mes conditions corporelles sont en somme trèsbien accordantes à celles de l'ame. Il n'y a rien d'allegre : il y a seulement une vigueur pleine et ferme. Je dure bien à la peine; mais j'y dure, si je m'y porte moy-mesme, et autant que mon desir m'y conduit,

Molliter austerum studio fallente laborem [51].

Autrement, si je n'y suis alleché par quelque plaisir, et si j'ay autre guide que ma pure et libre volonté, | je n'y vaux rien. | Car j'en suis là que, sauf la santé et la vie, il n'est chose /// pourquoy je veuille ronger mes ongles, et / que je veuille acheter au prix du tourment d'esprit et de la contrainte,

// *tanti mihi non sit opaci*
Omnis arena Tagi, quodque in mare volvitur aurum [52] :

/// extremement oisif, extremement libre, et par nature et par art. Je presteroy aussi volontiers mon sang que mon soing.

/ J'ay une ame toute sienne, accoustumée à se conduire
à sa mode. N'ayant eu jusques à cett'heure ny commandant
ny maistre forcé, j'ay marché aussi avant et le pas qu'il
m'a pleu. Cela m'a amolli et rendu inutile au service d'autruy, et ne m'a faict bon qu'à moy. Et pour moy, il n'a
esté besoin de forcer ce naturel poisant, paresseux et fay-
neant. Car, m'estant trouvé en tel degré de fortune dès
ma naissance, que j'ay eu occasion de m'y arrester, et
en tel degré de sens que j'ay senti en avoir occasion, je
n'ay rien cerché et n'ay aussi rien pris :

> *Non agimur tumidis velis Aquilone secundo ;*
> *Non tamen adversis ætatem ducimus austris :*
> *Viribus, ingenio, specie, virtute, loco, re,*
> *Extremi primorum, extremis usque priores* [53].

Je n'ay eu besoin que de la suffisance de me contenter [54],
/// qui est pour tant un reglement d'ame, à le bien prendre,
esgalement difficile en toute sorte de condition, et que
par usage nous voyons se trouver plus facilement encores
en la necessité qu'en l'abondance; d'autant à l'advanture
que, selon le cours de nos autres passions, la faim des
richesses est plus aiguisée par leur usage que par leur
disette, et la vertu de la moderation plus rare que celle
de la patience. Et n'ay eu besoin / que de jouir doucement
des biens que Dieu par sa liberalité m'avoit mis entre
mains. Je n'ay gousté aucune sorte de travail ennuyeux.
Je n'ay eu guere en maniement que mes affaires; /// ou, si
j'en ay eu, ce a esté en condition de les manier à mon heure
et à ma façon, commis par gens qui s'en fioient à moy et qui
ne me pressoient pas et me congnoissoient. Car encores
tirent les experts quelque service d'un cheval restif et
poussif.
/ Mon enfance mesme a esté conduite d'une façon molle
et libre, et exempte de subjection rigoureuse. Tout cela
m'a formé une complexion delicate et incapable de sollicitude. Jusques là que j'ayme qu'on me cache mes pertes
et les desordres qui me touchent : au chapitre de mes
mises [55], je loge ce que ma nonchalance me couste à nourrir
et entretenir,

> *hæc nempe supersunt,*
> *Quæ dominum fallunt, quæ prosunt furibus* [56].

J'ayme à ne sçavoir pas le conte de ce que j'ay, pour
sentir moins exactement ma perte. // Je prie ceux qui
vivent avec moy, où l'affection leur manque et les bons

effects, de me piper et payer de bonnes apparences. / A faute d'avoir assez de fermeté pour souffrir l'importunité des accidents contraires ausquels nous sommes subjects, et pour ne me pouvoir tenir tendu à regler et ordonner les affaires, je nourris autant que je puis en moy cett'opinion, m'abandonnant du tout à la fortune, de prendre toutes choses au pis; et, ce pis là, me resoudre à le porter doucement et patiemment. C'est à cela seul que je travaille, et le but auquel j'achemine tous mes discours.

// A un danger, je ne songe pas tant comment j'en eschaperay, que combien peu il importe que j'en eschappe. Quand j'y demeurerois, que seroit-ce ? Ne pouvant reigler les evenements, je me reigle moy-mesme, et m'applique à eux s'ils ne s'appliquent à moy. Je n'ay guiere d'art pour sçavoir gauchir la fortune et luy eschapper ou la forcer, et pour dresser et conduire par prudence les choses à mon poinct. J'ay encore moins de tolerance pour supporter le soing aspre et penible qu'il faut à cela. Et la plus penible assiete pour moy, c'est estre suspens [57] ès choses qui pressent, et agité entre la crainte et l'esperance. Le deliberer, voire ès choses plus legieres, m'importune; et sens mon esprit plus empesché à souffrir le branle et les secousses diverses du doute et de la consultation, qu'à se rasseoir et resoudre à quelque party que ce soit, après que la chance est livrée. Peu de passions m'ont troublé le sommeil; mais, des deliberations, la moindre me le trouble. Tout ainsi que des chemins, j'en evite volontiers les costez pandans et glissans, et me jette dans le battu le plus boueux et enfondrant [58], d'où je ne puisse aller plus bas, et y cherche seurté; aussy j'ayme les malheurs tous purs, qui ne m'exercent et tracassent plus après l'incertitude de leur rabillage [59], et qui, du premier saut, me poussent droictement [60] en la souffrance :

/// *dubia plus torquent mala* [61].

// Aux evenemens je me porte virilement; en la conduicte, puerillement. L'horreur de la cheute me donne plus de fiebvre que le coup. Le jeu ne vaut pas la chandelle. L'avaritieux a plus mauvais conte de sa passion que n'a le pauvre, et le jaloux que le cocu. Et y a moins de mal souvant à perdre sa vigne qu'à la plaider. La plus basse marche est la plus ferme. C'est le siege de la constance. Vous n'y avez besoing que de vous. Elle se fonde là et appuye toute en soy. Cet exemple d'un gentil'homme que plusieurs ont cogneu, a il pas quelque air philoso-

phique ? Il se marya bien avant en l'aage, ayant passé en
bon compaignon sa jeunesse : grand diseur, grand gau-
disseur. Se souvenant combien la matiere de cornardise
luy avoit donné dequoy parler et se moquer des autres,
pour se mettre à couvert, il espousa une femme qu'il print
au lieu où chacun en trouve pour son argent, et dressa
avec elle ses alliances : « Bon jour, putain. — Bon jour,
cocu! » Et n'est chose dequoy plus souvent et ouvertement il entretint chez luy les survenans, que de ce sien
dessein : par où il bridoit les occultes caquets des moqueurs
et esmoussoit la pouinte de ce reproche.

/ Quant à l'ambition, qui est voisine de la presumption,
ou fille plustost, il eut fallu, pour m'advancer, que la
fortune me fut venu querir par le poing. Car, de me mettre
en peine pour un'esperance incertaine et me soubmettre
à toutes les difficultez qui accompaignent ceux qui cerchent
à se pousser en credit sur le commencement de leur progrez, je ne l'eusse sçeu faire;

// spem pretio non emo [62].

Je m'atache à ce que je voy et que je tiens, et ne m'es-
longne guiere du port,

Alter remus aquas, alter tibi radat arenas [63].

Et puis on arrive peu à ces avancements, qu'en hazardant
premierement le sien : et je suis d'advis que, si ce qu'on
a suffi à maintenir la condition en laquelle on est nay
et dressé, c'est folie d'en làcher la prise sur l'incertitude
de l'augmenter. Celuy à qui la fortune refuse dequoy planter son pied et establir un estre tranquille et reposé, il est
pardonnable s'il jette au hazard ce qu'il a, puis qu'ainsi
comme ainsi la necessité l'envoye à la queste.

/// Capienda rebus in malis præceps via est [64].

// Et j'excuse plustost un cabdet de mettre sa legitime au
vent, que celuy à qui l'honneur de la maison est en charge,
qu'on ne peut voir necessiteux qu'à sa faute.

/ J'ay bien trouvé le chemin plus court et plus aisé,
avec le conseil de mes bons amis du temps passé, de me
défaire de ce desir et de me tenir coy,

Cui sit conditio dulcis sine pulvere palmæ [65] :

jugeant aussi bien sainement de mes forces qu'elles n'estoient pas capables de grandes choses, et me souvenant de

ce mot du feu Chancelier Olivier, que les François semblent des guenons qui vont grimpant contremont un arbre, de branche en branche, et ne cessent d'aller jusques à ce qu'elles sont arrivées à la plus haute branche, et y monstrent le cul quand elles y sont.

|| *Turpe est, quod nequeas, capiti committere pondus,*
Et pressum inflexo mox dare terga genu [66].

/ Les qualitez mesmes qui sont en moy non reprochables, je les trouvois inutiles en ce siecle. La facilité de mes meurs, on l'eut nommée lácheté et foiblesse; la foy et la conscience s'y feussent trouvées scrupuleuses et superstitieuses; la franchise et la liberté, importune, inconsiderée et temeraire. A quelque chose sert le mal'heur. Il fait bon naistre en un siecle fort depravé; car, par comparaison d'autruy, vous estes estimé vertueux à bon marché. Qui n'est que parricide en nos jours, et sacrilege, il est homme de bien et d'honneur :

|| *Nunc, si depositum non inficiatur amicus,*
Si reddat veterem cum tota ærugine follem,
Prodigiosa fides et Tuscis digna libellis,
Quæque coronata lustrari debeat agna [67].

Et ne fut jamais temps et lieu où il y eust pour les princes loyer plus certain et plus grand proposé à la bonté et à la justice. Le premier qui s'avisera de se pousser en faveur et en credit par cette voye là, je suis bien deçeu si, à bon conte, il ne devance ses compaignons. La force, la violance peuvent quelque chose, mais non pas tousjours tout. /// Les marchans, les juges de village, les artisans, nous les voyons aller à pair de vaillance et science militaire aveq la noblesse : ils rendent des combats honorables, et publiques et privez, ils battent, ils defendent villes en nos guerres. Un prince estouffe sa recommandation emmy cette presse. Qu'il reluise d'humanité, de verité, de loyauté, de temperence et sur tout de justice : marques rares, inconnues et exilées. C'est la seule volonté [68] des peuples de quoy il peut faire ses affaires, et nulles autres qualitez ne peuvent tant flatter leur volonté comme celles là : leur estant bien plus utiles que les autres.

Nihil est tam populare quam bonitas [69].

/ Par cette proportion, je me fusse trouvé /// grand et rare, comme je me trouve pygmée et populaire à la propor-

tion d'aucuns siecles passez, ausquels il estoit vulgaire, si
d'autres plus fortes qualitez n'y concurroient, de voir un
homme / moderé en ses vengeances, mol au ressentiment
des offences, religieux en l'observance de sa parolle, ny
double, ny souple, ny accommodant sa foy à la volonté
d'autruy et aux occasions. Plustost lairrois je rompre le col
aux affaires que de tordre ma foy pour leur service. Car,
quant à cette nouvelle vertu de faintise et de dissimulation
qui est à cette heure si fort en credit, je la hay capitalle-
ment; et, de tous les vices, je n'en trouve aucun qui
tesmoigne tant de lâcheté et bassesse de cœur. C'est
un'humeur couarde et servile de s'aller desguiser et cacher
sous un masque, et de n'oser se faire veoir tel qu'on est.
Par là nos hommes [70] se dressent à la perfidie : // estant
duicts à produire des parolles fauces, ils ne font pas
conscience d'y manquer. / Un cœur genereux ne doit point
desmentir ses pensées; il se veut faire voir jusques au
dedans. /// Ou tout y est bon, ou au moins tout y est
humein.

Aristote estime office de magnanimité hayr et aimer à
descouvert, juger, parler avec toute franchise, et, au
prix de la verité, ne faire cas de l'approbation ou repro-
bation d'autruy.

/ Apollonius [71] disoit que c'estoit aux serfs de mantir, et
aux libres de dire verité.

/// C'est la premiere et fondamentale partie de la vertu.
Il la faut aymer pour elle mesme. Celuy qui dict vray,
par ce qu'il y est d'ailleurs obligé et par ce qu'il sert, et
qui ne craint point à dire mansonge, quand il n'importe
à personne, n'est pas veritable suffisamment. Mon âme,
de sa complexion, refuit la menterie et hait mesmes à la
penser.

J'ay un'interne vergongne et un remors piquant, si par
fois elle m'eschape, comme parfois elle m'eschape, les
occasions me surprenant et agitant impremeditéement.

/ Il ne faut pas tousjours dire tout, car ce seroit sottise;
mais ce qu'on dit, il faut qu'il soit tel qu'on le pense,
autrement c'est meschanceté. Je ne sçay quelle commodité
ils attendent de se faindre et contrefaire sans cesse, si ce
n'est de n'en estre pas creus lors mesme qu'ils disent
verité; cela peut tromper une fois ou deux les hommes;
mais de faire profession de se tenir couvert, et se vanter
comme ont faict aucuns de nos princes, qu'ils jetteroient
leur chemise au feu si elle estoit participante de leurs
vrayes intentions (qui est un mot de l'ancien Metellus
Macedonicus), et que, qui ne sçait se faindre, ne sçait

pas regner, c'est tenir advertis ceux qui ont à les practiquer, que ce n'est que piperie et mensonge qu'ils disent. /// « *Quo quis versutior et callidior est, hoc invisior et suspectior, detracta opinione probitatis* [72]. » | Ce seroit une grande simplesse à qui se lairroit amuser ny au visage, ny aux parolles de celuy qui faict estat d'estre tousjours autre au dehors qu'il n'est au dedans, comme faisoit Tibere; et ne sçay quelle part telles gens peuvent avoir au commerce des hommes, ne produisans rien qui soit reçeu pour contant.

// Qui est desloyal envers la verité l'est aussi envers le mensonge.

/// Ceux qui, de nostre temps, ont considéré, en l'establissement du devoir d'un prince, le bien de ses affaires seulement, et l'ont preferé au soin de sa foy et conscience, diroyent quelque chose à un prince de qui la fortune auroit rangé à tel point les affaires que pour tout jamais il les peut establir par un seul manquement et faute à sa parole. Mais il n'en va pas ainsi. On rechoit souvent en pareil marché; on faict plus d'une paix, plus d'un traitté en sa vie. Le gain qui les convie à la premiere desloyauté (et quasi tousjours il s'en presente comme à toutes autres meschancetez : les sacrileges, les meurtres, les rebellions, les trahisons s'entreprenent pour quelque espece de fruit), mais ce premier gain apporte infinis dommages suivants, jettant ce prince hors de tout commerce et de tout moyen de negociation par l'example de cette infidelité. Solyman, de la race des Ottomans, race peu soigneuse de l'observance des promesses et paches [73], lors que, de mon enfance, il fit descendre son armée à Ottrente, ayant sçeu que Mercurin de Gratinare et les habitants de Castro estoyent detenus prisonniers, après avoir rendu la place, contre ce qui avoit esté capitulé avec eux, manda qu'on les relaschat; et qu'ayant en main d'autres grandes entreprinses en cette contrée là, cette desloyauté, quoy qu'ell'eut quelque apparence d'utilité presente, luy apporteroit pour l'avenir un descri et une desfiance d'infini prejudice.

/ Or, de moy [74], j'ayme mieux estre importun et indiscret que flateur et dissimulé.

// J'advoue qu'il se peut mesler quelque pointe de fierté et d'opiniastreté à se tenir ainsin entier et descouvert sans consideration d'autruy; et me semble que je deviens un peu plus libre où il le faudroit moins estre, et que je m'eschaufe par l'opposition du respect. Il peut estre aussi que je me laisse aller après ma nature, à faute d'art. Presentant aux grands cette mesme licence de langue et de

contenance que j'apporte de ma maison, je sens combien
elle decline vers l'indiscretion et incivilité. Mais, outre
ce que je suis ainsi faict, je n'ay pas l'esprit assez souple
pour gauchir à une prompte demande et pour en eschaper
par quelque destour, ny pour feindre une verité, ny assez
de memoire pour la retenir ainsi feinte, ny certes assez
d'asseurance pour la maintenir; et fois le brave par foiblesse. Parquoy je m'abandonne à la nayfveté, et à tousjours
dire ce que je pense, et par complexion et par discours,
laissant à la fortune d'en conduire l'evenement.

/// Aristippus disoit le principal fruit qu'il eut tité de la
philosophie, estre qu'il parloit librement et ouvertement
à chacun.

/ C'est un outil de merveilleux service que la memoire,
et sans lequel le jugement faict bien à peine son office :
elle me manque du tout. Ce qu'on me veut proposer, il
faut que ce soit à parcelles. Car de respondre à un propos
où il y eut plusieurs divers chefs, il n'est pas en ma puissance. Je ne sçaurois recevoir une charge sans tablettes.
Et quand j'ay un propos de consequence à tenir, s'il est
de longue haleine, je suis reduit à cette vile et miserable
necessité d'apprendre par cœur /// mot à mot / ce que j'ay à
dire; autrement je n'auroy ny façon ny asseurance, estant
en crainte que ma memoire vint à me faire un mauvais
tour. /// Mais ce moïen m'est non moins difficile. Pour
aprandre trois vers, il me faut trois heures; et puis, en un
mien ouvrage, la liberté et authorité de remuer l'ordre, de
changer un mot, variant sans cesse la matiere, la rend
plus malaisée à concevoir. / Or, plus je m'en defie, plus
elle se trouble; elle me sert mieux par rencontre, il faut
que je la solicite nonchalamment : car, si je la presse, elle
s'estonne; et, depuis qu'elle'a commencé à chanceler, plus
je la sonde, plus elle s'empestre et embarrasse; elle me sert
à son heure, non pas à la mienne.

Cecy que je sens en la memoire, je le sens en plusieurs
autres parties. Je fuis le commandement, l'obligation et
la contrainte. Ce que je fais ayséement et naturellement,
si je m'ordonne de le faire par une expresse et prescrite
ordonnance, je ne le sçay plus faire. Au corps mesme, les
membres qui ont quelque liberté et jurisdiction plus particulière sur eux, me refusent par fois leur obeyssance,
quand je les destine et attache à certain point et heure
de service necessaire. Cette preordonnance contrainte et
tyrannique les rebute; ils se croupissent d'effroy ou de
despit, et se transissent. // Autresfois, estant en lieu où
c'est discourtoisie barbaresque de ne respondre à ceux qui

vous convient à boire, quoi qu'on m'y traitast avec toute
liberté, j'essaiay de faire le bon compaignon en faveur des
dames qui estoyent de la partie, selon l'usage du pays. Mais
il y eust du plaisir, car cette menasse et preparation d'avoir
à m'efforcer outre ma coustume et mon naturel, m'estoupa
de maniere le gosier, que je ne sçeuz avaller une seule
goutte, et fut privé de boire pour le besoing mesme de
mon repas. Je me trouvay saoul et desalteré par tant de
breuvage que mon imagination avoit preoccupé [75]. / Cet
effaict est plus apparent en ceux qui ont l'imagination plus
vehemente et puissante; mais il est pourtant naturel, et
n'est aucun qui ne s'en ressente aucunement. On offroit à
un excellant archer condamné à la mort de luy sauver la vie,
s'il vouloit faire quelque notable preuve de son art : il
refusa de s'en essayer, craignant que la trop grande contention de sa volonté luy fit fourvoier la main, et qu'au lieu
de sauver sa vie, il perdit encore la reputation qu'il avoit
acquise au tirer de l'arc. Un homme qui pense ailleurs
ne faudra point, à un pousse près, de refaire tousjours un
mesme nombre et mesure de pas au lieu où il se promene;
mais, s'il y est avec attention de les mesurer et conter, il
trouvera que ce qu'il faisoit par nature et par hazard, il
ne le faira pas si exactement par dessein.

Ma librerie [76], qui est des belles entre les libreries de
village, est assise à un coin de ma maison; s'il me tombe
en fantasie chose que j'y veuille aller cercher ou escrire,
de peur qu'elle ne m'eschappe en traversant seulement
ma court, il faut que je la donne en garde à quelqu'autre.
Si je m'enhardis, en parlant, à me destourner tant soit
peu de mon fil, je ne faux jamais de le perdre : qui faict
que je me tiens, en mes discours, contraint, sec et resserré.
Les gens qui me servent, il faut que je les appelle par le
nom de leurs charges ou de leur pays, car il m'est très-
malaisé de retenir des noms. // Je diray bien qu'il a trois
syllabes, que le son en est rude, qu'il commence ou termine par telle lettre. / Et si je durois à vivre long temps, je
ne croy pas que je n'oubliasse mon nom propre, comme
ont faict d'autres. // Messala Corvinus fut deux ans n'ayant
trace aucune de memoire; /// ce qu'on dict aussi de
George Trapezunce [77]; // et, pour mon interest, je rumine
souvent quelle vie c'estoit que la leur, et si sans cette piece
il me restera assez pour me soustenir avec quelque aisance;
et, y regardant de près, je crains que ce defaut, s'il est parfaict, perde toutes les functions de l'ame. /// « *Memoria certe
non modo philosophiam, sed omnis vitæ usum omnesque artes
una maxime continet* [78]. »

/ *Plenus rimarum sum, hac atque illac effluo* [79].

Il m'est advenu plus·d'une fois d'oublier le mot du guet
que j'avois /// trois heures auparavant / donné ou receu
d'un autre, /// et d'oublier où j'avoy caché ma bourse, quoy
qu'en die Cicero. Je m'aide à perdre ce que je serre particulierement. / C'est le receptacle et l'estuy de la science
que la memoire : l'ayant si deffaillante, je n'ay pas fort à me
plaindre, si je ne sçay guiere. Je sçay en general le nom des
arts et ce dequoy elles traictent, mais rien au delà. Je
feuillette les livres, je ne les estudie pas : ce qui m'en
demeure, c'est chose que je ne reconnois plus estre d'autruy; c'est cela seulement dequoy mon jugement a faict
son profict, les discours et les imaginations dequoy il s'est
imbu; l'autheur, le lieu, les mots et autres circonstances,
je les oublie incontinent.

// Et suis si excellent en l'oubliance, que mes escrits
mesmes et compositions, je ne les oublie pas moins que
le reste. On m'allegue tous les coups à moy-mesme sans
que je le sente. Qui voudroit sçavoir d'où sont les vers et
exemples que j'ay icy entassez, me mettroit en peine de le
luy dire; et si, ne les ay mendiez qu'ès portes connues
et fameuses, ne me contentant pas qu'ils fussent riches,
s'ils ne venoient encore de main riche et honorable :
l'authorité y concurre quant et la raison. /// Ce n'est pas
grand merveille si mon livre suit la fortune des autres
livres et si ma memoire desempare [80] ce que j'escry comme
ce que je ly, et ce que je donne comme ce que je reçoy.

/ Outre le deffaut de la memoire, j'en ay d'autres qui
aydent beaucoup à mon ignorance. J'ay l'esprit tardif
et mousse; le moindre nuage luy arreste sa pointe, en
façon que (pour exemple) je ne luy proposay jamais enigme
si aisé qu'il sçeut desvelopper. Il n'est si vaine subtilité
qui ne m'empesche. Aux jeux, où l'esprit a sa part, des
échets, des cartes, des dames et autres, je n'y comprens
que les plus grossiers traicts. L'apprehension, je l'ay lente
et embrouillée; mais ce qu'elle tient une fois, elle le tient
bien et l'embrasse bien universellement, estroitement et
profondement, pour le temps qu'elle le tient. J'ay la veuë
longue, saine et entière, mais qui se lasse aiséement au
travail et se charge; à cette occasion, je ne puis avoir long
commerce avec les livres que par le moyen du service
d'autruy. Le jeune Pline instruira ceux qui ne l'ont essayé,
combien ce retardement est important à ceux qui
s'adonnent à cette occupation.

Il n'est point ame si chetifve et brutale en laquelle on

ne voye reluire quelque faculté particuliere; il n'y en a
point de si ensevelie qui ne face une saillie par quelque
bout. Et comment il advienne qu'une ame, aveugle et
endormie à toutes autres choses, se trouve vifve, claire et
excellente à certain particulier effect, il s'en faut enquerir
aux maistres. Mais les belles ames, ce sont les ames universelles, ouvertes et prestes à tout, /// si non instruites, au
moins instruisables : / ce que je dy pour accuser la mienne;
car, soit par foiblesse ou nonchalance (et de mettre à
nonchaloir [81] ce qui est à nos pieds, ce que nous avons
entre-mains, ce qui regarde de plus près l'usage de la vie,
c'est chose bien esloingnée de mon dogme), il n'en est
point une si inepte et si ingorante que la mienne de
plusieurs telles choses vulgaires et qui ne se peuvent sans
honte ignorer. Il faut que j'en conte quelques exemples.

Je suis né et nourry aux champs et parmy le labourage;
j'ay des affaires et du mesnage en main, depuis que ceux
qui me devançoient en la possession des biens que je jouys
m'ont quitté leur place. Or je ne sçay conter ny à get [82], ny
à plume; la pluspart de nos monnoyes, je ne les connoy
pas; ny ne sçay la difference de l'un grain à l'autre, ny en
la terre, ny au grenier, si elle n'est pas trop apparente;
ny à peine celle d'entre les choux et les laictues de mon
jardin. Je n'entens pas seulement les noms des premiers
outils du mesnage, ny les plus grossiers principes de
l'agriculture, et que les enfans sçavent; // moins aux arts
mechaniques, en la trafique et en la connoissance des
marchandises, diversité et nature des fruicts, de vins, de
viandes; ny à dresser un oiseau, ny à medeciner un cheval
ou un chien. / Et, puis qu'il me faut faire la honte toute
entiere, il n'y a pas un mois qu'on me surprint ignorant
dequoy le levain servoit à faire du pain, /// et que c'estoit
que faire cuver du vin. / On conjectura anciennement à
Athenes une aptitude à la mathematique en celuy à qui
on voioit ingenieusement agencer et fagotter une charge
de brossailles. Vrayement on tireroit de moy une bien
contraire conclusion : car, qu'on me donne tout l'apprest
d'une cuisine, me voilà à la faim.

Par ces traits de ma confession, on en peut imaginer
d'autres à mes despens. Mais, quel que je me face connoistre,
pourveu que je me face connoistre tel que je suis, je fay
mon effect. Et si, ne m'excuse pas d'oser mettre par escrit
des propos si bas et frivoles que ceux-cy. La bassesse du
sujet m'y contraint. /// Qu'on accuse, si on veut, mon
project; mais mon progrez, non. / Tant y a que, sans l'advertissement d'autruy, je voy assez ce peu que tout cecy

vaut et poise, et la folie de mon dessein. C'est prou que mon jugement ne se defferre [83] poinct, duquel ce sont icy les essais :

> Nasutus sis usque licet, sis denique nasus,
> Quantum noluerit ferre rogatus Atlas,
> Et possis ipsum tu deridere Latinum,
> Non potes in nugas dicere plura meas,
> Ipse ego quam dixi : quid dentem dente juvabit
> Rodere ? carne opus est, si satur esse velis.
> Ne perdas operam : qui se mirantur, in illos
> Virus habe ; nos hæc novimus esse nihil [84].

Je ne suis pas obligé à ne dire point de sottises, pourveu que je ne me trompe pas à les connoistre. Et de faillir [85] à mon escient, cela m'est si ordinaire que je ne faux guere d'autre façon : je ne faux jamais fortuitement. C'est peu de chose de prester à la temerité de mes humeurs les actions ineptes, puis que je ne me puis pas deffendre d'y prester ordinairement les vitieuses.

Je vis un jour, à Barleduc, qu'on presentoit au Roy François second, pour la recommandation de la memoire de René, Roy de Sicile, un pourtraict qu'il avoit luy-mesmes fait de soy. Pourquoy n'est-il loisible de mesme à un chacun de se peindre de la plume, comme il se peignoit d'un creon ?

Je ne veux donc pas oublier encor cette cicatrice, bien mal propre à produire en public : c'est l'irresolution, defaut très-incommode à la negociation des affaires du monde. Je ne sçay pas prendre party ès entreprinses doubteuses :

> || Ne si, ne no, nel cor mi suona intero [86].

Je sçay bien soustenir une opinion, mais non pas la choisir.

/ Par ce que ès choses humaines, à quelque bande [87] qu'on panche, il se presente force apparences qui nous y confirment /// (et le philosophe Chrysippus disoit qu'il ne vouloit apprendre de Zenon et Cleanthez, ses maistres, que les dogmes simplement : car, quant aux preuves et raisons, qu'il en fourniroit assez de luy mesmes), / de quelque costé que je me tourne, je me fournis toujours assez de cause et de vray-semblance pour m'y maintenir. Ainsi j'arreste chez moi le doubte et la liberté de choisir, jusques à ce que l'occasion me presse. Et lors, à confesser la verité, je jette le plus souvent la plume au vent, comme on dict, et m'abandonne à la mercy de la fortune : une bien legere inclination et circonstance m'emporte,

> *Dum in dubio est animus, paulo momento huc atque illuc*
> *[impellitur* [88].

L'incertitude de mon jugement est si également balancée en la pluspart des occurrences, que je compromettrois volontiers à la decision du sort et des dets ; et remarque avec grande consideration de nostre foiblesse humaine les exemples que l'histoire divine mesme nous a laissez de cet usage de remettre à la fortune et au hazard la determination des élections [89] ès choses doubteuses : « *Sors cecidit super Mathiam* [90]. » /// La raison humaine est un glaive double et dangereux. Et en la main mesme de Socrates, son plus intime et plus familier amy, voyez à quant de bouts c'est un baston.

/ Ainsi, je ne suis propre qu'à suyvre, et me laisse aysément emporter à la foule : je ne me fie pas assez en mes forces pour entreprendre de commander, ny guider ; je suis bien aise de trouver mes pas trassez par les autres. S'il faut courre le hazard d'un chois incertain, j'ayme mieux que ce soit soubs tel, qui s'asseure plus de ses opinions et les espouse plus que je ne fay les miennes, // ausquelles je trouve le fondement et le plant glissant. Et si, ne suis pas trop facile au change, d'autant que j'apperçois aux opinions contraires une pareille foiblesse. /// « *Ipsa consuetudo assentiendi periculosa esse videtur et lubrica* [91]. » / Notamment aux affaires politiques, il y a un beau champ ouvert au bransle [92] et à la contestation :

> *Justa pari premitur veluti cum pondere libra*
> *Prona, nec hac plus parte sedet, nec surgit ab illa* [93].

Les discours de Machiavel, pour exemple, estoient assez solides pour le subject ; si, y a-il eu grand aisance à les combattre ; et ceux qui l'ont faict, n'ont pas laissé moins de facillité à combatre les leurs. Il s'y trouveroit tousjours, à un tel argument, dequoy y fournir responses, dupliques, repliques, tripliques, quadrupliques, et cette infinie contexture de debats que notre chicane a alongé tant qu'elle a peu en faveur des procez,

> *Cædimur, et totidem plagis consumimus hostem* [94],

les raisons n'y ayant guere autre fondement que l'experience, et la diversité des evenements humains nous presentant infinis exemples à toute sorte de formes. Un sçavant personnage de nostre temps dit qu'en nos almanacs, où ils disent chaud, qui voudra dire froid, et, au lieu de sec, humide, et mettre tousjours le rebours de ce qu'ils pronostiquent, s'il doit entrer en gageure de l'evenement de l'un ou l'autre, qui ne se soucieroit pas quel party il print, sauf ès choses où il n'y peut eschoir incertitude, comme de promettre à Noel des chaleurs extremes, et à la sainct Jean des rigueurs de l'hiver. J'en pense de mesmes de ces discours politiques : à quelque rolle qu'on vous mette, vous avez aussi beau jeu que vostre compagnon, pourveu que vous ne venez à choquer les principes trop grossiers et apparens. Et pourtant, selon mon humeur, ès affaires publiques, il n'est aucun si mauvais train, pourveu qu'il aye de l'aage et de la constance, qui ne vaille mieux que le changement et le remuement. Nos meurs sont extremement corrompuës, et panchent d'une merveilleuse inclination vers l'empirement; de nos loix et usances, il y en a plusieurs barbares et monstrueuses; toutesfois, pour la difficulté de nous mettre en meilleur estat, et le danger de ce crollement, si je pouvoy planter une cheville à nostre rouë et l'arrester en ce point, je le ferois de bon cœur :

> // nunquam adeo fœdis adeoque pudendis
> Utimur exemplis, ut non pejora supersint [95].

/ Le pis que je trouve en nostre estat, c'est l'instabilité, et que nos loix, non plus que nos vestemens, ne peuvent prendre aucune forme arrestée. Il est bien aisé d'accuser d'imperfection une police, car toutes choses mortelles en sont pleines; il est bien aisé d'engendrer à un peuple le mespris de ses anciennes observances : jamais homme n'entreprint cela, qui n'en vint à bout; mais d'y restablir un meilleur estat en la place de celuy qu'on a ruiné, à cecy plusieurs se sont morfondus, de ceux qui l'avoient entreprins.

/// Je fay peu de part à la prudence de ma conduite; je me laisse volontiers mener à l'ordre public du monde. Heureux peuple, qui faict ce qu'on commande mieux que ceux qui commandent, sans se tourmenter des causes; qui se laisse mollement rouler après le roulement celeste. L'obeyssance n'est pure ny tranquille en celuy qui raisonne et qui plaide.

/ Somme [96], pour revenir à moy, ce seul par où je m'estime quelque chose, c'est en ce quoy jamais homme ne s'estima deffaillant : ma recommendation est vulgaire, commune et populaire, car qui a jamais cuidé avoir faute de sens ? Ce seroit une proposition qui impliqueroit en soy de la contradiction : /// c'est une maladie qui n'est jamais où elle se voit; ell'est bien tenace et forte, mais laquelle pourtant le premier rayon de la veuë du patient perce et dissipe, comme le regard du soleil un brouillas opaque; / s'accuser seroit s'excuser en ce subject là; et se condamner, ce seroit s'absoudre. Il ne fut jamais crocheteur ny femmelette qui ne pensast avoir assez de sens pour sa provision. Nous reconnoissons ayséement ès autres l'advantage du courage, de la force corporelle, de l'experience, de la disposition [97], de la beauté; mais l'advantage du jugement, nous ne le cedons à personne; et les raisons qui partent du simple discours naturel [98] en autruy, il nous semble qu'il n'a tenu qu'à regarder de ce costé là, que nous les ayons trouvées. La science, le stile, et telles parties que nous voyons ès ouvrages estrangers, nous touchons bien aiséement si elles surpassent les nostres; mais les simples productions de l'entendement, chacun pense qu'il estoit en luy de les rencontrer toutes pareilles, et en apperçoit malaisement le poids et la difficulté, /// si ce n'est, et à peine, en une extreme et incomparable distance. / Ainsi, c'est une sorte d'exercitation de laquelle je dois esperer fort peu de recommandation et de louange, et une maniere de composition de peu de nom.

/// Et puis, pour qui escrivez vous ? Les sçavans à qui touche la jurisdiction livresque, ne connoissent autre prix que de la doctrine, et n'advouent autre proceder [99] en noz esprits que celuy de l'erudition et de l'art : si vous avez pris l'un des Scipions pour l'autre, que vous reste il à dire qui vaille ? Qui ignore Aristote, selon eux s'ignore quand et quand soy-mesme. Les ames communes et populaires ne voyent pas la grace et le pois d'un discours hautain [100] et deslié. Or ces deux especes occupent le monde. La tierce, à qui vous tombez en partage, des ames reglées et fortes d'elles-mesmes est si rare, que justement elle n'a ny nom, ny rang entre nous : c'est à demy temps perdy d'aspirer et de s'efforcer à luy plaire.

/ On dit communément que le plus juste partage que nature nous aye fait de ses graces, c'est celuy du sens : car il n'est aucun qui ne se contente de ce qu'elle luy en a distribué. /// N'est-ce pas raison ? Qui verroit au delà, il verroit au delà de sa veuë. / Je pense avoir les opinions bonnes et saines; mais qui n'en croit autant des siennes ? L'une des meilleures preuves que j'en aye, c'est le peu

d'estime que je fay de moy; car si elles n'eussent esté bien
asseurées, elles se fussent aisément laissées piper à l'affection que je me porte singuliere, comme celuy qui la
ramene quasi toute à moy, et qui ne l'espands gueres hors
de là. Tout ce que les autres en distribuent à une infinie
multitude d'amis et de connoissans, à leur gloire, à leur
grandeur, je le rapporte tout au repos de mon esprit et à
moy. Ce qui m'en eschappe ailleurs, ce n'est pas proprement de l'ordonnance de mon discours,

mihi nempe valere et vivere doctus [101].

Or mes opinions, je les trouve infiniement hardies et
constantes à condamner mon insuffisance. De vray, c'est
aussi un subject auquel j'exerce mon jugement autant qu'à
nul autre. Le monde regarde tousjours vis à vis; moy, je
replie ma veue au dedans, je la plante, je l'amuse là. Chacun regarde devant soy; moy, je regarde dedans moy : je
n'ay affaire qu'à moy. je me considere sans cesse, je me
contrerolle, je me gouste. Les autres vont tousjours ailleurs,
s'ils y pensent bien; ils vont tousjours avant,

nemo in sese tentat descendere [102],

moy je me roulle en moy mesme.

Cette capacité de trier le vray, quelle qu'elle soit en moy,
et cett'humeur libre de n'assubjectir aisément ma creance,
je la dois principalement à moy : car les plus fermes imaginations que j'aye, et generalles, sont celles qui, par
maniere de dire, nasquirent avec moy. Elles sont naturelles
et toutes miennes. Je les produisis crues et simples, d'une
production hardie et forte, mais un peu trouble et imparfaicte; depuis je les ay establies et fortifiées par l'authorité
d'autruy, et par les sains discours des anciens, ausquels je
me suis rencontré conforme en jugement : ceux-là m'en
ont assuré la prinse, et m'en ont donné la jouyssance et
possession plus entiere.

// La recommandation [103] que chacun cherche, de vivacité et promptitude d'esprit, je la pretends du reglement;
d'une action esclatante et signalée, ou de quelque particuliere suffisance, je la pretends de l'ordre, correspondance
et tranquillité d'opinions et de meurs. /// « *Omnino, si
quidquam est decorum, nihil est profecto magis quam æqua-
bilitas universæ vitæ, tum singularum actionum : quam
conservare non possis, si, aliorum naturam imitans, omittas
tuam* [104]. »

/ Voylà donq jusques où je me sens coulpable de cette premiere partie, que je disois estre au vice de la presomption. Pour la seconde, qui consiste à n'estimer poinct assez autruy, je ne sçay si je m'en puis si bien excuser; car, quoy qu'il me couste, je delibere de dire ce qui en est.

A l'adventure que le commerce continuel que j'ay avec les humeurs anciennes, et l'Idée de ces riches ames du temps passé me dégouste, et d'autruy et de moy mesme; ou bien que, à la verité, nous vivons en un siecle qui ne produict les choses que bien mediocres; tant y a que je ne connoy rien digne de grande admiration; aussi ne connoy-je guiere d'hommes avec telle privauté qu'il faut pour en pouvoir juger; et ceux ausquels ma condition me mesle plus ordinairement sont, pour la pluspart, gens qui ont peu de soing de la culture de l'ame, et ausquels on ne propose pour toute beatitude que l'honneur, et pour toute perfection que la vaillance. Ce que je voy de beau en autruy, je le loüe et l'estime très-volontiers : voire j'encheris souvent sur ce que j'en pense, et me permets de mentir jusques là. Car je ne sçay point inventer un subject faux. Je tesmoigne volontiers de mes amis par ce que j'y trouve de loüable; et d'un pied de valeur, j'en fay volontiers un pied et demy. Mais de leur prester les qualitez qui n'y sont pas, je ne puis, ny les defendre ouvertement des imperfections qu'ils ont.

// Voyre à mes ennemis je rens nettement ce que je dois de tesmoignage d'honneur. /// Mon affection se change; mon jugement, non. // Et ne confons point ma querelle avec autres circonstances qui n'en sont pas; et suis tant jaloux de la liberté de mon jugement, que mal-ayséement la puis-je quitter pour passion que ce soit. /// Je me fay plus d'injure en mentant, que je n'en fay à celuy de qui je mens. On remarque cette loüable et genereuse coustume de la nation Persienne [105], qu'ils parlent de leurs mortels ennemis et qu'ils font guerre à outrance, honorablement et equitablement, autant que porte le merite de leur vertu.

/ Je connoy des hommes assez, qui ont diverses parties belles : qui, l'esprit; qui, le cœur; qui, l'adresse; qui, la conscience; qui, le langage; qui, une science; qui, un'autre. Mais de grand homme en general, et ayant tant de belles pieces ensemble, ou une en tel degré d'excellence qu'on s'en doive estonner, ou le comparer à ceux que nous honorons du temps passé, ma fortune ne m'en a fait voir nul. Et le plus grand que j'aye conneu au vif [106], je di des parties naturelles de l'ame, et le mieux né, c'estoit Estienne de la Boitie; c'estoit vrayement un'ame pleine et qui

montroit un beau visage à tous sens; un'ame à la vieille
marque et qui eut produit de grands effects, si sa fortune
l'eust voulu, ayant beaucoup adjousté à ce riche naturel
par science et estude. Mais je ne sçay comment il advient
/// (et si, advient sans doubte) / qu'il se trouve autant de
vanité et de foiblesse d'entendement en ceux qui font
profession d'avoir plus de suffisance, qui se meslent de
vacations lettrées et de charges qui dependent des livres,
qu'en nulle autre sorte de gens : ou bien par ce que on
requiert et attend plus d'eux, et qu'on ne peut excuser en
eux les fautes communes; ou bien que l'opinion du sçavoir
leur donne plus de hardiesse de se produire et de se descouvrir trop avant, par où ils se perdent et se trahissent.
Comme un artisan tesmoigne bien mieux sa bestise en une
riche matiere qu'il ait entre mains, s'il l'accommode et
mesle sottement et contre les règles de son ouvrage, qu'en
matiere vile, et s'offence l'on plus du defaut en une statue
d'or qu'en celle qui est de plastre. Ceux cy en font autant
lors qu'ils mettent en avant des choses qui d'elles mesmes
et en leur lieu seroyent bonnes : car ils s'en servent sans
discretion, faisans honneur à leur memoire aux despens
de leur entendement. Ils font honneur à Cicero, à Galien,
à Ulpian et à saint Hierosme, et eux se rendent ridicules.

Je retombe volontiers sur ce discours de l'ineptie de
notre institution. Elle a eu pour sa fin de nous faire non
bons et sages, mais sçavans : elle y est arrivée. Elle ne
nous a pas apris de suyvre et embrasser la vertu et la
prudence, mais elle nous en a imprimé la derivation et
l'etymologie. Nous sçavons decliner vertu, si nous ne
sçavons l'aymer; si nous ne sçavons que c'est que prudence
par effect et par experience, nous le sçavons par jargon
et par cœur. De nos voisins, nous ne nous contentons pas
d'en sçavoir la race, les parentelles [107] et les alliances, nous
les voulons avoir pour amis et dresser avec eux quelque
conversation et intelligence; elle nous a apris les deffini-
tions, les divisions et particions [108] de la vertu, comme des
surnoms et branches d'une genealogie, sans avoir autre
soing de dresser entre nous et elle quelque pratique de
familiarité et privée acointance. Elle nous a choisi pour
nostre aprentissage non les livres qui ont les opinions plus
saines et plus vrayes, mais ceux qui parlent le meilleur
Grec et Latin, et, parmy ses beaux mots, nous a fait couler
en la fantasie les plus vaines humeurs de l'antiquité. Une
bonne institution, elle change le jugement et les mœurs,
comme il advint à Polemon, ce jeune homme Grec debau-
ché, qui, estant allé ouïr par rencontre une leçon de

/// Xenocrates, / ne remerqua pas seulement l'eloquence et la suffisance du lecteur [109], et n'en rapporta pas seulement en la maison la science de quelque belle matiere, mais un fruit plus apparent et plus solide, qui fut le soudain changement et amendement de sa premiere vie. Qui a jamais senti un tel effect de nostre discipline ?

> *faciasne quod olim*
> *Mutatus Polemon ? ponas insignia morbi,*
> *Fasciolas, cubital, focalia, potus ut ille*
> *Dicitur ex collo furtim carpsisse coronas,*
> *Postquam est impransi correptus voce magistri* [110] *?*

/// La moins desdeignable condition de gens me semble estre celle qui par simplesse tient le dernier rang, et nous offrir un commerce plus reglé. Les meurs et les propos des paysans, je les trouve communéement plus ordonnez selon la prescription de la vraie philosophie, que ne sont ceux de nos philosophes. « *Plus sapit vulgus, quia tantum quantum opus est, sapit* [111]. »

/ Les plus notables hommes que j'aye jugé par les apparences externes (car, pour les juger à ma mode, il les faudroit esclerer de plus près), ce ont esté, pour le faict de la guerre et suffisance militaire, le Duc de Guyse, qui mourut à Orleans et le feu Mareschal Strozzi. Pour gens suffisans, et de vertu non commune, Olivier et l'Hospital, Chanceliers de France. Il me semble aussi de la Poësie qu'elle a eu sa vogue en nostre siecle. Nous avons foison de bons artisans de ce mestier-là : Aurat, Beze, Buchanan, l'Hospital, Mont-doré [112], Turnebus. Quant aux François, je pense qu'ils l'ont montée au plus haut degré où elle sera jamais ; et aux parties en quoy Ronsart et du Bellay excellent, je ne les treuve guieres esloignez de la perfection ancienne. Adrianus Turnebus sçavoit plus et sçavoit mieux ce qu'il sçavoit, que homme qui fut de son siecle, ny loing au delà.

// Les vies du Duc d'Albe dernier mort et de nostre connestable de Mommorancy ont esté des vies nobles et qui ont eu plusieurs rares ressemblances de fortune ; mais la beauté et la gloire de la mort de cettuycy, à la veüe de Paris et de son Roy, pour leur service, contre ses plus proches, à la teste d'une armée victorieuse par sa conduitte, et d'un coup de main, en si extreme vieillesse, me semble meriter qu'on la loge entre les remercables evenemens de mon temps.

/// Comme aussi la constante bonté, douceur de meurs

et facilité conscientieuse de monsieur de la Nouë, en une telle injustice de parts [113] armées, vraie eschole de trahison, d'inhumanité et de brigandage, où tousjours il s'est nourry, grand homme de guerre et très-experimenté.

J'ay pris plaisir à publier en plusieurs lieux l'esperance que j'ay de Marie de Gournay le Jars, ma fille d'alliance, et certes aymée de moy beaucoup plus que paternellement, et enveloppée en ma retraitte et solitude, comme l'une des meilleures parties de mon propre estre. Je ne regarde plus qu'elle au monde. Si l'adolescence peut donner presage, cette ame sera quelque jour capable des plus belles choses, et entre autres de la perfection de cette tressaincte amitié où nous ne lisons point que son sexe ait peu monter encores. La sincerité et la solidité de ses meurs y sont desjà bastantes [114], son affection vers moy plus que sur-abondante, et telle en somme qu'il n'y a rien à souhaiter, sinon que l'apprehension qu'elle a de ma fin, par les cinquante et cinq ans ausquels elle m'a rencontré, la travaillast moins cruellement. Le jugement qu'elle fit des premiers *Essays*, et femme, et en ce siecle, et si jeune, et seule en son quartier, et la vehemence fameuse dont elle m'ayma et me desira long temps sur la seule estime qu'elle en print de moy, avant m'avoir veu, c'est un accident [115] de très-digne consideration.

Les autres vertus ont eu peu ou point de mise en cet aage; mais la vaillance, elle est devenue populaire par noz guerres civiles, et en cette partie il se trouve parmy nous des ames fermes jusques à la perfection, et en grand nombre, si que le triage en est impossible à faire.

Voylà tout ce que j'ay connu, jusques à cette heure, d'extraordinaire grandeur et non commune.

CHAPITRE XVIII

DU DEMENTIR

/ Voire mais [1] on me dira que ce dessein de se servir de soy pour subject à escrire seroit excusable à des hommes rares et fameux qui, par leur reputation, auroyent donné quelque desir de leur cognoissance. Il est certain; je l'advoüe; et sçay bien que, pour voir un homme de la commune façon, à peine qu'un artisan leve les yeux de sa besongne, là où, pour voir un personnage grand et signalé arriver en une ville, les ouvroirs [2] et les boutiques s'abandonnent. Il méssiet à tout autre de se faire cognoistre qu'à celuy qui a dequoy se faire imiter, et duquel la vie et les opinions peuvent servir de patron. Cæsar et Xenophon ont eu dequoy fonder et fermir leur narration en la grandeur de leurs faicts comme en une baze juste et solide. Ainsi sont à souhaiter les papiers journaux du grand Alexandre, les commentaires qu'Auguste, /// Caton, / Sylla, Brutus et autres avoyent laissé de leurs gestes. De telles gens on ayme et estudie les figures, en cuyvre mesmes et en pierre.

Cette remonstrance est très-vraie, mais elle ne me touche que bien peu :

> *Non recito cuiquam, nisi amicis, idque rogatus,*
> *Non ubivis, coramve quibuslibet. In medio qui*
> *Scripta foro recitent, sunt multi, quique lavantes* [3].

Je ne dresse pas icy une statue à planter au carrefour d'une ville, ou dans une Eglise, ou place publique :

> || *Non equidem hoc studeo, bullatis ut mihi nugis*
> *Pagina turgescat...*
> *Secreti loquimur* [4].

/ C'est pour le coin d'une librairie, et pour en amuser un

voisin, un parent, un amy, qui aura plaisir à me racointer et repratiquer en cett'image. Les autres ont pris cœur de parler d'eux pour y avoir trouvé le subject digne et riche; moy, au rebours, pour l'avoir trouvé si sterile et si maigre qu'il n'y peut eschoir soupçon d'ostentation.

/// Je juge volontiers des actions d'autruy; des miennes, je donne peu à juger à cause de leur nihilité.

// Je ne trouve pas tant de bien en moy que je ne le puisse dire sans rougir.

/ Quel contentement me seroit ce d'ouir ainsi quelqu'un qui me recitast les meurs, le visage, la contenance, les parolles communes et les fortunes de mes ancestres! Combien j'y serois attentif! Vrayement cela partiroit d'une mauvaise nature, d'avoir à mespris les portraits mesmes de nos amis et predecesseurs, /// la forme de leurs vestements et de leurs armes. J'en conserve l'escriture, le seing, des heures[5] et un'espée peculiere qui leur a servi, et n'ay point chassé de mon cabinet des longues gaules que mon pere portoit ordinairement en la main.

« *Paterna vestis et annulus tanto charior est posteris, quanto erga parentes major affectus*[6]. »

/ Si toutes-fois ma posterité est d'autre appetit, j'auray bien dequoy me revencher : car ils ne sçauroient faire moins de conte de moy que j'en feray d'eux en ce temps là. Tout le commerce que j'ay en cecy avec le publiq, c'est que j'emprunte les utils de son escripture, plus soudaine et plus aisée. En recompense, /// j'empescheray peutestre que quelque coin de beurre en se fonde au marché.

/ *Ne toga cordyllis, ne penula desit olivis*[7],
// *Et laxas scombris sæpe dabo tunicas*[8].

/// Et quand personne ne me lira, ay-je perdu mon temps de m'estre entretenu tant d'heures oisifves à pensements si utiles et agreables ? Moulant sur moy cette figure[9], il m'a fallu si souvent dresser et composer pour m'extraire, que le patron s'en est fermy et aucunement formé soymesmes. Me peignant pour autruy, je me suis peint en moy de couleurs plus nettes que n'estoyent les miennes premieres. Je n'ay pas plus faict mon livre que mon livre m'a faict, livre consubstantiel à son autheur, d'une occupation propre, membre de ma vie; non d'une occupation et fin tierce et estrangere comme tous autres livres.

Ay-je perdu mon temps de m'estre rendu compte de moy si continuellement, si curieusement ? Car ceux qui se repassent par fantasie seulement et par langue quelque heure, ne s'examinent pas si primement, ny ne se penetrent, comme celuy qui en faict son estude, son ouvrage et son mestier, qui s'engage à un registre de durée, de toute sa foy, de toute sa force.

Les plus delicieux plaisirs, si se digerent-ils [10] au dedans, fuyent à [11] laisser trace de soi, et fuyent la veuë non seulement du peuple, mais d'un autre.

Combien de fois m'a cette besongne diverty de cogitations ennuyeuses! et doivent estre contées pour ennuyeuses toutes les frivoles. Nature nous a estrenez d'une large faculté à nous entretenir à part, et nous y appelle souvent pour nous apprendre que nous nous devons en partie à la société, mais en la meilleure partie à nous. Aux fins de renger ma fantasie à resver mesme par quelque ordre et projet, et la garder de se perdre et extravaguer au vent, il n'est que de donner corps et mettre en registre tant de menues pensées qui se presentent à elle. J'escoute à mes resveries par ce que j'ay à les enroller. Quant de fois, estant marry de quelque action que la civilité et la raison me prohiboient de reprendre à descouvert, m'en suis je icy desgorgé, non sans dessein de publique instruction! Et si, ces verges poétiques :

> *Zon dessus l'euil, zon sur le groin,*
> *Zon sur le dos du Sagoin [12] !*

s'impriment encore mieux en papier qu'en la chair vifve. Quoy, si je preste un peu plus attentivement l'oreille aux livres, depuis que je guette si j'en pourray friponner quelque chose de quoy esmailler ou estayer le mien ?

Je n'ay aucunement estudié pour faire un livre; mais j'ay aucunement estudié pour ce que je l'avoy faict, si c'est aucunement estudier que effleurer et pincer par la teste ou par les pieds tantost un autheur, tantost un autre; nullement pour former mes opinions; ouy pour les assister pieç'a formées, seconder et servir.

/ Mais, à qui croyons nous parlant de soy, en une saison si gastée ? veu qu'il en est peu, ou point, à qui nous puissions croire parlant d'autruy, où il y a moins d'interest à mentir. Le premier traict de la corruption des mœurs, c'est le bannissement de la verité : car, comme disoit Pindare, l'estre veritable est le commencement d'une grande vertu /// et le premier article que Platon demande au gouverneur de sa république. / Nostre verité de maintenant, ce n'est pas ce qui est, mais ce qui se persuade à autruy : comme nous appellons monnoye non celle qui est loyalle [13]

seulement, mais la fauce aussi qui a mise. Nostre nation
est de long temps reprochée de ce vice; car Salvianus Mas-
siliensis, qui estoit du temps de Valentinian l'Empereur,
dict qu'aux François le mentir et se parjurer n'est pas
vice, mais d'une façon de parler. Qui voudroit encherir
sur ce tesmoignage, il pourroit dire que ce leur est à present
vertu. On s'y forme, on s'y façonne, comme à un exercice
d'honneur; car la dissimulation est des plus notables qualitez de ce siecle.

Ainsi, j'ay souvent consideré d'où pouvoit naistre cette
coustume, que nous observons si religieusement, de nous
sentir plus aigrement offencez du reproche de ce vice,
qui nous est si ordinaire, que de nul autre; que ce soit
l'extrême injure qu'on nous puisse faire de parolle, que de
nous reprocher la mensonge. Sur cela, je treuve qu'il est
naturel de se defendre le plus des deffaux dequoy nous
sommes le plus entachez. Il semble qu'en nous ressentans
de l'accusation et nous en esmouvans, nous nous deschar-
geons aucunement de la coulpe; si nous l'avons par effect,
au moins nous la condamnons par apparence.

// Seroit ce pas aussi que ce reproche semble envelopper
la couardise et lâcheté de cœur ? En est-il de plus expresse
que se desdire de sa parolle ? quoy, se desdire de sa propre
science ?

/ C'est un vilein vice que le mentir, et qu'un ancien
peint bien honteusement quand il dict que c'est donner
tesmoignage de mespriser Dieu, et quand et quand de
craindre les hommes. Il n'est pas possible d'en representer
plus richement l'horreur, la vilité et le desreglement. Car
que peut on imaginer plus vilain que d'estre couart à
l'endroit des hommes et brave à l'endroit de Dieu ? Nostre
intelligence [14] se conduisant par la seule voye de la parolle,
celuy qui la fauce, trahit la societé publique. C'est le seul
util par le moien duquel se communiquent nos volontez
et nos pensées, c'est le truchement de nostre ame : s'il
nous faut, nous ne nous tenons plus, nous ne nous entre-
connoissons plus. S'il nous trompe, il rompt tout nostre
commerce et dissoult toutes les liaisons de nostre police [15].

// Certaines nations des nouvelles Indes (on n'a que
faire d'en remarquer les noms, ils ne sont plus; car jusques
à l'entier abolissement des noms et ancienne cognoissance
des lieux s'est estandue la desolation de cette conqueste
d'un merveilleux exemple et inouy) offroyent à leurs Dieux
du sang humain, mais non autre que tiré de leur langue
et oreilles, pour expiation du peché de la mensonge, tant
ouye que prononcée.

/ Ce bon compaignon de Grece disoit que les enfans s'amusent par les osselets, les hommes par les parolles.

Quant aux divers usages de nos démentirs, et les loix de nostre honneur en cela, et les changemens qu'elles ont receu, je remets à une autre-fois d'en dire ce que j'en sçay, et apprendray cependant, si je puis, en quel temps print commencement cette coustume de si exactement poiser et mesurer les parolles, et d'y attacher nostre honneur. Car il est aisé à juger qu'elle n'estoit pas anciennement entre les Romains et les Grecs. Et m'a semblé souvent nouveau et estrange de les voir se démentir et s'injurier, sans entrer pourtant en querelle. Les loix de leur devoir prenoient quelque autre voye que les nostres. On appelle Cæsar tantost voleur, tantost yvrongne, à sa barbe. Nous voyons la liberté des invectives qu'ils font les uns contre les autres, je dy les plus grands chefs de guerre de l'une et l'autre nation, où les parolles se revenchent seulement par les parolles et ne se tirent à autre consequence.

CHAPITRE XIX

DE LA LIBERTÉ DE CONSCIENCE

/ Il est ordinaire de voir les bonnes intentions, si elles sont conduites sans moderation, pousser les hommes à des effects très-vitieux. En ce debat par lequel la France est à présent agitée de guerres civiles, le meilleur et le plus sain party est sans doute celuy qui maintient et la religion et la police ancienne du pays. Entre les gens de bien toutes-fois qui le suyvent (car je ne parle point de ceux qui s'en servent de pretexte pour, ou exercer leurs vengences particulieres, ou fournir à leur avarice, ou suyvre la faveur des Princes; mais de ceux qui le font par vray zele envers leur religion, et sainte affection à maintenir la paix et l'estat de leur patrie), de ceux-cy, dis-je, il s'en voit plusieurs que la passion pousse hors les bornes de la raison, et leur faict par fois prendre des conseils injustes, violents et encore temeraires.

Il est certain qu'en ces premiers temps que nostre religion commença de gaigner authorité avec les loix, le zele en arma plusieurs contre toute sorte de livres paiens, dequoy les gens de lettres souffrent une merveilleuse perte. J'estime que ce desordre ait plus porté de nuysance aux lettres que tous les feux des barbares. Cornelius Tacitus en est un bon tesmoing : car, quoy que l'Empereur Tacitus, son parent, en eut peuplé par ordonnances expresses toutes les libreries [1] du monde, toutes-fois un seul exemplaire entier n'a peu eschapper la curieuse recherche de ceux qui desiroyent l'abolir pour cinq ou six vaines clauses contraires à nostre creance. Ils ont aussi eu cecy, de prester aisément des louanges fauces à tous les Empereurs qui faisoient pour nous, et condamner universellement toutes les actions de ceux qui nous estoient adversaires, comme il est aisé à voir en l'Empereur Julian, surnommé l'Apostat.

C'estoit, à la verité, un très-grand homme et rare, comme celuy qui avoit son ame vivement tainte des discours de la philosophie, ausquels il faisoit profession de regler toutes ses actions; et, de vray, il n'est aucune sorte de vertu dequoy il n'ait laissé de très-notables exemples. En chasteté (de laquelle le cours de sa vie donne bien cler tesmoignage), on lit de luy un pareil trait à celuy d'Alexandre et de Scipion, que de plusieurs très belles captives il n'en voulut pas seulement veue une, estant en la fleur de son aage; car il fut tué par les Parthes aagé de trente un an seulement. Quant à la justice, il prenoit luy-mesme la peine d'ouyr les parties; et encore que par curiosité il s'informast à ceux qui se presentoient à luy de quelle religion ils estoient, toutesfois l'inimitié qu'il portoit à la nostre ne donnoit aucun contrepoix à la balance. Il fit luy mesme plusieurs bonnes loix, et retrancha une grande partie des subsides et impositions que levoient ses predecesseurs.

Nous avons deux bons historiens tesmoings oculaires de ses actions : l'un desquels, Marcellinus, reprend aigrement en divers lieux de son histoire cette sienne ordonnance par laquelle il deffendit l'escole et interdit l'enseigner à tous les Rhetoriciens et Grammairiens Chrestiens, et dit qu'il souhaiteroit cette sienne action estre ensevelie soubs le silence. Il est vray-semblable, s'il eust fait quelque chose de plus aigre contre nous, qu'il ne l'eut pas oublié, estant bien affectionné à nostre party. Il nous estoit aspre, à la verité, mais non pourtant cruel ennemy; car nos gens mesmes recitent de luy cette histoire, que, se promenant un jour autour de la ville de Chalcedoine, Maris, Evesque du lieu, osa bien l'appeler meschant traistre à Christ, et qu'il n'en fit autre chose, sauf luy respondre : « Va, miserable, pleure la perte de tes yeux. » A quoy l'Evesque encore repliqua : « Je rens graces à Jesus Christ de m'avoir osté la veuë, pour ne voir ton visage impudent »; affectant, disent-ils, en cela une patience philosophique. Tant y a que ce faict là ne se peut pas bien rapporter aux cruautez qu'on le dit avoir exercées contre nous. Il estoit (dit Eutropius, mon autre tesmoing) ennemy de la Chrestienté, mais sans toucher au sang.

Et, pour revenir à sa justice, il n'est rien qu'on y puisse accuser que les rigueurs dequoy il usa, au commencement de son empire, contre ceux qui avoient suivy le parti de Constantius, son predecesseur. Quant à sa sobrieté, il vivoit toujours un vivre soldatesque, et se nourrissoit en pleine paix comme celui qui se preparoit et accoustumoit à l'austerité de la guerre. La vigilance estoit telle en luy qu'il departoit la nuict à trois ou à quatre parties, dont la moindre estoit celle qu'il donnoit au sommeil;

le reste, il l'employoit à visiter luy mesme en personne
l'estat de son armée et ses gardes, ou à estudier; car, entre
autres siennes rares qualitez, il estoit très-excellent en toute
sorte de literature. On dict d'Alexandre le grand, qu'estant
couché, de peur que le sommeil ne le débauchat de ses
pensemens et de ses estudes, il faisoit mettre un bassin
joingnant son lict, et tenoit l'une de ses mains au dehors
avec une boulette de cuivre, affin que, le dormir le surprenant et relaschant les prises de ses doigts, cette boulette,
par le bruit de sa cheute dans le bassin, le reveillat.
Cettuy-cy avoit l'ame si tendue à ce qu'il vouloit, et si
peu empeschée de fumées par sa singuliere abstinence,
qu'il se passoit bien de cet artifice. Quant à la suffisance
militaire, il fut admirable en toutes les parties d'un grand
capitaine; aussi fut-il quasi toute sa vie en continuel exercice de guerre, et la plupart avec nous en France contre les
Allemans et Francons. Nous n'avons guere memoire
d'homme qui ait veu plus de hazards, ny qui ait plus souvent faict preuve de sa personne. Sa mort a quelque chose
de pareil à celle d'Epaminondas; car il fut frappé d'un
traict, et essaya de l'arracher, et l'eut faict sans ce que, le
traict estant tranchant, il se couppa et affoiblit sa main.
Il demandoit incessamment qu'on le rapportat en ce
mesme estat en la meslée pour y encourager ses soldats,
lesquels contesterent cette bataille sans luy, très courageusement, jusques à ce que la nuict separa les armées.
Il devoit à la philosophie un singulier mespris en quoy
il avoit sa vie et les choses humaines. Il avoit ferme
creance de l'eternité des ames.

En matiere de religion, il estoit vicieux par tout; on l'a
surnommé apostat pour avoir abandonné la nostre; toutesfois cette opinion me semble plus vray-semblable, qu'il
ne l'avoit jamais euë à cœur, mais que, pour l'obeïssance
des loix, il s'estoit feint jusques à ce qu'il tint l'Empire
en sa main. Il fut si superstitieux en la sienne que ceux
mesmes qui en estoient de son temps, s'en mocquoient;
et, disoit-on, s'il eut gaigné la victoire contre les Parthes,
qu'il eut fait tarir la race des bœufs au monde pour satisfaire à ses sacrifices; il estoit aussi embabouyné de la
science divinatrice, et donnoit authorité à toute façon de
prognostiques. Il dit entre autres choses, en mourant, qu'il
sçavoit bon gré aux dieux et les remercioit dequoy ils
ne l'avoyent pas voulu tuer par surprise, l'ayant de long
temps adverty du lieu et heure de sa fin, ny d'une mort
molle ou lâche, mieux convenable aux personnes oisives
et delicates, ny languissante, longue et douloureuse; et

qu'ils l'avoient trouvé digne de mourir de cette noble
façon, sur le cours de ses victoires et en la fleur de sa
gloire. Il avoit eu une pareille vision à celle de Marcus
Brutus, qui premierement le menassa en Gaule et depuis
se representa à lui en Perse sur le poinct de sa mort.

/// Ce langage qu'on lui faict tenir, quand il se sentit
frappé : « Tu as vaincu, Nazareen », ou, comme d'autres :
« Contente toi, Nazareen », n'eust esté oublié, s'il eust
esté creu par mes tesmoings, qui, estans presens en l'armée,
ont remerqué jusques aux moindres mouvements et
parolles de sa fin, non plus que certains autres miracles
qu'on y attache.

/ Et, pour venir au propos de mon theme, il couvoit, dit
Marcellinus, de long temps en son cœur le paganisme;
mais, par ce que toute son armée estoit de Chrestiens, il
ne l'osoit descouvrir. En fin, quand il se vit assez fort
pour oser publier sa volonté, il fit ouvrir les temples des
dieux, et s'essaya par tous moyens de mettre sus ² l'idola-
trie. Pour parvenir à son effect, ayant rencontré en Constantinople le peuple descousu ³ avec les prelats de l'Eglise
Chrestienne divisez, les ayant faict venir à luy au palais,
les amonnesta instamment d'assoupir ces dissentions
civiles, et que chacun sans empeschement et sans crainte
servit à sa religion. Ce qu'il sollicitoit avec grand soing,
pour l'esperance que cette licence augmenteroit les parts
et les brigues de la division, et empescheroit le peuple de
se reunir et de se fortifier par consequent contre luy par
leur concorde et unanime intelligence; ayant essayé par la
cruauté d'aucuns Chrestiens qu'il n'y a point de beste au
monde tant à craindre à l'homme que l'homme.

Voilà ses mots à peu près : en quoy cela est digne de
consideration, que l'Empereur Julian se sert, pour attiser
le trouble de la dissention civile, de cette mesme recepte
de liberté de conscience que nos Roys viennent d'employer
pour l'estaindre. On peut dire, d'un costé, que de lâcher la
bride aux pars d'entretenir leur opinion, c'est espandre et
semer la division; c'est préter quasi la main à l'augmenter,
n'y ayant aucune barriere ny coerction ⁴ des loix qui bride
et empesche sa course. Mais, d'austre costé, on diroit aussi
que de lascher la bride aux pars d'entretenir leur opinion,
c'est de les amolir et relâcher par la facilité et par l'aisance,
et que c'est émousser l'éguillon qui s'affine par la rareté,
la nouvelleté et la difficulté. Et si, croy mieux, pour l'honneur de la devotion de nos rois, c'est que, n'ayans peu ce
qu'ils vouloient, ils ont fait semblant de vouloir ce qu'ils
pouvoient.

CHAPITRE XX

NOUS NE GOUSTONS RIEN DE PUR

/ La foiblesse de nostre condition fait que les choses, en leur simplicité et pureté naturelle, ne puissent pas tomber en nostre usage. Les elemens que nous jouyssons sont alterez, et les metaux de mesme; et l'or, il le faut empirer par quelque autre matiere pour l'accommoder à nostre service.

/// Ny la vertu ainsi simple, qu'Ariston et Pyrrho et encore les Stoïciens faisoient fin de la vie, n'y a peu servir sans composition, ny la volupté Cyrenaïque et Aristippique.

/ Des plaisirs et biens que nous avons, il n'en est aucun exempt de quelque meslange de mal et d'incommodité,

> // *medio de fonte leporum*
> *Surgit amari aliquid, quod in ipsis floribus angat* [1].

Nostre extreme volupté a quelque air de gemissement et de plainte. Diriez vous pas qu'elle se meurt d'angoisse ? Voire quand nous en forgeons l'image en son excellence, nous la fardons d'epithetes et qualitez maladifves et douloureuses : langueur, mollesse, foiblesse, deffaillance, *morbidezza;* grand tesmoignage de leur consanguinité et consubstantialité.

/// La profonde joye a plus de severité que de gayeté; l'extreme et plein contantement, plus de rassis que d'enjoué. « *Ipsa felicitas, se nisi temperat, premit* [2]. » Laisse nous masche [3].

/ C'est ce que dit un verset Grec ancien de tel sens : « Les dieux nous vendent tous les biens qu'ils nous donnent », c'est à dire ils ne nous en donnent aucun pur et parfaict, et que nous n'achetons au pris de quelque mal.

/// Le travail et le plaisir, très-dissemblables de nature, s'associent pourtant de je ne sçay quelle joincture naturelle.

Socrates dict que quelque dieu essaya de mettre en

masse et confondre la douleur et la volupté, mais que,
n'en pouvant sortir, il s'avisa de les accoupler au moins
par la queue.

// Metrodorus disoit qu'en la tristesse il y a quelque
alliage de plaisir. Je ne sçay s'il vouloit dire autre chose;
mais moy, j'imagine bien qu'il y a du dessein, du consentement et de la complaisance à se nourrir en la melancholie;
je dis oùtre l'ambition [4], qui s'y peut encore mesler. Il y a
quelque ombre de friandise et delicatesse qui nous rit
et qui nous flatte au giron mesme de la melancholie.
Y a il pas des complexions qui en font leur aliment ?

est quædam flere voluptas [5].

/// Et dict un Attalus, en Seneque, que la memoire de
nos amis perdus nous agrée comme l'amer au vin trop
vieus,

> *Minister vetuli, puer, falerni,*
> *Ingere mi calices amariores* [6];

et comme des pommes doucement aigres.

// Nature nous descouvre cette confusion : les peintres
tiennent que les mouvemens et plis du visage qui servent
au pleurer, servent aussi au rire. De vray, avant que l'un
ou l'autre soyent achevez d'exprimer, regardez à la
conduicte de la peinture : vous estes en doubte vers lequel
c'est qu'on va. Et l'extremité du rire se mesle aux larmes.
/// « *Nullum sine auctoramento malum est* [7]. » Quand j'imagine l'homme assiegé de commoditez desirables (mettons le
cas que tous ses membres fussent saisis pour tousjours
d'un plaisir pareil à celuy de la generation en son poinct
plus excessif), je le sens fondre soubs la charge de son aise,
et le vois du tout incapable de porter une si pure, si
constante volupté et si universelle. De vray, il fuit quand il
y est, et se haste naturellement d'en eschapper, comme
d'un pas où il ne se peut fermir, où il craint d'enfondrer.

// Quand je me confesse à moy religieusement, je trouve
que la meilleure bonté que j'aye a de la teinture vicieuse.
Et crains que Platon en sa plus verte vertu (moy qui en suis
autant sincere et loyal estimateur, et des vertus de semblable marque, qu'autre puisse estre), s'il y eust escouté
de près, et il y escoutoit de près, il y eust senty quelque ton
gauche [8] de mixtion humaine, mais ton obscur et sensible
seulement à soy. L'homme, en tout et par tout, n'est que
rapiessement et bigarrure.

/ Les loix mesmes de la justice ne peuvent subsister sans
quelque meslange d'injustice; et dit Platon que ceux-là

entreprennent de couper la teste de Hydra qui pretendent
oster des loix toutes incommoditez et inconveniens.
« *Omne magnum exemplum habet aliquid ex iniquo, quod
contra singulos utilitate publica rependitur* [9] », dict Tacitus.

// Il est pareillement vray que, pour l'usage de la vie et
service du commerce public, il y peut avoir de l'excez en
la pureté et perspicacité de nos esprits ; cette clarté pene-
trante a trop de subtilité et de curiosité. Il les faut appesantir et emousser pour les rendre plus obeissans à
l'exemple et à la pratique, et les espessir et obscurcir pour
les proportionner à cette vie tenebreuse et terrestre. Pourtant se trouvent les esprits communs et moins tendus plus
propres et plus heureux à conduire affaires. Et les opinions
de la philosophie eslevées et exquises se trouvent ineptes à
l'exercice [10]. Cette pointue vivacité d'ame, et cette volubilité souple et inquiete trouble nos negotiations. Il faut
manier les entreprises humaines plus grossierement et
superficiellement, et en laisser bonne et grande part pour
les droicts de la fortune. Il n'est pas besoin d'esclairer les
affaires si profondement et si subtilement. On s'y perd, à
la consideration de tant de lustres contraires et formes
diverses : /// « *Volutantibus res inter se pugnantes obtorpue-
rant animi* [11]. »

C'est ce que les anciens disent de Simonides : par ce
que son imagination luy presentoit (sur la demande que
luy avoit faict le Roy Hiero [12] pour à la quelle satisfaire
il avoit eu plusieurs jours de pensement) diverses considerations aigües et subtiles, doubtant laquelle estoit la
plus vray-semblable, il desespera du tout de la verité.

// Qui en recherche et embrasse toutes les circonstances
et consequences, il empesche son election. Un engin [13]
moyen conduit esgallement, et suffit aux executions de
grand et de petit pois. Regardez que les meilleurs mesnagers sont ceux qui nous sçavent moins dire comment
ils le sont, et que ces suffisans conteurs n'y font le plus
souvent rien qui vaille. Je sçay un grand diseur et très-
excellent peintre de toute sorte de mesnage, qui a laissé
bien piteusement couler par ses mains cent mille livres de
rente. J'en sçay un autre qui dict, qui consulte mieux
qu'homme de son conseil, et n'est point au monde une
plus belle montre [14] d'ame et de suffisance ; toutesfois, aux
effects, ses serviteurs trouvent qu'il est tout autre, je dy
sans mettre le malheur en compte.

CHAPITRE XXI

CONTRE LA FAINEANTISE

/ L'Empereur Vespasien, estant malade de la maladie dequoy il mourut, ne laissoit pas de vouloir entendre l'estat de l'empire, et dans son lict mesme despeschoit sans cesse plusieurs affaires de consequence. Et son medecin l'en tençant comme de chose nuisible à sa santé : « Il faut, disoit-il, qu'un Empereur meure debout. » Voylà un beau mot, à mon gré, et digne d'un grand prince. Adrian, l'Empereur, s'en servit depuis à ce mesme propos, et le debvroit on souvent ramentevoir aux Roys, pour leur faire sentir que cette grande charge qu'on leur donne du commandement de tant d'hommes n'est pas une charge oisive, et qu'il n'est rien qui puisse si justement dégouster un subject de se mettre en peine et en hazard pour le service de son prince, que de le voir apoltronny [1] ce pendant luy mesme à des occupations lasches et vaines, et d'avoir soing de sa conservation, le voyant si nonchalant de la nostre.

/// Quant quelqu'un voudra maintenir qu'il vaut mieux que le Prince conduise ses guerres par autre que par soy, la fortune luy fournira assez d'exemples de ceux à qui leurs lieutenans ont mis à chef des grandes entreprises, et de ceux encore desquels la presence y eut esté plus nuisible qu'utile. Mais nul prince vertueux et courageux pourra souffrir qu'on l'entretienne de si honteuses instructions. Soubs couleur de conserver sa teste comme la statue d'un sainct à la bonne fortune de son estat, ils le degradent justement de son office, qui est tout en action militaire, et l'en declarent incapable. J'en sçay un [2] qui aymeroit bien mieux estre battu que de dormir pendant qu'on se battroit pour luy, qui ne vid jamais sans jalousie ses gens mesmes faire quelque chose de grand en son absence. Et Selym premier disoit avec grande raison, ce me semble, que les victoires qui se gaignent sans le maistre, ne sont

pas completes; de tant plus volontiers, eut-il dict, que ce
maistre devroit rougir de honte d'y pretendre part pour
son nom, n'y ayant embesongné que sa voix et sa pensée;
ny cela mesme, veu qu'en telle besongne les advis et com-
mandemens qui apportent honneur sont ceux-là seulement
qui se donnent sur la place et au milieu de l'affaire. Nul
pilote n'exerce son office le pied ferme. Les Princes de la
race Hottomane, la premiere race du monde en fortune
guerriere, ont chauldement embrassé cette opinion. Et
Bajazet second avec son fils, qui s'en despartirent, s'amu-
sans aus sciences et autres occupations casanieres, donarent
aussi de bien grands soufflets à leur empire; et celuy qui
regne à present, Ammurat troisiesme, à leur exemple,
commence assez bien de s'en trouver de mesme. Fut-ce
pas le Roy d'Angleterre, Edouard troisiesme, qui dict de
nostre Charles cinquiesme ce mot : « Il n'y eut onques
Roy qui moins s'armast, et si, ny eut onques Roy qui tant
me donnast à faire ? » Il avoit raison de le trouver estrange,
comme un effaict du sort plus que de la raison. Et cherchent
autre adherent que moy, ceux qui veulent nombrer entre
les belliqueux et magnanimes conquerans les Roys de
Castille et de Portugal de ce qu'à douze cents lieuës de leur
oisive demeure, par l'escorte de leurs facteurs [3], ils se sont
rendus maistres des Indes d'une et d'autre part : desquelles
c'est à sçavoir s'ils auroyent seulement le courage d'aller
jouyr en presence.

/ L'empereur Julian disoit encore plus, qu'un philosophe et un galant homme ne devoient pas seulement respirer : c'est à dire ne donner aux necessitez corporelles que ce
qu'on ne leur peut refuser, tenant tousjours l'ame et le
corps embesoignez à choses belles, grandes et vertueuses.
Il avoit honte si en public on le voioit cracher ou suer
(ce qu'on dict aussi de la jeunesse Lacedemonienne, et
Xenophon de la Persienne [4]), parce qu'il estimoit que
l'exercice, le travail continuel et la sobrieté devoient avoir
cuit et asseché toutes ses superfluitez. Ce que dit Seneque
ne joindra pas mal en cet endroict, que les anciens Romains
maintenoient leur jeunesse droite : « Ils n'apprenoient,
dit-il, rien à leurs enfans qu'ils deussent apprendre assis. »

/// C'est une genereuse envie de vouloir mourir mesmes,
utilement et virilement; mais l'effect n'en gist pas tant en
nostre bonne resolution qu'en nostre bonne fortune. Mille
ont proposé de vaincre ou de mourir en combattant, qui
ont failly à l'un et à l'autre : les blesseures, les prisons leur
traversant ce dessein et leur prestant une vie forcée. Il y a
des maladies qui atterrent jusques à nos desirs et à nostre

connoissance : Moley Molluch, Roy de Fez, qui vient de gagner contre Sebastien, Roy de Portugal, cette journée fameuse par la mort de trois Roys et par la transmission de cette grande couronne à celle de Castille, se trouva griefvement malade dès lors que les Portugais entrerent à main armée en son estat, et alla tousjours despuis en empirant vers la mort, et la prevoyant. Jamais homme ne se servit de soy plus vigoureusement et plus glorieusement. Il se trouva foible pour soustenir la pompe ceremonieuse de l'entrée de son camp, qui est, selon leur mode, pleine de magnificence et chargée de tout plein d'action, et resigna cet honneur à son frere. Mais ce fut aussi le seul office de Capitaine qu'il resigna ; tous les autres, necessaires et utiles, il les fit très-laborieusement et exactement ; tenant son corps couché, mais son entendement et son courage debout et ferme, jusques au dernier soupir, et aucunement au delà. Il pouvoit miner ses ennemys, indiscretement advancez en ses terres ; et luy poisa merveilleusement qu'à faulte d'un peu de vie, et pour n'avoir qui substituer à la conduitte de cette guerre, et affaires d'un estat troublé, il eust à chercher la victoire sanglante et hasardeuse, en ayant une autre sure et nette entre ses mains. Toutesfois il mesnagea miraculeusement la durée de sa maladie à faire consommer son ennemy et l'attirer loing de l'armée de mer et des places maritimes qu'il avoit en la coste d'Affrique, jusques au dernier jour de sa vie, lequel, par dessein, il employa et reserva à cette grande journée. Il dressa [5] sa bataille en rond, assiegeant de toutes pars l'ost des Portugais ; lequel rond, venant à se courber et serrer, les empescha non seulement au conflict, qui fut très aspre par la valeur de ce jeune Roy assaillant, veu qu'ils avoient à montrer visage à tous sens, mais aussi les empescha à la fuitte après leur routte [6]. Et, trouvans toutes les issues saisies et closes, furent contraints de se rejetter à eux mesmes (« *coacervanturque non solum cæde, sed etiam fuga* [7] ») et s'amonceller les uns sur les autres, fournissans aus vainqueurs une très meurtriere victoire et très entiere. Mourant, il se fit porter et tracasser [8] où le besoing l'appelloit, et, coulant le long des files, enhortoit ses Capitaines et soldats les uns après les autres. Mais un coing de sa bataille se laissant enfoncer, on ne le peut tenir qu'il ne montast à cheval, l'espée au poing. Il s'efforçoit pour s'aller mesler, ses gens l'arretans qui par la bride, qui par sa robe et par ses estriers. Cet effort acheva d'accabler ce peu de vie qui luy restoit. On le recoucha. Luy, se resuscitant comme en sursaut de cette pasmoison, toute

autre faculté lui desfaillant, pour avertir qu'on teust [9] sa
mort, qui estoit le plus necessaire commandement qu'il
eust lors à faire, pour n'engendrer quelque desespoir aux
siens par cette nouvelle, expira, tenant le doigt contre
sa bouche close, signe ordinaire de faire silence. Qui
vescut oncques si longtemps et si avant en la mort ? Qui
mourut oncques si debout ?

L'extreme degré de traicter courageusement la mort,
et le plus naturel, c'est la voir non seulement sans estonnement, mais sans soin, continuant libre le train de la vie
jusques dans elle. Comme Caton qui s'amusoit à dormir
et à estudier, en ayant une, violente et sanglante, presente
en sa teste et en son cœur, et la tenant en sa main.

CHAPITRE XXII

DES POSTES

// Je n'ay pas esté des plus foibles en cet exercice [1], qui est propre à gens de ma taille, ferme et courte; mais j'en quitte le mestier; il nous essaye trop pour y durer long temps.

/ Je lisois à cette heure que le Roy Cyrus, pour recevoir plus facilement nouvelles de tous les costez de son Empire, qui estoit d'une fort grande estandue, fit regarder combien un cheval pouvoit faire de chemin en un jour tout d'une traite, et à cette distance il establit des hommes qui avoient charge de tenir des chevaux prets pour en fournir à ceux qui viendroient vers luy. /// Et disent aucuns que cette vistesse d'aller vient à la mesure du vol des gruës.

/ Cæsar dit que Lucius Vibulus Rufus, ayant haste de porter un advertissement à Pompeius, s'achemina vers luy jour et nuict, changeant de chevaux pour faire diligence. Et luy mesme, à ce que dit Suetone, faisoit cent mille par jour sur un coche de louage. Mais c'estoit un furieux courrier, car là où les rivieres luy trenchoient son chemin, il les franchissoit à nage; /// et ne se destournoit du droit pour aller querir un pont ou un gué. / Tiberius Nero, allant voir son frere Drusus, malade en Allemaigne, fit deux cens mille en vingt-quatre heures, ayant trois coches.

/// En la guerre des Romains contre le Roy Antiochus, T. Sempronius Gracchus, dict Tite Live, « *per dispositos equos propre incredibili celeritate ab Amphissa tertio die Pellam pervenit* [2] »; et appert [3] à veoir le lieu, que c'estoient postes assises [4], non ordonnées freschement pour cette course.

// L'invention de Cecinna à renvoyer des nouvelles à ceux de sa maison avoit bien plus de promptitude; il emporta quand et soy des arondeles, et les relaschoit vers leurs nids quand il vouloit r'envoyer de ses nouvelles, en les teignant de marque de couleur propre à signifier ce qu'il

vouloit, selon qu'il avoit concerté avec les siens. Au theatre,
à Romme, les maistres de famille avoient des pigeons dans
leur sein, ausquels ils attacheoyent des lettres quand ils
vouloient mander quelque chose à leurs gens au logis;
et estoient dressez à en raporter responce. D. Brutus en
usa, assiegé à Mutine, et autres ailleurs.

Au Peru, ils couroyent sur les hommes, qui les char-
geoient sur les espaules à tout des portoires [5], par telle
agilité que, tout en courant, les premiers porteurs rejet-
toyent aux seconds leur charge sans arrester un pas.

/// J'entends que les Valachi, courriers du Grand Seigneur [6], font des extremes diligences, d'autant qu'ils ont
loy de desmonter [7] le premier passant qu'ils trouvent en
leur chemin, en luy donnant leur cheval recreu; et que,
pour se garder de lasser, ils se serrent à travers le corps bien
estroitement d'une bande large.

CHAPITRE XXIII

DES MAUVAIS MOYENS EMPLOYEZ A BONNE FIN

/ Il se trouve une merveilleuse relation et correspondance en cette universelle police des ouvrages de nature, qui montre bien qu'elle n'est ny fortuite ny conduyte par divers maistres. Les maladies et conditions de nos corps se voyent aussi aux estats et polices; les royaumes, les republiques naissent, fleurissent et fanissent [1] de vieillesse, comme nous. Nous sommes subjects à une repletion d'humeurs inutile et nuysible; soit de bonnes humeurs (car cela mesme les medecins le craignent; et, par ce qu'il n'y a rien de stable chez nous, ils disent que la perfection de santé trop allegre et vigoureuse, il nous la faut essimer [2] et rabatre par art, de peur que nostre nature, ne se pouvant rasseoir en nulle certaine place et n'ayant plus où monter pour s'ameliorer, ne se recule en arriere en desordre et trop à coup [3]; ils ordonnent pour cela aux Athletes les purgations et les saignées pour leur soustraire cette superabondance de santé); soit repletion de mauvaises humeurs, qui est l'ordinaire cause des maladies.

De semblable repletion se voyent les estats souvent malades, et a l'on accoustumé d'user de diverses sortes de purgation. Tantost on donne congé à une grande multitude de familles pour en décharger le païs, lesquelles vont cercher ailleurs où s'accommoder aux despens d'autruy. De cette façon, nos anciens Francons, partis du fons de l'Alemaigne, vindrent se saisir de la Gaule et en deschasser les premiers habitans; ainsi se forgea cette infinie marée d'hommes qui s'écoula en Italie soubs Brennus et autres; ainsi les Gots et Vuandales, comme aussi les peuples qui possedent à present la Grece, abandonnerent leur naturel païs pour s'aller loger ailleurs plus au large; et à peine est il deux ou trois coins au monde qui n'ayent senty l'effect d'un tel remuement. Les Romains bâtissoient par ce moyen leurs colonies; car, sentans leur ville se grossir outre

mesure, ils la deschargeoyent du peuple moins necessaire,
et l'envoyoient habiter et cultiver les terres par eux
conquises. Par fois aussi ils ont à escient nourry des guerres
avec aucuns leurs ennemis, non seulement pour tenir leurs
hommes en haleine, de peur que l'oysiveté, mere de corruption, ne leur apportast quelque pire inconvenient,

> || *Et patimur longæ pacis mala; sævior armis,*
> *Luxuria incumbit* [4];

/ mais aussi pour servir de saignée à leur Republique et
esvanter un peu la chaleur trop vehemente de leur jeunesse,
escourter et esclaircir le branchage de ce tige foisonnant
en trop de gaillardise. A cet effet se sont ils autrefois servis
de la guerre contre les Cartaginois.

Au traité de Bretigny, Edouard troisiesme, Roy d'Angleterre, ne voulut comprendre, en cette paix generale qu'il
fit avec nostre Roy, le different du Duché de Bretaigne,
affin qu'il eust où se descharger de ses hommes de guerre,
et que cette foulle d'Anglois, dequoy il s'estoit servy aux
affaires de deçà, ne se rejettast en Angleterre. Ce fut
l'une des raisons pourquoy nostre Roy Philippe [5] consentit
d'envoyer Jean son fils à la guerre d'outremer, afin d'en
mener quand et luy un grand nombre de jeunesse bouillante, qui estoit en sa gendarmerie [6].

Il y en a plusieurs en ce temps qui discourent de pareille
façon, souhaitans que cette emotion chaleureuse qui est
parmy nous se peut derivers à quelque guerre voisine, de
peur que ces humeurs peccantes qui dominent pour cette
heure nostre corps, si on ne les escoulle ailleurs, maintiennent nostre fiebvre tousjours en force, et apportent en
fin nostre entiere ruine. Et, de vray, une guerre estrangiere est un mal bien plus doux que la civile; mais je ne
croy pas que Dieu favorisat une si injuste entreprise,
d'offencer et quereler autruy pour notre commodité :

> || *Nil mihi tam valde placeat, Rhamnusia virgo,*
> *Quod temere invitis suscipietur heris* [7].

/ Toutesfois la foiblesse de notre condition nous pousse
souvent à cette necessité, de nous servir de mauvais moyens
pour une bonne fin. Licurgus, le plus vertueux et parfaict
legislateur qui fust onques, inventa cette très-injuste façon,
pour instruire son peuple à la temperance, de faire enyvrer
par force les Elotes [8], qui estoyent leurs serfs, afin qu'en
les voyant ainsi perdus et ensevelis dans le vin, les Spartiates prinsent en horreur le débordement de ce vice.

Ceux là avoient encore plus de tort, qui permettoyent anciennement que les criminels, à quelque sorte de mort qu'ils fussent condamnez, fussent déchirez tous vifs par les medecins, pour y voir au naturel nos parties intérieures et en establir plus de certitude en leur art. Car, s'il se faut débaucher, on est plus excusable le faisant pour la santé de l'ame que pour celle du corps. Comme les Romains dressoient le peuple à la vaillance et au mespris des dangiers et de la mort par ces furieux spectacles de gladiateurs et escrimeurs à outrance qui se combatoient, détailloient [9] et entretuoyent en leur presence,

> // *Quid vesani aliud sibi vult ars impia ludi,*
> *Quid mortes juvenum, quid sanguine pasta voluptas* [10] *?*

Et dura cet usage jusque à Théodosius l'Empereur :

> *Arripe dilatam tua, dux, in tempora famam,*
> *Quodque patris superest, successor laudis habeto.*
> *Nullus in urbe cadat cujus sit pœna voluptas.*
> *Jam solis contenta feris, infamis arena*
> *Nulla cruentatis homicidia ludat in armis* [11].

/ C'estoit, à la verité, un merveilleux exemple, et de très-grand fruict pour l'institution du peuple, de voir tous les jours en sa presence cent, deux cens, et mille couples d'hommes, armez les uns contre les autres, se hacher en pieces avecques une si extreme fermeté de courage qu'on ne leur vist lácher une parolle de foiblesse ou commiseration, jamais tourner le dos, ny faire seulement un mouvement láche pour gauchir au coup de leur adversaire ains tendre le col à son espée et se presenter au coup. Il est advenu à plusieurs d'entre eux, estans blessez à mort de force playes, d'envoyer demander au peuple s'il estoit content de leur devoir, avant que se coucher pour rendre l'esprit sur la place. Il ne falloit pas seulement qu'ils combattissent et mourussent constamment, mais encore allegrement : en maniere qu'on les hurloit et maudissoit, si on les voyoit estriver [12] à recevoir la mort.

// Les filles mesmes les incitoient :

> *consurgit ad ictus;*
> *Et, quoties victor ferrum jugulo inserit, illa*
> *Delicias ait esse suas, pectusque jacentis*
> *Virgo modesta jubet converso pollice rumpi* [13].

/ Les premiers Romains employoient à cet exemple les criminels; mais dépuis on y employa des serfs innocens, et des libres mesmes qui se vendoyent pour cet effect; // jusques à des Senateurs et Chevaliers Romains, et encore des femmes

> *Nunc caput in mortem vendunt, et funus arenæ,*
> *Atque hostem sibi quisque parat, cum bella quiescunt* [14].
> *Hos inter fremitus novosque lusus,*
> *Stat sexus rudis insciusque ferri,*
> *Et pugna capit improbus viriles* [15].

/ Ce que je trouverois fort estrange et incroyable si nous n'estions accoustumez de voir tous les jours en nos guerres plusieurs miliasses d'hommes estrangiers, engageant pour de l'argent leur sang et leur vie à des querelles où ils n'ont aucun interest.

CHAPITRE XXIV

DE LA GRANDEUR ROMAINE

/ Je ne veus dire qu'un mot de cet argument infiny, pour montrer la simplesse de ceux qui apparient [1] à celle là les chetives grandeurs de ce temps.

Au septiesme livre des *Epîtres familieres* de Cicero (et que les grammairiens en ostent ce surnom de familieres, s'ils veulent, car à la verité il n'y est pas fort à propos; et ceux qui, au lieu de familieres, y ont substitué « *Ad familiares* », peuvent tirer quelque argument pour eux de ce que dit Suetone en la *Vie de Cæsar*, qu'il y avoit un volume de lettres de luy « ad familiares »), il y en a une qui s'adresse à Cæsar estant lors en la Gaule, en laquelle Cicero redit ces mots, qui estoyent sur la fin d'un'autre lettre que Cæsar luy avoit escrit : « Quant à Marcus Furius, que tu m'as recommandé, je le feray Roy de Gaule; et si tu veux que j'advance quelque autre de tes amis, envoye le moy. »

Il n'estoit pas nouveau à un simple cytoien Romain, comme estoit lors Cæsar, de disposer des Royaumes, car il osta bien au Roy Dejotarus le sien pour le donner à un gentil'homme de la ville de Pergame nommé Mithridates. Et ceux qui escrivent sa vie enregistrent plusieurs autres Royaumes par luy vendus; et Suetone dict qu'il tira pour un coup, du Roy Ptolomæus, trois millions six cens mill'escus, qui fut bien près de luy vendre le sien :

// *Tot Galatæ, tot Pontus eat, tot Lydia nummis* [2].

Marcus Antonius disoit que la grandeur du peuple Romain ne se montroit pas tant par ce qu'il prenoit que par ce qu'il donnoit. /// Si en avoit il, quelque siecle avant Antonius, osté un entre autres d'authorité si merveilleuse que, en toute son histoire, je ne sache marque qui porte plus haut le nom de son credit. Antiochus possedoit toute l'Egypte et estoit après à conquerir Cypre et autres demeurans [3] de cet empire. Sur le progrez de [4] ses victoires, C. Popilius arriva à luy de la part du senat, et d'abordée refusa de luy toucher à la main, qu'il n'eust premierement leu les lettres qu'il luy apportoit. Le Roy les ayant leuës et dict qu'il en delibereroit, Popilius circonscrit la place où il estoit, à tout sa baguette, en luy disant : « Rends moy responce que je puisse raporter au senat, avant que tu partes de ce cercle. » Antiochus, estonné de la rudesse d'un si pressant commandement, après y avoir un peu songé : « Je feray, dict-il, ce que le senat me commande. » Lors le salua Popilius comme amy du peuple Romain. Avoir renoncé à une si grande monarchie et cours d'une si fortunée prosperité par l'impression de trois traits d'escriture ! Il eut vrayement raison, comme il fit, d'envoyer depuis dire au senat par ses ambassadeurs qu'il avoit receu leur ordonnance de mesme respect que si elle fust venue des Dieux immortels.

// Tous les Royaumes qu'Auguste gaigna par droict de guerre, il les rendit à ceux qui les avoyent perdus, ou en fit present à des estrangiers.

/ Et sur ce propos Tacitus, parlant du Roy d'Angleterre Cogidunus, nous faict sentir par un merveilleux traict cette infinie puissance : « Les Romains, dit-il, avoyent accoustumé, de toute ancienneté, de laisser les Roys qu'ils avoyent surmontez en la possession de leurs Royaumes, soubs leur authorité, à ce qu'ils eussent des Roys mesmes, utils de la servitude : « ut haberent instrumenta servitutis et reges [5]. »

/// Il est vray-semblable que Soliman, à qui nous avons veu faire liberalité du Royaume de Hongrie et autres estats, regardoit plus à cette consideration qu'à celle qu'il avoit accoustumé d'alleguer : qu'il estoit saoul et chargé de tant de Monarchies et de puissance !

CHAPITRE XXV

DE NE CONTREFAIRE LE MALADE

/ Il y a un epigramme en Martial, qui est des bons (car il y en a chez luy de toutes sortes), où il recite plaisamment l'histoire de Cœlius, qui, pour fuir à faire la court à quelques grans à Romme, se trouver à leur lever, les assister et les suivre, fit mine d'avoir la goute ; et, pour rendre son excuse plus vray-semblable, se faisoit oindre les jambes, les avoit envelopées, et contre-faisoit entierement le port et la contenance d'un homme gouteux ; en fin la fortune luy fit ce plaisir de l'en rendre tout à faict :

> *Tantum cura potest et ars doloris !*
> *Desiit fingere Cœlius podagram* [1].

J'ay veu en quelque lieu d'Appian, /// ce me semble, / une pareille histoire d'un qui, voulant eschapper aux proscriptions des triumvirs de Rome, pour se dérober de la connoissance de ceux qui le poursuyvoient, se tenant caché et travesti, y adjousta encore cette invention de contre-faire le borgne. Quand il vint à recouvrer un peu plus de liberté et qu'il voulut deffaire l'emplatre qu'il avoit long temps porté sur son œil, il trouva que sa veuë estoit effectuellement perdue soubs ce masque. Il est possible que l'action de la veuë s'estoit hebetée pour avoir esté si long temps sans exercice, et que la force visive s'estoit toute rejetée en l'autre œil : car nous sentons evidemment que l'œil que nous tenons couvert r'envoye à son compaignon quelque partie de son effect, en maniere que celuy qui reste s'en grossit et s'en enfle ; comme aussi l'oisiveté, avec la chaleur des liaisons [2] et des medicamens, avoit bien peu attirer quelque humeur podagrique au gouteux de Martial.

Lisant chez Froissard le veu d'une troupe de jeunes gentilshommes Anglois, de porter l'œil gauche bandé

jusques à ce qu'ils eussent passé en France et exploité
quelque faict d'armes sur nous, je me suis souvent cha-
touillé de ce pensement, qu'il leur eut pris comme à ces
autres, et qu'ils se fussent trouvez tous éborgnez au revoir
des maistresses pour lesquelles ils avoyent faict l'entreprise.

Les meres ont raison de tancer leurs enfans quand ils
contrefont les borgnes, les boiteux et les bicles ³, et tels
autres defauts de la personne : car, outre ce que le corps
ainsi tendre en peut recevoir un mauvais ply, je ne sçay
comment il semble que la fortune se joüe à nous prendre
au mot; et j'ay ouy reciter plusieurs exemples de gens
devenus malades, ayant entrepris de s'en feindre.

/// De tout temps j'ay apprins de charger ma main, et à
cheval et à pied, d'une baguette ou d'un baston, jusques
à y chercher de l'elegance et de m'en sejourner ⁴, d'une
contenance affettée. Plusieurs m'ont menacé que fortune
tourneroit un jour cette mignardise en necessité. Je me
fonde sur ce que je seroy tout le premier goutteux de
ma race.

/ Mais alongeons ce chapitre et le bigarrons d'une autre
piece, à propos de la cecité. Pline dict d'un qui, songeant
estre aveugle en dormant, s'en trouva l'endemain sans
aucune maladie precedente. La force de l'imagination
peut bien ayder à cela, comme j'ay dit ailleurs, et semble
que Pline soit de cet advis; mais il est plus vraysemblable
que les mouvemens que le corps sentoit au dedans, desquels les medecins trouveront, s'ils veulent, la cause, qui
luy ostoient la veuë, furent occasion du songe.

Adjoutons encore un'histoire voisine de ce propos, que
Seneque recite en l'une de ses lettres : « Tu sçais, dit-il
en escrivant à Lucilius, que Harpaste, la folle de ma
femme, est demeurée chez moy pour charge hereditaire :
car, de mon goust, je suis ennemy de ces monstres, et si
j'ay envie de rire d'un fol, il ne me le faut chercher guiere
loing, je me ris de moy-mesme. Cette folle a subitement
perdu la veuë. Je te recite chose estrange, mais veritable :
elle ne sent point qu'elle soit aveugle, et presse incessamment son gouverneur de l'en emmener, par ce qu'elle dit
que ma maison est obscure. Ce que nous rions en elle,
je te prie croire qu'il advient à chacun de nous; nul ne
connoit estre avare, nul convoiteux. Encore les aveugles
demandent un guide, nous nous fourvoions de nous
mesmes. Je ne suis pas ambitieux, disons nous, mais à
Rome on ne peut vivre autrement; je ne suis pas sump-
tueux ⁵, mais la ville requiert une grande despence; ce
n'est pas ma faute si je suis colere, si je n'ay encore establi

aucun train asseuré de vie, c'est la faute de la jeunesse. Ne cerchons pas hors de nous nostre mal, il est chez nous, il est planté en nos entrailles. Et cela mesme que nous ne sentons pas estre malades, nous rend la guerison plus mal-aisée. Si nous ne commençons de bonne heure à nous penser [6], quand aurons nous pourveu à tant de playes et à tant de maus ? Si avons nous une très-douce medecine que la philosophie ; car des autres, on n'en sent le plaisir qu'après la guerison, cette cy plait et guerit ensemble. »

Voylà ce que dit Seneque, qui m'a emporté hors de mon propos ; mais il y a du profit au change.

/ Tacitus recite que, parmy certains Roys barbares, pour faire une obligation asseurée [1], leur maniere estoit de joindre estroictement leurs mains droites l'une à l'autre, et s'entrelasser les pouces; et quand, à force de les presser, le sang en estoit monté au bout, ils les blessoient de quelque legere pointe, et puis se les entresuçoient.

Les medecins disent que les pouces sont les maistres doigts de la main, et que leur etymologie Latine vient de *pollere*. Les Grecs l'appellent ἀντίχειρ, comme qui diroit une autre main. Et il semble que par fois les Latins les prennent aussi en ce sens de main entière,

> *Sed nec vocibus excitata blandis,*
> *Molli pollice nec rogata surgit* [2].

C'estoit à Rome une signification de faveur, de comprimer et baisser les pouces,

> *Fautor utroque tuum laudabit pollice ludum* [3];

et de desfaveur, de les hausser et contourner au dehors,

> *converso pollice vulgi*
> *Quemlibet occident populariter* [4].

Les Romains dispensoient de la guerre ceux qui estoient blessez au pouce, comme s'ils n'avoient plus la prise des armes assez ferme. Auguste confisqua les biens à un chevalier Romain qui avoit, par malice, couppé les pouces à deux siens jeunes enfans, pour les excuser d'aler aux armées; et avant luy, le Senat, du temps de la guerre Italique, avoit condamné Caius Vatienus à prison perpetuelle et luy avoit confisqué tous ses biens, pour s'estre à escient couppé le pouce de la main gauche pour s'exempter de ce voyage.

Quelcun, de qui il ne me souvient point, ayant gaigné une bataille navale, fit coupper les pouces à ses ennemis vaincus, pour leur oster le moyen de combattre et de tirer la rame.

/// Les Atheniens les firent coupper aux Æginetes pour leur oster la preference [5] en l'art de marine.

// En Lacedemone, le maistre chatioit les enfans en leur mordant le pouce.

CHAPITRE XXVII

COUARDISE MERE DE LA CRUAUTÉ

/ J'ay souvent ouy dire que la couardise est mere de cruauté.

// Et ay par experience apperçeu que cette aigreur et aspreté de courage malitieux et inhumain s'accompaigne coustumierement de mollesse feminine. J'en ay veu des plus cruels, subjets à pleurer aiséement et pour des causes frivoles. Alexandre, tyran de Pheres, ne pouvoit souffrir d'ouyr au theatre le jeu des tragedies, de peur que ses citoyens ne le vissent gemir aus malheurs de Hecuba et d'Andromache, luy qui, sans pitié, faisoit cruellement meurtrir tant de gens tous les jours. Seroit-ce foiblesse d'ame qui les rendit ainsi ployables à toutes extremitez ?

/ La vaillance (de qui c'est l'effect de s'exercer seulement contre la resistence,

Nec nisi bellantis gaudet cervice juvenci [1])

s'arreste à voir l'ennemy à sa mercy. Mais la pusillanimité, pour dire qu'elle est aussi de la feste, n'ayant peu se mesler à ce premier rolle, prend pour sa part le second, du massacre et du sang. Les meurtres des victoires s'exercent ordinairement par le peuple et par les officiers du [2] bagage ; et ce qui fait voir tant de cruautez inouies aux guerres populaires, c'est que cette canaille de vulgaire s'aguerrit et se gendarme [3] à s'ensanglanter jusques aux coudes et à deschiqueter un corps à ses pieds, n'ayant resentiment d'autre vaillance :

// *Et lupus et turpes instant morientibus ursi,*
Et quæcumque minor nobilitate fera est [4] ;

/ comme les chiens coüards, qui deschirent en la maison et mordent les peaux des bestes sauvages qu'ils n'ont osé attaquer aux champs. Qu'est-ce qui faict en ce temps nos querelles toutes mortelles ; et que, là où nos peres avoient quelque degré de vengeance, nous commençons à cette heure par le dernier, et ne se parle d'arrivée [5] que de tuer ; qu'est-ce, si ce n'est couardise ? Chacun sent bien qu'il y a plus de braverie [6] et desdain à battre son ennemy qu'à l'achever, et de le faire bouquer que de le faire mourir. D'avantage que l'appetit de vengeance s'en assouvit et contente mieux, car elle ne vise qu'à donner ressentiment de soy. Voilà pourquoy nous n'attaquons pas une beste ou une pierre quand elle nous blesse, d'autant qu'elles sont incapables de sentir nostre revenche. Et de tuer un homme, c'est le mettre à l'abry de nostre offence.

// Et tout ainsi comme Bias crioit à un meschant homme : « Je sçay que tost ou tard tu en seras puny, mais je crains que je ne le voye pas », et plaignoit les Orchomeniens de ce que la penitence que Lyciscus eut de la trahison contre eux commise, venoit en saison qu'il n'y avoit personne de reste de ceux qui en avoient esté interessez [7] et ausquels devoit toucher le plaisir de cette penitence : tout ainsin est à plaindre la vengeance, quand celuy envers lequel elle s'employe pert le moyen de la sentir ; car, comme le vengeur y veut voir pour en tirer du plaisir, il faut que celuy sur lequel il se venge y voye aussi pour en souffrir du desplaisir et de la repentence.

/ « Il s'en repentira », disons nous. Et, pour luy avoir donné d'une pistolade en la teste, estimons nous qu'il s'en repente ? Au rebours, si nous nous en prenons garde, nous trouverons qu'il nous faict la mouë en tombant ; il ne nous en sçait pas seulement mauvais gré, c'est bien loing de s'en repentir. /// Et luy prestons le plus favorable de tous les offices de la vie, qui est de le faire mourir promptement et insensiblement. / Nous sommes à coniller [8], à trotter et à fuir les officiers de la justice qui nous suivent, et luy est en repos. Le tuer est bon pour éviter l'offence à venir, non pour venger celle qui est faicte : /// c'est une action plus de crainte que de braverie, de precaution que de courage, de defense que d'entreprinse. / Il est apparent que nous quittons par là et la vraye fin de la vengeance, et le soing de nostre reputation ; nous craignons, s'il demeure en vie, qu'il nous recharge d'une pareille.

/// Ce n'est pas contre luy, c'est pour toy que tu t'en deffais.

Au royaume de Narsingue, cet expedient nous demeuroit inutile. Là, non seulement les gens de guerre, mais aussi les artisans demeslent leurs querelles à coups d'espée. Le

Roy ne refuse point le camp à qui se veut battre, et assiste, quand ce sont personnes de qualité, estrenant le victorieux d'une chaisne d'or. Mais, pour laquelle conquerir, le premier à qui il en prend envie, peut venir aux armes avec celuy qui la porte; et, pour s'estre desfaict d'un combat, il en a plusieurs sur les bras.

/ Si nous pensions par vertu estre tousjours maistres de nostre ennemy et le gourmander à nostre poste, nous serions bien marris qu'il nous eschappast, comme il faict en mourant : nous voulons vaincre, mais plus seurement que honorablement; /// et cherchons plus la fin que la gloire en nostre querelle. Asinius Pollio, pour un honneste homme, representa une erreur pareille; qui, ayant escrit des invectives contre Plancus, attendoit qu'il fust mort pour les publier. C'estoit faire la figue à un aveugle et dire des pouïlles à un sourd et offenser un homme sans sentiment, plus tost que d'encourir le hazard de son ressentiment. Aussi disoit on pour luy que ce n'estoit qu'aux lutins [9], de luitter [10] les mors. Celuy qui attend à veoir trespasser l'autheur duquel il veut combattre les escrits, que dict-il, si non qu'il est foible et noisif [11] ?

On disoit à Aristote que quelqu'un avoit mesdit de luy : « Qu'il face plus, dict-il, qu'il me fouëtte, pourveu que je n'y soy pas. »

/ Nos peres se contentoient de revencher une injure par un démenti, un démenti par un coup, et ainsi par ordre. Ils estoient assez valeureux pour ne craindre pas leur ennemy vivant et outragé. Nous tremblons de frayeur tant que nous le voyons en pieds [12]. Et qu'il soit ainsi, nostre belle pratique d'aujourd'huy porte elle pas de poursuyvre à mort aussi bien celuy que nous avons offencé, que celuy qui nous a offencez ?

// C'est aussi une image de lacheté qui a introduit en nos combats singuliers cet usage de nous accompaigner de seconds, et tiers, et quarts. C'estoit anciennement des duels; ce sont, à cette heure, rencontres et batailles. La solitude faisoit peur aux premiers qui l'inventerent : /// *Cum in se cuique minimum fiduciæ esset* [13]. // Car naturellement quelque compaignie que ce soit apporte confort et soulagement au dangier. On se servoit anciennement de personnes tierces pour garder qu'il ne s'y fit desordre et desloyauté /// et pour tesmoigner de la fortune du combat; // mais, depuis qu'on a pris ce train qu'ils s'y engagent eux mesmes, quiconque y est convié ne peut honnestement s'y tenir comme spectateur, de peur qu'on ne luy attribue que ce soit faute ou d'affection ou de cœur,

Outre l'injustice d'une telle action, et vilenie, d'engager à la protection de vostre honneur autre valeur et force que la vostre, je trouve du desadvantage à un homme de bien et qui pleinement se fie de soy, d'aller mesler sa fortune à celle d'un second. Chacun court assez de hazard pour soy, sans le courir encore pour un autre, et a assez à faire à s'asseurer en sa propre vertu pour la deffence de sa vie, sans commettre chose si chere en mains tierces. Car, s'il n'a esté expressement marchandé au contraire, des quatre, c'est une partie liée. Si vostre second est à terre, vous en avez deux sur les bras, avec raison. Et de dire que c'est supercherie, elle l'est, comme de charger, bien armé, un homme qui n'a qu'un tronçon d'espée, ou, tout sain, un homme qui est desjà fort blessé. Mais si ce sont avantages que vous ayez gaigné en combatant, vous en pouvez servir sans reproche. La disparité et inegalité ne se poise et considere que de l'estat en quoy se commence la meslée; du reste prenez vous en à la fortune. Et quand vous en aurez tout seul trois sur vous, vos deux compaignons s'estant laissez tuer, on ne vous fait non plus de tort que je ferois à la guerre, de donner un coup d'espée à l'ennemy que je verrois attaché à l'un des nostres, de pareil avantage. La nature de la société porte, où il y a trouppe contre trouppe (comme où nostre Duc d'Orleans deffia le Roy d'Angleterre Henry, cent contre cent; /// trois cents contre autant, comme les Argiens contre les Lacedemoniens; trois à trois comme les Horatiens contre les Curiatiens), // que la multitude de chaque part n'est considerée que pour un homme seul. Par tout où il y a compaignie, le hazard y est confus et meslé.

J'ay interest domestique à ce discours; car mon frere, sieur de Matecolom, fut convié à Rome, à seconder un gentil-homme qu'il ne cognoissoit guere, lequel estoit deffendeur et appellé par un autre. En ce combat il se trouva de fortune avoir en teste [14] un qui luy estoit plus voisin et plus cogneu (je voudrois qu'on me fit raison de ces loix d'honneur qui vont si souvent choquant et troublant celles de la raison); après s'estre desfaict de son homme, voyant les deux maistres de la querelle en pieds encores et entiers, il alla deschamger son compaignon. Que pouvoit il moins ? devoit il se tenir coy et regarder deffaire, si le sort l'eust ainsi voulu, celuy pour la deffence duquel il estoit là venu ? ce qu'il avoit faict jusques alors ne servoit rien à la besoingne : la querelle estoit indecise. La courtoisie que vous pouvez et certes devés faire à vostre ennemy, quand vous l'avez reduict en mauvais termes et à quelque grand desadvantage, je ne vois pas comment vous la puissiez faire, quand il va de l'interest d'autruy, où vous n'estes que suyvant, où la dispute n'est pas vostre. Il ne pouvoit estre ny juste, ny courtois, au hazard de celuy auquel il s'estoit presté. Aussi fut-il delivré des prisons d'Italie par une bien soudaine et solenne recommandation de nostre Roy.

Indiscrette nation! nous ne nous contentons pas de faire sçavoir nos vices et folies au monde par reputation, nous allons aux nations estrangeres pour les leur faire voir en presence. Mettez trois François aux deserts de Lybie, ils ne seront pas un mois ensemble sans se harceler et esgratigner; vous diriez que cette peregrination est une partie dressée pour donner aux estrangers le plaisir de nos tragedies, et le plus souvent à tels qui s'esjouyssent de nos maux et qui s'en moquent.

Nous allons apprendre en Italie à escrimer, /// et l'exerçons aux depens de nos vies avant que de le sçavoir. // Si faudroit il, suyvant l'ordre de la discipline, mettre la theorique avant la practique; nous trahissons nostre apprentissage :

> *Primitiæ juvenis miseræ, bellique futuri*
> *Dura rudimenta* [15].

/// Je sçay bien que c'est un art utile à sa fin (au duel des deux Princes, cousins germains, en Hespaigne, le plus vieil, dict Tite-Live, par l'addresse des armes et par ruse, surmonta facilement les forces estourdies du plus jeune) et, comme j'ay cognu par experience, // duquel la cognoissance a grossi le cœur à aucuns outre leur mesure naturelle; mais ce n'est pas proprement vertu, puis qu'elle tire son appuy de l'addresse et qu'elle prend autre fondement que de soy-mesme. L'honneur des combats consiste en la jalousie du courage, non de la science; et pourtant ay-je veu quelqu'un de mes amis, renommé pour grand maistre en cet exercice, choisir en ses querelles des armes qui luy ostassent le moyen de cet advantage, et lesquelles dépendoient entierement de la fortune et de l'asseurance, affin qu'on n'attribuast sa victoire plustost à son escrime qu'à sa valeur; et, en mon enfance, la noblesse fuyoit la reputation de bon escrimeur comme injurieuse, et se desroboit pour l'apprendre, comme un mestier de subtilité desrogeant à la vraye et naifve vertu,

> *Non schivar, non parar, non ritirarsi*
> *Voglion costor, ne qui destrezza ha parte.*

> *Non danno i colpi finti, hor pieni, hor scarsi;*
> *Toglie l'ira e il furor l'uso de l'arte.*
> *Odi le spade horribilmente urtarsi*
> *A mezzo il ferro; il pie d'orma non parte :*
> *Sempre è il pie fermo, è la man sempre in moto,*
> *Ne scende taglio in van, ne punta à voto [16].*

Les butes [17], les tournois, les barrieres, l'image des combats guerriers estoient l'exercice de nos peres; cet autre exercice est d'autant moins noble qu'il ne regarde qu'une fin privée, qui nous apprend à nous entreruyner, contre les loix et la justice, et qui en toute façon produict tousjours des effects dommageables. Il est bien plus digne et mieux seant de s'exercer en choses qui asseurent, non qui offencent nostre police, qui regardent la publique seurté et la gloire commune.

Publius Rutilius consul fut le premier qui instruisist le soldat à manier ses armes par adresse et science, qui conjoingnist l'art à la vertu, non pour l'usage de querelle privée; ce fut pour la guerre et querelles du peuple Romain. /// Escrime populaire et civile. Et, outre l'exemple de Cæsar, qui ordonna aux siens de tirer principalement au visage des gendarmes de Pompeius en la bataille de Pharsale, mille autres chefs de guerre se sont ainsin advisez d'inventer nouvelle forme d'armes, nouvelle forme de frapper et de se couvrir selon le besoin de l'affaire present. // Mais, tout ainsi que Philopœmen condamna la luicte, en quoy il excelloit, d'autant que les preparatifs qu'on employoit à cet exercice estoient divers à ceux qui appartienoient à la discipline militaire, à laquelle seule il estimoit les gens d'honneur se devoir amuser, il me semble aussi que cette adresse à quoy on façonne ses membres, ces destours et mouvemens à quoy on exerce la jeunesse en cette nouvelle eschole, sont non seulement inutiles, mais contraires plustost et dommageables à l'usage du combat militaire.

/// Aussi y emploient nos gens communéement des armes particulieres et peculierement destinées à cet usage. Et j'ay veu qu'on ne trouvoit guere bon qu'un gentilhomme, convié à l'espée et au poignard, s'offrit en équipage de gendarme [18]. Il est digne de consideration que Lachez en Platon, parlant d'un apprentissage de manier les armes conforme au nostre, dict n'avoir jamais de cette eschole veu sortir nul grand homme de guerre, et nomméement des maistres d'icelle. Quand à ceux-là, nostre experience en dict bien autant. Du reste au moins pouvons nous dire

que ce sont suffisances de nulle relation et correspondance.
Et en l'institution des enfans de sa police, Platon interdict
les arts de mener les poings, introduictes par Amyçus et
Epeius, et de luiter, par Antæus et Cercyo, par ce qu'elles
ont autre but que de rendre la jeunesse plus apte au service
des guerres et n'y conferent [19] point.

// Mais je m'en vois un peu bien à gauche [20] de mon
theme.

/ L'Empereur Maurice, estant adverty par songes et
plusieurs prognostiques qu'un Phocas, soldat pour lors
inconnu, le devoit tuer, demandoit à son gendre Philippe
qui estoit ce Phocas, sa nature, ses conditions et ses meurs ;
et comme, entre autres choses, Philippe luy dit qu'il estoit
lasche et craintif, l'Empereur conclud incontinent par là
qu'il estoit donc meurtrier et cruel. Qui rend les Tyrans si
sanguinaires ? c'est le soing de leur seurté, et que leur lâche
cœur ne leur fournit d'autres moyens de s'asseurer qu'en
exterminant ceux qui les peuvent offencer, jusques aux
femmes, de peur d'une esgratigneure,

> // *Cuncta ferit, dum cuncta timet* [21].

/// Les premieres cruautez s'exercent pour elles
mesmes : de là s'engendre la crainte d'une juste revanche,
qui produict après une enfileure de nouvelles cruautez pour
les estouffer les unes par les autres. Philippus Roy de Macedoine, celuy qui eut tant de fusées à demesler avec le
peuple Romain, agité de l'horreur des meurtres commis
par son ordonnance, ne se pouvant resoudre contre tant
de familles en divers temps offensées, print party de se
saisir de tous les enfans de ceux qu'il avoit faict tuer, pour,
de jour en jour, les perdre l'un après l'autre, et ainsin
establir son repos.

Les belles matieres tiennent tousjours bien leur reng en
quelque place qu'on les seme. Moi, qui ay plus de soin
du poids et utilité des discours que de leur ordre de suite,
ne doy pas craindre de loger icy un peu à l'escart une très-
belle histoire. Entre les autres condamnez par Philippus,
avoit esté un Herodicus, prince des Thessaliens. Après luy,
il avoit encore depuis faict mourir ses deux gendres, lais-
sans chacun un fils bien petit. Theoxena et Archo estoyent
les deux vefves. Theoxena ne peut [22] estre induite à se
remarier, en estant fort poursuyvie. Archo espousa Poris,
le premier homme d'entre les Æniens, et en eut nombre
d'enfans, qu'elle laissa tous en bas aage. Theoxena, espoinçonnée [23] d'une charité maternelle envers ses nepveux, pour

les avoir en sa conduite et protection, espousa Poris. Voicy
venir la proclamation de l'edict du Roy. Cette courageuse
mere, se deffiant et de la cruauté de Philippus et de la
licence de ses satellites envers cette belle et tendre jeunesse,
osa dire qu'elle les tueroit plustost de ses mains que de les
rendre. Poris, effrayé de cette protestation, luy promet de
les desrober et emporter à Athenes en la garde d'aucuns
siens hostes fidelles. Ils prennent occasion d'une feste
annuelle qui se celebroit à Ænie en l'honneur d'Æneas, et
s'y envont. Ayant assisté le jour aux ceremonies et banquet
publique, la nuit ils s'escoulent dans un vaisseau preparé,
pour gaigner païs par mer. Le vent leur fut contraire; et, se
trouvans l'endemain en la veue de la terre d'où ils avoyent
desmaré, furent suivis par les gardes des ports. Au joindre,
Poris s'embesoignant à haster les mariniers pour la fuite,
Theoxena, forcenée d'amour et de vengeance, se rejetta
à sa premiere proposition; faict apprest d'armes et de poison; et, les presentant à leur veue : « Or sus, mes enfants,
la mort est meshuy le seul moyen de vostre defense et
liberté, et sera matiere aux Dieux de leur saincte justice;
ces espées traictes [24], ces couppes vous en ouvrent l'entrée :
courage! Et toy, mon fils, qui es plus grand, empoigne
ce fer, pour mourir de la mort plus forte. » Ayants d'un
costé cette vigoureuse conseillere, les ennemis de l'autre
à leur gorge, ils coururent de furie chacun à ce qui luy
fut le plus à main; et demi morts, furent jettez en la mer.
Theoxena, fiere d'avoir si glorieusement pourveu à la
seureté de tous ses enfans, accolant chaudement son mary :
« Suivons ces garçons, mon amy, et jouyssons de mesme
sepulture avec eux. » Et, se tenant ainsin embrassez, se
precipiterent; de maniere que le vaisseau fut ramené à
bord vuide de ses maistres.

/ Les tyrans, pour faire tous les deux ensemble et tuer et
faire sentir leur colere, ils ont employé toute leur suffisance
à trouver moyen d'alonger la mort. Ils veulent que leurs
ennemis s'en aillent, mais non pas si viste qu'il n'ayent
loisir de savourer leur vengeance. Là dessus ils sont en
grand peine : car, si les tourments sont violents, ils sont
cours; s'ils sont longs, ils ne sont pas assez douloureux à
leur gré : les voylà à dispenser leurs engins. Nous en voyons
mille exemples en l'antiquité, et je ne sçay si, sans y penser,
nous ne retenons pas quelque trace de cette barbarie.

Tout ce qui est au delà de la mort simple me semble
pure cruauté. Nostre justice ne peut esperer que celuy que
la crainte de mourir et d'estre decapité ou pendu ne gar-
dera de faillir, en soit empesché par l'imagination d'un feu

languissant, ou des tenailles, ou de la rouë. Et je ne sçay
cependant si nous les jettons au desespoir : car en quel
estat peut estre l'ame d'un homme attendant vingt-
quatre heures la mort, brisé sur une rouë, ou, à la vieille
façon, cloué à une croix ? Josephe recite que, pendant les
guerres des Romains en Judée, passant où l'on avoit cruci-
fié quelques Juifs, il y avoit trois jours, reconneut trois de
ses amis, et obtint de les oster de là; les deux moururent,
dit-il, l'autre vescut encore depuis.

/// Chalcondyle, homme de foy, aux memoires qu'il a
laissé des choses advenues de son temps et près de luy,
recite pour extreme supplice celuy que l'empereur Mech-
med pratiquoit souvent, de faire trancher les hommes en
deux parts par le faux [25] du corps, à l'endroit du dia-
phragme, et d'un seul coup de cimeterre : d'où il arrivoit
qu'ils mourussent comme de deux morts à la fois; et
voyoit-on, dict il, l'une et l'autre part pleine de vie se
demener long temps après, pressée de tourment. Je n'estime pas qu'il y eut grand sentiment en ce mouvement. Les
supplices plus hideux à voir ne sont pas tousjours les plus
forts à souffrir. Et treuve plus atroce ce que d'autres historiens en recitent contre des seigneurs Epirotes, qu'il les fit
escorcher par le menu, d'une dispensation [26] si malitieusement [27] ordonnée, que leur vie dura quinze jours à cette
angoisse.

Et ces deux autres : Cresus ayant faict prendre un gentil-
homme, favori de Pantaleon, son frere, le mena en la boutique d'un foullon, où il le fit tant grater et carder à coups
de cardes et peignes de ce cardeur, qu'il en mourut.
George Sechel, chef de ces paysans de Polongne qui, soubs
titre de la croisade, firent tant de maux, deffaict en bataille
par le Vayvode [28] de Transsilvanie et prins, fut trois jours
attaché nud sur un chevalet, exposé à toutes les manieres
de tourmens que chacun pouvoit inventer contre luy,
pendant lequel temps on ne donna ny à manger, ny à
boire aux autres prisonniers. En fin, luy vivant et voyant,
on abbreuva de son sang Lucat, son cher frere, et pour le
salut duquel il prioit, tirant sur soy toute l'envie de leurs
meffaicts [29]; et fit l'on paistre vingt de ses plus favoris
Capitaines, deschirans à belles dents sa chair et en englou-
tissans les morceaux. Le reste du corps et parties du dedans,
luy expiré, furent mises bouillir, qu'on fit manger à
d'autres de sa suite.

CHAPITRE XXVIII

TOUTES CHOSES ONT LEUR SAISON

/ Ceux qui apparient Caton le censeur au jeune Caton, meurtrier de soy-mesme, // apparient deux belles natures et de formes voisines. Le premier exploita la sienne à plus de visages, et precelle [1] en exploits militaires et en utilité de ses vacations publiques. Mais la vertu du jeune, outre ce que c'est blaspheme de luy en apparier null'autre en vigueur, fut bien plus nette. Car qui deschargeroit d'envie et d'ambition celle du censeur, ayant osé chocquer l'honneur de Scipion en honté et en toutes parties d'excellence de bien loin plus grand et que luy et que tout homme de son siecle ?

/ Ce qu'on dit entre autres choses de luy, qu'en son extreme vieillesse il se mit à apprendre la langue Grecque, d'un ardant appetit, comme pour assouvir une longue soif, ne me semble pas luy estre fort honnorable. C'est proprement ce que nous disons retomber en enfantillage. Toutes choses ont leur saison, les bonnes et tout; et je puis dire mon patenostre hors de propos, /// comme on desferra [2] T. Quintius Flaminius de ce qu'estant general d'armée, on l'avoit veu à quartier, sur l'heure du conflict, s'amusant à prier Dieu en une bataille qu'il gaigna.

// *Imponit finem sapiens et rebus honestis* [3].

/ Eudemonidas, voyant Xenocrates, fort vieil, s'empresser aux leçons de son escole : « Quand sçaura cettuy-cy, dit-il, s'il apprend encore! »

// Et Philopœmen, à ceux qui hault-louoient le Roy Ptolomæus de ce qu'il durcissoit sa personne tous les jours à l'exercice des armes : « Ce n'est, dict-il, pas chose loüable à un Roy de son aage de s'y exercer; il les devoit hormais reellement employer. »

/ Le jeune doit faire ses apprets, le vieil en jouïr, disent les sages. Et le plus grand vice qu'ils remerquent en nostre nature, c'est que noz desirs rajeunissent sans cesse. Nous recommençons tousjours à vivre. Nostre estude et nostre envie devroyent quelque fois sentir la vieillesse. Nous avons le pied à la fosse, et nos appetits et poursuites ne font que naistre :

> // *Tu secanda marmora*
> *Locas sub ipsum funus, et sepulchri*
> *Immemor, struis domos* [4].

/// Le plus long de mes desseins n'a pas un an d'estandue ; je ne pense desormais qu'à finir ; me deffois [5] de toutes nouvelles esperances et entreprinses ; prens mon dernier congé de tous les lieux que je laisse ; et me despossede tous les jours de ce que j'ay.

« *Olim jam nec perit quidquam mihi nec acquiritur. Plus superest viatici quam viæ* [6]. »

> *Vixi, et quem dederat cursum fortuna peregi* [7].

C'est en fin tout le soulagement que je trouve en ma vieillesse, qu'elle amortist en moy plusieurs desirs et soins de quoy la vie est inquietée, le soing du cours du monde, le soing des richesses, de la grandeur, de la science, de la santé, de moy. / Cettuy-cy apprend à parler, lors qu'il luy faut apprendre à se taire pour jamais.

/// On peut continuer à tout temps l'estude, non pas l'escholage : la sotte chose qu'un vieillard abecedaire !

> // *Diversos diversa juvant, non omnibus annis*
> *Omnia conveniunt* [8].

/ S'il faut estudier, estudions un estude sortable à nostre condition, afin que nous puissions respondre comme celuy à qui, quand on demanda à quoy faire ces estudes en sa decrepitude : « A m'en partir meilleur et plus à mon aise », respondit-il. Tel estude fut celuy du jeune Caton sentant sa fin prochaine, qui se rencontra au discours de Platon, de l'eternité de l'ame. Non, comme il faut croire, qu'il ne fut de long temps garny de toute sorte de munition pour un tel deslogement : d'asseurance, de volonté ferme et d'instruction, il en avoit plus que Platon n'en a en ses escrits ; sa science et son courage estoient, pour ce regard, au dessus de la philosophie. Il print cette occupation, non pour le service de sa mort, mais, comme celuy qui n'interrompit pas seulement son sommeil en l'importance d'une telle deliberation, il continua aussi, sans chois et sans changement, ses estudes avec les autres actions accoustumées de sa vie.

/// La nuict qu'il vint d'estre refusé de la Preture, il la passa à jouer ; celle en laquelle il devoit mourir, il la passa à lire : la perte ou de la vie ou de l'office, tout luy fut un.

CHAPITRE XXIX

DE LA VERTU

/ Je trouve par experience qu'il y a bien à dire [1] entre les
boutées et saillies de l'ame, ou une resolue et constante
habitude; et voy bien qu'il n'est rien que nous ne puissions,
voire jusques à surpasser la divinité mesme, dit quelqu'un, d'autant que c'est plus de se rendre impassible
de soy, que d'estre tel de sa condition originelle, et jusques
à pouvoir joindre à l'imbecillité de l'homme une resolution et asseurance de Dieu. Mais c'est par secousse.
Et ès vies de ces heros du temps passé, il y a quelque fois
des traits miraculeux et qui semblent de bien loing surpasser nos forces naturelles; mais ce sont traits, à la verité;
et est dur à croire que de ces conditions ainsin eslevées,
on en puisse teindre et abreuver l'ame, en maniere qu'elles
luy deviennent ordinaires et comme naturelles. Il nous
eschoit à nous mesmes, qui ne sommes qu'avortons
d'hommes, d'eslancer par fois nostre ame, esveillée par
les discours ou exemples d'autruy, bien loing au delà de
son ordinaire; mais c'est une espece de passion qui la
pousse et agite, et qui la ravit aucunement hors de soy :
car, ce tourbillon franchi, nous voyons que, sans y penser,
elle se débande et relâche d'elle mesme, sinon jusques à
la derniere touche, au moins jusques à n'estre plus celle-là;
de façon que lors, à toute occasion, pour un oyseau perdu
ou un verre cassé, nous nous laissons esmouvoir à peu
près comme l'un du vulgaire.

/// Sauf l'ordre, la moderation et la constance, j'estime
que toutes choses sont faisables par un homme bien
manque [2] et deffaillant en gros.

/ A cette cause, disent les sages, il faut, pour juger bien
à point d'un homme, principalement contreroller ses
actions communes et le surprendre en son à tous les jours.

Pyrrho, celuy qui bastit de l'ignorance une si plaisante
science, essaya, comme tous les autres vrayement philo-

sophes, de faire respondre sa vie à sa doctrine. Et par
ce qu'il maintenoit la foiblesse du jugement humain estre
si extreme que de ne pouvoir prendre party ou inclination,
et le vouloit suspendre perpetuellement balancé, regardant
et accueillant toutes choses comme indifférentes, on conte
qu'il se maintenoit tousjours de mesme façon et visage.
S'il avoit commencé un propos, il ne laissoit pas de l'achever, quand celuy à qui il parloit s'en fut allé; s'il alloit,
il ne rompoit son chemin pour empeschement qui se
presentat, conservé des précipices, du hurt des charretes
et autres accidens par ses amis. Car de craindre ou esviter
quelque chose, c'eust esté choquer ses propositions, qui
ostoient au sens mesmes tout'eslection et certitude.
Quelque fois il souffrit d'estre incisé et cauterisé, d'une telle
constance qu'on ne luy en veit pas seulement siller les yeux.

C'est quelque chose de ramener l'ame à ces imaginations; c'est plus d'y joindre les effects; toutefois il n'est
pas impossible; mais de les joindre avec telle perseverance et constance que d'en establir son train ordinaire,
certes, en ces entreprinses si esloignées de l'usage commun, il est quasi incroyable qu'on le puisse. Voylà pourquoy luy, estant quelque fois rencontré en sa maison
tansant [3] bien asprement avecques sa seur, et estant reproché de faillir en cella à son indifferance : « Comment, dit-il,
faut-il qu'encore cette fammelette serve de tesmoignage
à mes regles ? » Un'autre fois qu'on le veit se deffendre
d'un chien : « Il est, dit-il, très difficile de despouiller
entierement l'homme; et se faut mettre en devoir et efforcer de combattre les choses, premierement par les effects,
mais, au pis aller, par la raison et par les discours. »

Il y a environ sept ou huict ans, qu'à deux lieuës d'icy
un homme de village, qui est encore vivant, ayant la teste
de long temps rompue par la jalousie de sa femme, revenant an jour de la besoigne, et elle le bien-veignant [4] de
ses criailleries accoustumées, entra en telle furie que, sur
le champ, à tout la serpe qu'il tenoit encore en ses mains,
s'estant moissonné tout net les pieces qui la mettoyent en
fievre, les luy jetta au nez.

Et il se dit qu'un jeune gentil'homme des nostres,
amoureux et gaillard, ayant par sa perseverance amolli
en fin le cœur d'une belle maistresse, desesperé de ce
que, sur le point de la charge, il s'estoit trouvé mol luy
mesmes et defailly, et que

non viriliter
Iners senile penis extulerat caput [5],

s'en priva soudain revenu au logis, et l'envoya, cruelle et sanglante victime, pour la purgation de son offence. Si c'eust esté par discours et religion, comme les prestres de Cibele, que ne dirions nous d'une si hautaine entreprise ?

Dépuis peu de jours, à Bragerac, à cinq lieues de ma maison, contremont la riviere de Dordoigne, une femme ayant esté tourmentée et batue, le soir avant, de son mary, chagrin et facheux de sa complexion, delibera d'eschapper à sa rudesse au pris de sa vie ; et, s'estant à son lever accointée de [6] ses voisines comme de coustume, leur laissant couler quelque mot de recommendation de ses affaires, prenant une sienne sœur par la main, la mena avecques elle sur le pont, et, après avoir prins congé d'elle, comme par maniere de jeu, sans montrer autre changement ou alteration, se precipita du haut en bas dans la riviere, ou elle se perdit. Ce qu'il y a de plus en cecy, c'est que ce conseil meurist une nuict entiere dans sa teste.

C'est bien autre chose des femmes Indiennes : car, estant leur coustume, aux marys d'avoir plusieurs femmes, et à la plus chere d'elles de se tuer après son mary, chacune par le dessein de toute sa vie vise à gaigner ce point et cet advantage sur ses compaignes ; et les bons offices qu'elles rendent à leur mary ne regardent autre recompance que d'estre preferées à la compaignie de sa mort,

|| *... ubi mortifero jacta est fax ultima lecto*
Uxorum fusis stat pia turba comis ;
Et certamen habent lethi, quæ viva sequatur
Conjugium : pudor est non licuisse mori.
Ardent victrices, et flammæ pectora præbent,
Imponuntque suis ora perusta viris [7].

/// Un homme escrit encore de noz jours avoir veu en ces nations Orientales cette coustume en credit, que non seulement les femmes s'enterrent après leurs maris, mais aussi les esclaves des quelles il a eu jouissance. Ce qui se faict en cette maniere. Le mari estant trespassé, la vefve peut, si elle veut, mais peu le veulent, demander deux ou trois mois d'espace à disposer de ses affaires. Le jour venu, elle monte à cheval, parée comme à nopces, et, d'une contenance gaye, comme allant, dict-elle, dormir avec son espoux, tenant en sa main gauche un mirouër, une flesche en l'autre. S'estant ainsi promenée en pompe, accompagnée de ses amis et parents, et de grand peuple en feste, elle est tantost rendue au lieu public destiné à tels spectacles. C'est une grande place au milieu de laquelle il y a une fosse pleine de bois, et, joignant icelle, un lieu relevé de quatre ou cinq marches, sur le quel elle est conduite et servie d'un magnifique repas. Après le quel elle se met à baller et chanter, et ordonne, quand bon luy semble, qu'on allume le feu. Cela faict, elle descend et, prenant par la main le plus proche des parents de son mary, ils vont ensamble à la riviere voisine, où elle se despouille toute nue et distribue ses joyaux et vestements à ses amis et se va plongeant dans l'eau, comme pour y laver ses pechez. Sortant de là, elle s'enveloppe d'un linge jaune de quatorze brasses de long, et donnant de rechef la main à ce parent de son mari, s'en revont sur la motte où elle parle au peuple et recommande ses enfans, si elle en a. Entre la fosse et la motte on tire volontiers un rideau, pour leur oster la veue de cette fornaise ardente; ce qu'aucunes deffendent pour tesmoigner plus de courage. Finy qu'elle a de dire, une femme luy presente un vase plein d'huile à s'oindre la teste et tout le corps, lequel elle jette dans le feu, quand elle en a faict, et, en l'instant, s'y lance elle mesme. Sur l'heure, le peuple renverse sur elle quantité de buches pour l'empescher de languir, et se change toute leur joye en deuil et tristesse. Si ce sont personnes de moindre estoffe, le corps du mort est porté au lieu où on le veut enterrer, et là mis en son seant, la vefve à genoux devant luy l'embrassant estroitement, et se tient en ce point pendant qu'on bastit au tour d'eux un mur qui, venant à se hausser jusques à l'endroit des espaules de la femme, quelqu'un des siens, par le derriere prenant sa teste, luy tort le col; et rendu qu'elle a l'esprit, le mur est soudain monté et clos, où ils demeurent ensevelis.

/ En ce mesme pays, il y avoit quelque chose de pareil en leurs Gypnosophistes [8] : car, non par la contrainte d'autruy, non pas l'impetuosité d'un' humeur soudaine, mais par expresse profession de leur regle, leur façon estoit, à mesure qu'ils avoyent attaint certain aage, ou qu'ils se voyoient menassez par quelque maladie, de se faire dresser un buchier, et au dessus un lit bien paré; et, après avoir festoyé joyeusement leurs amis et connoissans, s'aler planter dans ce lict en telle resolution que, le feu y estant mis, on ne les vid mouvoir ny pieds ny mains; et ainsi mourut l'un d'eux, Calanus, en presence de toute l'armée d'Alexandre le Grand.

// Et n'estoit estimé entre eux ny saint, ny bien heureux qui ne s'estoit ainsi tué, envoyant son ame purgée et

purifiée par le feu, après avoir consumé tout ce qu'il y
avoit de mortel et terrestre.

/ Cette constante premeditation de toute la vie, c'est ce
qui faict le miracle.

Parmy nos autres disputes, celle du *Fatum* [9] s'y est
meslée; et, pour attacher les choses advenir et nostre
volonté mesmes à certaine et inevitable necessité, on est
encore sur cet argument du temps passé : « Puis que Dieu
prevoit toutes choses devoir ainsin advenir, comme il
fait sans doubte, il faut donc qu'elles adviennent ainsi. »
A quoy nos maistres [10] respondent que le voir que quelque
chose advienne, comme nous faisons, et Dieu de mesmes
(car, tout luy estant present, il voit plutost qu'il ne prevoit),
ce n'est pas la forcer d'advenir; voire, nous voyons à cause
que les choses adviennent, et les choses n'adviennent pas
à cause que nous voyons. L'advenement faict la science,
non la science l'advenement. Ce que nous voyons advenir,
advient; mais il pouvoit autrement advenir; et Dieu, au
registre des causes des advenements qu'il a en sa prescience,
y a aussi celles qu'on appelle fortuites, et les volontaires,
qui despendent de la liberté qu'il a donné à nostre arbi-
trage, et sçait que nous faudrons par ce que nous aurons
voulu faillir.

Or j'ay veu assez de gens encourager leurs troupes de
cette necessité fatale : car, si nostre heure est attachée à
certain point, ny les harquebousades ennemies, ny nostre
hardiesse, ny nostre fuite et couardise ne la peuvent avancer
ou reculer. Cela est beau à dire, mais cherchez qui l'effec-
tuera. Et s'il est ainsi, qu'une forte et vive creance tire
après soy les actions de mesme [11], certes cette foy, dequoy
nous remplissons tant la bouche, est merveilleusement
legiere en nos siecles, sinon que le mespris qu'elle a des
œuvres [12] luy face desdaigner leur compaignie.

Tant y a qu'à ce mesme propos le sire de Joinville,
tesmoing croyable autant que tout autre, nous raconte des
Bedoins, nation meslée aux Sarrasins, ausquels le Roy
sainct Louys eut affaire en la terre sainte, qu'ils croyoient
si fermement en leur religion les jours d'un chacun estre
de toute eternité prefix et contez d'une preordonnance
inevitable, qu'ils alloyent à la guerre nudz, sauf un glaive
à la turquesque, et le corps seulement couvert d'un linge
blanc. Et pour leur plus extreme maudisson, quand ils
se courroussoient aux leurs, ils avoyent tousjours en la
bouche : « Maudit sois tu, comme celuy qui s'arme de
peur de la mort! » Voylà bien autre preuve de creance
et de foy que la nostre!

Et de ce reng est aussi celle que donnerent ces deux religieux de Florence, du temps de nos peres. Estans en quelque controverse de science, ils s'accordèrent d'entrer tous deux dans le feu, en presence de tout le peuple et en la place publique, pour la verification chacun de son party. Et en estoyent des-jà les aprets tous faicts, et la chose justement sur le point de l'execution, quand elle fut interrompue par un accident improuveu.

/// Un jeune Seigneur Turc ayant faict un signalé faict d'armes de sa personne, à la veue des deux batailles, d'Amurath et de l'Huniade, prestes à se donner, enquis par Amurath, qui l'avoit, en si grande jeunesse et inexperience (car c'estoit la premiere guerre qu'il eust veu), rempli d'une si genereuse vigueur de courage, respondit qu'il avoit eu pour souverain precepteur de vaillance un lievre : « Quelque jour, estant à la chasse, dict-il, je descouvry un lievre en forme [13], et encore que j'eusse deux excellents levriers à mon costé, si me sembla il, pour ne le faillir point, qu'il valoit mieux y employer encore mon arc, car il me faisoit fort beau jeu. Je commençay à descocher mes flesches, et jusques à quarante qu'il y en avoit en ma trousse, non sans l'assener seulement [14], mais sans l'esveiller. Après tout, je descouplay mes levriers après, qui n'y peurent non plus. J'apprins par là qu'il avoit esté couvert par sa destinée, et que ny les traits ny les glaives ne portent que par le congé de nostre fatalité, laquelle il n'est en nous de reculer ny d'avancer. » Ce conte doit servir à nous faire veoir en passant combien nostre raison est flexible à toute sorte d'images.

Un personage, grand d'ans, de nom, de dignité et de doctrine, se vantoit à moy d'avoir esté porté à certaine mutation très-importante de sa foy par une incitation estrangere aussi bizarre et, au reste, si mal concluante que je la trouvoy plus forte au revers : luy l'appelloit miracle, et moy aussi, à divers sens.

Leurs historiens disent que la persuasion estant populairement semée entre les Turcs, de la fatale et imployable prescription de leurs jours, ayde apparemment à les asseurer aux dangers. Et je connois un grand Prince [15] qui y trouve noblement son profit, si fortune continue à lui faire espaule [16].

// Il n'est point advenu, de nostre memoire, un plus admirable effect de resolution que de ces deux qui conspirerent la mort du prince d'Orenge. C'est merveille comment on peut eschauffer le second, qui l'executa, à une entreprise en laquelle il estoit si mal advenu à son compaignon, y ayant apporté tout ce qu'il pouvoit; et, sur cette trace et de mesmes armes, aller entreprendre un seigneur armé d'une si fresche instruction de deffiance, puissant de suitte d'amis et de force corporelle, en sa sale, parmy ses gardes, en une ville toute à sa devotion. Certes il y employa une main bien determinée et un courage esmeu d'une vigoureuse passion. Un poignard est plus seur pour assener [17]; mais, d'autant qu'il a besoing de plus de mouvement et de vigueur de bras que n'a un pistolet, son coup est plus subject à estre gauchy ou troublé. Que celuy là ne courut à une mort certaine, je n'y fay pas grand doubte; car les esperances de quoy on le pouvoit amuser, ne pouvoient loger en entendement rassis; et la conduite de son exploit montre qu'il n'en avoit pas faute, non plus que de courage. Les motifs d'une si puissante persuasion peuvent estre divers, car nostre fantasie faict de soy et de nous ce qu'il luy plaict.

L'execution qui fut faicte près d'Orleans [18] n'eust rien de pareil; il y eust plus de hazard que de vigueur; le coup n'estoit pas mortel, si la fortune ne l'en eust rendu; et l'entreprise de tirer à cheval, et de loing, et à un qui se mouvoit au branle de son cheval, fut l'entreprise d'un homme qui aymoit mieux faillir son effect que faillir à se sauver. Ce qui suyvit après le montra. Car il se transit et s'enyvra de la pensée de si haute execution, si qu'il perdit et troubla entierement son sens, et à conduire sa fuite, et à conduire sa langue en ses responses. Que luy falloit il, que recourir à ses amys au travers d'une riviere? c'est un moyen où je me suis jetté à moindres dangers et que j'estime de peu de hazard, quelque largeur qu'ait le passage, pourveu que vostre cheval trouve l'entrée facile et que vous prevoyez au delà un bord aysé selon le cours de l'eau. L'autre, quand on lui prononça son horrible sentence : « J'y estois preparé, dict-il; je vous estonneray de ma patience. »

/// Les Assassins, nation dependante de la Phœnicie, sont estimés entre les Mahumetans d'une souveraine devotion et pureté de meurs. Ils tiennent que le plus certain moyen de meriter Paradis, c'est tuer quelqu'un de religion contraire. Parquoy mesprisant tous les dangiers propres, pour une si utile execution, un ou deux se sont veus souvent, au pris d'une certaine mort, se presenter à assassiner (nous avons emprunté ce mot de leur nom) leur ennemi au milieu de ses forces. Ainsi fut tué nostre comte Raimond de Tripoli en sa ville.

CHAPITRE XXX

D'UN ENFANT MONSTRUEUX

/ Ce conte s'en ira tout simple, car je laisse aux medecins d'en discourir. Je vis avant hier un enfant que
deux hommes et une nourrisse, qui se disoient estre le pere,
l'oncle et la tante, conduisoyent pour tirer quelque sou de
le montrer à cause de son estrangeté. Il estoit en tout le
reste d'une forme commune, et se soustenoit sur ses pieds,
marchoit et gasouilloit à peu près comme les autres de
mesme aage; il n'avoit encore voulu prendre autre nourriture que du tetin de sa nourrisse; et ce qu'on essaya en ma
presence de luy mettre en la bouche, il le maschoit un peu,
et le rendoit sans avaller; ses cris sembloient bien avoir
quelque chose de particulier; il estoit aagé de quatorze
mois justement. Au dessoubs de ses tetins, il estoit pris et
collé à un autre enfant sans teste, et qui avoit le conduict [1]
du dos estoupé [2], le reste entier; car il avoit bien l'un bras
plus court, mais il luy avoit esté rompu par accident à
leur naissance; ils estoient joints face à face, et comme si
un plus petit enfant en vouloit accoler un plus grandelet.
La jointure et l'espace par où ils se tenoient, n'estoit que
de quatre doigts ou environ, en manière que si vous retrous-
siez cet enfant imparfait, vous voyez au dessoubs le nombril
de l'autre; ainsi la cousture se faisoit entre les tetins et son
nombril. Le nombril de l'imparfaict ne se pouvoit voir,
mais ouy bien tout le reste de son ventre. Voylà comme
ce qui n'estoit pas attaché, comme bras, fessier, cuisses et
jambes de cet imparfaict, demouroient pendants et bran-
lans sur l'autre, et luy pouvoit aller sa longueur jusques
à my jambe. La nourrice nous adjoustoit qu'il urinoit par
tous les deux endroicts; aussi estoient les membres de cet
autre nourris et vivans, et en mesme point que les siens,
sauf qu'ils estoient plus petits et menus.

Ce double corps et ces membres divers, se rapportans
à une seule teste, pourroient bien fournir de favorable

prognostique au Roy de maintenir sous l'union de ses loix
ces pars et pieces diverses de nostre estat; mais, de peur
que l'evenement ne le demente, il vaut mieux le laisser
passer devant, car il n'est que de deviner en choses faictes :
/// « *Ut, cum facta sunt, tum ad conjecturam aliqua interpre-*
tatione revocentur [3]. » // Comme on dict d'Epimenides
qu'il devinoit à reculons.

Je vien de voir un pastre en Medoc, de trente ans ou
environ, qui n'a aucune montre des parties genitales : il
a trois trous par où il rend son eau incessamment; il est
barbu, a desir, et recherche l'attouchement des femmes.
/// Ce que nous appelons monstres ne le sont pas à Dieu,
qui voit en l'immensité de son ouvrage l'infinité des formes
qu'il y a comprinses; et est à croire que cette figure qui
nous estonne, se rapporte et tient à quelque autre figure
de mesme genre inconnu à l'homme. De sa toute sagesse
il ne part rien que bon et commun et reglé; mais nous
n'en voyons pas l'assortiment et la relation.

« *Quod crebro videt, non miratur, etiamsi, cur fiat, nescit.*
Quod ante non vidit, id, si evenerit, ostentum esse censet [4]. »

Nous appellons contre nature ce qui advient contre la
coustume; rien n'est que selon elle, quel qu'il soit. Que
cette raison universelle et naturelle chasse de nous l'erreur
et l'estonnement que la nouvelleté nous apporte.

CHAPITRE XXXI

DE LA COLERE

/ Plutarque est admirable par tout, mais principalement où il juge des actions humaines. On peut voir les belles choses qu'il dit en la comparaison de Lycurgus et de Numa, sur le propos de la grande simplesse que ce nous est d'abandonner des enfans au gouvernement et à la charge de leurs peres. /// La plus part de nos polices, comme dict Aristote, laissent à chacun, en maniere des Cyclopes, la conduite de leurs femmes et de leurs enfans, selon leur folle et indiscrete fantasie; et, quasi les seules Lacedemonienne et Cretense [1] ont commis aux loix la discipline de l'enfance. / Qui ne voit qu'en un estat tout dépend de son education et nourriture ? et cependant, sans aucune discretion, on la laisse à la mercy des parens, tant fols et meschans qu'ils soient.

Entre autres choses, combien de fois m'a-il prins envie, passant par nos ruës, de dresser une farce, pour venger des garçonnetz que je voyoy escorcher, assommer et meurtrir à [2] quelque pere ou mere furieux et forcenez de colere! Vous leur voyez sortir le feu et la rage des yeux,

> // *rabie jecur incendente, feruntur*
> *Præcipites, ut saxa jugis abrupta, quibus mons*
> *Subtrahitur, clivoque latus pendente recedit* [3],

(et, selon Hippocrates, les plus dangereuses maladies sont celles qui desfigurent le visage), / à tout une voix tranchante et esclatante, souvent contre qui ne faict que sortir de nourrisse. Et puis les voylà stropiets [4], estourdis de coups; et nostre justice qui n'en fait compte, comme si ces esboitemens [5] et eslochements [6] n'estoient pas des membres de nostre chose publique :

> // *Gratum est quod patriæ civem populoque dedisti,*

Si facis ut patriæ sit idoneus, utilis agris,
Utilis et bellorum et pacis rebus agendis [7].

/ Il n'est passion qui esbranle tant la sincerité des jugemens que la colere. Aucun ne feroit doubte de punir de
mort le juge qui, par colere, auroit condamné son criminel;
pourquoy est il non plus permis aux peres et aux pedantes [8]
de fouetter les enfans et les chastier estans en colere ? Ce
n'est plus correction, c'est vengeance. Le chatiement tient
lieu de medecine aux enfans : et souffririons nous un
medecin qui fut animé et courroucé contre son patient ?
   Nous mesmes, pour bien faire, ne devrions jamais mettre
la main sur nos serviteurs, tandis que la colere nous
dure. Pendant que le pouls nous bat et que nous sentons
de l'émotion, remettons la partie; les choses nous semble-
ront à la verité autres, quand nous serons r'acoisez [9] et
refroidis; c'est la passion qui commande lors, c'est la passion qui parle, ce n'est pas nous.
   // Au travers d'elle, les fautes nous apparoissent plus
grandes, comme les corps au travers d'un brouillas. Celuy
qui a faim, use de viande; mais celuy qui veut user de
chastiement, n'en doibt avoir faim ny soif.
   / Et puis, les chastiemens qui se font avec poix et discretion, se reçoivent bien mieux et avec plus de fruit de celuy
qui les souffre. Autrement, il ne pense pas avoir esté justement condamné par un homme agité d'ire et de furie;
et allegue pour sa justification les mouvemens extraordinaires de son maistre, l'inflammation de son visage, les
sermens inusitez, et cette sienne inquietude et precipitation
temeraire :

// *Ora tument ira, nigrescunt sanguine venæ,*
Lumina Gorgoneo sævius igne micant [10].

/ Suetone recite que Lucius Saturninus ayant esté
condamné par Cæsar, ce qui luy servit le plus envers le
peuple (auquel il appella) pour luy faire gaigner sa cause,
ce fut l'animosité et l'aspreté que Cæsar avoit apporté en
ce jugement.
   Le dire est autre chose que le faire : il faut considerer
le presche à part, et le prescheur à part. Ceux-là se sont
donnez beau jeu, en nostre temps, qui ont essayé de choquer la verité de nostre Esglise par les vices des ministres
d'icelle; elle tire ses tesmoignages d'ailleurs; c'est une
sotte façon d'argumenter et qui rejetteroit toutes choses en
confusion. Un homme de bonnes meurs peut avoir des

opinions fauces, et un meschant peut prescher verité, voire celuy qui ne la croit pas. C'est sans doute une belle harmonie quand le faire et le dire vont ensemble, et je ne veux pas nier que le dire, lors que les actions suyvent, ne soit de plus d'authorité et efficace. Comme disoit Eudamidas oyant un philosophe discourir de la guerre : « Ces propos sont beaux, mais celuy qui les dict n'en est pas croyable, car il n'a pas les oreilles accoustumées au son de la trompette. » Et Cleomenes, oyant un Rhetoricien harenguer de la vaillance, s'en print fort à rire ; et l'autre s'en scandalizant, il luy dict : « J'en ferois de mesmes, si c'estoit une arondelle qui en parlast ; mais, si c'estoit un aigle, je l'orrois volontiers. » J'apperçois, ce me semble, ès escrits des anciens, que celui qui dit ce qu'il pense, l'assene bien plus vivement que celuy qui se contrefait. Oyez Cicero parler de l'amour de la liberté, oyez en parler Brutus : les escrits mesmes vous sonnent que cettuy cy estoit homme pour l'acheter au pris de la vie. Que Cicero, pere d'eloquence, traite du mespris de la mort ; que Seneque en traite aussi : celuy là traine languissant, et vous sentez qu'il vous veut resoudre de chose dequoy il n'est pas resolu ; il ne vous donne point de cœur, car luy-mesmes n'en a point ; l'autre vous anime et enflamme. Je ne voy jamais autheur, mesmement de ceux qui traictent de la vertu et des offices, que je ne recherche curieusement quel il a esté.

// Car les Ephores, à Sparte, voyant un homme dissolu proposer au peuple un advis utile, luy commanderent de se taire, et prierent un homme de bien de s'en attribuer l'invention et le proposer.

/ Les escrits de Plutarque, à les bien savourer, nous le descouvrent assez, et je pense le connoistre jusques dans l'ame ; si voudrois-je que nous eussions quelques memoires de sa vie ; et me suis jetté en ce discours à quartier [11] à propos du bon gré que je sens à Aul. Gellius de nous avoir laissé par escrit ce conte de ses meurs qui revient à mon subjet de la cholere. Un sien esclave mauvais homme et vicieux, mais qui avoit les oreilles aucunement abreuvées des leçons de philosophie, ayant esté pour quelque sienne faute dépouillé par le commandement de Plutarque, pendant qu'on le fouettoit, grondoit au commencement que c'estoit sans raison et qu'il n'avoit rien fait ; mais en fin, se mettant à crier et à injurier bien à bon escient son maistre, luy reprochoit qu'il n'estoit pas philosophe, comme il s'en vantoit ; qu'il luy avoit souvent ouy dire qu'il estoit laid de se courroucer, voire qu'il en avoit fait un livre ; et ce que lors, tout plongé en la colere, il le faisoit si

cruellement battre, démentoit entierement ses escris. A cela
Plutarque, tout froidement et tout rassis : « Comment,
dit-il, rustre, à quoy juges tu que je sois à cette heure courroucé ? Mon visage, ma voix, ma couleur, ma parole, te
donne elle quelque tesmoignage que je sois esmeu ? Je
ne pense avoir ny les yeux effarouchez, ny le visage troublé, ny un cry effroyable. Rougis-je ? escume-je ? m'eschappe-il de dire chose de quoy j'aye à me repentir ?
tressaux-je ? fremis-je de courroux ? car, pour te dire, ce
sont là les vrais signes de la colere. » Et puis, se destournant à celuy qui fouettoit. « Continuez, luy dit-il, tousjours
vostre besoigne, pendant que cettuy-cy et moy disputons. »
Voylà son conte.

Architas Tarentinus, revenant d'une guerre où il avoit
esté capitaine general, trouva tout plein de mauvais mesnage en sa maison, et ses terres en frische par le mauvais
gouvernement de son receveur; et, l'ayant fait appeler :
« Va, luy dict-il, que si je n'estois en cholere, je t'estrille-
rois bien! » Platon de mesme, s'estant eschauffé contre
l'un de ses esclaves, donna à Speusippus charge de le
chastier, s'excusant d'y mettre la main luy-mesme sur ce
qu'il estoit courroucé. Charillus, Lacedemonien, à un
Elote [12] qui se portoit trop insolemment et audacieusement
envers luy : « Par les Dieux! dit-il, si je n'estois courroucé,
je te ferois tout à cet heure mourir. »

C'est une passion qui se plaist en soy et qui se flatte.
Combien de fois, nous estans esbranlez soubs une fauce
cause, si on vient à nous presenter quelque bonne defence
ou excuse, nous despitons nous contre la verité mesme
et l'innocence ? J'ay retenu à ce propos un merveilleux
exemple de l'antiquité. Piso, personnage par tout ailleurs
de notable vertu, s'estant esmeu contre un sien soldat
dequoy, revenant seul du fourrage, il ne luy sçavoit rendre
compte où il avoit laissé un sien compaignon, tint pour
averé qu'il l'avoit tué, et le condamna soudain à la mort.
Ainsi qu'il estoit au gibet, voicy arriver ce compaignon
esgaré. Toute l'armée en fit grand feste, et après force
caresses et accolades des deux compaignons, le bourreau
meine l'un et l'autre en la presence de Piso, s'attendant
bien toute l'assistance que ce luy seroit à luy-mesmes un
grand plaisir. Mais ce fut au rebours : car, par honte et
despit, son ardeur qui estoit encore en son effort se redou-
bla; et, d'une subtilité que sa passion luy fournit soudain,
il en fit trois coulpables par ce qu'il en avoit trouvé un
innocent, et les fist depescher tous trois : le premier soldat,
par ce qu'il y avoit arrest contre luy; le second qui s'étoit

écarté, par ce qu'il estoit cause de la mort de son compaignon; et le bourreau, pour n'avoir obey au commandement
qu'on luy avoit fait.

// Ceux qui ont à negotier avec des femmes testues
peuvent avoir essaié à quelle rage on les jette, quand on
oppose à leur agitation le silence et la froideur, et qu'on
desdaigne de nourrir leur courroux. L'orateur Celius estoit
merveilleusement cholere de sa nature. A un qui souppoit en
sa compagnie, homme de molle et douce conversation, et
qui, pour ne l'esmouvoir, prenoit party d'approuver tout
ce qu'il disoit et d'y consentir, luy, ne pouvant souffrir son
chagrin se passer ainsi sans aliment : « Nie moy quelque
chose, de par les Dieux! fit-il, affin que nous soyons
deux. » Elles, de mesmes, ne se courroucent qu'affin
qu'on se contre-courrouce, à l'imitation des loix de l'amour.
Phocion, à un homme qui luy troubloit son propos en
l'injuriant asprement, n'y fit autre chose que se taire et
luy donner tout loisir d'espuiser sa cholere; cela faict,
sans aucune mention de ce trouble, il recommença son
propos en l'endroict où il l'avoit laissé. Il n'est replique
si piquante comme est un tel mespris.

Du plus cholere homme de France (et c'est tousjours
imperfection, mais plus excusable à un homme militaire :
car, en cet exercice, il y a certes des parties qui ne s'en
peuvent passer), je dy souvent que c'est le plus patient
homme que je cognoisse à brider sa cholere : elle l'agite
de telle violence et fureur,

> *magno veluti cum flamma sonore*
> *Virgea suggeritur costis undantis aheni,*
> *Exsultantque æstu latices; furit intus aquaï*
> *Fumidus atque alte spumis exuberat amnis;*
> *Nec jam se capit unda; volat vapor ater ad auras* [13],

qu'il faut qu'il se contraigne cruellement pour la moderer.
Et pour moy, je ne sçache passion pour laquelle couvrir
et soustenir je peusse faire un tel effort. Je ne voudrois
mettre la sagesse à si haut pris. Je ne regarde pas tant ce
qu'il faict que combien il luy couste à ne faire pis.

Un autre se vantoit à moy du reglement et douceur de
ses meurs, qui est, à la verité, singuliere. Je luy disois que
c'estoit bien quelque chose, notamment à ceux comme
luy d'éminente qualité sur lesquels chacun a les yeux, de
se presenter au monde tousjours bien temperez, mais que
le principal estoit de prouvoir au dedans et à soy-mesme,
et que ce n'estoit pas, à mon gré, bien mesnager ses affaires

que de se ronger interieurement : ce que je craignois qu'il fit pour maintenir ce masque et cette reglée apparence par le dehors.

On incorpore la cholere en la cachant, comme Diogenes dict à Demosthenes, lequel, de peur d'estre apperceu en une taverne, se reculoit au dedans : « Tant plus tu te recules arriere, tant plus tu y entres. » Je conseille qu'on donne plustost une buffe [14] à la joue de son valet un peu hors de saison, que de geiner [15] sa fantasie [16] pour representer cette sage contenance; et aymerois mieux produire mes passions que de les couver à mes despens; elles s'alanguissent et s'esvantant et en s'exprimant; il vaut mieux que leur poincte agisse au dehors que de la plier contre nous. /// « *Omnia vitia in aperto leviora sunt; et tunc perniciosissima, cum simulata sanitate subsidunt* [17]. »

// J'advertis ceux qui ont loy, de se pouvoir courroucer en ma famille : premierement, qu'ils mesnagent leur cholere et ne l'espandent pas à tout pris; car cela en empesche l'effect et le poix; la criaillerie temeraire et ordinaire passe en usage et faict que chacun la mesprise; celle que vous employez contre un serviteur pour son larcin, ne se sent point, d'autant que c'est celle mesme qu'il vous a veu employer cent fois contre luy, pour avoir mal rinsé un verre ou mal assis une escabelle; — secondement, qu'ils ne se courroussent point en l'air, et regardent que leur reprehension arrive à celuy de qui ils se plaignent : car ordinairement ils crient avant qu'il soit en leur presence, et durent à crier un siecle après qu'il est party,

et secum petulans amentia certat [18].

Ils s'en prennent à leur ombre et poussent cette tempeste en lieu où personne n'en est ny chastié ny interessé [19], que, du tintamarre de leur voix, tel qui n'en peut mais. J'accuse pareillement aux querelles ceux qui bravent et se mutinent sans partie; il faut garder ces Rodomontades où elles portent :

Mugitus veluti cum prima in prœlia taurus
Terrificos ciet atque irasci in cornua tentat,
Arboris obnixus trunco, ventosque lacessit
Ictibus, et sparsa ad pugnam proludit arena [20].

Quand je me courrouce, c'est le plus vifvement, mais aussi le plus briefvement et secretement que je puis; je me pers bien en vitesse et en violence, mais non pas en trouble, si que j'aille jettant à l'abandon et sans chois

toute sorte de parolles injurieuses, et que je ne regarde
d'asseoir pertinemment mes pointes où j'estime qu'elles
blessent le plus : car je n'y employe communément que
la langue. Mes valets en ont meilleur marché aux grandes
occasions qu'aux petites; les petites me surprennent; et
le mal'heur veut que, depuis que vous estes dans le precipice, il n'importe qui vous ayt donné le branle, vous allez
tousjours jusques au fons; la cheute se presse, s'esmeut
et se haste d'elle mesme. Aux grandes occasions, cela
me paye qu'elles sont si justes que chacun s'attend d'en
voir naistre une raisonnable cholere; je me glorifie à tromper leur attente; je me bande et prepare contre celles cy;
elles me mettent en cervelle et menassent de m'emporter
bien loing si je les suivoy. Aiséement je me garde d'y
entrer, et suis assez fort, si je l'atens, pour repousser
l'impulsion de cette passion, quelque violente cause qu'elle
aye; mais si elle me preoccupe et saisit une fois, elle m'emporte, quelque vaine cause qu'elle ayt. Je marchande ainsi
avec ceux qui peuvent contester avec moy : « Quand vous
me sentirez esmeu le premier, laissez moy aller à tort ou
à droict; j'en feray de mesme à mon tour. » La tempeste
ne s'engendre que de la concurrence des choleres qui se
produisent volontiers l'une de l'autre, et ne naissent en
un point. Donnons à chacune sa course, nous voylà tousjours en paix. Utile ordonnance, mais de difficile execution.
Par fois m'advient il aussi de representer le courroussé,
pour le reiglement de ma maison, sans aucune vraye
emotion. A mesure que l'aage me rend les humeurs plus
aigres, j'estudie à m'y opposer, et feray, si je puis, que
je seray dores en advant d'autant moins chagrin et difficile
que j'auray plus d'excuse et d'inclination à l'estre, quoy
que par cy devant je l'aye esté entre ceux qui le sont le
moins.

/ Encore un mot pour clorre ce pas [21]. Aristote dit que
la cholere sert par fois d'arme à la vertu et à la vaillance.
Cela est vray-semblable; toutes-fois ceux qui y contredisent
respondent plaisamment que c'est un'arme de nouvel
usage : car nous remuons les autres armes, cette cy nous
remue; nostre main ne la guide pas, c'est elle qui guide
nostre main; elle nous tient, nous ne la tenons pas.

CHAPITRE XXXII

DEFENCE DE SENEQUE ET DE PLUTARQUE

/ La familiarité que j'ay avec ces personnages icy, et l'assistance qu'ils font à ma vieillesse /// et à mon livre massonné purement de leurs despouilles, / m'oblige à espouser leur honneur.

Quant à Seneque, par-my une miliasse de petits livrets que ceux de la Religion pretendue reformée font courir pour la deffence de leur cause, qui partent par fois de bonne main et qu'il est grand dommage n'estre embesoignée à meilleur subject, j'en ay veu autres-fois un qui, pour alonger et remplir la similitude qu'il veut trouver du gouvernement de nostre pauvre feu Roy Charles neufiesme avec celuy de Neron, apparie feu Monsieur le Cardinal de Lorraine avec Seneque : leurs fortunes, d'avoir esté tous deux les premiers au gouvernement de leurs princes, et quant et quant leurs meurs, leurs conditions et leurs deportemens. Enquoy, à mon opinion, il faict bien de l'honneur audict Seigneur Cardinal : car, encore que je soys de ceux qui estiment autant son esprit, son eloquence, son zele envers sa religion et service de son Roy, et sa bonne fortune d'estre nay en un siecle où il fut si nouveau et si rare, et quant et quant, si necessaire pour le bien public, d'avoir un personnage Ecclesiastique de telle noblesse et dignité, suffisant et capable de sa charge : si est-ce qu'à confesser la verité, je n'estime sa capacité de beaucoup près telle, ny sa vertu si nette et entiere, ny si ferme, que celle de Seneque.

Or ce livre de quoy je parle, pour venir à son but, faict une description de Seneque très-injurieuse, ayant emprunté ces reproches de Dion l'historien, duquel je ne crois aucunement le tesmoignage ; car, outre ce qu'il est inconstant, qui, après avoir appelé Seneque très-sage tantost, et tanstost ennemy mortel des vices de Neron, le fait ailleurs avaritieux, usurier, ambitieux, lache, voluptueux et contrefaisant le philosophe à fauces enseignes, sa vertu paroist si vive et vigoureuse en ses escrits, et la defence y est si claire à aucunes de ces imputations, comme de sa richesse et despence excessive, que je n'en croiroy aucun tesmoignage au contraire. Et davantage, il est bien plus raisonnable de croire en telles choses les historiens Romains que les Grecs et estrangers. Or Tacitus et les autres parlent très-honorablement et de sa vie et de sa mort, et nous le peignent en toutes choses personnage très-excellent et très-vertueux. Et je ne veux alleguer autre reproche contre le jugement de Dion que cetuy-cy, qui est inevitable : c'est qu'il a le sentiment si malade aux affaires Romaines qu'il ose soustenir la cause de Julius Cæsar contre Pompeius, et d'Antonius contre Cicero.

Venons à Plutarque.

Jean Bodin est un bon autheur de nostre temps, et accompagné de beaucoup plus de jugement que la tourbe des escrivailleurs de son siecle, et merite qu'on le juge et considere. Je le trouve un peu hardy en ce passage de sa *Methode de l'histoire*, où il accuse Plutarque non seulement d'ignorance (surquoy je l'eusse laissé dire, car cela n'est pas de mon gibier), mais aussi en ce que cet autheur escrit souvent des choses incroyables et entierement fabuleuses (ce sont ses mots). S'il eust dit simplement les choses autrement qu'elles ne sont, ce n'estoit pas grande reprehension; car ce que nous n'avons pas veu, nous le prenons des mains d'autruy et à credit [1], et je voy que à escient il recite par fois diversement mesme histoire : comme le jugement des trois meilleurs capitaines qui eussent onques esté, faict par Hannibal, il est autrement en la vie de Flaminius, autrement en celle de Pyrrhus. Mais de le charger d'avoir pris pour argent content des choses incroyables et impossibles, c'est accuser de faute de jugement le plus judicieux autheur du monde.

Et voicy son exemple : « Comme, ce dit-il, quand il recite qu'un enfant de Lacedemone se laissa deschirer tout le ventre à un renardeau qu'il avoit desrobé, et le tenoit caché soubs sa robe, jusques à mourir plustost que de descouvrir son larecin. » Je trouve en premier lieu cet exemple mal choisi, d'autant qu'il est bien malaisé de borner les efforts des facultez de l'ame, là où des forces corporelles nous avons plus de loy de les limiter et cognoistre; et à cette cause, si c'eust été à moy à faire, j'eusse plustost choisi un exemple de cette seconde sorte; et il y en a de moins croyables, comme, entre autres, ce qu'il recite de Pyrrhus, que, tout blessé qu'il estoit,

il donna si grand coup d'espée à un sien ennemy armé de
toutes pieces, qu'il le fendit du haut de la teste jusques
en bas, si que le corps se partit en deux parts. En son
exemple, je n'y trouve pas grand miracle, ny ne reçois
l'excuse de quoy il couvre Plutarque d'avoir adjousté ce
mot : *Comme on dit*, pour nous advertir et tenir en bride
nostre creance. Car, si ce n'est aux choses receuës par
authorité et reverence d'ancienneté ou de religion, il n'eust
voulu ny recevoir luy mesme, ny nous proposer à croire
choses de soy incroyables; et que ce mot : *Comme on dit*,
il ne l'employe pas en ce lieu pour cet effect, il est aysé à
voir par ce que luy mesme nous raconte ailleurs sur ce
subject de la patience des enfans Lacedemoniens, des
exemples advenuz de son temps plus mal-aisez à persuader :
comme celuy que Cicero a tesmoigné aussi avant luy,
pour avoir, à ce qu'il dict, esté sur les lieux : que jusques à
leur temps² il se trouvoit des enfans, en cette preuve de
patience à quoy on les essayoit devant l'autel de Diane,
qui soufroyent d'y estre foytez jusques à ce que le sang
leur couloit par tout, non seulement sans s'escrier, mais
encore sans gemir, et aucune jusques à y laisser volontairement la vie. Et ce que Plutarque aussi recite, avec
cent autres tesmoins, que, au sacrifice, un charbon ardant
s'estant coulé dans la manche d'un enfant Lacedemonien,
ainsi qu'il encensoit, il se laissa brusler tout le bras jusques
à ce que la senteur de la chair cuyte en vint aux assistans.
Il n'estoit rien, selon leur coustume, où il leur alast plus
de la reputation, ny dequoy ils eussent à souffrir plus de
blasme et de honte, que d'estre surpris en larecin. Je suis
si imbu de la grandeur de ces hommes là, que non seulement il ne me semble, comme à Bodin, que son conte
soit incroyable, que je ne le trouve pas seulement rare
et estrange.

/// L'histoire Spartaine est pleine de mille plus aspres
exemples et plus rares : elle est, à ce pris, toute miracle.
/ Marcellinus recite, sur ce propos du larecin, que de son
temps il ne s'estoit encores peu trouver aucune sorte de
tourment qui peut forcer les Egyptiens surpris en ce
mesfaict, qui estoit fort en usage entre eux, de dire seulement leur nom.

// Un paisan Espagnol, estant mis à la geine sur les
complices de l'homicide du præteur Lutius Piso, crioit,
au milieu des tormens, que ses amys ne bougeassent et
l'assistassent en toute seureté, et qu'il n'estoit pas en la
douleur de luy arracher un mot de confession; et n'en
eust on autre chose pour le premier jour. Le lendemain,

ainsi qu'on le ramenoit pour recommencer son tourment, s'esbranlant vigoureusement entre les mains de ses gardes il alla froisser sa teste contre un paroy et s'y tua.

/// Epicharis, ayant saoulé et lassé la cruauté des satellites de Neron et soustenu leur feu, leurs bastures [3], leurs engins, sans aucune voix de revelation de sa conjuration, tout un jour; rapportée à la geine l'endemain, les membres tous brisez, passa un lasset de sa robe dans l'un bras de sa chaize à tout un nœud courant et, y fourrant sa teste, s'estrangla du pois de son cors. Ayant le courage d'ainsi mourir et se desrober aux premiers tourmens, semble elle pas à escient avoir presté sa vie à cette espreuve de sa patience pour se moquer de ce tyran et encourager d'autres à semblable entreprinse contre luy ?

/ Et qui s'enquerra à nos argolets des experiences qu'ils ont euës en ces guerres civiles, il se trouvera des effets de patience, d'obstination et d'opiniatreté, par-my nos miserables siecles et en cette tourbe molle et effeminée encore plus que l'Egyptienne, dignes d'estre comparez à ceux que nous venons de reciter de la vertu Spartaine. Je sçay qu'il s'est trouvé des simples paysans s'estre laissez griller la plante des pieds, ecrasez le bout des doits à tout le chien d'une pistole [4], pousser les yeux sanglants hors de la teste à force d'avoir le front serré d'une grosse corde, avant que de s'estre seulement voulu mettre à rançon. J'en ay veu un, laissez pour mort tout nud dans un fossé, ayant le col tout meurtry et enflé d'un licol qui y pendoit encore, avec lequel on l'avoit tirassé toute la nuict à la queuë d'un cheval, le cors percé en cent lieux à coups de dague, qu'on luy avoit donné non pas pour le tuer mais pour luy faire de la douleur et de la crainte; qui avoit souffert tout cela, et jusques à y avoir perdu parolle et sentiment, resolu, à ce qu'il me dict, de mourir plustost de mille morts (comme de vray, quand à sa souffrance, il en avoit passé une toute entiere) avant que rien promettre; et si, estoit un des plus riches laboureurs de toute la contrée. Combien en a l'on veu se laisser patiemment brusler et rotir pour des opinions empruntées d'autruy, ignorées et inconnues !

// J'ay cogneu cent et cent femmes, car ils disent que les testes de Gascongne ont quelque prerogative en cela, que vous eussiez plustost faict mordre dans le fer chaut que de leur faire desmordre une opinion qu'elles eussent conçeue en cholere. Elles s'exasperent à l'encontre des coups et de la contrainte. Et celui qui forgea le conte de la femme qui, pour aucune correction de menaces et bastonades, ne

cessoit d'appeler son mary pouilleux, et qui, precipitée
dans l'eau, haussoit encores en s'estouffant les mains, et
faisoit au dessus de sa teste signe de tuer des poux, forgea
un conte duquel, en verité, tous les jours on voit l'image
expresse en l'opiniastreté des femmes. Et est l'opiniastreté
sœur de la constance au moins en vigueur et fermeté.

/ Il ne faut pas juger ce qui est possible et ce qui ne l'est
pas, selon ce qui est croyable et incroyable à nostre sens,
comme j'ay dit ailleurs [5]; et est une grande faute, et en
laquelle toute-fois la plus part des hommes tombent (ce
que je ne dis pas pour Bodin), /// de faire difficulté de croire
d'autruy ce qu'eux ne sçauroient faire, ou ne voudroient.
Il semble à chascun que la maistresse forme de nature est
en luy; touche [6] et rapporte à celle là toutes les autres
formes. Les allures qui ne se reglent aux siennes, sont
faintes et artificielles. Quelle bestiale stupidité! / Moy, je
considere aucuns hommes fort loing au-dessus de moy,
noméement entre les anciens; et encores que je reconnoisse
clairement mon impuissance à les suyvre de mes pas, je
ne laisse pas de les suyvre à veue et juger les ressorts qui
les haussent ainsin, /// desquels je apperçoy aucunement en
moy les semences : comme je fay aussi de l'extreme
bassesse des esprits, qui ne m'estonne et que je ne mes-
croy [7] non plus. Je vois bien le tour que celles-là se donnent
pour se monter; / et admire leur grandeur, et ces eslance-
mens que je trouve très-beaux, je les embrasse; et si mes
forces m'y vont, au moins mon jugement s'y applique très-
volontiers.

L'autre exemple qu'il allegue des choses incroyables et
entierement fabuleuses dites par Plutarque, c'est qu'Agesilaus fut mulcté [8] par les Ephores pour avoir attiré à
soy seul le cœur et volonté de ses citoyens. Je ne sçay
quelle marque de faulceté il y treuve; mais tant y a que
Plutarque parle là de choses qui luy devoyent estre beaucoup mieux connues qu'à nous; et n'estoit pas nouveau
en Grece de voir les hommes punis et exilez pour cela seul
d'agréer trop à leurs citoyens, tesmoin l'Ostracisme et le
Petalisme [9].

Il y a encore en ce mesme lieu un'autre accusation qui
me pique pour Plutarque, où il dict qu'il a bien assorty
de bonne foy les Romains aux Romains et les Grecs entre
eux, mais non les Romains aux Grecs, tesmoin, dit-il,
Demostenes et Cicero, Caton et Aristides, Sylla et Lisander, Marcellus et Pelopidas, Pompeius et Agesilaus; estimant qu'il a favorisé les Grecs de leur avoir donné des
compaignons si dispareils [10]. C'est justement attaquer ce

que Plutarque a de plus excellent et louable : car, en ses comparaisons (qui est la piece plus admirable de ses œuvres et en laquelle, à mon advis, il s'est autant pleu), la fidelité et syncerité de ses jugemens égale leur profondeur et leur pois. C'est un philosophe qui nous apprend la vertu. Voyons si nous le pourrons garentir de ce reproche de prevarication et fauceté.

Ce que je puis panser avoir donné occasion à ce jugement, c'est ce grand et esclatant lustre des noms Romains que nous avons en la teste. Il ne nous semble point que Demosthenes puisse égaler la gloire d'un consul, proconsul et questeur de cette grande republique. Mais qui considerera la verité de la chose et les hommes en eux mesmes, à quoy Plutarque a plus visé, et à balancer [11] leurs meurs, leurs naturels, leur suffisance que leur fortune, je pense, au rebours de Bodin, que Ciceron et le vieux Caton en doivent de reste à leurs compaignons. Pour son dessein j'eusse plustost choisi l'exemple du jeune Caton comparé à Phocion; car, en ce païr, il se trouveroit une plus vray-semblable disparité à l'advantage du Romain. Quant à Marcellus, Sylla et Pompeius, je voy bien que leurs exploits de guerre sont plus enflez, glorieux et pompeus que ceux des Grecs que Plutarque leur apparie; mais les actions les plus belles et vertueuses, non plus en la guerre qu'ailleurs, ne sont pas tousjours les plus fameuses. Je voy souvent des noms de capitaines estouffez sous la splendeur d'autres noms de moins de merite : tesmoin Labienus, Ventidius, Telesinus et plusieurs autres. Et, à le prendre par là, si j'avois à me plaindre pour les Grecs, pourrois-je pas dire que beaucoup moins est Camillus comparable à The-mistocles, les Gracches à Agis et Cleomenes, Numa à Licurgus ? Mais c'est folie de vouloir juger d'un traict les choses à tant de visages.

Quand Plutarque les compare, il ne les égale pas pourtant. Qui plus disertement et conscientieusement pourroit remarquer leurs differences ? Vient-il à parangonner [12] les victoires, les exploits d'armes, la puissance des armées conduites par Pompeius, et ses triumphes, avec ceux d'Agesilaus : « Je ne croy pas, dit-il, que Xenophon mesme, s'il estoit vivant, encore qu'on luy ait concedé d'écrire tout ce qu'il a voulu à l'advantage d'Agesilaus, osast le mettre en comparaison. » Parle-il de conferer Lisander à Sylla : « Il n'y a, dit-il, point de comparaison, ny en nombre de victoires, ny en hazard de batailles; car Lisander ne gaigna seulement que deux batailles navales, etc. »

Cela, ce n'est rien desrober aux Romains; pour les
avoir simplement presentez aux Grecs, il ne leur peut
avoir fait injure, quelque disparité qui y puisse estre.
Et Plutarque ne les contrepoise [13] pas entiers; il n'y a
en gros aucune preference [14] : il apparie les pieces et les
circonstances, l'une après l'autre, et les juge separément.
Parquoy, si on le vouloit convaincre de faveur, il falloit
en esplucher quelque jugement particulier, ou dire en
general qu'il auroit failly d'assortir tel Grec à tel Romain,
d'autant qu'il y en auroit d'autres plus correspondans pour
les apparier, et se rapportans mieux.

CHAPITRE XXXIII

L'HISTOIRE DE SPURINA

/ La philosophie ne pense pas avoir mal employé ses moyens quand elle a rendu à la maison la souveraine maistrise de nostre ame et l'authorité de tenir en bride nos appetits. Entre lesquels ceux qui jugent qu'il n'en y a point de plus violens que ceux que l'amour engendre, ont cela pour leur opinion qu'ils tiennent au corps et à l'ame, et que tout l'homme en est possedé : en maniere que la santé mesme en despend, et est la medecine par fois contrainte de leur servir de maquerellage.

Mais, au contraire, on pourroit aussi dire que le meslange du corps y apporte du rabais et de l'affoiblissement : car tels desirs sont subjects à satieté et capables de remedes materiels. Plusieurs, ayant voulu delivrer leurs ames des alarmes continuelles que leur donnoit cet appetit, se sont servis d'incision et destranchement des parties esmeuës [1] et alterées. D'autres en ont du tout abatu la force et l'ardeur par frequente application de choses froides, comme de neige et de vinaigre. Les haires de nos aieuls estoient de cet usage ; c'est une matiere tissue de poil de cheval, dequoy les uns d'entr'eux faisoient des chemises, et d'autres des ceintures à geéner leurs reins. Un prince me disoit, il n'y a pas longtemps que, pendant sa jeunesse, un jour de feste solemne, en la court du Roy François premier, où tout le monde estoit paré, il luy print envie de se vestir de la haire, qui est encore chez luy, de monsieur son pere ; mais, quelque devotion qu'il eust, qu'il ne sceut avoir la patience d'attendre la nuict pour se despouiller, et en fut longtemps malade, adjoustant qu'il ne pensoit pas qu'il y eust chaleur de jeunesse si aspre que l'usage de cette recepte ne peut amortir.

Toutesfois à l'advanture ne les a-il pas essayées les plus cuisantes ; car l'experience nous faict voir qu'une telle esmotion se maintient bien souvent soubs des habits

rudes et marmiteux [2], et que les haires ne rendent pas
tousjours heres ceux qui les portent. Xenocrates y proceda
plus rigoureusement : car ses disciples, pour essayer sa
continence, luy ayant fourré dans son lict Laïs, cette belle
et fameuse courtisane, toute nuë, sauf les armes de sa
beauté et folastres apasts, ses philtres, sentant qu'en despit
de ses discours et de ses regles, le corps, revesche, commençoit à se mutiner, il se fit brusler les membres qui avoient
presté l'oreille à cette rebellion. Là où les passions qui
sont toutes en l'ame, comme l'ambition, l'avarice et autres,
donnent bien plus à faire à la raison; car elle n'y peut
estre secourue que de ses propres moyens, ny ne sont
ces appetits-là capables de satieté, voire ils s'esguisent et
augmentent par la jouyssance.

Le seul exemple de Julius Cæsar peut suffire à nous
montrer la disparité de ces appetits, car jamais homme ne
fut plus adonné aux plaisirs amoureux. Le soin curieux
qu'il avoit de sa personne, en est un tesmoignage, jusques
à se servir à cela des moyens les plus lascifs qui fussent
lors en usage : comme de se faire pinceter [3] tout le corps
et farder de parfums d'une extreme curiosité. Et de soy
il estoit beau personnage, blanc, de belle et allegre taille,
le visage plein, les yeux bruns et vifs, s'il en faut croire
Suetone, car les statues qui se voyent de luy à Rome
ne raportent pas bien par tout à cette peinture. Outre ses
femmes, qu'il changea à quatre fois, sans conter les amours
de son enfance avec le Roy de Bithynie Nicomedes, il
eust le pucelage de cette tant renommée Royne d'Ægipte,
Cleopatra, tesmoin le petit Cæsarion qui en nasquit.
Il fit aussi l'amour à Eunoé, Royne de Mauritanie, et,
à Romme, à Posthumia, femme de Servius Sulpitius; à
Lollia, de Gabinius; à Tertulla, de Crassus; et à Mutia
mesme, femme du grand Pompeius, qui fut la cause, disent
les historiens Romains, pourquoy son mary la repudia,
ce que Plutarque confesse avoir ignoré; et les Curions
pere et fils reprocherent depuis à Pompeius, quand il
espousa la fille de Cæsar, qu'il se faisoit gendre d'un homme
qui l'avoit fait coqu, et que luy-mesme avoit accoustumé
appeller Ægisthus. Il entretint, outre tout ce nombre,
Servilia, sœur de Caton et mere de Marcus Brutus, dont
chacun tient que proceda cette grande affection qu'il portoit à Brutus, par ce qu'il estoit nay en temps auquel il y
avoit apparence qu'il fust nay de luy. Ainsi j'ay raison,
ce me semble, de le prendre pour homme extremement
adonné à cette desbauche et de complexion très-amou-
reuse. Mais l'autre passion de l'ambition, dequoy il

estoit aussi infiniment blessé, venant à combattre celle là, elle luy fit incontinent perdre place.

/// Me ressouvenant sur ce propos de Mechmet [4], celuy qui subjugua Constantinople et apporta la finale extermination du nom Grec, je ne sçaché point où ces deux passions se trouvent plus egalement balancées : pareillement indefatigable ruffien et soldat. Mais quand en sa vie elles se presentent en concurrance l'une de l'autre, l'ardeur querelleuse gourmande tous-jours l'amoureuse ardeur. Et ceste-cy, encore que ce fust hors sa naturelle saison, ne regaigna pleinement l'authorité souveraine que quand il se trouva en grande vieillesse, incapable de plus soustenir le faix des guerres.

Ce qu'on recite, pour un exemple contraire, de Ladislaus, Roy de Naples, est remarquable : que, bon capitaine, courageux et ambitieux, il se proposoit pour fin principale de son ambition l'execution de sa volupté et jouissance de quelque rare beauté. Sa mort fut de mesme. Ayant rangé [5] par un siege bien poursuivy la ville de Florence si à destroit [6] que les habitans estoient après à [7] composer [8] de sa victoire, il la leur quitta pour veu qu'ils luy livrassent une fille de leur ville, dequoy il avoit ouy parler, de beauté excellente. Force fut de la luy accorder et garantir la publique ruine par une injure privée. Elle estoit fille d'un medecin fameux de son temps, lequel, se trouvant engagé, en si villaine necessité, se resolut à une haute entreprinse. Comme chacun paroit sa fille et l'attournoit d'ornements et joyaux qui la peussent rendre aggreable à ce nouvel amant, luy aussi luy donna un mouchoir exquis en senteur et en ouvrage, duquel elle eust à se servir en leurs premieres approches, meuble qu'elles n'y oublient guere en ces quartiers [9] là. Ce mouchoir, empoisonné selon la capacité de son art, venant à se frotter à ces chairs esmeues et pores ouverts, inspira son venin si promptement, qu'ayant soudain changé leur sueur chaude en froide, ils expirerent entre les bras l'un de l'autre. Je m'en revois [10] à Cæsar.

/ Ses plaisirs ne luy firent jamais desrober une seule minute d'heure, ny destourner un pas des occasions qui se presentoient pour son agrandissement. Cette passion regenta en luy si souverainement toutes les autres, et posseda son ame d'une authorité si pleine, qu'elle l'emporta où il voulut. Certes j'en suis despit, quand je considere au demeurant la grandeur de ce personnage et les merveilleuses parties qui estoient en luy, tant de suffisance en toute sorte de sçavoir qu'il n'y a quasi science en quoy il n'ait escrit. Il estoit tel orateur que plusieurs ont preferé son eloquence à celle de Cicero; et luy-mesmes, à mon advis, n'estimoit luy devoir guere en cette partie; et ses deux *Anticatons* furent principalement escrits pour contrebalancer le bien dire que Cicero avoit employé en son *Caton.*

Au demeurant, fut-il jamais ame si vigilante, si active et si patiente de labeur que la sienne ? et sans doubte encore estoit elle embellie de plusieurs rares semences de vertu, je dy vives, naturelles et non contrefaictes. Il estoit singulierement sobre et si peu délicat en son manger qu'Oppius recite qu'un jour, luy ayant esté presenté à table, en quelque sauce, de l'huyle mediciné [11] au lieu d'huile simple, il en mangea largement pour ne faire honte à son hoste. Une autrefois, il fit fouetter son bolenger pour luy avoir servy d'autre pain que celuy du commun. Caton mesme avoit accoustumé de dire de luy que c'estoit le premier homme sobre qui se fut acheminé à la ruyne de son pays. Et quant à ce que ce mesme Caton l'appella un jour yvrongne (cela advint en cette façon : estans tous deux au Senat, où il se parloit du fait de la conjuration de Catilina, de laquelle Cæsar estoit soupçonné on luy apporta de dehors un brevet [12] à cachetes [13]. Caton, estimant que ce fut quelque chose dequoy les conjurez l'advertissent, le somma de le luy donner; ce que Cæsar fut contraint de faire pour eviter un plus grand soupçon. C'estoit de fortune une lettre amoureuse que Servilia, sœur de Caton, luy escrivoit. Caton, l'ayant leuë, la luy rejetta en luy disant : « Tien, ivrongne! ») cela, dis-je, fut plustost un mot de desdain et de colere qu'un expres reproche de ce vice, comme souvent nous injurions ceux qui nous faschent des premieres injures qui nous viennent à la bouche, quoy qu'elles ne soient nullement deues à ceux à qui nous les attachons. Joinct que ce vice que Caton luy reproche est merveilleusement voisin de celuy auquel il avoit surpris Cæsar; car Venus et Bacchus se conviennent volontiers, à ce que dict le proverbe.

// Mais, chez moy, Venus est bien plus allegre, accompaignée de la sobriété.

/ Les exemples de sa douceur et de sa clemence envers ceux qui l'avoient offencé, sont infinis; je dis outre ceux qu'il donna pendant le temps que la guerre civile estoit encore en son progrés, desquels il fait luy-mesmes assez sentir par ses escris qu'il se servoit pour amadouer ses ennemis et leur faire moins craindre sa future domination et sa victoire. Mais si faut il dire que ces exemples là, s'ils ne sont suffisans à nous tesmoigner sa naïve douceur, ils nous montrent au moins une merveilleuse confiance et grandeur de courage en ce personnage. Il luy est advenu souvent de renvoyer des armées toutes entieres à son ennemy après les avoir vaincues, sans daigner seulement les obliger par serment, sinon de le favoriser, au moins de se contenir sans luy faire guerre. Il a prins à trois et à quatre fois tels capitaines de Pompeius, et autant de fois remis en liberté. Pompeius declaroit ses ennemis tous ceux qui ne l'accompaignoient à la guerre; et luy, fit proclamer qu'il tenoit pour amis tous ceux qui ne bougeoient et qui ne s'armoyent effectuellement contre luy. A ceux de ses capitaines qui se desroboient de luy pour aller prendre autre condition, il r'envoioit encore les armes, chevaux et equipage. Les villes qu'il avoit prinses par force, il les laissoit en liberté de suyvre tel party qu'il leur plairoit, ne leur donnant autre garnison que la memoire de sa douceur et clemence. Il deffendit, le jour de sa grande bataille de Pharsale, qu'on ne mit qu'à toute extremité la main sur les citoyens Romains.

Voylà des traits bien hazardeux, selon mon jugement; et n'est pas merveilles si, aux guerres civiles que nous sentons, ceux qui combattent comme luy l'estat ancien de leur pays n'en imitent l'exemple; ce sont moyens extraordinaires, et qu'il n'appartient qu'à la fortune de Cæsar et à son admirable pourvoyance de heureusement conduire. Quand je considere la grandeur incomparable de cette ame, j'excuse la victoire de ne s'estre peu depestrer de luy, voire en cette très-injuste et très-inique cause.

Pour revenir à sa clemence, nous en avons plusieurs naifs exemples au temps de sa domination, lors que, toutes choses estant reduites en sa main, il n'avoit plus à se feindre. Caius Memmius avoit escrit contre luy des oraisons très-poignantes [14], ausquelles il avoit bien aigrement respondu; si ne laissa-il, bien tost après, de aider à le faire consul. Caius Calvus, qui avoit faict plusieurs epigrammes injurieux contre luy, ayant employé de ses amis pour le reconcilier, Cæsar se convia luy mesme à luy escrire le premier. Et nostre bon Catulle, qui l'avoit testonné [15] si rudement sous le nom de Mamurra, s'en estant venu excuser à luy, il le fit ce jour mesme soupper à sa table. Ayant esté adverty d'aucuns qui parloient mal de luy, il n'en fit autre chose que declarer, en une sienne harangue publique, qu'il en estoit adverty. Il craignoit encore moins ses ennemis qu'il ne les haissoit. Aucunes conjurations et assemblées qu'on faisoit contre sa vie luy ayant esté descouvertes, il se contenta de publier par

edit qu'elles luy estoient connues, sans autrement en
poursuyvre les autheurs. Quant au respect qu'il avoit
à ses amis, Caius Oppius voyageant avec luy et se trouvant
mal, il luy quitta un seul logis qu'il y avoit, et coucha
toute la nuict sur la dure et au descouvert. Quant à
sa justice, il fit mourir un sien serviteur qu'il aimoit singulierement, pour avoir couché avecques la femme d'un
chevalier Romain, quoy que personne ne s'en plaignit.
Jamais homme n'apporta ny plus de moderation en sa
victoire, ny plus de resolution en la fortune contraire.

Mais toutes ces belles inclinations furent alterées et
estouffées par cette furieuse passion ambitieuse, à laquelle
il se laissa si fort emporter qu'on peut aisément maintenir
qu'elle tenoit le timon et le gouvernail de toutes ses actions.
D'un homme liberal elle en rendit un voleur publique
pour fournir à cette profusion et largesse, et luy fit dire
ce vilain et très-injuste mot, que si les plus meschans
et perdus hommes du monde luy avoient esté fidelles au
service de son agrandissement, il les cheriroit et avance-
roit de son pouvoir aussi bien que les plus gens de bien;
l'enyvra d'une vanité si extreme qu'il osoit se vanter en
presence de ses concitoyens d'avoir rendu cette grande
Republique Romaine un nom sans forme et sans corps;
et dire que ses responces devoient meshuy servir de loix;
et recevoir assis le corps du Senat venant vers luy; et
souffrir qu'on l'adorat et qu'on luy fit en sa presence
des honneurs divins. Somme [16], ce seul vice, à mon advis,
perdit en luy le plus beau et le plus riche naturel qui fut
onques, et a rendu sa memoire abominable à tous les gens
de bien, pour avoir voulu chercher sa gloire de la ruyne
de son pays et subversion de la plus puissante et fleurissante
chose publique que le monde verra jamais.

Il se pourroit bien, au contraire, trouver plusieurs
exemples de grands personnages ausquels la volupté a
faict oublier la conduicte de leurs affaires, comme Marcus
Antonius et autres; mais où l'amour et l'ambition seroient
en égale balance et viendroient à se chocquer de forces
pareilles, je ne fay aucun doubte que cette-cy ne gaignast
le pris de la maistrise [17].

Or, pour me remettre sur mes brisées, c'est beaucoup
de pouvoir brider nos appetits par le discours de la raison,
ou de forcer nos membres par violence à se tenir en leur
devoir; mais de nous foitter pour l'interest de nos voisins,
de non seulement nous deffaire de cette douce passion
qui nous chatouille, du plaisir que nous sentons de nous
voir aggreables à autruy et aymez et recherchez d'un

chascun, mais encore de prendre en haine et à contre-cœur nos graces qui en sont cause, et de condamner nostre beauté par ce que quelqu'autre s'en eschauffe, je n'en ay veu guere d'exemples. Cettuy-cy en est : Spurina, jeune homme de la Toscane,

> // *Qualis gemma micat, fulvum quæ dividit aurum,*
> *Aut collo decus aut capiti, vel quale, per artem*
> *Inclusum buxo aut Oricia terebintho,*
> *Lucet ebur* [18],

/ estant doué d'une singuliere beauté, et si excessive que les yeux plus continents ne pouvoient en souffrir l'esclat continemment, ne se contentant point de laisser sans secours tant de fiévre et de feu qu'il alloit attisant par tout, entra en furieux despit contre soy-mesme et contre ces riches presens que nature luy avoit faits, comme si on se devoit prendre à eux de la faute d'autruy, et détailla et troubla, à force de playes qu'il se fit à escient et de cicatrices, la parfaicte proportion et ordonnance que nature avoit si curieusement observée en son visage.

/// Pour en dire mon advis, j'admire telles actions plus que je ne les honnore : ces excez sont ennemis de mes regles. Le dessein en fut beau et consciencieux, mais, à mon advis, un peu manque de prudence. Quoy ? si sa laideur servit depuis à en jetter d'autres au peché de mespris et de haine ou d'envie pour la gloire d'une si rare recommandation, ou de calomnie, interpretant cette humeur à une forcenée ambition. Y a il quelque forme de laquelle le vice ne tire, s'il veut, occasion à s'exercer en quelque maniere ? Il estoit plus juste et aussi plus glorieux qu'il fist de ces dons de Dieu un subjet de vertu examplaire et de reglement.

Ceux qui se desrobent aux offices communs et à ce nombre infiny de regles espineuses à tant de visages qui lient un homme d'exacte preud'hommie en la vie civile, font, à mon gré, une belle espargne, quelque pointe d'as-preté peculiere qu'ils s'enjoignent [19]. C'est aucunement mourir pour fuir la peine de bien vivre. Ils peuvent avoir autre pris; mais le pris de la difficulté, il ne m'a jamais semblé qu'ils l'eussent, ni qu'en malaisance il y ait rien au delà de se tenir droit emmy les flots de la presse du monde, respondant et satisfaisant loyalement à tous les membres de sa charge. Il est à l'adventure plus facile de se passer nettement de tout le sexe, que de se maintenir deuement de tout point en la compaignie de sa femme;

et a l'on de quoy couler plus incurieusement en la pauvreté qu'en l'abondance justement dispensée : l'usage
conduict selon raison a plus d'aspreté que n'a l'abstinence.
La moderation est vertu bien plus affaireuse que n'est la
souffrance. Le bien vivre du jeune Scipion a mille façons :
le bien vivre de Diogenes n'en a qu'une. Cette-cy surpasse
d'autant en innocence les vies ordinaires, comme les
exquises et accomplies la surpassent en utilité et en force.

CHAPITRE XXXIV

OBSERVATIONS SUR LES MOYENS
DE FAIRE LA GUERRE DE JULIUS CÆSAR

/ On recite de plusieurs chefs de guerre, qu'ils ont eu
certains livres en particuliere recommandation : comme
le grand Alexandre, Homere; /// Scipion l'Aphricain,
Xenophon, / Marcus Brutus, Polybius; Charles cinquiesme, Philippe de Comines, et dit-on de ce temps, que
Machiavel est encores ailleurs en credit; mais le feu Mareschal Strossy, qui avoit pris Cæsar pour sa part, avoit sans
doubte bien mieux choisi : car à la verité, ce devroit estre
le breviaire de tout homme de guerre, comme estant le
vray et souverain patron de l'art militaire. Et Dieu sçait
encore de quelle grace et de quelle beauté il a fardé cette
riche matiere : d'une façon de dire si pure, si delicate et si
parfaicte, que, à mon goust, il n'y a aucuns escrits au monde
qui puissent estre comparables aux siens en cette partie.

Je veux icy enregistrer certains traicts particuliers et
rares, sur le faict de ses guerres, qui me sont demeurez
en memoire.

Son armée estant en quelque effroy pour le bruit qui
couroit des grandes forces que menoit contre lui le Roy
Juba, au lieu de rabattre l'opinion que ses soldats en
avoyent prise et appetisser les moyens de son ennemy, les
ayant faict assembler pour les r'asseurer et leur donner
courage, il print une voye toute contraire à celle que nous
avons accoustumé : car il leur dit qu'ils ne se missent plus
en peine de s'enquerir des forces que menoit l'ennemy, et
qu'il en avoit eu bien certain advertissement; et lors il
leur en fit le nombre surpassant de beaucoup et la verité
et la renommée qui en couroit en son armée, suyvant
ce que conseille Cyrus en Xenophon, d'autant que la
tromperie n'est pas si grande de trouver les ennemis par
effect plus foybles qu'on n'avoit esperé, que, les ayant
jugez foibles par reputation, les trouver après à la verité
bien forts.

Il accoustumoit sur tout ses soldats à obeyr simplement, sans se mesler de contreroller ou parler des desseins de leur capitaine, lesquels il ne leur communiquoit
que sur le point de l'execution; et prenoit plaisir, s'ils
en avoyent descouvert quelque chose, de changer sur le
champ d'advis pour les tromper; et souvent, pour cet
effect, ayant assigné un logis [1] en quelque lieu, il passoit
outre et alongeoit la journée, notamment s'il faisoit mauvais temps et pluvieux.

Les Souisses, au commencement de ses guerres de Gaule,
ayans onvoyé vers luy pour leur donner passage au travers
des terres des Romains, estant deliberé de les empescher
par force, il leur contrefit toûtes-fois un bon visage, et
print quelques jours de delay à leur faire responce, pour
se servir de ce loisir à assembler son armée. Ces pauvres
gens ne sçavoyent pas combien il estoit excellent mesnager
du temps; car il redit maintes fois que c'est la plus souveraine partie d'un capitaine que la science de prendre au
point les occasions, et la diligence, qui est en ses exploits
à la verité inouye et incroyable.

S'il n'estoit guiere conscientieux, en cela, de prendre
advantage sur son ennemy sous couleur d'un traité d'accord, il l'estoit aussi peu en ce qu'il ne requeroit en ses
soldats autre vertu que la vaillance, ny ne punissoit guiere
autres vices que la mutination et la desobeïssance. Souvent,
après ses victoires, il leur lachoit la bride à toute licence,
les dispensant pour quelque temps des regles de la discipline militaire, adjoutant à cela qu'il avoit des soldats si
bien creez [2] que, tous perfumez et musquez, ils ne laissoient
pas d'aller furieusement au combat. De vray, il aymoit
qu'ils fussent richement armez, et leur faisoit porter des
harnois gravez, dorez et argentez, afin que le soing de la
conservation de leurs armes les rendit plus aspres à se
defendre. Parlant à eux, il les appelloit du nom de *compaignons*, que nous usons encore : ce qu'Auguste son succes-
seur reforma, estimant qu'il l'avoit fait pour la necessité
de ses affaires et pour flater le cœur de ceux qui ne le
suyvoient que volontairement,

> // *Rheni mihi Cæsar in undis*
> *Dux erat, hic socius : facinus quos inquinat, æquat* [3];

/ mais que cette façon estoit trop rabaissée pour la dignité
d'un Empereur et general d'armée, et remit en train de
les appeler seulement *soldats*.

A cette courtoisie Cæsar mesloit toutes-fois une grande

severité à les reprimer. La neufiesme legion s'estant muti-
née au près de Plaisance, il la cassa avec ignominie, quoy
que Pompeius fut lors encore en pieds, et ne la reçeut en
grace qu'avec plusieurs supplications. Il les rapaisoit
plus par authorité et par audace, que par douceur.

Là où il parle de son passage de la riviere du Rhin vers
l'Alemaigne, il dit qu'estimant indigne de l'honneur du
peuple Romain qu'il passast son armée à navires [4], il
fit dresser un pont afin qu'il passat à pied ferme. Ce fut
là qu'il bâtist ce pont admirable de quoy il dechifre particulierement la fabrique [5] : car il ne s'arreste si volontiers
en nul endroit de ses faits, qu'à nous representer la subtilité
de ses inventions en telle sorte d'ouvrages de main.

J'y ay aussi remarqué cela, qu'il fait grand cas de ses
exhortations aux soldats avant le combat : car, où il veut
montrer avoir esté surpris ou pressé, il allegue tousjours
cela, qu'il n'eust pas seulement loysir de haranguer son
armée. Avant cette grande bataille contre ceux de Tournay :
« Cæsar, dict-il, ayant ordonné du reste, courut soudainement où la fortune le porta, pour enhorter ses gens ;
et rencontrant la dixiesme legion, il n'eust loisir de leur
dire, sinon qu'ils eussent souvenance de leur vertu accoustumée, qu'ils ne s'estonnassent poinct et soustinsent hardiment l'effort des adversaires ; et par ce que l'ennemy
estoit des-jà approché à un jet de trait, il donna le signe de
la bataille ; et de là, estant passé soudainement ailleurs pour
en encourager d'autres, il trouva qu'ils estoyent des-jà aux
prises. » Voylà ce qu'il en dict en ce lieu là. De vray, sa
langue luy a fait en plusieurs lieux de bien notables services ; et estoit, de son temps mesme, son eloquence militaire en telle recommandation que plusieurs en son armée
recueilloyent ses harangues ; et par ce moyen il en fut
assemblé des volumes qui ont duré longtemps après luy.
Son parler avoit des graces particulières, si que ses familiers, et, entre autres, Auguste, oyant reciter ce qui en
avoit esté recueilli, reconnoissoit jusques aux phrases et
aux mots ce qui n'estoit pas du sien.

La premiere fois qu'il sortit de Rome avec charge
publique, il arriva en huit jours à la riviere du Rhone,
ayant dans sa coche devant luy un secrétaire ou deux qui
escrivoyent sans cesse, et derriere luy celuy qui portoit
son espée. Et certes, quand on ne feroit qu'aler, à peine
pourroit on atteindre à cette promptitude dequoy, tousjours victorieux, ayant laissé la Gaule et suyvant Pompeius
à Brindes, il subjuga l'Italie en dix-huict jours, revint de
Brindes à Rome ; de Rome il s'en alla au fin fonds de l'Es-

paigne, où il passa des difficultez extremes en la guerre
contre Affranius et Petreius, et au long siege de Marseille.
De là il s'en retourna en la Macedoine, battit l'armée
Romaine à Pharsale, passa de là, suyvant Pompeius, en
Ægypte, laquelle il subjuga; d'Ægypte il vint en Syrie et
au pays du Pont où il combatit Pharnaces; de là en Afrique,
où il deffit Scipion et Juba, et rebroussa encore par l'Italie
en Espaigne où il deffit les enfans de Pompeius,

>   // *Ocior et cœli flammis et tigride fœta* [6],

>   *Ac veluti montis saxum de vertice præceps*
>   *Cum ruit avulsum vento, seu turbidus imber*
>   *Proluit, aut annis solvit sublapsa vetustas,*
>   *Fertur in abruptum magno mons improbus actu,*
>   *Exsultatque solo, silvas, armenta virosque*
>   *Involvens secum* [7].

/ Parlant du siege d'Avaricum, il dit que c'estoit sa
coustume de se tenir nuict et jour près des ouvriers qu'il
avoit en besoigne. En toutes entreprises de consequence,
il faisoit tousjours la descouverte luy mesme, et ne passa [8]
jamais son armée en lieu qu'il n'eut premierement reconnu.
Et, si nous croyons Suetone, quand il fit l'entreprise de
trajetter en Angleterre, il fut le premier à sonder le gué.

Il avoit accoustumé de dire qu'il aimoit mieux la victoire
qui se conduisoit par consei! que par force. Et, en la guerre
contre Petreius et Afranius, la fortune luy presentant une
bien apparante occasion d'advantage, il la refusa, dit-il,
esperant, avec un peu plus de longueur mais moins de
hazard, venir à bout de ses ennemis.

// Il fit aussi là un merveilleux traict, de commander à
tout son ost de passer à nage la riviere sans aucune necessité

>   *ràpuitque ruens in prœlia miles,*
>   *Quod fugiens timuisset, iter; mox uda receptis*
>   *Membra fovent armis, gelidosque a gurgite, cursu*
>   *Restituunt artus* [9].

/ Je le trouve un peu plus retenu et consideré en ses
entreprinses qu'Alexandre : car cettuy-cy semble rechercher et courir à force les dangiers, comme un impeteux
torrent qui choque et attaque sans discretion et sans chois
tout ce qu'il rencontre :

>   // *Sic tauri-formis volvitur Aufidus,*
>   *Qui Regna Dauni perfluit Appuli,*

Dum sævit, horrendamque cultis
Diluvien meditatur agris [10].

/ Aussi estoit-il embesoigné en la fleur et premiere chaleur de son aage, là où Cæsar s'y print estant des-jà meur et bien avancé. Outre ce qu'Alexandre estoit d'une temperature plus sanguine, colere et ardente, et si esmouvoit encore cette humeur par le vin, duquel Cæsar estoit très-abstinent; mais où les occasions de la necessité se presentoyent et où la chose le requeroit, il ne fut jamais homme faisant meilleur marché de sa personne.

Quant à moy, il me semble lire en plusieurs de ses exploits une certaine resolution de se perdre, pour fuyr la honte d'estre vaincu. En cette grande bataille qu'il eut contre ceux de Tournay, il courut se presenter à la teste des ennemis sans bouclier, comme il se trouva, voyant la pointe de son armée s'esbranler; ce qui luy est advenu plusieurs autres fois. Oyant dire que ses gens estoyent assiegez, il passa desguisé au travers l'armée ennemie pour les aller fortifier de sa presence. Ayant trajecté [11] à Dirrachium avec bien petites forces, et voyant que le reste de son armée, qu'il avoit laissée à conduire à Antonius, tardoit à le suivre, il entreprit luy seul de repasser la mer par une très grande tormente, et se desroba pour aller reprendre luy-mesme le reste de ses forces, les ports de delà et toute la mer estant saisie par Pompeius.

Et quant aux entreprises qu'il a faites à main armée, il y en a plusieurs qui surpassent en hazard tout discours de raison militaire; car avec combien foibles moyens entreprint-il de subjuguer le Royaume d'Ægypte, et, depuis, d'aller attaquer les forces de Scipion et de Juba, de dix parts plus grandes que les siennes ? Ces gens là ont eu je ne sçay quelle plus qu'humaine confiance de leur fortune.

// Et disoit-il qu'il falloit executer, non pas consulter [12], les hautes entreprises.

/ Après la bataille de Pharsale, ayant envoyé son armée devant en Asie, et passant avec un seul vaisseau le destroit de l'Helespont, il rencontra en mer Lucius Cassius avec dix gros navires de guerre; il eut le courage non seulement de l'attendre, mais de tirer droit vers luy, et le sommer de se rendre; et en vint à bout. Ayant entrepris ce furieux siege d'Alexia, où il y avoit quatre vints mille hommes de deffence, toute la Gaule s'estant eslevée pour luy courre sus et lever le siege, et dressé une armée de cent neuf mille chevaux et de deux cens quarante mille hommes de pied, quelle hardiesse et maniacle [13] confiance fut ce de n'en vouloir abandonner son entreprise et se resoudre à deux si grandes difficultez ensemble ? Lesquelles toutesfois il soustint; et, après avoir gaigné cette grande bataille contre ceux de dehors, rengea bien tost à sa mercy ceux qu'il tenoit enfermez. Il en advint autant à Lucullus au siege de Tigranocerta contre le Roy Tigranes, mais d'une condition dispareille, veu la mollesse des ennemis à qui Lucullus avoit affaire.

Je veux icy remarquer deux rares evenemens et extraordinaires sur le fait de ce siege d'Alexia : l'un, que les Gaulois, s'assemblans pour venir trouver là Cæsar, ayans faict denombrement de toutes leurs forces, resolurent en leur conseil de retrancher une bonne partie de cette grande multitude, de peur qu'ils n'en tombassent en confusion. Cet exemple est nouveau de craindre à estre trop; mais, à le bien prendre, il est vraysemblable que le corps d'une armée doit avoir une grandeur moderée et reglée à certaines bornes, soit pour la difficulté de la nourrir, soit pour la difficulté de la conduire et tenir en ordre. Au moins seroit il bien aisé à verifier, par exemple, que ces armées monstrueuses en nombre n'ont guiere rien fait qui vaille.

/// Suivant le dire de Cyrus en Xenophon, ce n'est pas le nombre des hommes, ains le nombre des bons hommes, qui faict l'advantage, le demeurant servant plus de destourbier que de secours. Et Bajazet print le principal fondement à sa resolution de livrer journée à Tamburlan, contre l'advis de tous ses capitaines, sur ce que le nombre innombrable des hommes de son ennemy lui donnoit certaine esperance de confusion. Scanderberch, bon juge et très expert, avoit accoustumé de dire que dix ou douze mille combattans fideles devoient baster [14] à un suffisant chef de guerre pour garantir sa reputation en toute sorte de besoin militaire.

/ L'autre point, qui semble estre contraire et à l'usage et à la raison de la guerre, c'est que Vercingentorix, qui estoit nommé chef et general de toutes les parties des Gaules revoltées, print party de s'aller enfermer dans Alexia. Car celuy qui commande à tout un pays ne se doit jamais engager qu'au cas de cette extremité qu'il y alat de sa derniere place et qu'il n'y eut rien plus à esperer qu'en la deffence d'icelle; autrement il se doit tenir libre, pour avoir moyen de pourvoir en general à toutes les parties de son gouvernement.

Pour revenir à Cæsar, il devint, avec le temps, un peu plus tardif et plus consideré, comme tesmoigne son familier Oppius : estimant qu'il ne devoit aysément hazarder l'honneur de tant de victoires, lequel une seule defortune [15] luy pourroit faire perdre. C'est ce que disent les Italiens, quand ils veulent reprocher cette hardiesse temeraire qui se void aux jeunes gens, les nommant necessiteux d'honneur, « *bisognosi d'honore* », et qu'estant encore en cette grande faim et disète de reputation, ils ont raison de la chercher à quelque pris que ce soit, ce que ne doivent pas faire ceux qui en ont desjà acquis à suffisance. Il y peut avoir quelque juste moderation en ce desir de gloire, et quelque sacieté en cet appetit, comme aux autres ; assez de gens le practiquent ainsi.

Il estoit bien esloigné de cette religion des anciens Romains, qui ne se vouloyent prevaloir en leurs guerres que de la vertu simple et nayfve ; mais encore y apportoit il plus de conscience que nous ne ferions à cette heure, et n'approuvoit pas toutes sortes de moyens pour acquerir la victoire. En la guerre contre Ariovistus, estant à parlementer avec luy, il y survint quelque remuement entre les deux armées, qui commença par la faute des gens de cheval d'Ariovistus ; sur ce tumulte, Cæsar se trouva avoir fort grand avantage sur ses ennemis ; toutes-fois il ne s'en voulut point prevaloir, de peur qu'on luy peut reprocher d'y avoir procedé de mauvaise foy.

Il avoît accoustumé de porter un accoustrement riche au combat et de couleur esclatante pour se faire remarquer.

Il tenoit la bride plus estroite à ses soldats, et les tenoit plus de court estant près des ennemis.

Quand les anciens Grecs vouloyent accuser quelqu'un d'extreme insuffisance, ils disoyent en commun proverbe qu'il ne sçavoit ny lire, ny nager. Il avoit cette mesme opinion, que la science de nager estoit très-utile à la guerre, et en tira plusieurs commoditez : s'il avoit à faire diligence, il franchissoit ordinairement à nage les rivieres qu'il rencontroit, car il aymoit à voyager à pied comme le grand Alexandre. En Ægypte, ayant esté forcé, pour se sauver, de se mettre dans un petit bateau, et tant de gens s'y estant lancez quant et luy qu'il estoit en danger d'aller à fons, il ayma mieux se jetter en la mer et gaigna sa flote à nage, qui estoit plus de deux cents pas de là, tenant en sa main gauche ses tablettes hors de l'eau et trainant à belles dents sa cotte d'armes, afin que l'ennemy n'en jouyt, estant des-jà bien avancé sur l'eage.

Jamais chef de guerre n'eust tant de creance sur ses soldats. Au commancement de ses guerres civiles, les centeniers luy offrirent de soudoyer, chacun sur sa bourse, un homme d'armes ; et les gens de pied, de le servir à leurs

despens; ceux qui estoyent plus aysez, entreprenants encore
à deffrayer les plus necessiteux. Feu monsieur l'Admiral
de Chatillon nous fit veoir dernierement un pareil cas
en nos guerres civiles, car les François de son armée
fournissoient de leurs bourses au payement des estrangers
qui l'accompaignoient; il ne se trouveroit guiere d'exemples
d'affection si ardente et si preste parmy ceux qui marchent
dans le vieux train, soubs l'ancienne police des loix.

/// La passion nous commande bien plus vifvement que
la raison. Il est pourtant advenu, en la guerre contre Annibal, qu'à l'exemple de la liberalité du peuple Romain en la
ville, les gendarmes [16] et Capitaines refusarent leur paye;
et appeloit on au camp de Marcellus mercenaires ceux
qui en prenoient.

/ Ayant eu du pire [17] auprès de Dirrachium, ses soldats
se vindrent d'eux mesmes offrir à estre chastiez et punis, de
façon qu'il eust plus à les consoler qu'à les tencer. Une
sienne seule cohorte soustint quatre legions de Pompeius
plus de quatre heures, jusques à ce qu'elle fut quasi toute
deffaicte à coups de trait; et se trouva dans la trenchée
cent trente mille flesches. Un soldat nommé Scæva, qui
commandoit à une des entrées, s'y maintint invincible,
ayant un œil crevé, une espaule et une cuisse percées, et
son escu faucé en deux cens trente lieux. Il est advenu
à plusieurs de ses soldats pris prisonniers d'accepter plustost la mort que de vouloir promettre de prendre autre
party. Granius Petronius, pris par Scipion en Affrique,
Scipion, ayant faict mourir ses compaignons, luy manda
qu'il luy donnoit la vie, car il estoit homme de reng et
questeur. Petronius respondit que les soldats de Cæsar
avoient accoustumé de donner la vie aux autres, non la
recevoir; et se tua tout soudain de sa main propre.

Il y a infinis exemples de leur fidelité; il ne faut pas
oublier le traict de ceux qui furent assiegez à Salone,
ville partizane pour Cæsar contre Pompeius, pour un rare
accident qui y advint. Marcus Octavius les tenoit assiegez; ceux de dedans estans reduits en extreme necessité
de toutes choses, en maniere que, pour supplier au deffaut
qu'ils avoient d'hommes, la plus part d'entre eux y estans
morts et blessez, ils avoient mis en liberté tous leurs
esclaves, et pour le service de leurs engins avoient esté
contraints de coupper les cheveux de toutes les femmes
pour en faire des cordes, outre une merveilleuse disette
de vivres, et ce neant moins resolus de jamais ne se rendre.
Après avoir trainé ce siege en grande longueur, d'où
Octavius estoit devenu plus nonchalant et moins attentif

à son entreprinse, ils choisirent un jour sur le midy, et,
ayant rangé les femmes et les enfans sur leurs murailles
pour faire bonne mine, sortirent en telle furie sur les
assiegans qu'ayant enfoncé le premier, le second et tiers
corps de garde, et le quatriesme et puis le reste, et ayant
fait du tout abandonner les tranchées, les chasserent
jusques dans les navires; et Octavius mesme se sauva à
Dyrrachium, où estoit Pompeius. Je n'ay point memoire
pour cett'heure d'avoir veu aucun autre exemple où les
assiegez battent en gros les assiegeans et gaignent la maistrise de la campaigne, ny qu'une sortie ait tiré en consequence une pure et entiere victoire de bataille.

CHAPITRE XXXV

DE TROIS BONNES FEMMES

/ Il n'en est pas à douzaines, comme chacun sçait, et
notamment aux devoirs de mariage; car c'est un marché
plein de tant d'espineuses circonstances, qu'il est malaisé
que la volonté d'une femme s'y maintienne entiere long
temps. Les hommes, quoy qu'ils y soyent avec un peu
meilleure condition, y ont prou affaire.

// La touche [1] d'un bon mariage et sa vraye preuve
regarde le temps que la société dure; si elle a esté constamment douce, loyalle et commode. En nostre siecle, elles
reservent plus communéement à estaller leurs bons offices
et la vehemence de leur affection envers leurs maris perdus,
/// cherchent au moins lors à donner tesmoignage de leur
bonne volonté. Tardif tesmoignage et hors de saison!
Elles preuvent plustôt par là qu'elles ne les aiment que
morts. // La vie est plaine de combustion; le trespas,
d'amour et de courtoisie. Comme les peres cachent l'affection envers leurs enfans, elles volontiers, de mesmes,
cachent la leur envers le mary pour maintenir un honneste
respect. Ce mistere n'est pas de mon goust : elles ont beau
s'escheveler et esgratigner, je m'en vois à l'oreille d'une
femme de chambre et d'un secretaire : « Comment estoient-
ils ? Comment ont-ils vescu ensemble ? » Il me souvient
tousjours de ce bon mot : « *jactantius mœrent, quæ minus
dolent* [2]. » Leur rechigner est odieux aux vivans et vain aux
morts. Nous dispenserons [3] volontiers qu'on rie aprés,
pourveu qu'on nous rie pendant la vie. /// Est ce pas dequoy
resusciter de despit, qui m'aura craché au nez pendant que
j'estoy, me vienne froter les pieds quand je commence à
n'estre plus. // S'il y a quelque honneur à pleurer les maris,
il n'appartient qu'à celles qui leur ont ry; celles qui ont
pleuré en la vie, qu'elles rient en la mort, au dehors comme
au dedans. Aussi ne regardez pas à ces yeux moites et à
cette piteuse voix; regardez ce port, ce teinct et l'embon-

poinct de ces joües soubs ces grandes voiles : c'est par-là qu'elle parle françois. Il en est peu de qui la santé n'aille en amendant, qualité qui ne sçait pas mentir. Cette ceremonieuse contenance ne regarde pas tant derriere soy, que devant ; c'est acquest plus que payement. En mon enfance, une honneste et très belle dame, qui vit encores, vefve d'un prince, avoit je ne sçay quoy plus en sa parure qu'il n'est permis par les loix de nostre vefvage ; à ceux qui le luy reprochoient : « C'est, disoit elle, que je ne practique plus de nouvelles amitiez, et suis hors de volonté de me remarier. »

Pour ne disconvenir du tout à nostre usage, j'ay icy choisy trois femmes qui ont aussi employé l'effort de leur bonté et affection autour la mort de leurs maris ; ce sont pourtant exemples un peu autres, et si pressans qu'ils tirent hardiment la vie [4] en consequence.

/ Pline le jeune avoit, près d'une sienne maison, en Italie, un voisin merveilleusement tourmenté de quelques ulceres qui luy estoient survenus ès parties honteuses. Sa femme, le voyant si longuement languir, le pria de permettre qu'elle veit à loisir et de près l'estat de son mal, et qu'elle luy diroit plus franchement que aucun autre ce qu'il avoit à en esperer. Après avoir obtenu cela de luy, et l'avoir curieusement consideré, elle trouva qu'il estoit impossible qu'il en peut guerir, et que tout ce qu'il avoit à attandre, c'estoit de trainer fort long temps une vie douloureuse et languissante ; si, luy conseilla, pour le plus seur et souverain remede, de se tuer ; et le trouvant un peu mol à une si rude entreprise : « Ne pense point, luy dit elle, mon amy, que les douleurs que je te voy souffrir ne me touchent autant qu'à toy, et que, pour m'en delivrer, je ne me veuille servir moy-mesme de cette medecine que je t'ordonne. Je te veux accompaigner à la guerison comme j'ay fait à la maladie : oste cette crainte, et pense que nous n'aurons que plaisir en ce passage qui nous doit delivrer de tels tourments ; nous nous en irons heureusement ensemble. »

Cela dit, et ayant rechauffé le courage de son mary, elle resolut qu'ils se precipiteroient en la mer par une fenestre de leur logis qui y respondoit. Et pour maintenir jusques à sa fin cette loyale et vehemente affection dequoy elle l'avoit embrassé pendant sa vie, elle voulut encore qu'il mourust entre ses bras ; mais, de peur qu'ils ne luy faillissent et que les estraintes de ses enlassements ne vinssent à se relascher par la cheute de la crainte, elle se fit lier et attacher bien estroitement avec luy par le faux du corps ⁵, et abandonna ainsi sa vie pour le repos de celle de son mary.

Celle-là estoit de bas lieu; et parmy telle condition de gens il n'est pas si nouveau d'y voir quelque traict de rare bonté.

> *extrema per illos*
> *Justitia excedens terris vestigia fecit* ⁶.

Les autres deux sont nobles et riches, où les exemples de vertu se logent rarement.

Arria, femme de Cecinna Pætus, personnage consulaire, fut mere d'un'autre Arria, femme de Thrasea Pætus, celuy duquel la vertu fut tant renommée du temps de Neron et, par le moyen de ce gendre, meregrand de Fannia; car la ressemblance des noms de ces hommes et femmes et de leurs fortunes en a fait mesconter plusieurs. Cette premiere Arria, Cecinna Pætus, son mary, ayant esté prins prisonnier par les gens de l'Empereur Claudius, après la deffaicte de Scribonianus, duquel il avoit suivy le party, supplia ceux qui l'en amenoient prisonnier à Rome, de la recevoir dans leur navire, où elle leur seroit de beaucoup moins de despence et d'incommodité qu'un nombre de personnes qu'il leur faudroit pour le service de son mary, et qu'elle seule fourniroit à sa chambre, à sa cuisine et à tous autres offices. Ils l'en refuserent; et elle, s'estant jettée dans un bateau de pécheur qu'elle loua sur le champ, le suyvit en cette sorte depuis la Sclavonie. Comme ils furent à Rome, un jour, en presence de l'Empereur, Junia, vefve de Scribonianus, s'estant accostée d'elle familierement pour la société de leurs fortunes ⁷, elle la repoussa rudement avec ces paroles : « Moy, dit-elle, que je parle à toy, ny que je t'escoute, toy au giron de laquelle Scribonianus fut tué ? et tu vis encores ! » Ces paroles, avec plusieurs autres signes, firent sentir à ses parents qu'elle estoit pour se deffaire elle mesme, impatiente de supporter la fortune de son mary. Et Thrasea son gendre, la suppliant sur ce propos de ne se vouloir perdre, et luy disant ainsi : « Quoy! si je courois pareille fortune à celle de Cæcinna, voudriez vous que ma femme, vostre fille, en fit de mesme ? — Comment donq ? si je le voudrois ? respondit elle : ouy, ouy, je le voudrois, si elle avait vescu aussi long temps et d'aussi bon accord avec toy que j'ay faict avec mon mary. » Ces responses augmentoient le soing qu'on avoit d'elle, et faisoient qu'on regardoit de plus près à ses deporte-mens. Un jour, après avoir dict à ceux qui la gardoient : « Vous avez beau faire, vous me pouvez bien faire plus mal mourir ; mais de me garder de mourir, vous ne sçauriez », s'eslançant furieusement d'une chaire [8] où elle estoit assise, s'alla de toute sa force chocquer la teste contre la paroy voisine ; duquel coup estant cheute de son long esvanouye et fort blessée, après qu'on l'eut à toute peine faite revenir : « Je vous disois bien, dit-elle, que si vous me refusiez quelque façon aisée de me tuer, j'en choisirois quelque autre, pour mal-aisée qu'elle fut. »

La fin d'une si admirable vertu fut telle : son mary Pætus n'ayant pas le cœur assez ferme de soy-mesme pour se donner la mort, à laquelle le cruauté de l'Empereur le rengeoit, un jour entre autres, après avoir premierement emploié les discours et enhortements propres au conseil qu'elle luy donnoit à ce faire, elle print le poignart que son mary portoit, et le tenant trait [9] en sa main, pour la conclusion de son exhortation : « Fais ainsi, Pætus », luy dit-elle. En en mesme instant, s'en estant donné un coup mortel dans l'estomach, et puis l'arrachant de sa playe, elle le lui presenta, finissant quant et quant sa vie avec cette noble, genereuse et immortelle parole : « *Pæte, non dolet* [10]. » Elle n'eust loisir que de dire ces trois paroles d'une si belle substance : « Tien, Pætus, il ne m'a point faict mal. »

> *Casta suo gladium cum traderet Arria Pæto,*
> *Quem de visceribus traxerat ipsa suis :*
> *Si qua fides, vulnus quod feci, non dolet, inquit ;*
> *Sed quod tu facies, id mihi, Pæte, dolet* [11].

Il est bien plus vif en son naturel et d'un sens plus riche ; car et la playe et la mort de son mary, et les siennes, tant s'en faut. qu'elles luy poisassent, qu'elle en avoit esté la conseillere et promotrice ; mais, ayant fait cette haute et courageuse entreprinse pour la seule commodité de son mary, elle ne regarde qu'à luy encores au dernier trait de sa vie, et à luy oster la crainte de la suivre en mourant. Pætus se frappa tout soudain de ce mesme glaive ; honteux, à mon advis, d'avoir eu besoin d'un si cher et pretieux enseignement.

Pompeia Paulina, jeune et très-noble Dame Romaine, avoit espousé Seneque en son extreme vieillesse. Neron, son beau disciple, ayant envoyé ses satellites vers luy pour luy denoncer l'ordonnance de sa mort (ce qui se faisoit en cette maniere : quand les Empereurs Romains de ce temps avoient condamné quelque homme de qualité, ils luy mandoient par leurs officiers de choisir quelque mort

à sa poste, et de la prendre dans tel ou tel delay qu'ils
luy faisoient prescrire selon la trempe de leur cholere,
tantost plus pressé, tantost plus long, luy donnant terme
pour disposer pendant ce temps là de ses affaires, et
quelque fois lui ostant le moyen de ce faire par la briefveté
du temps; et si le condamné estrivoit [12] à leur ordonnance [13], ils menoient des gens propres à l'executer, ou lui
coupant les veines des bras et des jambes, ou luy faisant
avaller du poison par force. Mais les personnes d'honneur
n'attendoient pas cette necessité, et se servoient de leurs
propres medecins et chirurgiens à cet effet), Seneque ouit
leur charge d'un visage paisible et asseuré, et après
demanda du papier pour faire son testament; ce que luy
ayant esté refusé par le capitaine, se tournant vers ses amis :
« Puis que je ne puis, leur dit-il, vous laisser autre chose en
reconnoissance de ce que je vous doy, je vous laisse au
moins ce que j'ay de plus beau, à sçavoir l'image de mes
meurs et de ma vie, laquelle je vous prie conserver en
vostre memoire, affin qu'en ce faisant vous acqueriez la
gloire de sinceres et veritables amis. » Et quant et quant
appaisant tantost l'aigreur de la douleur qu'il leur voyoit
souffrir, par douces paroles, tantost roidissant sa voix
pour les en tancer : « Où est-il, disoit-il, ces beaux preceptes de la philosophie ? que sont devenuës les provisions
que par tant d'années nous avons faictes contre les accidents de la fortune ? La cruauté de Neron nous estoit elle
inconnue ? Que pouvions nous attendre de celuy qui avoit
tué sa mere et son frere, sinon qu'il fit encore mourir son
gouverneur, qui l'a nourry et eslevé ? » Après avoir dit
ces paroles en commun, il se destourna à sa femme, et,
l'embrassant estroittement, comme, par la pesanteur de la
douleur, elle deffailloit de cœur et de forces, la pria de
porter un peu plus patiemment cet accident pour l'amour
de luy, et que l'heure estoit venue où il avoit à montrer,
non plus par discours et par disputes, mais par effect,
le fruit qu'il avoit tiré de ses estudes, et que sans doubte
il embrassoit la mort, non seulement sans douleur, mais
avecques allegresse : « Parquoy, m'amie, disoit-il, ne la
des-honore par tes larmes, affin qu'il ne semble que tu
t'aimes plus que ma reputation; appaise ta douleur et te
console en la connoissance que tu as eu de moy et de mes
actions, conduisant le reste de ta vie par les honnestes
occupations ausquelles tu es adonnée. » A quoy Paulina
ayant un peu repris ses esprits et reschauffé la magnanimité de son courage par une très-noble affection : « Non,
Seneca, respondit-elle, je ne suis pas pour vous laisser

sans ma compaignie en telle necessité ; je ne veux pas que
vous pensiez que les vertueux exemples de vostre vie ne
m'ayent encore appris à sçavoir bien mourir, et quand le
pourroy-je ny mieux, ny plus honnestement, ny plus à
mon gré, qu'avecques vous ? Ainsi faictes estat que je
m'en vay quant et vous. »

Lors Seneque, prenant en bonne part une si belle et
glorieuse deliberation de sa femme, et pour se delivrer
aussi de la crainte de la laisser après sa mort à la mercy
et cruauté de ses ennemys : » Je t'avoy, Paulina, dit-il,
conseillé ce qui servoit à conduire plus heureusement ta
vie ; tu aymes donc mieux l'honneur de la mort ; vrayement je ne te l'envieray [14] poinct ; la constance et la resolution soyent pareilles à notre commune fin, mais la beauté
et la gloire soit plus grande de ta part. »

Cela fait, on leur couppa en mesme temps les veines
des bras ; mais par ce que celles de Seneque, resserrées
tant par vieillesse que par son abstinence, donnoient au
sang le cours trop long et trop lâche, il commanda qu'on
luy couppat encore les veines des cuisses ; et, de peur que
le tourment qu'il en souffroit n'attendrit le cœur de sa
femme, et pour se delivrer aussy soy-mesme de l'affliction
qu'il portoit de la veoir en si piteux estat, après avoir
très-amoureusement pris congé d'elle, il la pria de permettre qu'on l'emportat en la chambre voisine, comme
on feist. Mais, toutes ces incisions estant encore insuffi-
santes pour le faire mourir, il commanda à Statius Anneus,
son medecin, de luy donner un breuvage de poison, qui
n'eust guiere non plus d'effet : car, pour la foiblesse et
froideur des membres, elle ne peut arriver jusques au
cœur. Par ainsin on luy fit outre-cela aprester un baing
fort chaud ; et lors, sentant sa fin prochaine, autant qu'il
eust d'haleine, il continua des discours très-excellans sur
le suject de l'estat où il se trouvoit, que ses secretaires
recueillirent tant qu'ils peurent ouyr sa voix ; et demeu-
rerent ses parolles dernieres long temps despuis en credit
et honneur ès mains des hommes (ce nous est une bien
facheuse perte qu'elles ne soyent venues jusques à nous).
Comme il sentit les derniers traicts de la mort, prenant
de l'eau du being toute sanglante, il en arrousa sa teste
en disant : « Je voüe cette eau à Juppiter le liberateur. »

Neron, adverty de tout cecy, craignant que la mort de
Paulina, qui estoit des mieux apparentées dames Romaines,
et envers laquelle il n'avoit nulles particulieres inimitiez,
luy vint à reproche, renvoya en toute diligence luy faire
r'atacher ses playes : ce que ses gens d'elle firent sans

son sçeu, estant des-jà demy morte et sans aucun sentiment. Et ce que, contre son dessein, elle vesqut dépuis,
ce fut très-honorablement et comme il appartenoit à sa
vertu, montrant par la couleur blesme de son visage combien elle avoit escoulé de vie par ses blessures.

Voylà mes trois contes très-veritables, que je trouve
aussi plaisans et tragiques que ceux que nous forgeons
à nostre poste pour donner plaisir au commun; et m'estonne que ceux qui s'adonnent à cela, ne s'avisent de
choisir plutost dix mille très-belles histoires qui se rencontrent dans les livres, où ils auroient moins de peine et
apporteroient plus de plaisir et profit. Et qui en voudroit
bastir un corps entier et s'entretenant, il ne faudroit qu'il
fournit du sien que la liaison, comme la soudure d'un
autre metal; et pourroit entasser par ce moyen force
veritables evenemens de toutes sortes, les disposant et
diversifiant, selon que la beauté de l'ouvrage le requerroit,
à peu près comme Ovide a cousu et r'apiecé sa *Metamorphose*, de ce grand nombre de fables diverses.

En ce dernier couple, cela est encore digne d'estre
consideré, que Paulina offre volontiers à quiter la vie pour
l'amour de son mary, et que son mary avoit autrefois
quitté aussi la mort pour l'amour d'elle. Il n'y a pas pour
nous grand contre-pois [15] en cet eschange; mais, selon son
humeur Stoïque, je croy qu'il pensoit avoir autant faict
pour elle, d'alonger sa vie en sa faveur, comme s'il fut
mort pour elle. En l'une des lettres qu'il escrit à Lucilius,
après qu'il luy a fait entendre comme la fiebvre l'ayant
pris à Rome, il monta soudain en coche pour s'en aller
à une sienne maison aux champs, contre l'opinion de sa
femme qui le vouloit arrester, et qu'il luy avoit respondu
que la fiebvre qu'il avoit, ce n'estoit pas fiebvre du corps,
mais du lieu, il suit ainsin : « Elle me laissa aller, me
recommandant fort ma santé. Or, moy qui sçay que je
loge sa vie en la mienne, je commence de pourvoir à moy
pour pourvoir à elle; le privilege que ma vieillesse m'avoit
donné, me rendant plus ferme et plus resolu à plusieurs
choses, je le pers quand il me souvient qu'en ce vieillard
il y en a une jeune à qui je profite. Puis que je ne la puis
ranger à m'aymer plus courageusement, elle me renge à
m'aymer moy-mesme plus curieusement : car il faut prester quelque chose aux honnestes affections; et par fois,
encore que les occasions nous pressent au contraire, il
faut r'appeller la vie, voire avecque tourment; il faut arrester l'ame entre les dents, puis que la loy de vivre, aux gens
de bien, ce n'est pas autant qu'il leur plait, mais autant

qu'ils doivent. Celuy qui n'estime pas tant sa femme ou un sien ami que d'en allonger sa vie, et qui s'opiniastre à mourir, il est trop delicat et trop mol : il faut que l'ame se commande cela, quand l'utilité des nostres le requiert; il faut par fois nous prester à nos amis, et, quand nous voudrions mourir pour nous, interrompre nostre dessein pour eux. C'est tesmoignage de grandeur de courage, de retourner en la vie pour la consideration d'autruy, comme plusieurs excellens personnages ont faict; et est un traict de bonté singuliere de conserver la vieillesse (de laquelle la commodité plus grande, c'est la nonchalance de sa durée et un plus courageux et desdaigneux usage de la vie), si on sent que cet office soit doux, agreable et profitable à quelqu'un bien affectionné. Et en reçoit on une très-plaisante recompense, car qu'est-il plus doux que d'estre si cher à sa femme qu'en sa consideration on en devienne plus cher à soy-mesme ? Ainsi ma Pauline m'a chargé non seulement sa crainte, mais encore la mienne. Ce ne m'a pas esté essez de considerer combien resoluement je pourrois mourir, mais j'ay aussi consideré combien irresoluement elle le pourroit souffrir. Je me suis contrainct à vivre, et c'est quelquefois magnanimité que vivre. »

Voylà ses mots, /// excellans comme est son usage [16].

CHAPITRE XXXVI

DES PLUS EXCELLENS HOMMES

/ Si on me demandoit le chois de tous les hommes qui sont venus à ma connoissance, il me semble en trouver trois excellens au dessus de tous les autres.

L'un, Homere. Non pas qu'Aristote ou Varro (pour exemple) ne fussent à l'adventure aussi sçavans que luy, ny possible encore qu'en son art mesme Vergile ne luy soit comparable; je le laisse à juger à ceux qui les connoissent tous deux. Moy qui n'en connoy que l'un [1], puis dire cela seulement selon ma portée, que je ne croy pas que les Muses mesmes allassent au delà du Romain :

|| *Tale facit carmen docta testudine, quale*
Cynthius impositis temperat articulis [2].

/ Toutesfois, en ce jugement, encore ne faudroit il pas oublier que c'est principalement d'Homere que Vergile tient sa suffisance; que c'est son guide et maistre d'escole, et qu'un seul traict de l'Iliade a fourny de corps et de matiere à cette grande et divine Eneide. Ce n'est pas ainsi que je conte : j'y mesle plusieurs autres circonstances qui me rendent ce personnage admirable, quasi au dessus de l'humaine condition.

Et, à la verité, je m'estonne souvent que luy, qui a produit et mis en credit au monde plusieurs deitez par son auctorité, n'a gaigné reng de Dieu luy mesme. Estant aveugle, indigent; estant avant que les sciences fussent redigées en regle et observations certaines, il les a tant connues que tous ceux qui se sont meslez depuis d'establir des polices, de conduire guerres, et d'escrire ou de la religion ou de la philosophie, /// en quelque secte que ce soit, / ou des ars, se sont servis de luy comme d'un maistre très-parfaict en la connoissance de toutes choses, et de ses livres comme d'une pepiniere de toute espece de suffisance,

Qui, quid sit pulchrum, quid turpe, quid utile, quid non,
Plenius ac melius Chrysippo ac Crantore dicit [3] *;*

et, comme dit l'autre,

                              A quo, ceu fonte perenni,
Vatum Pyeriis labra rigantur aquis [4] *;*

et l'autre,

Adde Heliconiadum comites, quorum unus Homerus
Astra potitus [5] *;*

et l'autre,

                                   cujusque ex ore profuso
Omnis posteritas latices in carmina duxit,
Ammemque in tenues ausa est deducere rivos,
Unius fœcunda bonis [6] *.*

C'est contre l'ordre de nature qu'il a faict la plus excellente production qui puisse estre ; car la naissance ordinaire des choses, elle est imparfaicte ; elles s'augmentent, se fortifient par l'accroissance ; l'enfance de la poësie et de plusieurs autres sciences, il l'a rendue meure, parfaicte et accomplie. A cette cause, le peut on nommer le premier et dernier des poëtes, suyvant ce beau tesmoignage que l'antiquité nous a laissé de luy, que, n'ayant eu nul qu'il peut imiter avant luy, il n'a eu nul après luy qui le peut imiter. Ses parolles, selon Aristote, sont les seules parolles qui ayent mouvement et action ; ce sont les seuls mots substantiels. Alexandre le grand, ayant rencontré parmy les despouilles de Darius un riche coffret, ordonna que on le luy reservat pour y loger son Homere, disant que c'estoit le meilleur et plus fidelle conseiller qu'il eut en ses affaires militaires. Pour cette mesme raison disoit Cleomenes, fils d'Anaxandridas, que c'estoit le Poëte des Lacedemoniens par ce qu'il estoit très-bon maistre de la discipline guerriere. Cette louange singuliere et particuliere luy est aussi demeurée, au jugement de Plutarque, que c'est le seul autheur du monde qui n'a jamais soulé ne dégousté les hommes, se montrant aux lecteurs tousjours tout autre, et fleurissant tousjours en nouvelle grace. Ce folastre d'Alcibiades, ayant demandé à un qui faisoit profession des lettres, un livre d'Homere, luy donna un soufflet par ce qu'il n'en avoit point : comme qui trouveroit un de nos prestres sans breviaire. Xenophanes se

pleignoit un jour à Hieron, tyran de Syracuse, de ce qu'il
estoit si pauvre qu'il n'avoit dequoy nourrir deux serviteurs : « Et quoy, luy respondit-il, Homere, qui estoit
beaucoup plus pauvre que toy, en nourrit bien plus de
dix mille, tout mort qu'il est. » /// Que n'estoit ce dire,
à Panætius, quand il nommoit Platon l'Homere des
philosophes ?

/ Outre cela, quelle gloire se peut comparer à la sienne ?
Il n'est rien qui vive en la bouche des hommes comme
son nom et ses ouvrages ; rien si cogneu et si reçeu que
Troye, Helene et ses guerres, qui ne furent à l'advanture
jamais. Nos enfans s'appellent encore des noms qu'il forgea il y a plus de trois mille ans. Qui ne cognoit Hector
et Achilles ? Non seulement aucunes races particulieres,
mais la plus part des nations cherchent origine en ses
inventions. Mahumet, second de ce nom, Empereur des
Turcs, escrivant à nostre Pape Pie second : « Je m'estonne,
dit-il, comment les Italiens se bandent contre moy, attendu
que nous avons nostre origine commune des Troyens, et
que j'ay comme eux interest de venger le sang d'Hector
sur les Grecs, lesquels ils vont favorisant contre moy. »
N'est-ce pas une noble farce de laquelle les Roys, les choses
publiques et les Empereurs vont jouant leur personnage
tant de siecles, et à laquelle tout ce grand univers sert de
theatre ? Sept villes Grecques entrarent en debat du lieu
de sa naissance, tant son obscurité mesme luy apporta
d'honneur :

Smyrna, Rhodos, Colophon, Salamis, Chios, Argos, Athenæ [7].

L'autre, Alexandre le grand. Car qui considerera l'aage
qu'il commença ses entreprises ; le peu de moyen avec
lequel il fit un si glorieux dessein ; l'authorité qu'il gaigna
en cette sienne enfance parmy les plus grands et experi-
mentez capitaines du monde, desquels il estoit suyvi ; la
faveur extraordinaire dequoy fortune embrassa et favorisa
tant de siens exploits hazardeux, et à peu que je ne die
temeraires :

> // *impellens quicquid sibi summa petenti*
> *Obstaret, gaudensque viam fecisse ruina* [8] ;

/ cette grandeur d'avoir, à l'aage de trente trois ans, passé
victorieux toute la terre habitable // et en une demye vie
avoir atteint tout l'effort de l'humaine nature, si que vous
ne pouvez imaginer sa durée legitime et la continuation

de son accroissance en vertu et en fortune jusques à un juste terme d'aage, que vous n'imaginez quelque chose au dessus de l'homme; / d'avoir faict naistre de ses soldats tant de branches royales, laissant après sa mort le monde en partage à quatre successeurs, simples capitaines de son armée, desquels les descendans ont dépuis si long-temps duré, maintenant cette grande possession; tant d'excellentes vertus qui estoyent en luy, // justice, temperance, liberalité, foy en ses parolles, amour envers les siens, humanité envers les vaincus / (car ses meurs semblent à la verité n'avoir aucun juste reproche, // ouy bien aucunes de ses actions particulieres, rares et extraordinaires. Mais il est impossible de conduire si grands mouvemens avec les reigles de la justice; telles gens veulent estre jugez en gros par la maistresse fin de leurs actions. La ruyne de Thebes, le meurtre de Menander et du Medecin d'Ephestion, de tant de prisonniers Persiens à un coup, d'une troupe de soldats Indiens non sans interest de sa parolle, des Cosseïens jusques aux petits enfans, sont saillies un peu mal excusables. Car, quant à Clytus, la faute en fut amendée outre son pois [9], et tesmoigne cette action, autant que toute autre, la debonnaireté de sa complexion, et que c'estoit de soy une complexion excellemment formée à la bonté; /// et a esté ingenieusement dict de luy qu'il avoit de la Nature ses vertus, de la Fortune ses vices. // Quant à ce qu'il estoit un peu vanteur, un peu trop impatient d'ouyr mesdire de soy, et quant à ses mangeoires, armes et mors qu'il fit semer aux Indes, toutes ces choses me semblent pouvoir estre condonnées [10] à son aage et à l'estrange prosperité de sa fortune); qui considerera quand et quand tant de vertus militaires, diligence, pour-voyance, patience, discipline, subtilité, magnanimité, resolution, bon-heur, en quoy, quand l'authorité d'Hannibal ne nous l'auroit apris, il a esté le premier des hommes; / les rares beautez et conditions de sa personne jusques au miracle; // ce port et ce venerable maintien soubs un visage si jeune, vermeil et flamboyant,

> Qualis, ubi Oceani perfusus lucifer unda,
> Quem Venus ante alios astrorum diligit ignes,
> Extulit os sacrum cœlo, tenebrasque resolvit [11];

/ l'excellence de son sçavoir et capacité; la durée et grandeur de sa gloire, pure, nette, exempte de tache et d'envie; // et qu'encore long temps après sa mort ce fut une religieuse croyance d'estimer que ses medailles portassent

bon-heur à ceux qui les avoyent sur eux; et que, plus de
Roys et Princes ont escrit ses gestes qu'autres Historiens
n'ont escrit les gestes d'autre Roy ou Prince que ce soit
/// et qu'encore à present les Mahumetans, qui mesprisent
toutes autres histoires, reçoivent et honnorent la sienne
seule par special privilege : / il confessera, tout cela mis
ensemble, que j'ay eu raison de le preferer à Cæsar mesme,
qui seul m'a peu mettre en doubte du chois. // Et il ne se
peut nier qu'il n'y aye plus du sien en ses exploits, plus
de la fortune en ceux d'Alexandre. / Ils ont eu plusieurs
choses esgales, et Cæsar à l'adventure aucunes plus
grandes.

// Ce furent deux feux ou deux torrents à ravager le
monde par divers endroits,

> *Et velut immissi diversis partibus ignes*
> *Arentem in silvam et virgulta sonantia lauro;*
> *Aut ubi decursu rapido de montibus altis*
> *Dant sonitum spumosi amnes et in æquora currunt,*
> *Quisque suum populatus iter* [12].

Mais quand l'ambition de Cæsar auroit de soy plus de
moderation, elle a tant de mal'heur, ayant rencontré ce
vilain subject de la ruyne de son pays et de l'empirement
universel du monde, que, / toutes pieces ramassées et mises
en la balance, je ne puis que je ne panche du costé
d'Alexandre.

Le tiers et le plus excellent, à mon gré, c'est Epaminondas.

De gloire, il n'en a pas beaucoup près tant que d'autres
(aussi n'est-ce pas une piece de la substance de la chose [13]);
de resolution et de vaillance, non pas de celle qui est
esguisée par l'ambition, mais de celle que la sapience et
la raison peuvent planter en une ame bien reglée, il en
avoit tout ce qui s'en peut imaginer. De preuve de cette
sienne vertu, il en a fait autant, à mon advis, qu'Alexandre
mesme et que Cæsar; car, encore que ses exploits de guerre
ne soient ny si frequens ny si enflez, ils ne laissent pas
pourtant, à les bien considerer et toutes leurs circonstances,
d'estre aussi poisants et roides, et portant autant de
tesmoignage de hardiesse et de suffisance militaire. Les
Grecs lui ont fait cet honneur, sans contredit, de le nommer le premier homme d'entre eux; mais estre le premier de la Grece, c'est facilement estre le prime du monde.
Quant à son sçavoir et suffisance, ce jugement ancien nous
en est resté, que jamais homme ne sçeut tant, et parla si

peu que luy. /// Car il estoit Phythagorique de secte. Et
ce qu'il parla, nul ne parla jamais mieux. Excellent orateur
et trèspersuasif.

/ Mais quant à ses meurs et conscience, il a de bien loing
surpassé tous ceux qui se sont jamais meslé de manier
affaires. Car en cette partie, qui seule doit estre principalement considerée, /// qui seule marque veritablement quels
nous sommes, et laquelle je contrepoise seule à toutes
les autres ensemble, / il ne cede à aucun philosophe, non
pas à Socrates mesme.

// En cettuy-cy l'innocence est une qualité propre, maistresse constante, uniforme, incorruptible. Au parangon [14]
de laquelle elle paroist en Alexandre subalterne, incertaine,
bigarrée, molle et fortuite.

/// L'ancienneté jugea qu'à esplucher par le menu tous
les autres grands capitaines, il se trouve en chascun quelque
speciale qualité qui le rend illustre. En cettuy-cy seul,
c'est une vertu et suffisance pleine par tout et pareille;
qui, en tous les offices de la vie humaine, ne laisse rien
à desirer de soy, soit en occupation publique ou privée,
ou paisible ou guerriere, soit à vivre, soit à mourir gran-
dement et glorieusement. Je ne connois nulle ny forme
ny fortune d'homme que je regarde avec tant d'honneur
et d'amour. Il est bien vray que son obstination à la pauvreté, je la trouve aucunement scrupuleuse, comme elle
est peinte par ses meilleurs amis. Et cette seule action,
haute pour tant et trèsdigne d'admiration, je la sens un
peu aigrette pour, par souhait mesme, m'en desirer l'imitation. Le seul Scipion Æmylian, qui luy denneroit une
fin aussi fiere et illustre et la connoissance des sciences
autant profonde et universelle, me pourroit mettre en
doubte du chois. O quel desplaisir le temps m'a faict
d'oster de nos yeux à poinct nommé, des premieres, la
couple des vies justement la plus noble qui fust en Plutarque, de ces deux personnages, par le commun consentement du monde l'un le premier des Grecs, l'autre
des Romains! Quelle matiere, quel ouvrier! Pour un
homme non sainct, mais galant homme qu'ils nomment
de meurs civiles et communes, d'une hauteur moderée,
la plus riche vie que je sçache à estre vescue entre les
vivans, comme on dict, et estoffée de plus de riches parties
et desirables, c'est, tout consideré, celle d'Alcibiades à
mon gré. Mais quant à Epaminondas, / pour exemple d'une
excessive bonté, je veux adjouster icy aucunes de ses
opinions.

// Le plus doux contentement qu'il eust en toute sa vie,

il tesmoigna que c'estoit le plaisir qu'il avoit donné à
son pere et à sa mere de sa victoire de Leuctres; il couche
de beaucoup [15], preferant leur plaisir au sien, si juste et si
plein d'une tant glorieuse action.

/ Il ne pensoit pas qu'il fut loisible, pour recouvrer
mesmes la liberté de son pays, de tuer un homme sans
connoissance de cause; voylà pourquoy il fut si froid à
l'entreprise de Pelopidas son compaignon, pour la delivrance de Thebes. Il tenoit aussi qu'en une bataille il
falloit fuyr le rencontre d'un amy qui fut au party contraire,
et l'espargner.

/// Et son humanité à l'endroit des ennemis mesmes,
l'ayant mis en soupçon envers les Bœotiens de ce qu'après
avoir miraculeusement forcé les Lacedemoniens de luy
ouvrir le pas [16] qu'ils avoyent entreprins de garder à l'entrée
de la Morée près de Corinthe, il s'estoit contenté de leur
avoir passé sur le ventre sans les poursuyvre à toute
outrance, il fut deposé de l'estat de Capitaine general :
très-honorablement pour une telle cause et pour la honte
que ce leur fut d'avoir par necessité à le remonter tantost
après en son degré, et reconnoistre combien de luy depen-
doit leur gloire et leur salut, la victoire le suyvant comme
son ombre par tout où il guidast. La prosperité de son
pays mourut aussi, comme elle estoit née, aveq luy.

CHAPITRE XXXVII

DE LA RESSEMBLANCE DES ENFANS AUX PERES

/ Ce fagotage de tant de diverses pieces [1] se faict en cette condition, que je n'y mets la main que lors qu'une trop lasche oisiveté me presse, et non ailleurs que chez moy. Ainsin il s'est basty à diverses poses et intervalles, comme les occasions me detiennent ailleurs par fois plusieurs moys. Au demeurant, je ne corrige point mes premieres imaginations par les secondes; /// ouy à l'aventure quelque mot, mais pour diversifier, non pour oter. / Je veux representer le progrez de mes humeurs, et qu'on voye chaque piece en sa naissance. Je prendrois plaisir d'avoir commencé plustost et à reconnoistre le trein de mes mutations. Un valet qui me servoit à les escrire soubs moy pensa faire un grand butin de m'en desrober plusieurs pieces choisies à sa poste. Cela me console, qu'il n'y fera pas plus de gain que j'y ay fait de perte.

Je me suis enviellly de sept ou huict ans depuis que je commençay; ce n'a pas esté sans quelque nouvel acquest. J'y ay pratiqué la colique [2] par la liberalité des ans. Leur commerce et longue conversation ne se passe aisément sans quelque tel fruit. Je voudroy bien, de plusieurs autres presens qu'ils ont à faire à ceux qui les hantent long temps, qu'ils en eussent choisi quelqu'un qui m'eust esté plus acceptable : car ils ne m'en eussent sçeu faire que j'eusse en plus grande horreur, dès mon enfance; c'estoit à point nommé, de tous les accidents de la vieillesse, celuy que je craignois le plus. J'avoy pensé mainte-fois à part moy que j'alloy trop avant, et qu'à faire un si long chemin, je ne faudroy pas de m'engager en fin en quelque malplaisant rencontre. Je sentois et protestois assez qu'il estoit heure de partir, et qu'il falloit trencher la vie dans le vif et dans le sein, suyvant la regle des chirurgiens quand ils ont à coupper quelque membre; /// qu'à celuy qui ne la rendoit à temps, Nature avoit accoustumé faire payer de bien

rudes usures. / Mais c'estoient vaines propositions. Il s'en
faloit tant que j'en fusse prest lors, que, en dix-huict mois
ou environ qu'il y a que je suis en ce malplaisant estat,
j'ay des-jà appris à m'y accommoder. J'entre des-jà en
composition de ce vivre coliqueux; j'y trouve dequoy me
consoler et dequoy esperer. Tant les hommes sont acoquinez
à leur estre miserable, qu'il n'est si rude condition qu'ils
n'acceptent pour s'y conserver !

/// Oyez Mæcenas :

> Debilem facito manu,
> Debilem pede, coxa,
> Lubricos quate dentes :
> Vita dum superest bene est [3].

Et couvroit Tamburlan d'une sotte humanité la cruauté
fantastique qu'il exerçoit contre les ladres, en faisant mettre
à mort autant qu'il en venoit à sa connoissance, pour,
disoit-il, les delivrer de la vie qu'ils vivoient si penible.
Car il n'y avoit nul d'eux qui n'eut mieux aymé estre
trois fois ladre [4] que de n'estre pas.

Et Antisthenes le Stoïcien, estant fort malade et s'es-
criant : « Qui me delivrera de ces maux ? » Diogenes, qui
l'estoit venu voir, luy presentant un cousteau : « Cestuy-cy,
si tu veux bientost. — Je ne dis pas de la vie, repliqua il,
je dis des maux. »

/ Les souffrances qui nous touchent simplement par
l'ame m'affligent beaucoup moins qu'elles ne font la pluspart des autres hommes : partie par jugement (car le
monde estime plusieurs choses horribles, ou evitables au
pris de la vie, qui me sont à peu près indifferentes); partie
par une complexion stupide et insensible que j'ay aux accidents qui ne donnent à moy de droit fil, laquelle complexion
j'estime l'une des meilleures pieces de ma naturelle condition. Mais les souffrances vrayement essentielles et corporelles, je les gouste bien vifvement. Si est-ce pour tant que,
les prevoyant autresfois d'une veuë foible, delicate et
amollie par la jouyssance de cette longue et heureuse santé
et repos que Dieu m'a presté la meilleure part de mon aage,
je les avoy conceuës par imagination si insupportables,
qu'à la verité j'en avois plus de peur que je n'y ay trouvé
de mal : par où j'augmente tousjours cette creance que
la pluspart des facultez de nostre ame, /// comme nous les
employons, / troublent plus le repos de la vie qu'elles n'y
servent.

Je suis aus prises avec la pire de toutes les maladies,
la plus soudaine, la plus douloureuse, la plus mortelle et

la plus irremediable. J'en ay desjà essayé cinq ou six bien longs accez et penibles; toutes-fois, ou je me flatte, ou encores y a-il en cet estat dequoy se soustenir, à qui a l'ame deschargée de la crainte de la mort, et deschargée des menasses, conclusions [5] et consequences dequoy la medecine nous enteste. Mais l'effet mesme de la douleur n'a pas cette aigreur si aspre et si poignante, qu'un homme rassis en doive entrer en rage et en desespoir. J'ay aumoins ce profit de la cholique, que ce que je n'avoy encore peu sur moy, pour me concilier du tout et m'accointer à [6] la mort, elle le parfera; car d'autant plus elle me pressera et importunera, d'autant moins me sera la mort à craindre. J'avoy des-jà gaigné cela de ne tenir à la vie que par la vie seulement; elle desnouera encore cette intelligence; et Dieu veuille qu'en fin, si son aspreté vient à surmonter mes forces, elle ne me rejette à l'autre extremité, non moins vitieuse, d'aymer et desirer à mourir!

Summum nec metuas diem, nec optes [7].

Ce sont deux passions à craindre, mais l'une a son remede bien plus prest [8] que l'autre.

Au demourant, j'ay tousjours trouvé ce precepte ceremonieux, qui ordonne si rigoureusement et exactement de tenir bonne contenance et un maintien desdaigneux et posé à la tollerance des maux. Pourquoy la philosophie, qui ne regarde que le vif et les effects, se va elle amusant à ces apparences externes ? /// Qu'elle laisse ce soing aux farceurs [9] et maistres de Rhetorique qui font tant d'estat de nos gestes. Qu'elle condonne [10] hardiment au mal cette lacheté voyelle, si elle n'est ny cordiale, ny stomacale; et preste ces plaintes volontaires au genre des soupirs, sanglots, palpitations, pallissements que Nature a mis hors de nostre puissance. Pourveu que le courage soit sans effroy, les parolles sans desespoir, qu'elle se contente! Qu'importe que nous tordons nos bras, pourveu que nous ne tordons nos pensées! Elle nous dresse pour nous, non pour autruy; pour estre, non pour sembler. / Qu'elle s'arreste à gouverner nostre entendement qu'elle a pris à instruire; qu'aux efforts de la cholique, elle maintienne l'ame capable de se reconnoistre, de suyvre son train accoustumé; combatant la douleur et la soustenant, non se prosternant honteusement à ses pieds; esmeuë et eschauffée du combat, non abatue et renversée; /// capable de commerce, capable d'entretien jusques à certaine mesure.

/ En accidents si extremes, c'est cruauté de requerir de nous une démarche si composée. Si nous avons beau jeu, c'est peu que nous ayons mauvaise mine. Si le corps se soulage en se plaignant, qu'il le face; si l'agitation luy plaist, qu'il se tourneboule et tracasse à sa fantasie; s'il luy semble que le mal s'évapore aucunement (comme aucuns medecins disent que cela aide à la delivrance des femmes enceintes) pour pousser hors la voix avec plus grande violence, ou, s'il en amuse son tourment qu'il crie tout à faict. /// Ne commandons point à cette voix qu'elle aille, mais permettons le luy. Epicurus ne permet pas seulement à son sage de crier aux torments, mais il le luy conseille. « *Pugiles etiam, quum feriunt in jactandis cœstibus, ingemiscunt, quia profundenda voce omne corpus intenditur venitque plaga vehementior* [11]. » / Nous avons assez de travail du mal sans nous travailler à ces regles superflues. Ce que je dis pour excuser ceux qu'on voit ordinairement se tempester aux secousses et assaus de cette maladie; car, pour moy, je l'ay passée jusques à cette heure avec un peu meilleure contenance, non pourtant que je me mette en peine pour maintenir cette decence exterieure : car je fay peu de compte d'un tel advantage, je preste en cela au mal autant qu'il veut; mais, ou mes douleurs ne sont pas si excessives, ou j'y apporte plus de fermeté que le commun. Je me plains, je me despite quand les aigres pointures me pressent, mais je n'en viens point à me perdre, /// comme celuy-là,

> *Ejulatu, questu, gemitu, fremitibus*
> *Resonando multum flebiles voces refert* [12].

Je me taste au plus espais du mal et ay tousjours trouvé que j'estoy capable de dire, de penser, de respondre aussi sainement qu'en un autre heure; mais non si constamment, la douleur me troublant et destournant. Quand on me tient le plus atterré et que les assistants m'espargnent, j'essaye souvent mes forces et entame moy-mesmes des propos les plus esloignez de mon estat. Je puis tout par un soudain effort; mais ostez en la durée.

O que n'ay je la faculté de ce songeur de Cicero qui, songeant embrasser une garse, trouva qu'il s'estoit deschargé de sa pierre emmy ses draps! Les miennes me desgarsent estrangement!

/ Aux intervalles de cette douleur excessive, /// que mes ureteres languissent sans me poindre si fort, / je me remets soudain en ma forme ordinaire, d'autant que mon ame ne prend autre alarme que la sensible et corporelle; ce que

je doy certainement au soing que j'ay eu à me preparer
par discours à tels accidens,

// laborum

> Nulla mihi nova nunc facies inopinaque surgit ;
> Omnia præcepi atque animo mecum ante peregi [13].

/ Je suis essayé pourtant un peu bien rudement pour
un apprentis, et d'un changement bien soudain et bien
rude, estant cheu tout à coup d'une très-douce condition
de vie et très-heureuse à la plus doloreuse et penible qui
se puisse imaginer. Car, outre ce que c'est une maladie bien
fort à craindre d'elle mesme, elle fait en moy ses commen-
cemens beaucoup plus aspres et difficiles qu'elle n'a accoustumé. Les accés me reprennent si souvent que je ne sens
quasi plus d'entiere santé. Je maintien toutesfois jusques
à cette heure mon esprit en telle assiette que, pourveu que
j'y puisse apporter de la constance, je me treuve en assez
meilleure condition de vie que mille autres, qui n'ont ny
fiévre ny mal que celuy qu'ils se donnent eux mesmes par
la faute de leur discours.

Il est certaine façon d'humilité subtile qui naist de la
presomption, comme cette-cy, que nous reconnoissons
nostre ignorance en plusieurs choses et sommes si courtois
d'avouer qu'il y a ès ouvrages de nature aucunes qualitez
et conditions qui nous sont imperceptibles, et desquelles
nostre suffisance ne peut descouvrir les moyens et les
causes. Par cette honneste et conscientieuse declaration,
nous esperons gaigner qu'on nous croira aussi de celles
que nous dirons entendre. Nous n'avons que faire d'aller
trier des miracles et des difficultez estrangeres ; il me semble
que, parmy les choses que nous voyons ordinairement, il y a
des estrangetez si incomprehensibles qu'elles surpassent
toute la difficulté des miracles. Quel monstre est-ce, que
cette goute de semence dequoy nous sommes produits
porte en soy les impressions, non de la forme corporelle
seulement, mais des pensemens et des inclinations de nos
peres ? Cette goute d'eau, où loge elle ce nombre infiny
de formes ?

// Et comme portent elles ces ressemblances, d'un progrez si temeraire et si desreglé que l'arriere fils respondra [14]
à son bisayeul, le neveu à l'oncle ? En la famille de Lepidus,
à Romme, il y en a eu trois, non de suitte, mais par intervalles, qui nasquirent un mesme œuil couvert de cartilage. A Thebes, il y avoit une race qui portoit, dès le
ventre de la mere, la forme d'un fer de lance ; et, qui ne
le portoit, estoit tenu illegitime. Aristote dict qu'en

certaine nation où les femmes estoient communes, on assignoit les enfans à leurs peres par la ressemblance.

/ Il est à croire que je dois à mon pere cette qualité pierreuse, car il mourut merveilleusement affligé d'une grosse pierre qu'il avoit en la vessie; il ne s'apperceut de son mal que le soixante-septiesme an de son aage, et avant cela il n'en avoit eu aucune menasse ou ressentiment aux reins, aux costez, ny ailleurs; et avoit vescu jusques lors en une heureuse santé et bien peu subjette à maladies; et dura encores sept ans en ce mal, traînant une fin de vie bien douloureuse. J'estoy nay vingt cinq ans et plus avant sa maladie, et durant le cours de son meilleur estat, le troisiesme de ses enfans en rang de naissance. Où se couvoit tant de temps la propension à ce defaut? Et, lors qu'il estoit si loing du mal, cette legere piece de sa substance dequoy il me bastit, comment en portoit elle pour sa part une si grande impression? Et comment encore si couverte, que, quarante cinq ans après, j'aye commencé à m'en ressentir, seul jusques à cette heure entre tant de freres et de sœurs, et tous d'une mere? Qui m'esclaircira de ce progrez, je le croiray d'autant d'autres miracles qu'il voudra; pourveu que, comme ils font [15], il ne me donne pas en payement une doctrine beaucoup plus difficile et fantastique que n'est la chose mesme.

Que les medecins excusent un peu ma liberté, car par cette mesme infusion et insinuation fatale, j'ay receu la haine et le mespris de leur doctrine: cette antipathie que j'ay à leur art m'est hereditaire. Mon pere a vescu soixante et quatorze ans, mon ayeul soixante et neuf, mon bisayeul près de quatre vingts, sans avoir gousté aucune sorte de medecine; et, entre eux, tout ce qui n'estoit de l'usage ordinaire tenoit lieu de drogue. La medecine se forme par exemples et experience; aussi fait mon opinion. Voylà pas une bien expresse experience et bien advantageuse? Je ne sçay s'ils m'en trouveront trois en leurs registres, nais, nourris et trespassez en mesme fouier, mesme toict, ayans autant vescu soubs leurs regles. Il faut qu'ils m'advouent en cela que, si ce n'est la raison, au moins que la fortune est de mon party; or, chez les medecins, fortune vaut bien mieux que la raison. Qu'ils ne me prennent point à cette heure à leur advantage [16]; qu'ils ne me menassent point, atterré comme je suis: ce seroit supercherie. Aussi, à dire la verité, j'ay assez gaigné sur eux par mes exemples domestiques, encore qu'ils s'arrestent là. Les choses humaines n'ont pas tant de constance: il y a deux cens ans, il ne s'en faut que dix-huict, que cet essay nous dure, car le premier nasquit l'an mil quatre cens d'eux. C'est vrayement bien raison que cette experience commence à nous faillir. Qu'ils ne me reprochent point les maux qui me tiennent asteure à la gorge : d'avoir vescu sain quarante sept ans pour ma part, n'est-ce pas assez ? quand ce sera le bout de ma carriere, elle est des plus longues.

Mes ancestres avoient la mededine à contre-cœur par quelque inclination occulte et naturelle; car la veuë mesme des drogues faisoit horreur à mon pere. Le seigneur de Gaviac, mon oncle paternel, homme d'Eglise, maladif dès sa naissance, et qui fit toutefois durer cette vie debile jusques à 67 ans, estant tombé autrefois en une grosse et vehemente fiévre continue, il fut ordonné par les medecins qu'on luy declaireroit, s'il ne se vouloit aider (ils appellent secours ce qui le plus souvent est empeschement), qu'il estoit infailliblement mort. Ce bon homme, tout effrayé comme il fut de cette horrible sentence, si respondit il : « Je suis donq mort. » Mais Dieu rendit tantost après vain ce prognostique.

// Le dernier des freres, ils estoyent quatre, Sieur de Bussaguet, et de bien loing le dernier, se soubmit seul à cet art, pour le commerce, ce croy-je, qu'il avoit avec les autres arts, car il estoit conseiller en la court de parlement, et luy succeda si mal qu'estant par apparence de plus forte complexion, il mourut pourtant long temps avant les autres, sauf un, le sieur de Sainct Michel.

/ Il est possible que j'ay receu d'eux cette dispathie [17] naturelle à la medecine; mais s'il n'y eut eu que cette consideration, j'eusse essayé de la forcer. Car toutes ces conditions qui naissent en nous sans raison, elles sont vitieuses, c'est une espece de maladie qu'il faut combatre; il peut estre que j'y avois cette propension, mais je l'ay appuyée et fortifiée par les discours qui m'en ont establi l'opinion que j'en ay. Car je hay aussi cette consideration de refuser la medecine pour l'aigreur de son goust; ce ne seroit aisement mon humeur, qui trouve la santé digne d'estre r'achetée par tous les cauteres et incisions les plus penibles qui se facent.

/// Et, suyvant Epicurus, les voluptez me semblent à eviter, si elles tirent à leur suite les douleurs plus grandes, et les douleurs à rechercher, qui tirent à leur suite des voluptez plus grandes.

/ C'est une pretieuse chose que la santé, et la seule chose qui merite à la verité qu'on y employe, non le temps seulement, la sueur, la peine, les biens, mais encore la vie à sa poursuite; d'autant que sans elle la vie nous vient à estre

penible et injurieuse. La volupté, la sagesse, la science et
la vertu, sans elle, se ternissent et esvanouissent; et aux
plus fermes et tendus discours que la philosophie nous
veuille imprimer au contraire, nous n'avons qu'à opposer
l'image de Platon estant frappé du haut mal ou d'une apoplexie, et, en cette presupposition [18], le deffier de s'ayder de
ces nobles et riches facultez de son ame. Toute voye qui
nous meneroit à la santé ne se peut dire pour moy ny aspre,
ny chere. Mais j'ay quelques autres apparences qui me font
estrangement deffier de toute cette marchandise. Je ne dy
pas qu'il n'y en puisse avoir quelque art; qu'il n'y ait,
parmy tant d'ouvrages de nature, des choses propres à la
conservation de nostre santé; cela est certain.

// J'entend bien qu'il y a quelque simple qui humecte,
quelque autre qui asseche; je sçay, par experience, et que
les refforts [19] produisent des vents, et que les feuilles du
sené láchent le ventre; je sçay plusieurs telles experiences,
comme je sçay que le mouton me nourrit et que le vin
m'eschauffe; et disoit Solon que le menger estoit, comme
les autres drogues, une medecine contre la maladie de la
faim. Je ne desadvouë pas l'usage que nous tirons du
monde, ny ne doubte de la puissance et uberté de nature,
et de son application à nostre besoing. Je vois bien que
les brochets et les arondes [20] se trouvent bien d'elle. Je
me deffie des inventions de nostre esprit, de nostre science
et art, en faveur duquel nous l'avons abandonnée et ses
regles, et auquel nous ne sçavons tenir moderation ny
limite.

/// Comme nous appelons justice le pastissage [21] des premieres loix qui nous tombent en main et leur dispensation [22]
et pratique, souvent trèsinepte et trèsinique, et comme
ceux qui s'en moquent et qui l'accusent n'entendent pas
pourtant injurier cette noble vertu, ains condamner seulement l'abus et profanation de ce sacré titre; de mesme, en
la medecine, j'honnore bien ce glorieux nom, sa proposition [23], sa promesse si utile au genre humain, mais ce qu'il
designe entre nous, je ne l'honnore ny l'estime.

/ En premier lieu, l'experience me le fait craindre; car,
de ce que j'ay de connoissance, je ne voy nulle race de gens
si tost malade et si tard guerie que celle qui est sous la
jurisdiction de la medecine. Leur santé mesme est alterée
et corrompue par la contrainte des regimes. Les medecins
ne se contentent point d'avoir la maladie en gouvernement,
ils rendent la santé malade, pour garder qu'on ne puisse
en aucune saison eschapper leur authorité. D'une santé
constante et entiere, n'en tirent ils pas l'argument d'une

grande maladie future ? J'ay esté assez souvent malade; j'ay trouvé, sans leurs secours, mes maladies aussi douces à supporter (et en ay essayé quasi de toutes les sortes) et aussi courtes qu'à nul'autre; et si, n'y ay point meslé l'amertume de leurs ordonnances. La santé, je l'ay libre et entiere, sans regle et sans autre discipline que de ma coustume et de mon plaisir. Tout lieu m'est bon à m'arrester, car il ne me faut autres commoditez, estant malade, que celles qu'il me faut estant sain. Je ne me passionne point d'estre sans medecin, sans apotiquaire et sans secours; dequoy j'en voy la plus part plus affligez que du mal. Quoy! eux mesmes nous font ils voir de l'heur et de la durée en leur vie, qui nous puisse tesmoigner quelque apparent effet de leur science ?

Il n'est nation qui n'ait esté plusieurs siecles sans la medecine, et les premiers siecles, c'est à dire les meilleurs et les plus heureux; et du monde la dixiesme partie ne s'en sert pas encores à cette heure; infinies nations ne la cognoissent pas, où l'on vit et plus sainement et plus longuement qu'on ne fait icy; et parmy nous le commun peuple s'en passe heureusement. Les Romains avoyent esté six cens ans avant que de la recevoir, mais, après l'avoir essayée, ils la chasserent de leur ville par l'entremise de Caton le Censeur, qui montra combien aysément il s'en pouvoit passer, ayant vescu quatre vingts et cinq ans, et fait vivre sa femme jusqu'à l'extreme vieillesse, non pas sans medecine, mais ouy bien sans medecin : car toute chose qui se trouve salubre à nostre vie, se peut nommer medecine. Il entretenoit, ce dict Plutarque, sa famille en santé par l'usage (ce me semble) du lievre; comme les Arcades, dict Pline, guerissent toutes maladies avec du laict de vache. /// Et les Lybiens, dict Herodote, jouyssent populairement [24] d'une rare santé par cette coustume qu'ils ont, après que leurs enfans ont atteint quatre ans, de leur causteriser et brusler les veines du chef et des temples [25], par où ils coupent chemin pour leur vie à toute defluxion de rheume. / Et les gens de village de ce païs, à tous accidens, n'employent que du vin le plus fort qu'ils peuvent, meslé à force safran et espice : tout cela avec une fortune pareille.

Et à dire vray, de toute cette diversité et confusion d'ordonnances, quelle autre fin et effect après tout y a il que de vuider le ventre ? ce que mille simples domestiques peuvent faire.

// Et si ne scay si c'est si utillement qu'ils disent, et si nostre nature n'a point besoing de la residence de ses excremens jusques à certaine mesure, comme le vin a de sa lie pour sa conversation. Vous voyez souvent des hommes

sains tomber en vomissemens ou flux de ventre par accident estranger, et faire un grand vuidange d'excremens
sans besoin aucun precedent et sans aucune utilité suivante,
voire avec empirement et dommage. /// C'est du grand
Platon que j'apprins naguieres que, de trois sortes de
mouvemens qui nous appartiennent, le dernier et le pire
est celuy des purgations, que nul homme, s'il n'est fol,
doit entreprendre qu'à l'extreme necessité. On va troublant
et esveillant le mal par oppositions contraires. Il faut que
ce soit la forme de vivre qui doucement l'allanguisse et
reconduise à sa fin : les violentes harpades [26] de la drogue
et du mal sont tousjours à nostre perte, puis que la querelle
se desmesle chez nous et que la drogue est un secours
infiable [27], de sa nature ennemi à nostre santé et qui n'a
accez en nostre estat que par le trouble. Laissons un peu
faire : l'ordre qui pourvoid aux puces et aux taulpes,
pourvoid aussi aux hommes qui ont la patience pareille
à se laisser gouverner que les puces et les taulpes. Nous
avons beau crier bihore [28], c'est bien pour nous enrouër,
mais non pour l'avancer. C'est un ordre superbe et impi-
teux. Nostre crainte, notre desespoir le desgoute et retarde
de nostre aide, au lieu de l'y convier; il doibt au mal
son cours comme à la santé. De se laisser corrompre en
faveur de l'un au prejudice des droits de l'autre, il ne le
fera pas : il tomberoit en desordre. Suyvons, de par Dieu!
suyvons! Il meine ceux qui suyvent; ceux qui ne le suyvent
pas, il les entraine, et leur rage et leur medecine ensemble.
Faictes ordonner une purgation à vostre cervelle, elle y
sera mieux employée qu'à votre estomach.

/ On demandoit à un Lacedemonien qui l'avoit fait vivre
sain si long temps : « L'ignorance de la medecine », respondit il. Et Adrian l'Empereur crioit sans cesse, en mourant, que la presse des medecins l'avoit tué.

// Un mauvais luicteur se fit medecin : « Courage, luy
dit Diogenes, tu as raison; tu mettras à cette heure en terre
ceux qui t'y ont mis autresfois. »

/ Mais ils [29] ont cet heur, // selon Nicocles, / que le
soleil esclaire leur succez, et la terre cache leur faute; et
outre cela, ils ont une façon bien avantageuse de se servir de
toutes sortes d'evenemens, car ce que la fortune, ce que
la nature, et quelque autre cause estrangere (desquelles
le nombre est infini) produit en nous de bon et de salutaire,
c'est le privilege de la medecine de se l'attribuer. Tous les
heureux succez qui arrivent au patient qui est soubs son
regime, c'est d'elle qu'il les tient. Les occasions qui m'ont
guery, moy, et qui guerissent mille autres qui n'appellent

point les medecins à leurs secours, il les usurpent en leurs
subjects; et, quant aux mauvais accidents, ou ils les desa-
vouent tout à fait, en attribuant la coulpe au patient par
des raisons si vaines qu'ils n'ont garde de faillir d'en trouver tousjours assez bon nombre de telles : « Il a descouvert
son bras, // il a ouy le bruit d'un coche;

> *rhedarum transitus arcto*
> Vicorum in flexu* [30];

/ on a entrouvert sa fenestre; il s'est couché sur le costé
gauche, ou passé par sa teste quelque pensement penible. »
Somme [31], une parolle, un songe, une œuillade leur semble
suffisante excuse pour se descharger de faute. Ou, s'il leur
plait, ils se servent encore de cet empirement, et en font
leurs affaires par cet autre moyen qui ne leur peut jamais
faillir : c'est de nous payer, lors que la maladie se trouve
rechaufée par leurs applications de l'asseurance qu'ils nous
donnent qu'elle seroit bien autrement empirée sans leurs
remedes. Celuy qu'ils ont jetté d'un morfondement [32] en
une fièvre quotidienne, il eust eu sans eux la continue.
Ils n'ont garde de faire mal leurs besoignes, puis que le
dommage leur revient à profit. Vrayement ils ont raison
de requerir du malade une application de creance favorable : il faut qu'elle le soit, à la verité, en bon escient, et
bien souple, pour s'appliquer à des imaginations si mal
aisées à croire.

// Platon disoit, bien à propos, qu'il n'appartenoit
qu'aux medecins de mentir en toute liberté, puis que
nostre salut despend de la vanité et faulceté de leurs promesses.

/ Æsope, autheur de très-rare excellence et duquel peu
de gens descouvrent toutes les graces, est plaisant à nous
representer cette authorité tyrannique qu'ils usurpent sur
ces pauvres ames affoiblies et abatues par le mal et la
crainte. Car il conte qu'un malade, estant interrogé par
son medecin quelle operation il sentoit des medicamens
qu'il luy avoit donnez : « J'ay fort sué, respondit-il. —
Cela est bon », dit le medecin. A une autre fois, il luy
demanda encore comme il s'estoit porté dépuis : « J'ay
eu un froid extreme, fit-il, et ay fort tremblé. — Cela
est bon », suyvit le medecin. A la troisiesme fois, il lui
demanda de rechef comment il se portoit : « Je me sens,
dit-il, enfler et bouffir comme d'ydropisie. — Voylà qui
va bien », adjousta le medecin. L'un de ses domestiques
venant après à s'enquerir à luy de son estat : « Certes,

mon amy, respond-il, à force de bien estre, je me meurs. »

Il y avoit en Ægypte une loy plus juste par laquelle le medecin prenoit son patient en charge, les trois premiers jours, aux perils et fortunes du patient; mais, les trois jours passez, c'estoit aux siens propres; car quelle raison y a il qu'Æsculapius, leur patron, ait esté frappé du foudre pour avoir r'amené Heleine de mort à vie,

|| *Nam pater omnipotens, aliquem indignatus ab umbris*
Mortalem infernis ad lumina surgere vitæ,
Ipse repertorem medicinæ talis et artis
Fulmine Phœbigenam stygias detrusit ad undas [33];

/ et ses suyvans soyent absous qui envoyent tant d'ames de la vie à la mort ?

|| Un medecin vantoit à Nicocles son art estre de grande auctorité : « Vrayment c'est mon [34], dict Nicocles, qui peut impunement tuer tant de gens. »

/ Au demeurant, si j'eusse esté de leur conseil, j'eusse rendu ma discipline [35] plus sacrée et mysterieuse; ils avoyent assez bien commencé, mais ils n'ont pas achevé de mesme. C'estoit un bon commencement d'avoir fait des dieux et des demons autheurs de leur science, d'avoir pris un langage à part, une escriture à part; /// quoy qu'en sente la philosophie, que c'est folie de conseiller un homme pour son profit par maniere non intelligible : « *Ut si quis medicus imperet, ut sumat :*

Terrigenam, herbigradam, domiportam, sanguine cassam [36]. »

/ C'estoit une bonne regle en leur art, et qui accompaigne toutes les arts fantastiques, vaines et supernaturelles, qu'il faut que la foy du patient preoccupe par bonne esperance et asseurance leur effect et operation. Laquelle reigle ils tiennent jusques là que le plus ignorant et grossier medecin, ils le trouvent plus propre à celuy qui a fiance en luy que le plus experimenté inconnu. Le chois mesmes de la pluspart de leurs drogues est aucunement mysterieux et divin : le pied gauche d'une tortue, l'urine d'un lezart, la fiante d'un Elephant, le foye d'une taupe, du sang tiré soubs l'aile droite d'un pigeon blanc; et pour nous autres coliqueux (tant ils abusent desdaigneusement de nostre misere), des crotes de rat pulverisées, et telles autres singeries qui ont plus le visage d'un enchantement magicien que de science solide. Je laisse à part le nombre imper de leurs pillules, la destination de certains jours et festes de l'année, la distinction des heures à cueillir les herbes de leurs ingrediens, et cette grimace rebarbative et prudente de leur port et contenance, dequoy Pline mesme se moque. Mais ils ont failly, veux je dire, de ce qu'à beau commancement ils n'ont adjousté cecy, de rendre leurs assemblées et consultations plus religieuses et secretes : aucun homme profane n'y devoit avoir accez, non plus qu'aux secretes ceremonies d'Æsculape. Car il advient de cette faute que leur irresolution, la foiblesse de leurs argumens, divinations et fondemens, l'âpreté de leurs contestations, pleines de haine, de jalousie et de consideration particuliere, venant à estre descouvertes à un chacun, il faut estre merveilleusement aveugle si on ne se sent bien hazardé entre leurs mains. Qui veid jamais medecin se servir de la recepte de son compaignon sans en retrancher ou y adjouster quelque chose. Ils trahissent assez par là leur art, et nous font voir qu'ils y considerent plus leur reputation, et par consequent leur profit, que l'interest de leurs patiens. Celuy là de leurs docteurs est plus sage, qui leur a anciennement prescript qu'un seul se mesle de traiter un malade : car, s'il ne fait rien qui vaille, le reproche à l'art de la medecine n'en sera pas fort grand pour la faute d'un homme seul ; et, au rebours, la gloire en sera grande, s'il vient à bien rencontrer ; là où, quand ils sont beaucoup, ils descrient tous les coups le mestier, d'autant qu'il leur advient de faire plus souvent mal que bien. Ils se devoyent contenter du perpetuel desaccord qui se trouve ès opinions des principaux maistres et autheurs anciens de cette science, lequel n'est conneu que des hommes versez aux livres, sans faire voir encore au peuple les controverses et inconstances de jugement qu'ils nourrissent et continuent entre eux.

Voulons nous un exemple de l'ancien debat de la médecine ? Hierophilus loge la cause originelle des maladies aux humeurs ; Erasistratus, au sang des arteres ; Asclepiades, aux atomes invisibles s'escoulans en nos pores ; Alcmæon, en l'exuperance [37] ou defaut des forces corporelles ; Diocles, en l'inequalité [38] des elemens du corps et en la qualité de l'air que nous respirons ; Strato, en l'abondance, crudité et corruption de l'alimant que nous prenons ; Hippocrates la loge aux esprits. Il y a l'un de leurs amis, qu'ils connoissent mieux que moy, qui s'escrie à ce propos que la science la plus importante qui soit en nostre usage, comme celle qui a charge de nostre conservation et santé, c'est, de mal'heur, la plus incertaine, la plus trouble et agitée de plus de changemens. Il n'y a pas grand danger de nous mesconter [39] à la hauteur

du soleil, ou en la fraction de quelque supputation astro-
nomique; mais icy, où il va de tout nostre estre, ce n'est
pas sagesse de nous abandonner à la mercy de l'agitation
de tant de vents contraires.

Avant la guerre Peloponesiaque, il n'y avoit pas grands
nouvelles de cette science; Hippocrates la mit en credit.
Tout ce que cettuy-cy avoit estably, Chrysippus le ren-
versa; dépuis, Erasistratus, petit fils d'Aristote, tout ce que
Chrysippus en avoit escrit. Après ceux cy survindrent les
Empiriques, qui prindrent une voye toute diverse des
anciens au maniement de cet art. Quand le credit de ces
derniers commença à s'envieillir, Herophilus mit en usage
une autre sorte de medecine, que Asclepiades vint à
combattre et aneantir à son tour. A leur reng vindrent
aussi en authorité les opinions de Themison, et dépuis
de Musa, et, encore après, celles de Vexius Valens, medecin
fameux par l'intelligence qu'il avoit avecques Messalina.
L'Empire de la medecine tomba du temps de Neron à
Tessalus, qui abolit et condamna tout ce qui en avoit
esté tenu jusques à luy. La doctrine de cettuy-cy fut abatue
par Crinas de Marseille, qui apporta de nouveau de regler
toutes les operations medicinales aux ephemerides et mouvemens des astres, manger, dormir et boire à l'heure
qu'il plairoit à la Lune et à Mercure. Son auctorité feut
bien tost après supplantée par Charinus, medecin de cette
mesme ville de Marseille. Cettuy-cy combattoit non seulement la medecine ancienne, mais encore le publique [40] et,
tant de siecles auparavant, accoustumé usage des bains
chauds. Il faisoit baigner les hommes dans l'eau froide,
en hiver mesme, et plongeoit les malades dans l'eau
naturelle des ruisseaux. Jusques au temps de Pline, aucun
Romain n'avoit encore daigné exercer la medecine; elle
se faisoit par des estrangers et Grecs, comme elle se fait
entre nous, François, par des Latineurs [41] : car, comme
dict un trèsgrand medecin, nous ne recevons pas aiséement
la medecine que nous entendons, non plus que la drogue
que nous cueillons. Si les nations desquelles nous retirons
le gayac, la salseperille [42] et le bois desquine [43] ont des
medecins, combien pensons nous, par cette mesme recommandation de l'estrangeté, la rareté et la cherté, qu'ils
facent feste de nos choux et de nostre persil ? car qui oseroit
mespriser les choses recherchées de si loing, au hazard
d'une si longue peregrination et si perilleuse ? Depuis ces
anciennes mutations de la medecine, il y en a eu infinies
autres jusques à nous, et le plus souvent mutations entieres
et universelles, comme sont celles que produisent de nostre

temps Paracelse, Fioravanti et Argenterius [44]; car ils ne changent pas seulement une recepte, mais, à ce qu'on me dict, toute la contexture et police du corps de la medecine, accusant d'ignorance et de piperie ceux qui en ont faict profession jusques à eux. Je vous laisse à penser où en est le pauvre patient!

Si encor nous estions asseurez, quand ils se mes-content [45], qu'ils ne nous nuisist pas s'il ne nous profite, ce seroit une bien raisonnable composition de se hazarder d'acquerir du bien sans se mettre en danger de perte.

// Æsope faict ce conte, qu'un qui avoit achepté un More esclave, estimant que cette couleur luy fust venue par accident et mauvais traictement de son premier maistre, le fit medeciner de plusieurs bains et breuvages avec grand soing; il advint que le More n'en amenda aucunement sa couleur basanée, mais qu'il en perdit entierement sa pre-miere santé.

/ Combien de fois nous advient il de voir les medecins imputans les uns aux autres la mort de leurs patiens! Il me souvient d'une maladie populaire [46] qui fut aux villes de mon voisinage, il y a quelques années, mortelle et très-dangereuse; cet orage estant passé, qui avoit emporté un nombre infini d'hommes, l'un des plus fameux medecins de toute la contrée vint à publier un livret touchant cette matiere, par lequel il se ravise de ce qu'ils avoient usé de la seignée, et confesse que c'est l'une des causes principales du dommage qui en estoit advenu. Davantage, leurs autheurs tiennent qu'il n'y a aucune medecine qui n'ait quelque partie nuisible, et si celles mesmes qui nous servent nous offencent aucunement, que doivent faire celles qu'on nous applique de tout hors de propos ?

De moy, quand il n'y auroit autre chose, j'estime qu'à ceux qui hayssent le goust de la medecine, ce soit un dangereux effort, et de prejudice, de l'aller avaller à une heure si incommode avec tant de contre-cœur; et quoy que cela essaye merveilleusement le malade en une saison où il a tant besoin de repos. Outre ce que, à considerer les occasions surquoy ils fondent ordinairement la cause de nos maladies, elles sont si legeres et si delicates que j'argumente par là qu'une bien petite erreur en la dispen-sation [47] de leurs drogues peut nous apporter beaucoup de nuisance.

Or, si le mesconte du medecin est dangereux, il nous va bien mal, car il est bien mal aisé qu'il n'y retombe souvent; il a besoing de trop de pieces, considerations et circonstances pour affuter justement son dessein; il faut qu'il connoisse la complexion du malade, sa temperature, ses humeurs, ses inclinations, ses actions, ses pensements mesmes et ses imaginations; il faut qu'il se responde des circonstances externes, de la nature du lieu, condition de l'air et du temps, assiette des planettes et leurs influances; qu'il sçache en la maladie les causes, les signes, les affections, les jours critiques; en la drogue, le poix, la force, le pays, la figure, l'aage, la dispensation [48]; et faut que toutes ces pieces, il les sçache proportionner et raporter l'une à l'autre pour en engendrer une parfaicte symmetrie. A quoy s'il faut tant soit peu, si de tant de ressorts il y en a un tout seul qui tire à gauche, en voylà assez pour nous perdre. Dieu sçait de quelle difficulté est la connoissance de la pluspart de ces parties : car, pour exemple, comment trouvera il le signe propre de la maladie, chacune estant capable d'un infiny nombre de signes ? Combien ont ils de debats entr'eux et de doubtes sur l'interpretation des urines! Autrement d'où viendroit cette altercation continuelle que nous voyons entr'eux sur la connoissance du mal ? Comment excuserions nous cette faute, où ils tombent si souvent, de prendre martre pour renard ? Aux maux que j'ay eu, pour peu qu'il y eut de difficulté, je n'en ay jamais trouvé trois d'accord. Je remarque plus volontiers les exemples qui me touchent. Dernierement, à Paris, un gentil-homme fust taillé [49] par l'ordonnance des medecins, auquel on ne trouva de pierre non plus à la vessie qu'à la main; et là mesmes, un Evesque qui m'estoit fort amy avoit esté instamment sollicité, par la pluspart des medecins qu'il appelloit à son conseil, de se faire tailler; j'aydoy moy mesme, soubs la foy d'autruy, à le luy suader : quand il fust trespassé et qu'il fust ouvert, on trouva qu'il n'avoit mal qu'aux reins. Ils sont moins excusables en cette maladie, d'autant qu'elle est aucunement palpable. C'est par là que la chirurgie me semble beaucoup plus certaine, par ce qu'elle voit et manie ce qu'elle fait; il y a moins à conjecturer et à deviner, là où les medecins n'ont point de *speculum matricis* qui leur découvre nostre cerveau, nostre poulmon et nostre foye.

Les promesses mesmes de la medecine sont incroiables : car, ayant à prouvoir à divers accidents et contraires [50] qui nous pressent souvent ensemble, et qui ont une relation quasi necessaire, comme la chaleur du foye et froideur de l'estomach, ils nous vont persuadant que, de leurs ingrediens, cettuy-cy eschaufera l'estomach, cet autre refreschira le foye; l'un a sa charge d'aller droit aux reins, voire jusques à la vessie, sans estaler ailleurs ses operations, et conservant ses forces et sa vertu, en ce long chemin et plein de destourbiers, jusques au lieu au service duquel il est destiné par sa propriété occulte; l'autre assechera le cerveau; celuy là humectera le poulmon. De tout cet amas ayant faict une mixtion de breuvage, n'est ce pas quelque espece de resverie [51] d'esperer que ces vertus s'aillent divisant et triant de cette confusion et meslange, pour courir à charges si diverses ? Je craindrois infiniement qu'elles perdissent ou eschangeassent leurs ethiquetes et troublassent leurs quartiers. Et qui pourroit imaginer que, en cette confusion liquide, ces facultez ne se corrompent, confondent et alterent l'une l'autre ? Quoy, que l'execution de cette ordonnance dépend d'un autre officier [52], à la foy et mercy duquel nous abandonnons encore un coup nostre vie ?

/// Comme nous avons des prepointiers [53], des chausse-tiers [54] pour nous vestir, et en sommes d'autant mieux servis que chacun ne se mesle que de son subject et a sa science plus restreinte et plus courte qu'a un tailleur qui embrasse tout; et comme, à nous nourrir, les grands, pour plus de commodité, ont des offices distinguez de potagiers et de rostisseurs, de quoy un cuisinier qui prend la charge universelle ne peut si exquisement venir à bout; de mesme, à nous guerir, les Ægyptiens avoient raison de rejetter ce general mestier de medecin et descoupper cette profession : à chaque maladie, à chaque partie du corps, son ouvrier; car elle en estoit bien plus proprement et moins confuséement traictée de ce qu'on ne regardoit qu'à elle specialement. Les nostres ne s'advisent pas que qui pourvoid à tout, ne pourvoid à rien; que la totale police de ce petit monde leur est indigestible. Cependant qu'ils craignent d'arrester le cours d'un dysenterique pour ne luy causer la fiévre, ils me tuarent un amy [55] qui valoit mieux que tous, tant qu'ils sont. Ils mettent leurs divinations au poids, à l'encontre des maux presens, et, pour ne guerir le cerveau au prejudice de l'estomac, offencent l'estomac et empirent le cerveau par ces drogues tumultuaires et dissen-tieuses [56].

/ Quant à la varieté et foiblesse des raisons de cet art, elle est plus apparente qu'en aucun autre art. Les choses aperitives sont utiles à un homme coliqueus [57], d'autant qu'ouvrant les passages et les dilatant, elles acheminent cette matiere gluante de laquelle se bastit la grave [58] et la pierre, et conduisent contre-bas ce qui se commence à durcir et amasser aux reins. Les choses aperitives sont dangereuses à un homme coliqueus, d'autant qu'ouvrant

les passages et les dilatant, elles acheminent vers les reins
la matiere propre à bastir la grave, lesquels s'en saisissans
volontiers pour cette propension qu'ils y ont, il est malaisé
qu'ils n'en arrestent beaucoup de ce qu'on y aura charrié;
d'avantage, si de fortune il s'y rencontre quelque corps
un peu plus grosset qu'il ne faut pour passer tous ces
destroicts qui restent à franchir pour l'expeller [59] au
dehors, ce corps estant esbranlé par ces choses aperitives et
jetté dans ces canaus estroits, venant à les boucher, ache-
minera une certaine mort et très-doloreuse.

Ils ont une pareille fermeté aux conseils qu'ils nous
donnent de notre regime de vivre : Il est bon de tomber
souvent de l'eau, car nous voyons par experience qu'en la
laissant croupir nous lui donnons loisir de se descharger
de ses excremens et de sa lye, qui servira de matiere a
bastir la pierre en la vessie; — il est bon de ne tomber
point souvent de l'eau, car les poisans excrements qu'elle
traine quant et elle, ne s'emporteront poinct s'il n'y a de
la violence, comme on void par experience qu'un torrent
qui roule avecques roideur baloye bien plus nettement
le lieu où il passe, que ne faict le cours d'un ruisseau mol
et lâche. Pareillement, il est bon d'avoir souvent affaire
aux femmes, car cela ouvre les passages et achemine la
grave [58] et le sable; — il est bien aussi mauvais, car cela
eschaufe les reins, les lasse et affoiblit. Il est bon de se
baigner aux eaux chaudes, d'autant que cela relâche et
amollit les lieux où se croupit le sable et la pierre; — mauvais aussi est-il, d'autant que cette application de chaleur
externe aide les reins à cuire, durcir et petrifier la matiere
qui y est disposée. A ceux qui sont aux bains, il est plus
salubre de manger peu le soir, affin que le breuvage des
eaux qu'ils ont à prendre lendemain matin, face plus d'operation, rencontrant l'estomac vuide et non empesché; —
au rebours, il est meilleur de manger peu au disner pour
ne troubler l'operation de l'eau, qui n'est pas encore parfaite, et ne charger l'estomac si soudain après cet autre
travail, et pour laisser l'office de digerer à la nuict, qui le
sçait mieux faire que ne faict le jour, où le corps et l'esprit
sont en perpetuel mouvement et action.

Voilà comment ils vont bastelant [60] et baguenaudant [61] à
nos despens en tous leurs discours; // et ne me sçauroient
fournir proposition à laquelle je n'en rebatisse une contraire
de pareille force.

/ Qu'on ne crie donq plus après ceux qui, en ce trouble,
se laissent doucement conduire à leur appetit et au conseil
de nature, et se remettent à la fortune commune.

J'ay veu, par occasion de mes voyages, quasi tous les bains fameux de Chrestienté, et depuis quelques années ay commencé à m'en servir; car en general j'estime le baigner salubre, et croy que nous encourons non legeres incommoditez en nostre santé, pour avoir perdu cette coustume, qui estoit generalement observée au temps passé quasi en toutes les nations, et est encores en plusieurs, de se laver le corps tous les jours; et ne puis pas imaginer que nous ne vaillions beaucoup moins de tenir ainsi nos membres encroutez et nos pores estouppés [62] de crasse. Et, quant à leur boisson, la fortune a faict premierement qu'elle ne soit aucunement ennemie de mon goust; secondement, elle est naturelle et simple, qui aumoins n'est pas dangereuse, si elle est vaine; dequoy je pren pour respondant cette infinité de peuples de toutes sortes et complexions qui s'y assemble. Et encores que je n'y aye apperceu aucun effet extraordinaire et miraculeux; ains que, m'en informant un peu plus curieusement qu'il ne se faict, j'aye trouvé mal fondez et faux tous les bruits de telles operations qui se sement en ces lieux là et qui s'y croient (comme le monde va se pipant aiséement de ce qu'il desire); toutesfois aussi n'ay-je veu guere de personnes que ces eaux ayent empiré, et ne leur peut-on sans malice refuser cela qu'elles n'esveillent l'appetit, facilitent la digestion et nous prestent quelque nouvelle allegresse, si on n'y va par trop abbatu de forces, ce que je desconseille de faire. Elles ne sont pas pour relever une poisante ruyne; elles peuvent appuyer [63] une inclination [64] legere, ou prouvoir à la menace de quelque alteration. Qui n'y apporte assez d'allegresse pour pouvoir jouyr le plaisir des compagnies qui s'y trouvent, et des promenades et exercices à quoy nous convie la beauté des lieux où sont communément assises ces eaux, il perd sans doubte la meilleure piece et plus asseurée de leur effect. A cette cause, j'ay choisi jusques à cette heure à m'arrester et à me servir de celles où il y avoit plus d'amenité de lieu, commodité de logis, de vivres et de compaignies, comme sont en France les bains de Banieres; en la frontière d'Allemaigne et de Lorraine, ceux de Plombières; en Souysse, ceux de Bade; en la Toscane, ceux de Lucques, et notamment ceux *della Villa*, desquels j'ay usé plus souvent et à diverses saisons.

Chaque nation a des opinions particulieres touchant leur usage, et des loix et formes de s'en servir toutes diverses et, selon mon experience, l'effect quasi pareil. Le boire n'est aucunement receu en Allemaigne; pour toutes mala-

nies, ils se baignent et sont à grenouiller dans l'eau quasi
d'un soleil à l'autre. En Italie, quand ils boivent neuf jours,
ils s'en beignent pour le moins trente, et communément
boivent l'eau mixtionnée d'autres drogues pour secourir
son opération [65]. On nous ordonne icy de nous promener
pour la digerer; là on les arreste au lict, où ils l'ont prise,
jusques à ce qu'ils l'ayent vuidée, leurs eschauffant continuellement l'estomach et les pieds. Comme les Allemans
ont de particulier de se faire generallement tous corneter [66]
et vantouser avec scarification dans le bain, ainsin ont les
Italiens leurs *doccie* [67], qui sont certaines gouttieres de cette
eau chaude qu'ils conduisent par des cannes [68] et vont
baignant une heure le matin et autant l'après-dinée, par
l'espace d'un mois, ou la teste, ou l'estomac, ou autre
partie du corps à laquelle ils ont affaire. Il y a infinies autres
differences de coustumes en chasque contrée; ou, pour
mieux dire, il n'y a quasi aucune ressemblance des unes
aux autres. Voilà comment cette partie de medecine à
laquelle seule je me suis laissé aller, quoy qu'elle soit la
moins artificielle, si a elle [69] sa bonne part de la confusion
et incertitude qui se voit par tout ailleurs en cet art.

Les poëtes disent tout ce qu'ils veulent avec plus d'em-
phase et de grace, tesmoing ces deux epigrammes :

> *Alcon hesterno signum Jovis attigit. Ille,*
> *Quamvis marmoreus, vim patitur medici.*
> *Ecce hodie, jussus transferri ex æde vetusta*
> *Effertur, quamvis sit Deus atque lapis* [70].

Et l'autre :

> *Lotus nobiscum est hilaris, cœnavit et idem,*
> *Inventus mane est mortuus Andragoras.*
> *Tam subitæ mortis causam, Faustine, requiris ?*
> *In somnis medicum viderat Hermocratem* [71].

Sur quoy je veux faire deux contes.

Le baron de Caupene en Chalosse et moy avons en
commun le droict de patronage d'un benefice [72] qui est
de grande estenduë, au pied de nos montaignes, qui se
nomme Lahontan. Il est des habitans de ce coin, ce
qu'on dit de ceux de la valée d'Angrougne : ils avoient
une vie à part, les façons, les vestemens et les meurs à part;
regis et gouvernez par certaines polices et coustumes particulieres, receuës de pere en fils, ausquelles ils s'obligeoient
sans autre contrainte que de la reverence de leur usage.
Ce petit estat s'estoit continué de toute ancienneté en une

condition si heureuse que aucun juge voisin n'avoit esté
en peine de s'informer de leur affaire, aucun advocat
employé à leur donner advis, ny estranger appellé pour
esteindre leurs querelles, et n'avoit on jamais veu aucun
de ce destroict [73] à l'aumosne. Ils fuyoient les alliances et
le commerce de l'autre monde, pour n'alterer la pureté de
leur police : jusques à ce, comme ils recitent, que l'un
d'entre eux, de la memoire de leurs peres, ayant l'ame
espoinçonnée [74] d'une noble ambition, s'alla adviser pour
mettre son nom en credit et reputation, de faire l'un de ses
enfans maistre Jean ou maistre Pierre; et, l'ayant faict
instruire à escrire en quelque ville voisine, en rendit en
fin un beau notaire de village. Cettuy-cy, devenu grand,
commença à desdaigner leurs anciennes coustumes et à
leur mettre en teste la pompe des regions de deçà. Le
premier de ses comperes à qui on escorna une chevre, il
luy conseilla d'en demander raison aux juges Royaux d'autour de là, et de cettuy-cy à un autre, jusques à ce qu'il
eust tout abastardy.

A la suite de cette corruption, ils disent qu'il y en survint incontinent un'autre de pire consequence, par le
moyen d'un medecin à qui il print envie d'espouser une
de leurs filles et de s'habituer parmy eux. Cettuy-cy commença à leur apprendre premierement le nom des fiebvres,
des reumes et des apostumes [75], la situation du cœur, du
foye et des intestins, qui estoit une science jusques lors très
esloignée de leur connoissance; et, au lieu de l'ail, dequoy
ils avoyent apris à chasser toutes sortes de maux, pour
aspres et extremes qu'ils fussent, il les accoustuma, pour
une tous ou pour un morfondement [76], à prendre les mix-
tions estrangeres, et commença à faire trafique, non de leur
santé seulement, mais aussi de leur mort. Ils jurent que,
depuis lors seulement, ils ont aperçeu que le serain leur
appesantissoit la teste, que le boyre, ayant chaut, apportoit
nuisance, et que les vents de l'automne estoyent plus
griefs [77] que ceux du printemps; que, depuis l'usage de
cette medecine, ils se trouvent accablez d'une legion de
maladies inaccoustumées, et qu'ils apperçoivent un general
deschet en leur ancienne vigueur, et leurs vies de moitié
raccourcies. Voylà le premier de mes contes.

L'autre est qu'avant ma subjection graveleuse, [78] oyant
faire cas du sang de bouc à plusieurs, comme d'une manne
celeste envoyée en ces derniers siècles pour la tutelle et
conservation de la vie humaine, et en oyant parler à des
gens d'entendement comme d'une drogue admirable et
d'une operation infallible [79]; moy, qui ay tousjours pensé

estre en bute à tous les accidens qui peuvent toucher tout
autre homme, prins plaisir en pleine santé à me garnir
de ce miracle, et commanday chez moy qu'on me nourrit
un bouc selon la recepte : car il faut que ce soit aux mois
les plus chaleureux de l'esté qu'on le retire, et qu'on ne
luy donne à manger que des herbes aperitives, et à boire
que du vin blanc. Je me rendis de fortune chez moy le
jour qu'il devoit estre tué; on me vint dire que mon cuysi-
nier trouvoit dans la panse deux ou trois grosses boules
qui se choquoient l'une l'autre parmy sa mengeaille. Je fus
curieux de faire apporter toute cette tripaille en ma presence, et fis ouvrir cette grosse et large peau; il en sortit
trois gros corps, legiers comme des esponges, de façon
qu'il semble qu'ils soient creuz, durs au demeurant par le
dessus et fermez, bigarrez de plusieurs couleurs mortes;
l'un perfect en rondeur, à la mesure d'une courte boule;
les autres deux, un peu moindres, ausquels l'arrondisse-
ment est imperfect, et semble qu'il s'y acheminat. J'ay
trouvé, m'en estant fait enquerir à ceux qui ont accoustumé
d'ouvrir de ces animaux, que c'est un accident rare et inu-
sité. Il est vraysemblable que ce sont des pierres cousines
des nostres; et s'il est ainsi, c'est une esperance bien vaine
aux graveleux de tirer leur guerison du sang d'une beste
qui s'en aloit elle-mesme mourir d'un pareil mal. Car de
dire que le sang ne se sent pas de cette contagion et n'en
altere sa vertu accoustumée, il est plustost à croire qu'il ne
s'engendre rien en un corps que par la conspiration et communication de toutes les parties; la masse agit tout'entiere,
quoy que l'une piece y contribue plus que l'autre, selon
la diversité des operations. Parquoy il y a grande apparence
qu'en toutes les parties de ce bouc il y avoit quelque qualité petrifiante. Ce n'estoit pas tant pour la crainte de
l'advenir, et pour moy, que j'estoy curieux de cette experience; comme c'estoit qu'il advient chez moy, ainsi qu'en
plusieurs maisons, que les femmes y font amas de telles
menues drogueries pour en secourir le peuple, usant de
mesme recepte à cinquante maladies, et de telle recepte
qu'elles ne prennent pas pour elles; et si triomphent en
bons evenemens.

Au demeurant, j'honore les medecins, non pas, suyvant
le precepte, pour la necessité (car à ce passage on en
oppose un autre du prophete reprenant le Roy Asa
d'avoir eu recours au medecin), mais pour l'amour d'eux
mesmes, en ayant veu beaucoup d'honnestes hommes et
dignes d'estre aimez. Ce n'est pas à eux que j'en veux,
c'est à leur art, et ne leur donne pas grand blasme de faire

leur profit de nostre sotise, car la plus part du monde faict ainsi. Plusieurs vacations et moindres et plus dignes que la leur n'ont fondement et appuy qu'aux abuz publiques. Je les appelle en ma compaignie quand je suis malade, s'ils se r'encontrent à propos, et demande à en estre entretenu, et les paye comme les autres. Je leur donne loy de me commander de m'abrier [80] chaudement, si je l'ayme mieux ainsi, que d'un autre sorte; ils peuvent choisir, d'entre les porreaux et les laictues, dequoy il leur plaira que mon bouillon se face, et m'ordonner le blanc ou le clairet; et ainsi de toutes autres choses qui sont indifférentes à mon appetit et usage.

J'entans bien que ce n'est rien faire pour eux, d'autant que l'aigreur et l'estrangeté sont accidans de l'essance propre de la medecine. Licurgus ordonnoit le vin aux Spartiates malades. Pourquoy ? par ce qu'ils en haissoyent l'usage, sains : tout ainsi qu'un gentil'homme mon voisin s'en sert pour drogue tressalutaire à ses fiebvres parce que de sa nature il en hait mortellement le goust.

Combien en voyons nous d'entr'eux estre de mon humeur ? desdaigner la medecine pour leur service, et prendre une forme de vie libre et toute contraire à celle qu'ils ordonnent à autruy ? Qu'est-ce cela, si ce n'est abuser tout destroussément [81] de nostre simplicité ? Car ils n'ont pas leur vie et leur santé moins chere que nous, et accommoderoyent leurs effets à leur doctrine, s'ils n'en cognoissoyent eux mesmes la fauceté.

C'est la crainte de la mort et de la douleur, l'impatience du mal, une furieuse et indiscrete soif de la guerison, qui nous aveugle ainsi : c'est pure lâcheté qui nous rend nostre croyance si molle et maniable.

/// La plus part pourtant ne croyent pas tant comme ils souffrent [82]. Car je les oy se plaindre et en parler comme nous; mais ils se resolvent en fin : « Que deroy-je donq ? » Comme si l'impatience estoit de soy quelque meilleur remede que la patience.

/ Y a il aucun de ceux qui se sont laissez aller à cette miserable subjection qui ne se rende esgalement à toute sorte d'impostures ? qui ne se mette à la mercy de quiconque a cette impudence de luy donner promesse de sa guerison ?

/// Les Babyloniens portoient leurs malades en la place; le medecin, c'estoit le peuple, chacun des passants ayant par humanité et civilité à s'enquerir de leur estat et, selon son experience, leur donner quelque advis salutaire. Nous n'en faisons guere autrement.

/ Il n'est pas une simple femmelette de qui nous n'employons les barbotages [83] et les brevets [84]; et, selon mon humeur, si j'avoy à en accepter quelqu'une, j'accepterois plus volontiers cette medecine qu'aucune autre, d'autant qu'aumoins il n'y a nul dommage à craindre.

/// Ce que Homere et Platon disoyent des Ægyptiens, qu'ils estoyent tous medecins, il se doit dire de tous peuples; il n'est personne qui ne se vante de quelque recette, et qui ne la hazarde sur son voisin, s'il l'en veut croire.

/ J'estoy l'autre jour en une compagnie, où je ne sçay qui de ma confrairie [85] aporta la nouvelle d'une sorte de pillules compilées de cent et tant d'ingrediens de conte fait; il s'en esmeut une feste et une consolation singuliere : car quel rocher soustiendroit l'effort d'une si nombreuse baterie ? J'entens toutefois, par ceux qui l'essayerent, que la moindre petite grave [86] ne daigna s'en esmouvoir.

Je ne me puis desprendre de ce papier, que je n'en die encore ce mot sur ce qu'ils nous donnent, pour respondant de la certitude de leurs drogues, l'experience qu'ils ont faite. La plus part, et, ce croy-je, plus des deux tiers des vertus medicinales consistent en la quinte essence ou propriété occulte des simples, de laquelle nous ne pouvons avoir autre instruction que l'usage : car quinte essence n'est autre chose qu'une qualité de laquelle, par nostre raison, nous ne sçavons trouver la cause. En telles preuves, celles qu'ils disent avoir acquises par l'inspiration de quelque Dæmon, je suis content de les recevoir (car, quant aux miracles, je n'y touche jamais); ou bien encore les preuves qui se tirent des choses qui, pour autre consideration, tombent souvent en nostre usage : comme si, en la laine dequoy nous avons accoustumé de nous vestir, il s'est trouvé par accident quelque occulte proprieté desiccative qui guerisse les mules [87] au talon, et si au reffort [88], que nous mangeons pour la nourriture, il s'est rencontré quelque operation apperitive. Galen recite qu'il advint à un ladre [89] de recevoir guerison par le moyen du vin qu'il beut, d'autant que de fortune une vipere s'estoit coulée dans le vaisseau. Nous trouvons en cet exemple le moyen et une conduite vray-semblable à cette experience, comme aussi en celles ausquelles les medecins disent avoir esté acheminez par l'exemple d'aucunes bestes.

Mais en la pluspart des autres experiences à quoy ils disent avoir esté conduis par la fortune et n'avoir eu autre guide que le hasard, je trouve le progrez de cette information incroyable. J'imagine l'homme regardant au tour de luy le monde infiny des choses, plantes, animaux, metaux. Je ne sçay par où luy faire commencer son essay; et quand sa première fantasie se jettera sur la corne d'un elan, à quoy il faut prester une creance bien molle et aisée, il se trouve encore autant empesché en sa seconde operation. Il luy est proposé tant de maladies et tant de circonstances, qu'avant qu'il soit venu à la certitude de ce point où doit joindre [90] la perfection de son experience, le sens humain y perd son latin; et avant qu'il ait trouvé parmy cette infinité de choses que c'est cette corne; parmy cette infinité de maladies, l'epilepsie; tant de complexions, au melancolique; tant de saisons, en hiver; tant de nations, au François; tant d'aages, en la vieillesse; tant de mutations celestes, en la conjonction de Venus et de Saturne; tant de parties du corps, au doigt; à tout cela n'estant guidé ny d'argument, ny de conjecture, ny d'exemple, ny d'inspiration divine, ains du seul mouvement de la fortune, il faudroit que ce fust par une fortune parfectement artificielle, reglée et methodique. Et puis, quand la guerison fut faicte, comment se peut il asseurer que ce ne fut que le mal fut arrivé à sa periode, ou un effect du hazard, ou l'operation de quelque autre chose qu'il eust ou mangé, ou beu, ou touché ce jour-là, ou le merite des prieres de sa mere grand? Davantage, quand cette preuve auroit esté parfaicte, combien de fois fut elle reiterée? et cette longue cordée de fortunes et de r'encontres r'enfilée, pour en conclurre une regle?

// Quand elle sera conclue, par qui est-ce? De tant de millions il n'y a que trois hommes qui se meslent d'enregistrer leurs experiences. Le sort aura il r'encontré à point nommé l'un de ceux cy? Quoy, si un autre et si cent autres ont faict des experiences contraires? A l'avanture, verrions nous quelque lumiere, si tous les jugements et raisonnements des hommes nous estoyent cogneuz. Mais que trois tesmoins et trois docteurs regentent l'humain genre, ce n'est pas la raison : il faudroit que l'humaine nature les eust deputez et choisis et qu'ils fussent declarez nos syndics /// par expresse procuration.

/ A MADAME DE DURAS [91],

Madame, vous me trouvates sur ce pas [92] dernierement que vous me vintes voir. Par ce qu'il pourra estre que ces inepties se rencontreront quelque fois entre vos mains, je veux aussi qu'elles portent tesmoignage que l'autheur se sent bien fort honoré de la faveur que vous leur ferez. Vous y reconnoistrez ce mesme port et ce mesme air que vous avez veu en sa conversation. Quand j'eusse peu prendre quelque autre façon que la mienne ordinaire et quelque autre forme plus honorable et meilleure, je ne l'eusse pas faict; car je ne veux tirer de ces escrits sinon qu'ils me representent à vostre memoire au naturel. Ces mesmes conditions et facultez que vous avez pratiquées et recueillies, Madame, avec beaucoup plus d'honneur et de courtoisie qu'elles ne meritent, je les veux loger (mais sans alteration et changement) en un corps solide qui puisse durer quelques années ou quelques jours après moy, où vous les retrouverez quand il vous plaira vous en refreschir la memoire, sans prendre autrement la peine de vous en souvenir; aussi ne le valent elles pas. Je desire que vous continuez en moy la faveur de vostre amitié, par ces mesmes qualitez par le moyen desquelles elle a esté produite. Je ne cherche aucunement qu'on m'ayme et estime mieux mort que vivant.

// L'humeur de Tibere est ridicule, et commune pourtant, qui avoit plus de soin d'estendre sa renommée à l'advenir qu'il n'avoit de se rendre estimable et agreable aux hommes de son temps.

/// Si j'estoy de ceux à qui le monde peut devoir loüange, je l'en quitteroy et qu'il me la payast d'advance; qu'elle se hastast et ammoncelast tout autour de moy, plus espesse qu'alongée, plus pleine que durable; et qu'elle s'evanouist hardiment quand et ma cognoissance, et que le doux son ne me touchera plus mes oreilles.

/ Ce seroit une sotte humeur d'aller, à cette heure que je suis prest d'abandonner le commerce des hommes, me produire à eux par une nouvelle recommandation. Je ne fay nulle recepte des biens que je n'ay peu employer à l'usage de ma vie. Quel que je soye, je le veux estre ailleurs qu'en papier. Mon art et mon industrie ont esté employez à me faire valoir moy-mesme; mes estudes, à m'apprendre à faire, non pas à escrire. J'ay mis tous mes efforts à former ma vie. Voylà mon mestier et mon ouvrage. Je suis moins faiseur de livres que de nulle autre besoigne. J'ay desiré de la suffisance pour le service de mes commoditez presentes et essentielles, non pour en faire magasin et reserve à mes heritiers.

/// Qui a de la valeur, si le face paroistre en ses meurs, en ses propos ordinaires, à traicter l'amour ou des querelles, au jeu, au lict, à la table, à la conduite de ses affaires, et œconomie de sa maison. Ceux que je voy faire des bons livres sous des mechantes chausses, eussent premierement faict leurs chausses, s'ils m'en eussent creu. Demandez à un Spartiate s'il aime mieux estre bon Rhetoricien que bon soldat; non pas moy, que bon cuisinier, si je n'avoy qui m'en servist.

/ Mon Dieu! Madame, que je haïrois une telle recommandation d'estre habile homme par escrit, et estre un homme de neant et un sot ailleurs. J'ayme mieux encore estre un sot, et icy et là, que d'avoir si mal choisi où employer ma valeur. Aussi il s'en faut tant que j'attende à me faire quelque nouvel honneur par ces sotises, que je feray beaucoup si je n'y en pers point de ce peu que j'en avois aquis. Car, outre ce que cette peinture morte et muete desrobera à mon estre naturel, elle ne se raporte pas à mon meilleur estat, mais beaucoup descheu de ma premiere vigueur et allegresse, tirant sur le flestry et le rance. Je suis sur le fond du vaisseau, qui sent tantost le bas et la lye.

Au demeurant, Madame, je n'eusse pas osé remuer si hardiment les misteres de la medecine, attendu le credit que vous et tant d'autres luy donnez, si je n'y eusse esté acheminé par ses autheurs mesme. Je croy qu'ils n'en ont que deux anciens Latins, Pline et Celsus. Si vous les voyez quelque jour, vous trouverez qu'ils parlent bien plus rudement à leur art que je ne fay : je ne fay que la [93] pincer, ils l'esgorgent. Pline se mocque entre autres choses dequoy, quand ils sont au bout de leur corde, ils ont inventé cette belle deffaite de r'envoyer les malades qu'ils ont agitez et tormentez pour neant de leurs drogues et regimes, les uns au secours des vœuz et miracles, les autres aux eaux chaudes. (Ne vous courroussez pas, Madame, il ne parle pas de celles de deçà qui sont soubs la protection de vostre maison, et qui sont toutes Gramontoises.) Ils ont une tierce deffaite pour nous chasser d'auprès d'eux, et se descharger des reproches que nous leur pouvons faire du peu d'amendement à noz maux, qu'ils ont eu si long temps en gouvernement qu'il ne leur reste plus aucune invention à nous amuser : c'est de nous envoyer cercher la bonté de l'air de quelque autre contrée. Madame, en voylà assez : vous me donnez bien congé de reprendre le fil de mon propos, duquel je m'estoy destourné pour vous entretenir.

Ce fut, ce me semble, Periclés, lequel estant enquis comme il se portoit : « Vous le pouvez, fit-il, juger par là », en montrant des brevets [94] qu'il avoit attachez au col et au bras. Il vouloit inferer qu'il estoit bien malade, puis

qu'il en estoit venu jusques-là d'avoir recours à choses
si vaines et de s'estre laissé equipper en cette façon. Je
ne dy pas que je ne puisse estre emporté un jour à cette
opinion ridicule de remettre ma vie et ma santé à la mercy
et gouvernement des medecins; je pourray tomber en cette
resverie [95]; je ne me puis responde de ma fermeté future;
mais lors aussi, si quelqu'un s'enquiert à moy comment je
me porte, je luy pourroy dire comme Periclés : « Vous le
pouvez juger par là », montrant ma main chargée de six drag-
mes d'opiate [96] : ce sera un bien evident signe d'une maladie
violente. J'auray mon jugement merveilleusement desmanché; si l'impatience [97] et la frayeur gaignent cela sur moy,
on en pourra conclurre une bien aspre fiévre en mon ame.

J'ay pris la peine de plaider cette cause, que j'entens
assez mal, pour appuyer un peu et conforter la propension
naturelle contre les drogues et pratique de nostre medecine, qui s'est derivée en moy par mes ancestres, afin que
ce ne fust pas seulement une inclination stupide et temeraire, et qu'elle eust un peu plus de forme; et aussi que
ceux qui me voyent si ferme contre les enhortemens et
menaces qu'on me fait quand mes maladies me pressent,
ne pensent pas que ce soit simple opiniastreté, ou qu'il
y ait quelqu'un si facheux qui juge encore que ce soit
quelque esguillon de gloire; qui seroit un desir bien
asséné [98] de vouloir tirer honneur d'une action qui m'est
commune avec mon jardinier et mon muletier. Certes, je
n'ay point le cœur si enflé, ne si venteux, qu'un plaisir
solide, charnu et moëleus comme la santé, je l'alasse
eschanger pour un plaisir imaginaire, spirituel et aërée [99].
La gloire, voire celle des quatre fils Aymon, est trop cher
achetée à un homme de mon humeur, si elle luy couste
trois bons accez de cholique. La santé, de par Dieu!

Ceux qui ayment nostre medecine peuvent avoir aussi
leurs considerations bonnes, grandes et fortes; je ne hay
point les fantasies contraires aux miennes. Il s'en faut
tant que je m'effarouche de voir de la discordance de mes
jugemens à ceux d'autruy, et que je me rende incompa-
tible à la société des hommes pour estre d'autre sens et
party que le mien : qu'au rebours, comme c'est la plus
generale façon que nature aye suivy que la varieté, /// et
plus aux esprits qu'aux cors, d'autant qu'ils sont de substance plus souple et susceptible de plus de formes, / je
trouve bien plus rare de voir convenir nos humeurs et nos
desseins. Et ne fut jamais au monde deux opinions pareilles
non plus que deux poils ou deux grains. Leur plus universelle qualité, c'est la diversité.

NOTES

CHAPITRE PREMIER

1. Présenter sous le même jour.

2. L'usage.

3. « C'est un mauvais plan que celui qu'on ne peut pas changer. » Publius Syrus, d'après Aulu-Gelle, XVII, 14.

4. Apparence de raison.

5. Déformer à leur intention.

6. Accusant de mensonge.

7. « Ce qu'il a demandé, il le dédaigne; il redemande ce qu'il a laissé; il flotte, et sa vie est une perpétuelle contradiction. » Horace, *Epîtres*, I, I, 98.

8. En haut, en bas.

9. Allusion à la pieuvre ou au caméléon.

10. Projeté.

11. « Nous sommes menés comme la marionnette de bois que meuvent des muscles étrangers. » Horace, *Satires*, II, VII, 82.

12. Irritée.

13. « Ne voyons-nous pas que l'homme ne sait pas ce qu'il veut et qu'il cherche sans cesse, qu'il change de place comme s'il pouvait se débarrasser de son fardeau ? » Lucrèce, III, 1070.

14. « Les pensées des hommes sont pareilles aux rayons féconds du soleil dont Jupiter lui-même, leur père, a éclairé la terre. » Vers de l'*Odyssée*, XVIII, 135, traduit par Cicéron et cité par saint Augustin, *Cité de Dieu*, V, 28.

15. Touche (de clavier).

16. Nouvelle XX de l'*Heptaméron*.

17. Entreprise.

18. Panser, soigner.

19. « En mots propres à donner du cœur même à un lâche. » Horace, *Epîtres*, II, II, 36.

20. « Tout rustre qu'il était, il répondit : Ira là où tu veux, qui a perdu sa bourse. » Horace, *Epîtres*, II, II, 39.

21. Mahomet.

22. Ce sont les Manichéens.

23. Très attentivement.

24. Contradictions.

25. Timide.

26. Bon.

27. Restriction.

28. Article.

29. Dans la rue.

30. Qui sont aussi chirurgiens à l'époque.

31. « Rien, en effet, ne peut être stable qui ne parte d'un principe ferme. » Cicéron, *Tusculanes*, II, XXVII.

32. « Ils méprisent la volupté, mais ils sont lâches dans la douleur; ils dédaignent la gloire, mais ils sont déprimés par une mauvaise réputation. » Cicéron, *De officiis*, I, 21.

33. « Qui a choisi après méditation et examen la route qu'il veut suivre. » Cicéron, *Paradoxes*, V, 1.

34. Je veux dire.

35. N'agit.

36. « Songe qu'il est très difficile d'être toujours le même homme. » Sénèque, *Epîtres*, 120.

37. « Sous sa conduite (celle de Vénus), la jeune fille passe furtivement parmi ses gardiens endormis, et seule, dans les ténèbres, va trouver son amant. » Tibulle, II, 1, 75.

CHAPITRE II

1. « Au-delà et en deçà desquelles ne peut se trouver la ligne droite. » Horace, *Satires*, I, 1, 107.

2. « On ne prouvera jamais par de bonnes raisons que voler de tendres choux dans le jardin d'autrui soit un aussi grand crime que de piller un temple pendant la nuit. » Idem, *ibid.*, I, III, 115.

3. Diminue.

4. Qui tient de la brute.

5. L'Allemagne.

6. « Quand la force du vin nous a pénétrés, les membres s'appesantissent, les jambes sont enchaînées et vacillantes, la langue s'embarrasse, l'intelligence est noyée, les yeux nagent; c'est une succession de cris, de hoquets, de disputes. » Lucrèce, III, 475.

7. « C'est toi qui, dans les joyeux délires de Lyée, arraches aux sages leurs soucis et leur secrète pensée. » Horace, *Odes*, III, XXI, 14.

8. « Les veines enflées, comme de coutume, du vin qu'il avait absorbé. » Virgile, *Bucoliques*, VI, 25, où on lit *Hesterno... Iaccho* (du vin de la veille).

9. « Il n'est pas facile de les vaincre, tout noyés dans le vin, tout bégayants, tout titubants qu'ils sont. » Juvénal, *Satires*, XV, 47.

10. « Dans ce vertueux combat aussi, jadis le grand Socrate remporta la palme, à ce qu'on dit. » Pseudo-Gallus, I, 47.

11. « On raconte aussi de Caton l'Ancien qu'il réchauffait souvent sa vertu dans le vin. » Horace, *Odes*, III, XXI, 11.

12. Jacques Dubois, mathématicien et lecteur en médecine au Collège Royal.

13. Comme on pense.

14. Mesure valant quatre pintes (la pinte valant presque un litre).

15. Soupers.

16. Galants.

17. Extraordinaire loyauté.

18. Lancer.

19. Du saut d'un seul élan.

20. Passer horizontalement par-dessus la table en s'appuyant sur son pouce.

21. A qui mieux mieux.

22. « Si [le vin] peut faire violence à une sagesse bien retranchée. » Horace, *Odes*, III, XXVIII. 4.

23. Calme.

24. « Nous voyons la sueur et la pâleur envahir tout le corps, la langue s'embarrasser, la voix s'éteindre, la vue se troubler, les oreilles tinter, les membres fléchir, toute la machine s'effondrer sous le coup de la terreur. » Lucrèce, III, 155.

25. Attaque.

26. « Qu'il ne croie pas que rien d'humain lui soit étranger. » Térence, *Heautontimoroumenos*, I, I, 25.

27. « Ainsi parle (Enée) tout en larmes, et sa flotte vogue à pleines voiles. » Virgile, *Enéide*, VI, 1.

28. « Je t'ai devancée, Fortune, et je te tiens; j'ai bouché toutes les avenues de manière à t'empêcher d'arriver jusqu'à moi. » Cicéron, *Tusculanes*, V, IX.

29. Caresser par.

30. « Et parmi ses troupeaux timides, il appelle de ses vœux quelque sanglier écumant, ou un lion fauve qui descend de la montagne. » Virgile, *Enéide*, IV, 158.

CHAPITRE III

1. On dit.

2. Maître, professeur.

3. Contraindre d'acquiescer.

4. « La mort est partout, c'est une faveur insigne de Dieu. Il n'est personne qui ne puisse enlever la vie à l'homme, mais personne ne

peut lui enlever la mort ; mille accès vers elle nous sont ouverts. »
Sénèque, *Thébaïde*, I, I, 151.

5. N'a rien à voir avec.

6. La veine du cou, où l'on pratiquait la saignée.

7. Goutteuses.

8. Incendiaires.

9. Opposition.

10. « Puis tout près de là, accablés de tristesse, il y a les justes qui
se sont donné la mort de leur propre main et qui, haïssant la lumière,
ont précipité leurs âmes aux enfers. » Virgile, *Enéide*, IV, 434.

11. « Telle l'yeuse qu'émonde le tranchant de la double hache
dans la sombre forêt du fertile Algide : ses pertes, ses blessures, le fer
même lui donnent vigueur et force. » Horace, *Odes*, IV, IV, 57.

12. « Non, la vertu ne consiste pas, comme tu le penses, ô père, à
craindre la vie, mais à faire face aux grands malheurs, et à ne jamais
tourner le dos. » Sénèque, *Thébaïde*, I, 190.

13. « Dans l'adversité, il est facile de mépriser la mort ; celui-là est
plus brave qui sait être malheureux. » Martial, XI, LVI, 15.

14. Ici Montaigne altère le texte qu'il cite pour l'accorder avec sa
pensée. Il change l'*impavidum* d'Horace (*Odes*, III, III, 7), qui se rapporte au sage, en *impavidam* qu'il fait accorder avec vertu : « Que
l'univers brisé s'écroule, ses ruines la frapperont sans l'effrayer. »

15. « Je le demande, mourir de peur de mourir, n'est-ce pas de la
folie ? » Martial, *Epigr.*, II, LXXX, 2.

16. « La seule crainte du malheur qui doit venir a lancé bien des
gens dans les plus grands périls : celui-là est vraiment brave qui, prêt
à affronter tous les dangers quand ils sont en sa présence, sait aussi
les éviter à l'occasion. » Lucain, VII, 104.

17. « La crainte de la mort va jusqu'à inspirer aux humains un tel
dégoût de la vie et de la lumière, qu'ils se donnent la mort à eux-mêmes
dans un accès de désespoir, oubliant que la source de leurs peines est
précisément la peur de mourir. » Lucrèce, III, 79.

18. Nous nous négligeons nous-mêmes.

19. « Car, pour qu'un être éprouve du malheur et de la souffrance, il
doit exister dans le temps où ce malheur pourra se produire. » Lucrèce,
III, 874.

20. « Sortie raisonnable. » L'expression est des stoïciens.

21. « Même dans l'arène cruelle, le gladiateur vaincu espère encore,
quoique la foule menaçante fasse signe de mort avec le pouce. » Vers
cités par Juste Lipse, *Saturnalium sermonum libri.*

22. « Tel a survécu à son bourreau. » Sénèque, *Epîtres*, 13.

23. « Souvent le temps, qui produit des effets divers dans son cours
inconstant, a rétabli des destinées ; souvent la fortune, revenant à ceux
qu'elle avait abattus, s'est fait un jeu de les remettre en lieu sûr. »
Virgile, *Enéide*, XI, 425.

24. Devant l'assemblée du peuple.

25. Gozzo (près Malte).

26. Moyen.

27. Traiter ignominieusement.

28. A cause de.

29. Perçant la foule.

30. Refus (de la femme).

31. Sans doute Henri Estienne.

32. Douloureuse.

33. L'accord, le pacte.

34. Egorger.

35. Il s'était comporté.

36. Pour cette autre raison aussi que...

37. Qui frustre leur attente.

38. Telle qu'on pouvait l'attendre d'ennemis.

39. Solennelle.

40. Occupant une partie de sa conscience.

41. Aux frais de l'Etat.

42. Eprouvé.

43. Exhorté.

44. A cause de.

CHAPITRE IV

1. Pureté.

2. Pu.

3. Grâce à lui.

4. Assigne.

5. Gêné par la difficulté.

6. Plus à portée.

CHAPITRE V

1. De peur d'avoir la peine.

2. La force.

3. « Nous frappant d'un fouet invisible avec une âme de bourreau. » Juvénal, XIII, 195.

4. « Un mauvais dessein est mauvais surtout pour son auteur. » Aulu-Gelle, IV, 5.

5. « Elles laissent la vie dans la blessure qu'elles font. » Virgile, *Géorgiques*, IV, 238.

6. « En effet, il est beaucoup de coupables qui, en parlant à plusieurs reprises dans leur sommeil ou dans le délire de la maladie, se sont accusés eux-mêmes et ont révélé des fautes qui longtemps étaient restées cachées. » Lucrèce, V, 1157.

7. « La première punition du coupable, c'est de ne pouvoir s'absoudre à son propre tribunal. » Juvénal, XIII, 2.

8. « Selon le témoignage que la conscience se rend elle-même, on a le cœur rempli de crainte ou d'espérance. » Ovide, *Fastes*, I, 485.

9. Le livre de comptes.

10. « La douleur force à mentir même les innocents. » Publius Syrus, cité par Vivès, commentaire de *La Cité de Dieu*, XIX, VI.

11. La preuve qu'il en est bien ainsi, c'est que...

12. Qui sert d'instruction (du procès).

CHAPITRE VI

1. « Nul ne ressuscite quand une fois il a senti le froid repos de la mort. » Lucrèce, III, 942.

2. Etat.

3. Sortie.

4. « Il avait encore cet empire sur son âme mourante. » Lucain, VIII, 636.

5. Ce que.

6. Inquiétude.

7. Milieu.

8. Sur quoi on n'a pas de prise.

9. Peu à peu.

10. « Parce qu'encore incertaine de son retour, l'âme étonnée ne peut s'affermir. » Le Tasse, *Jérusalem délivrée*, chant XII, stance 74.

11. Ce souvenir.

12. « Comme celui qui tantôt ouvre les yeux et tantôt les fermes moitié endormi et moitié éveillé ». Id., *ibid.*, chant VIII, stance 26.

13. Epilepsie.

14. « Terrassé par une crise de son mal, souvent un malade, comme frappé de la foudre, tombe devant nos yeux. L'écume à la bouche, il gémit et ses membres palpitent; il délire, il raidit ses muscles, il se débat, il halète et s'épuise en mouvements désordonnés. » Lucrèce, III, 485.

15. Geindre.

16. « Il vit, et il n'a pas lui-même conscience qu'il vit. » Ovide, *Tristes*, I, III, 12.

17. « Conformément aux ordres que j'ai reçus, j'enlève (ce cheveu) consacré à Dis, et je t'affranchis de ton corps. » Virgile, *Enéide*, IV, 702.

18. Début hésitant.

19. « A demi morts, les doigts s'agitent et ressaisissent le fer. » Virgile, *Enéide*, X, 396.

20. « On dit que les chars armés de faux coupent les membres si vite qu'on en voit les tronçons frétiller à terre avant que la douleur, tant le coup est rapide, ait pu aller jusqu'à l'âme. » Lucrèce, III, 642.

21. Marcher difficilement.

22. Produits.

23. « Lorsque enfin mes sens reprirent quelque vigueur. » Ovide, *Tristes*, I, III, 14.

24. Peigner.

25. En public.

26. Particuliers.

27. Lui arracher le nez.

28. « La peur d'une faute nous conduit à un crime. » Horace, *Art poétique*, 31.

29. Piste (où l'on fait trotter les chevaux).

30. Les protestants.

31. Coupable.

32. Digne de repentir.

33. Echantillons qui ne montrent que le détail.

34. Squelette (le mot est en grec).

35. Actions.

36. Il s'humiliera (proverbe).

CHAPITRE VII

1. Myrte.

2. Avantages.

3. Jusqu'à Charles IX; il fut institué par Louis XI en 1469.

4. « Pour qui ne voit nul méchant, qui peut être bon? » Martial, XII, 82.

5. Réunir.

6. Expérience de la guerre.

7. « Car les talents du soldat et ceux du général ne sont pas les mêmes. » Tite-Live, XXV, 19.

8. L'Ordre du Saint-Esprit institué par Henri III en 1578.

9. Cette époque troublée.

10. Nous négligions.

11. Pour en venir à cet accommodement.

CHAPITRE VIII

1. Celle d'écrire les *Essais*.

2. Au naturel.

3. Pour mère à laquelle il doit plus qu'aucun autre gentilhomme.

4. Stricts.

5. Cette contrée (la Gascogne).

6. « Il se trompe fort, à mon avis, celui qui croit l'autorité plus ferme ou plus solide quand elle repose sur la force que quand elle est fondée sur l'affection. » Térence, *Adelphes*, I, 1, 40.

7. Je condamne.

8. Sentiments qui conviennent à un homme libre.

9. « Nul crime n'est fondé en raison. » Tite-Live, XXVIII, 28.

10. Mercenaire, intéressée.

11. « Mais alors uni à une jeune épouse, joyeux d'avoir des fils, il avait amolli son courage dans les affections de père et de mari. » Le Tasse, *Jérusalem délivrée*, X, 39.

12. Lutte, palestre.

13. Lâche.

14. Déshabiller.

15. Abandonner ses richesses.

16. « Sois sage : dételle à temps ton cheval vieillissant, si tu ne veux pas que, bronchant au bout de la carrière et poussif, il devienne un objet de risée. » Horace, *Épîtres*, I, 1, 8.

17. Leur conduite.

18. Surveiller.

19. Cette condition de vie.

20. Respectueuse.

21. Farce.

22. A s'amuser des contes.

23. « Lui seul ignore tout. » Térence, *Adelphes*, IV, 11, 9.

24. Faite à dessein.

25. Facile.

26. Prétextes.

27. Les contrarier.

28. M'en rendre capable.

29. Troublée.

30. Font tort à.

31. Affection.

32. Montaigne pense dans tout ce passage à la Béotie.

33. Méprenne.

34. Détourner.

35. A la mort.

36. Coutumes.

37. Volonté.

38. Qui suis impartial.

39. Grossesses.

40. S'attacher.

41. Mal bâtis.

42. District.

43. C'est-à-dire son ouvrage, l'*Histoire éthiopique*.

44. Parée.

45. Le tombeau.

46. A la fois.

47. Le poète Lucain.

48. Les *Essais*.

49. Elégantes.

50. « L'ivoire, qu'il a touché, s'amollit et, perdant sa dureté, a déjà cédé sous ses doigts. » Ovide, *Métamorphoses*, X, 283.

CHAPITRE IX

1. Mis en fuite.

2. Casque.

3. « Absolument incapables de souffrir la fatigue, ils avaient peine à porter leurs armes sur leurs épaules. » Tite-Live, XXVII, 48.

4. « Qui, pour se couvrir la tête, ont de l'écorce arrachée au liège. » Virgile, *Enéide*, VII, 742.

5. Faix, poids.

6. Précaution.

7. « Deux des guerriers que je chante ici avaient la cuirasse sur le dos et le heaume en tête; ni jour, ni nuit, depuis qu'ils étaient entrés dans le château, ils n'avaient plus quitté cette armure qu'ils portaient aussi aisément que leurs habits, tant ils en avaient l'habitude! » Arioste, *Roland furieux*, XII, 30.

8. « Car on dit des armes du soldat qu'elles sont ses membres. » Cicéron, *Tusculanes*, II, xvi.

9. Pieux.

10. Atteindre.

11. « Le métal flexible reçoit la vie des membres qu'il recouvre, spectacle effroyable; on dirait des statues de fer mobiles; le métal semble incorporé au guerrier qui le porte. Les chevaux sont vêtus de même; leur front menaçant est bardé de fer; sous le fer, leurs flancs sont à l'abri des blessures. » Claudien, *In Rufinum*, II, 358.

CHAPITRE X

1. Lecture.

2. Mémoire.

3. Garantis.

4. Sol.

5. Cacher.

6. Cf. *le Geai paré des plumes du paon.*

7. Chargé de ranger les troupes avant le combat.

8. A mesure que.

9. « Voilà le but vers lequel mon cheval doit suer. » Properce, IV, 1, 70.

10. Drap fin d'un rouge vif.

11. Me divertissent-elles.

12. Qui leur donnent un sens allégorique.

13. Peigne.

14. Me raffermir.

15. « O siècle grossier et sans goût! » Catulle, XLIII, 8.

16. Horace.

17. Sujets.

18. « Limpide et semblable à un courant d'eau pure. » Horace, *Epîtres*, II, II, 120.

19. Hyperboles.

20. « Il n'avait pas de grands efforts à faire; le sujet lui tenait lieu d'esprit. » Martial, préface du livre VIII de ses *Epigrammes.*

21. De bateleurs.

22. Figures.

23. Comédiens.

24. « Les courses qu'il tente sont courtes. » Virgile, *Géorgiques*, IV, 194.

25. Traduit par Amyot, les *Vies* en 1559, les *Œuvres morales* en 1572.

26. Sur ses gardes (la targe est un bouclier).

27. Fait des concessions.

28. Divisions.

29. Me rappelle.

30. « Attention! »

31. « Haut les cœurs! »

32. Dialogues.

33. Plutarque et Sénèque.

34. Pline l'Ancien.

35. Propos.

36. Au milieu de.

37. Rieurs.

38. Qui a les reins brisés.

39. Montaigne a traduit ces mots avant de les citer (Tacite, *Dialogue des orateurs*, XVIII).

40. « Pour moi, j'aimerais mieux être vieux moins longtemps que d'être vieux avant de l'être. » Cicéron, *De senectute*, X.

41. Diogène Laërce. Ses *Vies des Philosophes* sont riches d'anecdotes.

42. Opinions.

43. Connaissance.

44. Arrangent.

45. Cuisinant.

46. Scrupule.

47. Guichardin.

48. Défaut de son jugement.

49. Disgrâces, exils.

50. Guillaume du Bellay.

CHAPITRE XI

1. Détournant.

2. « Car ceux qu'on appelle amoureux du plaisir sont amoureux de l'honneur et de la justice, et ils aiment et cultivent toutes les vertus. » Cicéron, *Épîtres familières*, XV, 19.

3. Rechercher.

4. « La vertu grandit beaucoup dans la lutte. » Sénèque, *Epitres*, 13.

5. En face, en opposition.

6. Obstacle.

7. « Il sortit de la vie, content d'avoir trouvé une raison de se donner la mort. » Cicéron, *Tusculanes*, I, XXX.

8. « Plus fière parce qu'elle avait résolu de mourir. » Horace, *Odes*, I, XXXVII, 29.

9. « Caton, ayant reçu de la nature une gravité incroyable et, par une perpétuelle constance ayant encore affermi son caractère, toujours demeuré ferme dans ses principes, Caton devait mourir plutôt que de supporter la vue d'un tyran. » Cicéron, *De officiis*, I, 31.

10. Débarrassée de ses fers.

11. Que les dieux m'en envoient...

12. Tenue.

13. « N'ignorant pas ce que peuvent, dans un premier combat, la soif d'une gloire inconnue et l'espoir si doux d'un premier triomphe. » Virgile, *Enéide*, XI, 154.

14. « Si ma nature est bonne dans l'ensemble et si je n'ai que des défauts peu considérables et peu nombreux, comme un beau visage peut avoir des taches légères. » Horace, *Satires*, I, VI, 65.

15. « Soit que je sois né sous le signe de la Balance, ou sous celui du Scorpion dont le regard est si terrible au moment de la naissance, ou sous celui du Capricorne qui règne en tyran sur les flots d'Hespérie. » Horace, *Odes*, II, XVII, 17.

16. M'autoriseraient.

17. Avec beaucoup de dévouement et d'énergie.

18. Tout à fait.

19. Se tiennent entre eux.

20. « Et je ne chéris pas mon vice davantage. » Juvénal, *Satires*, VIII, 164.

21. Quand le pécheur pèche.

22. Entre les vies.

23. Innée.

24. « Alors que déjà le corps pressent le plaisir et que Vénus est sur le point d'ensemencer le champ féminin. » Lucrèce, IV, 1099.

25. Avec attention.

26. Nouvelle XXX.

27. Tant.

28. « Qui n'oublie, au milieu de telles distractions, les cruels soucis de l'amour ? » Horace, *Epodes*, II, 37.

29. Pour.

30. Pu.

31. « Ils tuent le corps, et après ils n'ont plus rien à faire. » Saint Luc, XII, 4.

32. « Et quoi! ils traîneraient ignominieusement sur la terre les restes d'un roi à demi rôti, décharné jusqu'aux os et dégouttant d'un sang noir. » Ennius, cité par Cicéron, *Tusculanes*, I, XLV.

33. Ombres, dessin.

34. Réelle.

35. « Que l'homme tue un homme, sans colère, sans peur, mais seulement pour le voir expirer. » Sénèque, *Epîtres*, 90.

36. « Et par ses plaintes, sanglant et ayant l'air d'une âme en peine. » Virgile, *Enéide*, VII, 501.

37. « C'est, je crois, du massacre du gibier que le fer a été peint pour la première fois. » Ovide, *Métamorphoses*, XV, 106.

38. La *Théologie naturelle* de R. Sebon.

39. « Les âmes ne meurent point; mais toujours, après avoir quitté leur première résidence, elles vont vivre dans de nouvelles demeures dont elles font leur habitation. » Ovide, *Métamorphoses*, XV, 158.

40. « Il emprisonne les âmes dans des corps d'animaux : il enferme les violents dans des ours, les larrons dans des loups; il cache les fourbes dans des renards et, après leur avoir fait subir pendant de longues années mille métamorphoses, il les purifie enfin dans le fleuve du Léthé et les rend à leur forme première. » Claudien, *In Rufinum*, II, 482.

41. « Moi-même, il m'en souvient, au temps de la guerre de Troie, j'étais Euphorbe, fils de Panthée », dit Pythagore dans Ovide, *Métamorphoses*, XV, 160.

42. Compte.

43. « Les bêtes ont été consacrées par les Barbares à cause du profit. » Cicéron, *De natura deorum*, I, 36.

44. « Les uns adorent le crocodile, d'autres révèrent l'ibis engraissé de serpents ; ici brille sur l'autel la statue d'or d'un singe à grande queue ; là des villes entières vénèrent un poisson du fleuve, ailleurs, un chien. » Juvénal, XV, 2.

45. Etroite.

46. Bienveillance.

47. Embaumaient.

48. Cap.

CHAPITRE XII

1. Opinions.

2. « La Théologie naturelle ou le Livre des créatures » de Maître Raymond Sebon, humaniste toulousain (1499-1546).

3. « Car on foule aux pieds passionnément ce qu'auparavant on avait trop redouté. » Lucrèce, V, 1139.

4. Désormais.

5. En juin 1568. L'ouvrage de Sebon parut l'année suivante.

6. Tournèbe, professeur du Collège Royal.

7. Critique.

8. « Comme un vaste rocher refoule les flots qui se brisent contre lui et disperse, par sa propre masse, les ondes qui de toutes parts rugissent alentour. » Ces vers, imités de Virgile, *Enéide*, VII, 587, sont l'œuvre d'un humaniste inconnu et figurent au début d'une pièce *In laudem Ronsardi*, à la fin de la *Réponse de Ronsard aux injures et calomnies* (1563).

9. Particulière.

10. Avait dessein.

11. Sainteté.

12. Saint Matthieu, XVII, 20.

13. « Le moyen rapide de former sa vie à la vertu et au bonheur, c'est de croire. » Quintilien, XII, 11.

14. Ce qui est à nous.

15. Formes.

16. Renvoyons comme une balle (au jeu de pelote).

17. Solennelle.

18. Le parti protestant, jusqu'au jour où H. de Navarre monta sur le trône. Après 1588 les catholiques s'insurgent à leur tour contre le roi.

19. Avec évidence.

20. Eminente.

21. Excite.

22. Se moquer de Dieu (locution proverbiale.)

23. « Le mourant ne se plaindrait plus de sa dissolution; mais plutôt il se réjouirait de partir, de laisser sa dépouille, comme le serpent, et comme le cerf devenu vieux perd ses cornes trop longues. » Lucrèce, III, 612.

24. Méthodes humaines.

25. Manque de fermeté.

26. La peur.

27. Infecté.

28. Aspect.

29. Créateur.

30. S'accordait avec.

31. « Dieu lui-même n'envie pas à la terre la vue du ciel; en le faisant sans cesse rouler sur nos têtes, il se dévoile sous tous ses aspects corporels, il s'offre lui-même à nous et s'inculque en nous, afin qu'on puisse le bien connaître, apprendre à contempler sa marche et fixer son attention sur ses lois. » Manilius, IV, 907.

32. En mesure de.

33. « Si vous avez de meilleurs arguments, produisez-les, sinon soumettez-vous. » Horace, Epîtres, I, v, 6.

34. Interprète.

35. Absolu néant.

36. « Car Dieu ne veut pas qu'un autre que lui s'enorgueillisse. » Hérodote, VII, 10, cité par Stobée, Anthologie, sermo 22.

37. « Dieu résiste aux superbes et fait grâce aux humbles. » Saint Pierre, Epîtres, I, v, 5.

38. Infirme.

39. Impératrice.

40. Lettres [patentes l'investissant] de.

41. « Pour qui donc dira-t-on que le monde a été fait ? Sans doute pour les êtres animés qui ont l'usage de la raison. Ce sont les dieux et les hommes, à coup sûr les meilleurs des êtres. » Cicéron, De natura deorum, II, 54.

42. « Quand nous levons les yeux vers les voûtes célestes du grand univers situé au-dessus de nous et vers les étoiles brillantes qui constellent l'éther, et quand nous songeons aux révolutions de la lune et du soleil. » Lucrèce, V, 1205.

43. « Car il a fait dépendre des astres les actions et les vies des hommes. » Manilius, III, 58.

44. « Elle reconnaît que ces astres, que nous voyons si éloignés de nous, gouvernent les hommes selon des lois cachées, que l'univers entier est mû par des causes périodiques, et que les vicissitudes des destinées dépendent de signes déterminés. » Manilius, I, 60.

45. « Combien sont grands les effets de petits mouvements, tant est puissant cet empire qui commande aux rois eux-mêmes ! » Idem, I, 55 et IV, 93.

46. « L'un est fou d'amour, et traverse la mer pour ruiner Troie; le sort de l'autre est de composer des lois; voici des enfants qui tuent leurs pères, et des parents leurs enfants; et ce sont des frères qui s'ar-

ment contre leurs frères et se massacrent entre eux. Ce n'est pas nous qui sommes responsables de cette guerre, le destin les force à tout bouleverser, à se châtier eux-mêmes et à se déchirer de leurs mains. Et c'est encore un effet du destin que moi-même je pèse le destin. » Manilius IV, 79 et 118.

47. « Quels furent les instruments, les leviers, les machines, les ouvriers qui élevèrent un si grand ouvrage ? » Cicéron, *De natura deorum*, I, 8.

48. « Tant sont étroites les bornes de notre esprit. » Idem, *ibid.*, I, 31.

49. « Entre autres infirmités de la nature humaine est cette ténèbre de l'âme qui non seulement la force à errer, mais qui lui fait aimer ses erreurs. » Sénèque, *De ira*, II, 9.

50. « Le corps corruptible alourdit l'âme et sous son enveloppe de terre la déprime dans l'exercice même de la pensée. » Livre *De la Sagesse*, cité par saint Augustin, *Cité de Dieu*, XII, 15.

51. La fiente.

52. De l'air, de l'eau et de la terre.

53. Les bêtes.

54. « Et les bêtes privées de la parole et même les animaux sauvages font entendre des cris différents et variés, selon que la crainte, la douleur ou la joie les agite. » Lucrèce, V, 1058.

55. A un aboiement déterminé.

56. Communauté des services.

57. « C'est à peu près de la même manière que l'on voit les enfants conduits au langage des gestes par l'impuissance de leur langue. » Lucrèce, V, 1029.

58. « Le silence même sait prier et se faire entendre. » Le Tasse, *Aminta*, II, 34.

59. Comptons.

60. Avons honte.

61. Et que ne faisons-nous pas ?

62. Souhaitons la bienvenue.

63. Exhortons.

64. Silence éloquent.

65. Prévoyance.

66. « A ces signes et selon de tels exemples, certains ont dit que les abeilles avaient reçu une parcelle de l'âme divine et des émanations de l'éther. » Virgile, *Géorgiques*, IV, 219.

67. De bête.

68. Ici la police de l'univers.

69. « Alors l'enfant, tel le matelot que les vagues furieuses ont rejeté sur le rivage et qui gît tout nu par terre, incapable de parler, dépourvu de tout ce qui aide à vivre, dès l'heure où, le projetant sur les rives que baigne la lumière, la nature l'arrache avec effort du ventre de sa mère, de ses vagissements plaintifs il emplit l'espace, comme il est juste à qui la vie réserve encore tant de traverses ! Au contraire, on voit croître sans peine les animaux domestiques, gros et petits, et les bêtes sauvages; ils n'ont besoin ni de hochets, ni des mots caressants

que chuchote la voix d'une tendre nourrice; ils ne sont pas en quête
de vêtements qui changent avec les saisons; enfin ils n'ont besoin
ni d'armes, ni de hautes murailles pour défendre leurs biens, puisque,
pour parer à tous leurs besoins, la terre et la nature inventive enfantent
d'elles-mêmes toutes sortes d'abondantes ressources. » Lucrèce, V, 222.

70. Emmailloter.

71. « Car chaque être sent ce qu'il est capable de faire. » Lucrèce
V, 1032.

72. « Et la terre d'elle-même, spontanément, commença par créer
pour les mortels les brillantes moissons et les riches vignobles; c'est
elle-même qui a donné les doux fruits et les gras pâturages qui maintenant ont peine à pousser, malgré nos efforts pour les faire croître.
Nous y épuisons nos bœufs et les forces de nos cultivateurs. » Lucrèce,
II, 1157.

73. Exerce.

74. Avec un autre.

75. « Ainsi, parmi leur noir bataillon, s'abordent entre elles des
fourmis, s'enquérant peut-être de leur route et de leur butin. » Dante,
Purgatoire, XXVI, 34.

76. « Divers oiseaux ont des accents bien différents selon les divers
temps et il en est qui avec les variations de l'atmosphère modifient
leurs ramages aux sons rauques. » Lucrèce, V, 1077, 1080, 1082, 1083.

77. L'Ecclésiaste.

78. « Tout est enchaîné par les liens de son propre destin. » Lucrèce,
V, 874.

79. « Chaque chose se développe à sa manière, et toutes conservent
les différences établies par l'ordre immuable de la nature. » Lucrèce,
V, 921.

80. Apparence de raison.

81. Cédons.

82. Conclusion.

83. Le garantissant.

84. Gladiateurs.

85. « Brûle-moi la tête, si tu veux, et traverse-moi le corps d'un
glaive, ou déchire-moi le dos à coups de fouet. » Tibulle, I, IX, 21,
cité par Juste Lipse, *Saturnalius*, II, 5.

86. Abaissons.

87. « La cigogne nourrit ses petits de serpents et de lézards trouvés
dans les lieux écartés, et les nobles oiseaux ministres de Jupiter
chassent dans les gorges boisées le lièvre ou le chevreuil. » Juvénal,
XIV, 74, 81.

88. Partageons.

89. Collets.

90. Hésiter.

91. Trébizonde, auteur de traités de logique et de grammaire.

92. Pièce.

93. Scènes.

94. Tout doucement.

95. Tisser.

96. Panser.

97. « S'il est vrai que leurs ancêtres aient servi le Carthaginois Hannibal, nos généraux et le roi des Molosses, et qu'ils aient porté sur leur dos des cohortes ou servaient de cavalerie au combat. » Juvénal, XII, 107.

98. Liste.

99. Ressemblent.

100. Viviers.

101. « Ils ont un nom, et chacun d'eux vient à la voix de son maître qui l'appelle. » Martial, IV, xxix, 6.

102. Remorari signifie retarder.

103. Souffler.

104. Effet passif.

105. Seine (filet à traîner).

106. Des bêtes.

107. Efficace.

108. « Il semble bien que ce soit dans l'attitude des animaux quadrupèdes que la femme est le plus souvent fécondée, parce qu'ainsi les germes atteignent sans peine leur but grâce à l'inclinaison de la poitrine et au soulèvement des reins. » Lucrèce, IV, 1264.

109. Insolites.

110. « Car la femme s'empêche elle-même et s'interdit de concevoir, si de ses fesses elle stimule en folâtrant le désir de l'homme et fait jaillir de son corps déhanché les flots de sa liqueur. Elle rejette ainsi le soc de la ligne du sillon et détourne de son but le jet de la semence. » Lucrèce, IV, 1269.

111. Haines.

112. « Elle n'a pas besoin du c... de la fille d'un grand consul. » Horace, Satires, I, ii, 69.

113. Ressemblance.

114. « La génisse n'a pas honte de se laisser couvrir par son père et la cavale par le cheval dont elle est née ; le bouc s'unit aux chèvres qu'il a engendrées, et l'oiseau est fécondé par l'oiseau de qui il a reçu l'être. » Ovide, Métamorphoses, X, 325.

115. Ayant fait un faux pas.

116. Précaution.

117. « Quand un lion a-t-il arraché la vie à un lion moins courageux ? Dans quel bocage jamais un sanglier a-t-il expiré sous les défenses d'un sanglier plus fort ? » Juvénal, XV, 160.

118. « Souvent entre deux reines s'élève une grande querelle ; nous laissons à penser dès lors la fureur guerrière dont le peuple est animé. » Virgile, Géorgiques, IV, 67.

119. « Là, l'éclat [des armes] s'élève jusqu'au ciel, toute la terre à l'entour s'illumine de leurs reflets, le pas robuste des hommes fait résonner le sol, et l'écho des monts ému par leurs clameurs rejette leurs voix jusqu'aux astres du ciel. » Lucrèce, II, 325.

120. « C'est, dit-on, pour l'amour de Pâris qu'une guerre terrible eut lieu entre la Grèce et la Barbarie. » Horace, *Epîtres*, I, II, 6.

121. Consuma.

122. « Parce qu'Antoine a f..t. Glaphyre, Fulvie m'impose comme un devoir de la f..tr. aussi. Que je f..t. Fulvie! Faudra-t-il f..tr. également Manius, s'il le demande ? Non pas si j'ai bien ma raison. — Ou f..s moi, ou faisons la guerre, dit-elle. — Comment donc ? Si la vie m'est moins chère que mon engin. Sonnez, trompettes! » Vers attribués à Auguste et conservés par Martial, XI, XXI, 3.

123. Il s'adresse sans doute ici à Marguerite de Valois, fille d'Henri IV.

124. « Comme les flots innombrables qui roulent sur la mer de Libye, quand le fougueux Orion se plonge dans les ondes hivernales, ou comme, au renouveau de l'été, les épis pressés que brûle le soleil, soit dans les plaines de l'Hermus, soit dans les champs jaunissants de la Lycie, les boucliers résonnent et la terre ébranlée tremble sous les pas. » Virgile, *Enéide*, VII, 718.

125. « Le noir bataillon s'avance dans la plaine. » Virgile, *Enéide*, IV, 404.

126. Une brume matinale.

127. Mis en déroute.

128. « Ces grandes colères et ces grands combats, une petite poignée de poussière les calmera. » Virgile, *Géorgiques*, IV, 86.

129. Lance (à la poursuite).

130. Déroute.

131. Revues.

132. Aux frais du public.

133. Etant tombé sur.

134. Blotti.

135. Eclat (de bois).

136. « Puis vient Ethon, son cheval de guerre, dépouillé de ses ornements, qui pleure et qui mouille son visage de grosses larmes. » Virgile, *Enéide*, XI, 89.

137. Poisson de mer.

138. Barbeaux.

139. Goujon.

140. Restes.

141. Thons.

142. Commerce, société.

143. Errante.

144. Peut-il venir de notre part.

145. Ressemblance.

146. « Ainsi tu verras des chevaux ardents, même couchés et endormis, se couvrir de sueur pendant leurs songes, souffler souvent, tendre leurs dernières énergies, comme s'il s'agissait de conquérir la palme. » Lucrèce, IV, 987.

147. « Souvent les chiens de chasse, dans le laisser-aller du repos, bondissent tout à coup sur leurs jarrets, donnent brusquement de la voix, reniflent l'air à plusieurs reprises, comme s'ils avaient découvert et tenaient la piste du gibier. Souvent même ils s'éveillent et poursuivent l'image illusoire d'un cerf, comme s'ils le voyaient prendre la fuite, jusqu'à ce que l'erreur se dissipe et qu'ils reviennent à eux. » Lucrèce, IV, 991.

148. « De même, l'espèce caressante des chiots de maison s'agite soudain et se lève en hâte, s'imaginant apercevoir des visages inconnus et des figures suspectes. » Lucrèce, IV, 998.

149. « Le teint d'un Belge serait laid sans un visage romain. » Properce, II, XVIII, 26.

150. La lèvre d'en bas.

151. Aspirant à.

152. Maigre, qui a souffert.

153. « Nous sommes surpassés en beauté par beaucoup d'animaux. » Sénèque, Épîtres, 124.

154. Animaux aériens.

155. « Et tandis que les autres animaux, la face en bas, regardent la terre, Dieu a dressé le front de l'homme, et il lui a commandé de contempler le ciel et de lever ses yeux vers les astres. » Ovide, Métamorphoses, I, 84.

156. « Comme le singe, la plus laide des bêtes, nous ressemble! » Ennius, cité par Cicéron, De natura deorum, I, 35.

157. « Tel, pour avoir vu à découvert les parties secrètes du corps de sa belle, a senti au milieu des transports s'éteindre son amour. » Ovide, Remèdes à l'amour, 429.

158. Imperfection.

159. « Et nos maîtresses ne l'ignorent pas; aussi n'en cachent-elles que mieux toutes ces coulisses de la vie à ceux qu'elles veulent retenir et enchaîner dans leur amour. » Lucrèce, IV, 1185.

160. Sécrétion.

161. Aveu.

162. Mettant en balance avec.

163. L'inquiétude.

164. Le dénigrement.

165. « De même que le vin qui est rarement bon aux malades leur est très souvent nuisible, aussi vaut-il mieux ne pas leur en donner du tout que de les exposer à un dommage manifeste dans l'espoir d'une guérison douteuse; de même peut-être serait-il préférable pour l'espèce humaine que la nature lui eût refusé cette activité de pensée, cette pénétration, cette industrie que nous appelons raison et qu'elle nous a si libéralement et largement donnée, puisque cette faculté n'est salutaire qu'à un petit nombre et fatale à tous les autres. » Cicéron, De natura deorum, III, 27.

166. Portefaix.

167. « Pour être illettré, a-t-on l'engin moins roide ? » Horace, Épodes, VIII, 17.

168. « Sans doute, vous échapperez ainsi aux maladies et à la décrépitude, vous éviterez le chagrin, et les soucis, vous jouirez d'une vie plus longue et d'un sort meilleur. » Juvénal, XIV, 156.

169. Vraiment.

170. Guère plus aussi.

171. Instruction.

172. Faire.

173. Discuter.

174. « Vous serez comme des dieux, sachant le bien et le mal. » Genèse, III, 5.

175. Les sirènes.

176. Lacs, pièges.

177. « Prenez garde qu'on ne vous trompe sous le masque de la philosophie et par de vaines séductions, selon la doctrine du monde. » Saint Paul, Épître aux Colossiens, II, 8.

178. « En somme, le sage ne voit au-dessus de lui que Jupiter; il est riche, libre, honoré, beau, enfin le roi des rois, d'une santé florissante surtout, à moins toutefois que la pituite ne le tourmente. Horace, Épîtres, I, 1, 106.

179. Faire le fier.

180. « Celui-là fut un dieu, oui, un dieu, glorieux Memmius, qui le premier trouva cette règle de vie aujourd'hui appelée sagesse, et qui par sa science arrachant notre vie à des tempêtes si grandes, et à de si grandes ténèbres, a su l'asseoir dans une telle sérénité, dans une si claire lumière. » Lucrèce, V, 8.

181. Allusion à la folie de Lucrèce.

182. « C'est avec raison que nous nous glorifions de notre vertu : ce qui n'arriverait pas si nous la tenions d'un dieu et non pas de nous-mêmes. » Cicéron, De natura deorum, III, 36.

183. Bravoure.

184. Surpasse.

185. Abaisser.

186. « Il ne fallait pas faire le brave en paroles pour succomber en fait. » Cicéron, Tusculanes, II, XIII.

187. Prochaine.

188. Etendre, appliquer comme un exemple.

189. Dérange.

190. Folie.

191. Allusion à la folie du Tasse.

192. « Les hommes sont moins sensibles aux plaisirs qu'aux douleurs. » Tite-Live, XXX, 21.

193. Ces vers sont de La Boétie. « Nous sommes sensibles au moindre coup qui nous effleure à peine la peau, tandis que nous n'avons pas conscience de la santé. Je me réjouis de n'être ni pleurétique, ni podagre; au reste, à peine l'homme a-t-il le sentiment d'être sain et vigoureux. »

194. Absence de douleur.

195. « C'est avoir beaucoup de bonheur que de n'avoir pas de malheur. » Ennius, cité par Cicéron, *De finibus*, II, 13.

196. Entraîne.

197. Lourde.

198. La venue.

199. « Cette absence de douleur ne se peut acquérir qu'à un prix élevé : au prix de l'abrutissement de l'âme et de la torpeur du corps. » Cicéron, *Tusculanes*, III, VI.

200. La divertir.

201. « Pour soulager les chagrins, la méthode à suivre, selon lui [Épicure], consiste à détourner sa pensée de toute idée fâcheuse et à la ramener à la contemplation des idées agréables. » Cicéron, *Tusculanes*, III, XV.

202. « Car se souvenir du bien passé double la peine. »

203. Doux est le souvenir des peines passées. » Cicéron, *De finibus*, I, 17.

204. M'esquiver comme un lapin (conil).

205. « Il est en notre pouvoir d'ensevelir en quelque sorte nos malheurs dans un oubli perpétuel et de nous souvenir de nos prospérités avec agrément et avec douceur. » Cicéron, *De finibus*, I, 17.

206. « Je garde mes souvenirs même quand je ne le veux pas, et je ne puis les oublier quand je le veux. » Cicéron, *De finibus*, II, 32.

207. « Qui seul a osé se proclamer sage. » Cicéron, *De finibus*, II, 3. Il s'agit d'Épicure.

208. « Qui s'est élevé par son génie au-dessus du genre humain et a éclipsé tous les hommes, comme le soleil qui se lève dans l'éther éclipse les étoiles. » Lucrèce, III, 1056.

209. « C'est un remède sans force pour nos maux que l'ignorance. » Sénèque, *Œdipe*, III, 17, cité par Juste Lipse, *Politiques*, V, 18.

210. « Je commencerai par boire et par répandre des fleurs, quitte à passer pour fou. » Horace, *Épîtres*, I, V, 14.

211. Il s'agit d'Érasme.

212. « Par Pollux ! vous m'avez tué, mes amis, dit-il, au lieu de me guérir, vous m'avez ravi mon bonheur, vous m'avez arraché l'illusion qui faisait toute ma joie. » Horace, *Épîtres*, II, II, 138.

213. Ce vers que Montaigne traduit avant de le citer est de Sophocle, *Ajax*, 552.

214. « Te plaît-elle ? Soumets-toi. — Ne te plaît-elle pas ? Sors-en par où tu voudras. » Sénèque, *Épîtres*, 70.

215. « La douleur te cuit ? Mettons même qu'elle te torture. Si tu es sans défense, tends la gorge ; mais si tu es couvert des armes de Vulcain, c'est-à-dire de courage, résiste. » Cicéron, *Tusculanes*, II, XIV.

216. Banquets.

217. « Qu'il boive ou qu'il parte. » Cicéron, *Tusculanes*, V, XLI.

218. « Si tu ne sais pas vivre bien, cède ta place à ceux qui savent. Tu as assez folâtré, assez mangé et bu ; il est temps pour toi de partir, sans quoi tu risquerais de trop boire, et la jeunesse lascive pourrait se gausser de toi et te chasser. » Horace, *Épîtres*, II, II, 213.

219. « Démocrite, après qu'une vieillesse avancée l'eut averti du déclin de sa mémoire et autres facultés, de son propre mouvement s'en alla offrir sa tête au trépas. » Lucrèce, III, 1052.

220. L'empereur Valens.

221. « D'ajournements, de requêtes, d'informations et de lettres de procuration, ils en ont les mains et les poches pleines, et aussi de liasses de gloses, de consultations et de procédures. Avec de telles gens, les malheureux ne sont jamais en sûreté dans les villes, ils sont assiégés par-derrière, par-devant, de tous côtés, par des notaires, des procureurs et des avocats. » Arioste, *Roland furieux*, XIV, stance 84.

222. Le manque de civilisation.

223. Stobée, *Sermo*, XXII. Le mot est de Socrate.

224. « On connaît mieux Dieu en ne le connaissant pas. » Saint Augustin, *De Ordine*, II, 16, cité dans les *Politiques de* Juste Lipse, I, 2.

225. « Il est plus saint et plus respectueux de croire que d'approfondir les actes des dieux. » Tacite, *De moribus Germanorum*, XXXIV.

226. D'après le *Timée*. « A la vérité, connaître le père de cet univers est chose difficile, et, si on parvient à le connaître, le révéler au vulgaire est impie. »

227. « Exprimant des choses immortelles en termes mortels. » Lucrèce, V, 122.

228. Le choix.

229. La bravoure.

230. « Il n'est susceptible ni d'affection, ni de colère, parce que de telles passions ne se trouvent que dans des êtres faibles. » Cicéron, *De natura deorum*, I, 17.

231. Les Apôtres.

232. Il s'agit de Socrate.

233. « Presque tous les Anciens ont dit qu'on ne pouvait rien connaître, rien comprendre, rien savoir; que nos sens étaient bornés, nos intelligences faibles et le cours de la vie bref. » Cicéron, *Académiques*, I, 12.

234. Toute sa valeur.

235. « Il faut parler, mais ne rien affirmer; je chercherai toutes choses, doutant le plus souvent et me défiant de moi-même. » Cicéron, *De divinatione*, II, 3.

236. « Qui ronfle tout éveillé, qui, jouissant de la vie et de la vue, mène une vie presque morte. » Lucrèce, III, v. 1046 et 1048.

237. Etayée.

238. Ceux qui suspendent leurs jugements.

239. « Quant à ceux qui pensent qu'on ne sait rien, ils ignorent également si l'on peut savoir quelque chose, puisqu'ils font profession de ne rien savoir. » Lucrèce, IV, 469.

240. Esprit de rivalité.

241. En bas.

242. Surséance, suspension.

243. « Ils s'attachent à n'importe quelle secte comme à un rocher sur lequel la tempête les aurait jetés. » Cicéron, *Académiques*, II, 3.

244. « D'autant plus libres et plus indépendants que rien ne limite leur faculté de juger. » Cicéron, *Académiques*, II, 3.

245. Prévenu.

246. « De sorte que, trouvant sur un même sujet des raisons égales pour et contre, il soit plus facile, sur un point ou sur l'autre, de suspendre son jugement. » Cicéron, *Académiques*, I, 12.

247. « Je suspens mon jugement. »

248. « Car Dieu a voulu que nous ayons non pas la connaissance, mais seulement l'usage de ces choses. » Cicéron, *De divinatione*, I, 18.

249. Vraisemblance.

250. Zélé.

251. « Le Seigneur connaît les pensées des hommes, et il sait qu'elles sont vaines. » *Psaume XCIII*, 11.

252. « Que les savants supposent, plutôt qu'ils ne le connaissent. »

253. « Je m'expliquerai comme je le pourrai ; non que mes paroles soient des oracles certains et immuables rendus par Apollon Pythien : faible mortel, je cherche par conjecture à découvrir la probabilité. » Cicéron, *Tusculanes*, I, IX.

254. « S'il arrive que, discourant de la nature des dieux et de l'origine du monde, je ne puis atteindre le but que je me propose, il ne faudra pas vous en étonner : car vous devez vous souvenir que moi qui parle et vous qui jugez, nous ne sommes que des hommes, et si je vous donne des probabilités, ne recherchez rien de plus. »

255. Affirmative.

256. « Ceux qui recherchent ce que nous pensons sur chaque matière poussent la curiosité plus loin qu'il ne faut. Ce principe en philosophie de disputer de tout sans décider sur rien, établi par Socrate, repris par Arcésilas, confirmé par Carnéade, est encore en vigueur de notre temps. Nous sommes de l'école qui dit que le faux est partout mêlé au vrai et lui ressemble si fort, qu'aucun critère ne permet de juger et de décider avec certitude. » Cicéron, *De natura deorum*, I, 5.

257. Le ténébreux.

258. « Lui que son langage obscur a rendu illustre chez les Grecs [il s'agit d'Héraclite]. Car les sots admirent et aiment de préférence tout ce qu'ils croient distinguer de caché sous des termes ambigus. » Lucrèce, I, 639, 641.

259. Détournait.

260. En surnombre.

261. « Peu me plaisent ces lettres qui n'ont aucunement servi à rendre vertueux ceux qui en sont instruits. » Salluste, *Jugurtha*, 85, cité par Juste Lipse, *Politiques*, I, 10.

262. Dialogues.

263. Favoriser.

264. Leurs organes génitaux.

265. Circoncire.

266. Esprit.

267. Allures.

268. Arrêts [de justice].

269. Décisif.

270. Discussion.

271. Contraint par la vérité.

272. « Les pensées des mortels sont timides, et notre prévoyance et nos inventions incertaines. » *Sagesse*, IX, 14.

273. « Mieux vaut apprendre des choses inutiles que de ne rien apprendre. » Sénèque, *Epîtres*, 88.

274. Une image vaille que vaille.

275. « Ces systèmes sont les fictions du génie de chaque philosophe, et non le résultat de leurs découvertes. » Sénèque, *Suasoriæ*, IV.

276. Avec assez de clarté.

277. Affirmatif.

278. Ouvertement.

279. Blutés, passés au tamis.

280. « Ils ont écrit non pas tant par conviction que pout exercer leur esprit par la difficulté du sujet. » (Source inconnue.)

281. Excuserions-nous.

282. « Jupiter tout-puissant, père et mère du monde, des rois et des dieux. » Vers de Valerius Soranus conservés par saint Augustin, *Cité de Dieu*, IX, 11.

283. Résultats conformes à ce qu'ils valent.

284. Peignit.

285. Celui de la Passion.

286. Vers de la *Remontrance au peuple de France* de Ronsard.

287. La partie de ce monde.

288. Mouvements circulaires.

289. Le temps.

290. Disciple.

291. « Quant à moi, j'ai toujours pensé qu'il est une gent des dieux et je le proclamerai toujours, mais ma conviction est qu'ils n'ont aucun souci de ce que fait le genre humain. » Vers d'Ennius, cités par Cicéron, *De divinatione*, II, 50.

292. Différentes des miennes.

293. Parentés.

294. « Les choses dont je parle sont tellement éloignées de la divinité, tellement indignes d'être mises au nombre des dieux. » Lucrèce, V, 122.

295. « On connaît leur aspect, leur âge, leurs vêtements, leurs parures, leur généalogie, leur mariage, leurs alliances ; tout se représente sur le modèle de la faiblesse humaine ; car on les fait sujets aux mêmes troubles. On nous parle des passions des dieux, de leurs chagrins, de leurs courroux. » Cicéron, *De natura deorum*, II, 28.

296. « A quoi bon introduire nos mœurs dans les temples ? O âmes courbées vers la terre et vides de pensées célestes ! » Perse, II, 61.

297. S'égaler.

298. « Des sentiers écartés les cachent et une forêt de myrtes les enveloppe : leurs chagrins d'amour ne les abandonnent pas même dans la mort. » Virgile, *Enéide*, VI, 443.

299. « C'était Hector qui combattait dans la mêlée; mais le corps qui fut traîné par les chevaux d'Hémonie, ce n'était plus Hector. » Ovide, *Tristes*, III, 11, 27.

300. « Tout ce qui se change se décompose; donc il périt. Les parties de l'âme, en effet, se transposent et se déplacent. » Lucrèce, III, 756.

301. « Et même si, rassemblant toute notre matière, le temps, après notre mort, la remettait dans l'ordre où elle est rangée maintenant et que de nouveau nous fût donnée la lumière de la vie, nous ne serions pourtant touchés en rien par un tel événement, puisqu'il y aurait eu une interruption dans la chaîne de nos souvenirs. » Lucrèce, III, 847.

302. « Arraché de ses racines, puisqu'il est détaché du reste du corps, l'œil isolé ne peut distinguer aucun objet. » Lucrèce, III, 563.

303. « Dans l'intervalle, en effet, il y a eu cessation de la vie et tous les mouvements se sont égarés sans but ni cohésion, en dehors de toute sensation. » Lucrèce, III, 860.

304. « Il n'y a rien là qui nous touche, nous qui n'existons que par l'union de l'âme et du corps dont l'assemblage constitue notre individu. » Lucrèce, III, 875.

305. L'antiquité.

306. « [Enée] saisit quatre hommes jeunes, fils de Sulmone, et quatre autres nourris au bords de l'Ufens, pour les immoler vivants aux mânes de Pallas. » Virgile, *Enéide*, X, 517.

307. « Tant la religion a pu conseiller de méfaits! » Lucrèce, I, 102.

308. La ruine.

309. « Mais laissée pure impurement dans la saison même du mariage, elle devait succomber, victime douloureuse immolée par son père. » Lucrèce, I, 98.

310. Rendre propice.

311. « Quelle était cette grande iniquité des dieux de ne consentir à être favorables au peuple romain qu'au prix de la vie de tels hommes! » Cicéron, *De natura deorum*, III, 6.

312. Préparé, prémédité.

313. « Telle est la fureur de leur esprit troublé et sorti de son siège, qu'ils pensent apaiser les dieux en surpassant toutes les cruautés des hommes. » Saint Augustin, *Cité de Dieu*, VI, 10.

314. Maltraiter.

315. « De quoi pensent-ils que les dieux s'irritent, ceux qui croient les rendre propices ainsi ? Des hommes ont été châtrés pour servir au plaisir des rois; mais jamais esclave ne s'est châtré lui-même lorsque son maître lui commandait de ne plus être homme. » Saint Augustin, *Cité de Dieu*, VI, 10.

316. « C'est trop souvent la religion elle-même qui enfanta des actes impies et criminels. » Lucrèce, I, 83.

317. La faiblesse de Dieu est plus forte que les hommes et sa folie est plus sage que leur sagesse. » Saint Paul, I, *Corinthiens*, I, 25.

318. Stilpon de Mégare pour qui la vertu consiste dans l'impassibilité (vers 300 av. J.-C.).

319. Le monde.

320. « Tous ces objets, avec le ciel et la terre et la mer, ne sont rien en regard de la somme totale de toutes les sommes. » Lucrèce, VI, 679.

321. « Le ciel, et la terre, et le soleil, la lune, la mer et tout ce qui est, loin d'être uniques de leur espèce, existent au contraire en nombre innombrable. » Lucrèce, II, 1085.

322. « Dans la somme des choses, il n'y en a pas qui soit isolée, qui naisse unique, qui grandisse unique et seule en son genre. » Lucrèce, II, 1077.

323. « Aussi, je le redis encore, il te faut avouer qu'il y a ailleurs d'autres groupements de matières analogues à ce qu'est notre monde, que dans une étreinte avide l'éther tient embrassé. » Lucrèce, II, 1064.

324. Des chrétiens.

325. S'émousse.

326. Il ne sait plus rire.

327. De plus.

328. Vers de Stobée (*Anthologie* CXIX) que Montaigne a traduits avant de les citer.

329. Première parole de la consécration. Allusion à la querelle de la transsubstantiation.

330. La phrase.

331. Sans ambages.

332. « Que demain le père des dieux remplisse le ciel d'une nuée noire ou d'un clair soleil, il ne peut pourtant rendre vaine toute chose qui est derrière nous, il ne peut changer ou faire que ne se soit pas produit ce que l'heure en fuyant a une fois emporté » Horace, *Odes*, III, XXIX, 43.

333. Filtre (jugement).

334. « Il est étonnant jusqu'où se porte l'arrogance du cœur humain, lorsque le moindre succès l'y pousse. » Pline, *Hist. Nat.*, II, 23.

335. « Les dieux s'occupent des grandes choses, ils négligent les petites. » Cicéron, *De natura deorum*, II, 66.

336. « Les rois non plus ne descendent pas dans les détails infimes du gouvernement. » Cicéron, *De natura deorum*, III, 35.

337. « Dieu, si grand ouvrier dans les grandes choses, ne l'est pas moins dans les petites. » Saint Augustin, *Cité de Dieu*, XI, 22.

338. « Un être heureux et éternel n'a point de soucis et n'en cause à personne. » Cicéron, *De natura deorum*, I, 17.

339. « Sur son dos » (locution proverbiale).

340. « Ils s'effrayent de ce qu'ils ont inventé. » Lucain, *Pharsale*, I, 486.

341. « Qu'y a-t-il de plus malheureux que l'homme esclave de ses fictions ? »

342. Hermès Trismegiste, l'auteur du *Pimander*.

343. « A qui seule il est donné de connaître les dieux et les puissances célestes, ou seule de ne les point connaître. » Lucain, *Pharsale*, I, 452.

344. Animé.

345. L'action de faire du mal.

346. « Non pas même quand tu crèverais, dit-il. » Horace, *Satires*, II, III, 318.

347. « Oui, les hommes, en croyant se représenter Dieu, qu'ils ne peuvent concevoir, se représentent eux-mêmes, ils ne voient qu'eux, et non pas lui; c'est à eux qu'ils le comparent, et non pas eux à lui. » Saint Augustin, *Cité de Dieu*, XII, 17.

348. Mont Cenis.

349. Tige, lignée.

350. Merlin avait pour père un démon.

351. « Tant c'est une habitude et un préjugé de nostre esprit que, quand il pense à Dieu, aussitôt la forme humaine se présente à lui. » Cicéron, *De natura deorum*, I, 27.

352. « Tant la nature est elle-même aimable, entremetteuse et maquerelle pour ce qu'elle a créé. » Id., *ibid.*, I, 27.

353. « Et domptés par la main d'Hercule, les fils de la Terre, par qui trembla devant le péril la demeure resplendissante du vieux Saturne. » Horace, *Odes*, II, XII, 6.

354. « Neptune de son large trident secoue les murs, en ébranle les fondements, fait sauter la ville entière de ses profondes assises. Là, au premier rang, la cruelle Junon occupe les Portet Scées... » Virgile, *Enéide*, II, 610.

355. « Tant la superstition introduit les dieux mêmes dans les plus petites choses. » Tite-Live, XXVII, 23.

356. « Là [à Carthage] étaient ses armes [de Junon], là était son char. » Virgile, *Enéide*, I, 16.

357. « O saint Apollon, toi qui habites le nombril du monde! » Cicéron, *De divinatione*, II, 56. Le sanctuaire d'Apollon à Delphes passait pour le centre de la terre.

358. « Les Cécropides (les Athéniens) honorent Pallas; la Crète de Minos, Diane; Lemnos, Vulcain; Sparte et Mycènes de Pélops, Junon; Faunus couronné de pin est le dieu du Ménale, et Mars celui du Latium. » Ovide, *Fastes*, III, 81.

359. « Et le temple du petit-fils est réuni à celui de son grand aïeul. » Ovide, *Fastes*, I, 294.

360. Maillot.

361. « Puisque nous ne les jugeons pas encore dignes de l'honneur du ciel, du moins laissons-les habiter les terres que nous leur avons données. » Ovide, *Métamorphoses*, I, 194.

362. De la nature.

363. Intermédiaires.

364. « Crète, berceau de Jupiter. » Ovide, *Métamorphoses*, VIII, 99.

365. « Comme il ne cherche la vérité que pour s'affranchir, on peut croire qu'il est de son intérêt d'être trompé. » Dans saint Augustin, *Cité de Dieu*, IV, 31, qui rapporte l'opinion de Scévola et de Varron !

366. Mous.

367. Consume.

368. « Le timon était d'or, d'or la jante des roues, et la série des rayons d'argent. » Ovide, *Métamorphoses*, II, 107.

369. « Le monde est une immense maison, entourée de cinq zones et traversée obliquement par une bordure enrichie de douze signes rayonnants d'étoiles, avec le char de la Lune et ses deux coursiers. » Vers de Varron, cités par Valerius Probus, dans son commentaire sur la *VIᵉ Bucolique* de Virgile.

370. Qui croit avoir l'inspiration divine.

371. « Toutes ces choses sont cachées et enveloppées d'épaisses ténèbres, et il n'y a point d'esprit assez perçant pour pénétrer dans le ciel ou entrer dans la terre. » Cicéron, *Académiques*, II, 39.

372. Ravisement (terme d'astrologie).

373. Concédons.

374. La jeune fille de Milet.

375. « Ce qu'on a devant les pieds, on ne le regarde pas; on scrute les voûtes célestes. » Vers d'une tragédie d'*Iphigénie*, cité par Cicéron, *De divinatione*, II, 13, reprochant à Démocrite de s'occuper de questions insolubles.

376. Que dis-je, aussi.

377. « Ce qui maîtrise la mer, ce qui règle les saisons; si les étoiles ont leur mouvement propre ou obéissent dans leur course à une force étrangère; pourquoi le disque de la lune croît et décroît régulièrement; quel est le but ou le résultat de cette concorde entre tant d'éléments discordants. » Horace, *Epitres*, I, XII, 16.

378. Irruption.

379. « Toutes ces choses sont impénétrables à la raison et cachées dans la majesté de la nature. » Pline, *Hist. Nat.*, II, 37.

380. « La manière dont les corps s'unissent aux âmes est tout à fait merveilleuse et dépasse l'intelligence de l'homme : et cette union est l'homme même. » Saint Augustin, *Cité de Dieu*, XXI, 10.

381. Appuyant.

382. Forme.

383. Admis, reconnus.

384. Le plus facilement du monde.

385. Place.

386. Axiome.

387. Gens entêtés de leurs opinions.

388. Renoncent à.

389. « On ignore, en effet, quelle est la nature de l'âme : est-elle née avec le corps, ou au contraire s'y glisse-t-elle à la naissance et périt-elle en même temps que nous, dans la dispersion de la mort; ou bien va-t-elle voir les ténèbres d'Orcus et ses vastes abîmes, ou enfin s'insinue-t-elle par l'effet d'une volonté divine dans d'autres êtres ? » Lucrèce, I, 112.

390. « Il vomit son âme de sang. » Virgile, *Enéide*, IX, 349.

391. « Elles ont la vigueur du feu, et leur origine est céleste. » Virgile, *Enéide*, VI, 730.

392. « Une sorte de disposition vitale du corps, une harmonie, comme disent les Grecs. » Lucrèce, III, 99.

393. « De toutes ces opinions, à quelque dieu de voir quelle est la vraie. » Cicéron, *Tusculanes*, I, XI.

394. « De même qu'on parle souvent de la bonne santé du corps, et pourtant la santé n'est pas un organe du sujet bien portant. » Lucrèce, III, 103.

395. « C'est là, en effet, que tressautent l'effroi et la peur ; c'est cette région que flatte l'allégresse. » Lucrèce, III, 140.

396. « Quelle figure a l'âme et où elle habite, voilà ce qu'il ne faut pas chercher à connaître. » Cicéron, *Tusculanes*, I, XXVIII.

397. Fait des efforts.

398. Nos investigations poussées à l'extrême.

399. Du début.

400. Cartes.

401. Le bord.

401 *bis.* « On ne peut rien dire de si absurde qui ne soit déjà dit par quelque philosophe. » Cicéron, *De divinatione*, II, 58.

402. Catégorie.

403. Extraordinaire.

404. « Phébus ne s'écarte jamais dans sa marche du milieu du ciel : cependant il éclaire tout de ses rayons. » Claudien, *De sexto consulatu Honorii*, V, 411.

405. « L'autre partie de l'ensemble, l'âme, disséminée par tout le corps, obéit et se meut à la volonté et sous l'impulsion de l'esprit. » Lucrèce, III, 144.

406. « Car Dieu se répand partout dans les terres, dans les étendues de la mer, dans le ciel profond ; c'est de lui que les brebis et le gras bétail, que l'homme, que toute bête sauvage, que tout être en un mot emprunte en naissant les subtils principes de la vie ; c'est à lui naturellement que retournent après leur évolution et que sont rendus tous les êtres ; il n'y a pas de place pour la mort. » Virgile, *Géorgiques*, IV, 221.

407. « La vertu de ton père t'a été instillée avec la vie. »

408. « Les enfants braves naissent de pères braves et probes. » Horace, *Odes*, IV, IV, 29.

409. « Pourquoi la violence irritée s'attache-t-elle toujours à la race cruelle des lions, la ruse aux renards ; pourquoi chez les cerfs l'instinct de la fuite se transmet-il du père aux enfants ? pourquoi une timidité héréditaire fait-elle trembler leurs membres ? Sinon parce que, dans chaque genre, dans chaque espèce, réside une âme déterminée qui croît avec chaque corps ? » Lucrèce, III, 741.

410. « Si l'âme s'insinue dans le corps au moment de la naissance, pourquoi de notre vie passée n'avons-nous aucun souvenir ? Pourquoi ne conservons-nous aucune trace de nos anciennes actions ? » Lucrèce, III, 671.

411. « Car si les facultés de l'âme sont tellement altérées que tout

souvenir du passé soit sorti de sa mémoire, un tel état, à mon sens, n'est pas si loin du trépas. » Lucrèce, III, 674.

412. Son déclin.

413. « Nous sentons que l'âme est engendrée avec notre corps, qu'elle grandit avec lui, qu'elle vieillit de pair avec lui. » Lucrèce, III, 445.

414. « Nous voyons l'esprit se guérir, comme un corps malade; il nous apparaît capable de se rétablir par la médecine. » Lucrèce, III, 509.

415. « Donc c'est de matière qu'il faut que soit formée la substance de l'esprit, puisque des traits et des coups matériels sont capables de la faire souffrir. » Lucrèce, III, 176.

416. « Le délire naît du désordre de l'esprit et de l'âme et de la division qui les disperse et détruit l'union de leurs éléments, arrachés les uns des autres par l'effet du même poison. » Lucrèce, III, 499.

417. « La violence du mal répandue à travers les membres trouble l'âme et la soulève, comme sur la plaine salée la violence déchaînée des vents fait bouillonner des ondes. » Lucrèce, III, 492.

418. « Dans les maladies du corps, souvent l'esprit s'égare et bat la campagne; le patient déraisonne, il a le délire; parfois une pesante léthargie l'emporte dans les profondeurs d'un sommeil éternel, les yeux fermés, la tête retombante. » Lucrèce, III, 463.

419. « Car joindre le mortel à l'éternel et supposer à tous deux des sentiments communs, des services mutuels, est pure folie. Que peut-on imaginer de plus opposé, de plus disparate, de plus discordant qu'une substance sans commencement ni fin, et toutes deux supportant conjointement les mêmes terribles tempêtes ? » Lucrèce, III, 800.

420. « Elle s'affaisse avec lui sous le poids de l'âge. » Lucrèce, III, 459.

421. « Il voit dans le sommeil une contraction et comme une prostration et un affaissement de l'âme. » Cicéron, De divinatione, II, 58.

422. « Tout comme un malade peut être podagre sans avoir cependant aucune douleur dans la tête. » Lucrèce, III, 111.

423. « Chose très agréable qu'ils promettent plus qu'ils ne la prouvent. » Sénèque, Epîtres, 102.

424. Obstinés.

425. « Ce sont là les rêves d'un homme qui ne démontre pas, mais qui dit ses désirs. » Cicéron, Académiques, II, 38.

426. Nemrod.

427. « Je confondrai la sagesse des sages et je réprouverai la prudence des prudents. » Saint Paul, Epître aux Corinthiens, I, i, 19.

428. « Les ténèbres dans lesquelles s'enveloppe la connaissance de notre intérêt sont un exercice pour l'humilité et un frein pour l'orgueil. » Saint Augustin, Cité de Dieu, XI, 22.

429. Eprouvera à plusieurs reprises.

430. « Lorsque nous discutons de l'immortalité de l'âme, nous trouvons que ce n'est pas un argument de peu de poids que le consentement des hommes qui craignent ou qui honorent les dieux infernaux. Je tire parti de cette conviction générale. » Sénèque, Epîtres, 117.

431. « Ils nous accordent une longue durée comme aux corneilles ; nos âmes doivent vivre longtemps, disent-ils, mais pas toujours. » Cicéron, *Tusculanes*, I, XXXI.

432. « O mon père, faut-il donc penser qu'il y a des âmes qui remontent à l'air du ciel et qui aspirent de nouveau à rentrer dans les liens pesants du corps ? D'où vient à ces malheureuses un si farouche désir de la lumière ? » Virgile, *Enéide*, VI, 719.

433. La marche de ses transformations, son processus.

434. « Enfin c'est le comble du ridicule que les âmes soient postées à surveiller les accouplements produits par l'amour et la délivrance des bêtes sauvages, et que ces immortelles se pressent en foule innombrable dans l'attente de corps mortels et rivalisent entre elles de vitesse à qui s'y introduira la première ? » Lucrèce, III, 776.

435. Des chrétiens.

436. Faculté de souffrir.

437. « Comme s'il pouvait s'agir de mesurer quelque autre chose quand on ne peut connaître sa propre mesure. » Pline, *Histoire naturelle*, II, 1.

438. Peut-être Marguerite de France, la future femme d'Henri de Navarre.

439. « A trop s'amincir on se rompt. » Pétrarque, *Canzoniere*, XXII, v, 48.

440. Dirigé (pour atteindre un but).

441. Redoutable.

442. Œillères.

443. Il vise les athées.

444. « Qui sont astreints et voués à certaines opinions fixes et déterminées, au point d'être réduits à défendre les choses mêmes qu'ils désapprouvent. » Cicéron, *Tusculanes*, II, 11.

445. Alliage, valeur.

446. Influences.

447. Séparations en diverses maisons.

448. Ligne allant de l'index au petit doigt.

449. La saillie.

450. Index.

451. Doigt du milieu.

452. La ligne médiane (ou ligne de tête).

453. La ligne de vie.

454. S'émoussât.

455. Conciliants.

456. « Comme la cire de l'Hymette s'amollit au soleil, et, pétrie sous le pouce, revêt mille formes et par le service même devient plus apte à servir. » Ovide, *Métamorphoses*, X, 284.

457. « Une chose ne peut être plus ou moins comprise qu'une autre, parce que, pour toute chose, il n'y a qu'une façon de comprendre. » Cicéron, *Académiques*, II, 41.

458. « Mulciber (Vulcain), était contre Troie, pour Troie Apollon. »
Ovide, *Tristes*, I, II, 5.

459. « Entre les apparences vraies ou fausses, il n'y a aucune différence qui doit déterminer le jugement. » Cicéron, *Académiques*, II, 28.

460. Pierre de touche.

461. « La dernière découverte détrône les anciennes et change nos
sentiments à leur égard. » Lucrèce, V, 1414.

462. Comporter.

463. Vers déjà cités à II, I, cf. note 14.

464. Rhume de cerveau.

465. Il ne manque.

466. Ombre, apparence.

467. « Et qui ne me soucie nullement de savoir quel roi fait tout
trembler sous l'Ourse glacée ou ce qui effraie le roi Tiridate. » Horace,
Odes, I, XXVI, 3.

468. Crouler, chanceler.

469. Frappe.

470. « Comme un frêle vaisseau surpris sur la mer immense par un
vent furieux. » Catulle, XXV, 13.

471. Se passionner pour elle.

472. Souffrances.

473. « Ajax fut toujours brave, mais il le fut surtout dans sa folie. »
Cicéron, *Tusculanes*, IV, XXIII.

474. « Comme le calme de l'Océan est pour nous l'absence du souffle
le plus léger qui pourrait rider la surface de l'eau ; ainsi on peut assurer
que l'âme est calme et apaisée quand nulle perturbation ne peut
l'émouvoir. » Cicéron, *Tusculanes*, V, VI.

475. Au pouvoir de.

476. Devins. Allusion au don de prophétie prêté aux mourants.

477. Que nous soyons assez avisés pour.

478. Détaché.

479. A qui on ne doit pas se fier.

480. Devenir facile.

481. « Telle la mer, dans un mouvement périodique, tantôt se
rue vers la terre, couvre d'onde les rochers et se répand au loin sur le
rivage, tantôt, retournant sur elle-même et entraînant dans son reflux
les cailloux qu'elle avait apportés, elle fuit et, abaissant ses eaux, laisse
la plage à découvert. » Virgile, *Énéide*, XI, 624.

482. « Ainsi la révolution des temps change le sort de toutes choses.
Ce que l'on jugeait précieux finit par perdre tout honneur ; un autre
objet prend sa place et sort du mépris ; chaque jour il est recherché
davantage ; sa découverte est toute fleurie d'éloges et il jouit parmi les
mortels d'un honneur étonnant. » Lucrèce, V, 1276.

483. Actes de chancellerie.

484. Tournant facilement.

485. L'hyperbole et les asymptotes.

486. « Car on se plaît dans ce qu'on a, et on le croit préférable à tout. » Lucrèce, V, 1411.

487. Il s'agit d'Origène.

488. Se divertissant.

489. « Comme individus, ils sont mortels; comme espèce, immortels. » Citation d'Apulée, *De deo Socratis*, dans *La Cité de Dieu*, XII, 10.

490. Ressemblances.

491. Prédire.

492. Dans leur nourriture.

493. A l'envi.

494. Dépouiller.

495. Inégalité.

496. « Le climat ne contribue pas seulement à la vigueur du corps, mais aussi à celle de l'esprit. » Végèce, I, 2.

497. « L'air d'Athènes est subtil, et c'est pourquoi les Athéniens sont réputés avoir l'esprit plus délicat; celui de Thèbes est épais; aussi les Thébains passent-ils pour gens grossiers et vigoureux. » Cicéron, *De fato*, IV.

498. Plat.

499. « Quand la raison règle-t-elle nos craintes ou nos désirs ? Quel projet formé avec assez de bonheur pour qu'on n'ait pas à se repentir de l'avoir entrepris et mené à bonne fin ? » Juvénal, X, 4.

500. « Nous souhaitons une épouse, des enfants. Eux, ils savent ce que seront ces enfants, ce que sera cette épouse. » Juvénal, X, 352.

501. « Abasourdi d'un mal si nouveau, riche et misérable à la fois, il souhaite de fuir ses richesses et il a en horreur ce qui était naguère l'objet de ses vœux. » Ovide, *Métamorphoses*, XI, 128.

502. « Ta verge et ton bâton m'ont consolé. » *Psaume XXII*, 4.

503. « Si vous voulez un conseil, laissez aux dieux le soin d'apprécier ce qui nous convient, ce qui doit servir nos intérêts. L'homme leur est encore plus cher qu'à soi-même. » Juvénal, X, 345.

504. « Or, dès qu'on ne s'accorde pas sur le souverain bien, on est en désaccord sur toute la philosophie. » Cicéron, *De finibus*, V, 5.

505. « Il me semble voir trois convives en désaccord et qui demandent des mets tout différents. Que faut-il leur donner ou que faut-il ne pas leur donner ? Vous refusez ce que l'autre demande; ce que vous désirez, les deux autres le trouvent dégoûtant et aigre. » Horace, *Épîtres*, II, II, 61.

506. « Ne s'étonner de rien, Numacius, est presque le seul et unique moyen qui donne et conserve le bonheur. » Horace, *Épîtres*, I, VI, 1.

507. Ne s'étonner de rien.

508. Résistances.

509. Proche parent de.

510. L'histoire des partis.

511. Ma contrée (la Guyenne).

512. [Entraînant la peine] capitale.

513. Malchanceux.

514. Universalité.

515. L'adresse dans le vol.

516. Sous peine capitale.

517. « On dit qu'il y a des nations où la mère s'unit à son fils et le père à sa fille, et où l'affection familiale est doublée par l'amour. » Ovide, *Métamorphoses*, X, 331.

518. « Il ne reste rien qui soit véritablement nôtre; ce que j'appelle nôtre n'est qu'une production de l'art. » Cicéron, *De finibus*, V, 21.

519. Restes.

520. Formation, instruction.

521. « O terre hospitalière, tu nous annonces la guerre; c'est pour la guerre qu'on arme les chevaux, c'est de la guerre que nous menacent ces bêtes. Mais parfois on habitue les coursiers à s'atteler à un char et à se mettre d'accord sous le joug qu'on leur impose. Il y a donc aussi espoir de paix! » Virgile, *Enéide*, III, 539.

522. Augmentait.

523. Mode des pendants d'oreilles.

524. Lieu d'asile.

525. « La cause de cette fureur, c'est que chacun de ces deux peuples exècre les dieux de l'autre et s'imagine qu'on ne doit tenir pour dieux que les siens. » Juvénal, XV, 361.

526. Bartole et Balde, juristes italiens du XIVe siècle.

527. Eclat.

528. «A l'égard des plaisirs de l'amour, si la nature les exige, il n'y faut considérer ni la race, ni le lieu, ni le rang, mais la grâce, l'âge et la beauté, à ce que pense Epicure. » Cicéron, *Tusculanes*, V, XXXIII.

529. « Ils ne pensent pas que des amours saintement réglées soient interdites au sage. » Cicéron, *De finibus*, III, 20.

530. « Voyons [disent les stoïciens] jusqu'à quel âge il convient d'aimer les jeunes gens. » Sénèque, *Epîtres*, 123.

531. Se tenir sur la tête, les pieds en l'air.

532. Sanctuaire.

533. La difficulté (de le satisfaire).

534. « Naguère mari d'Aufidie, te voilà, Corvinus, devenu son amant, celui qui était ton rival est son mari. Pourquoi te plaît-elle depuis qu'elle est à un autre, alors qu'elle ne te plaisait pas comme épouse ? Ne peux-tu dresser ton engin dès que tu es en sécurité ? » Martial, III, LXX.

535. « Il n'est personne dans la ville entière, Cecilianus, qui ait voulu toucher ta femme quand on le pouvait; mais maintenant que tu l'as entourée de gardes, une foule d'amateurs l'assiège. Tu es un habile homme! » Martial, I, LXXIV.

536. La dissimulation.

537. La pudeur.

538. Au choix.

539. L'Evangile.

540. Nuageux.

541. Le mérite.

542. Qu'il n'en ait point souci!

543. Blutant, passant au crible.

544. A la foire du Lendit les élèves apportaient des cadeaux à leur professeur.

545. On le met en contradiction avec.

546. Le grand chemin par où la persuasion va droit au cœur de l'homme et dans le sanctuaire de son esprit. » Lucrèce, V, 103.

547. Fondement.

548. « Tu trouveras que la notion de la vérité nous a été donnée d'abord par les sens et que leur témoignage est irréfutable... quel témoignage est plus digne de foi que celui des sens ? » Lucrèce, IV, 478 et 482.

549. Objection.

550. « Les yeux seront-ils rectifiés par les oreilles ? les oreilles par le toucher ? et le toucher sera-t-il convaincu d'erreur par le goût ? Est-ce l'odorat qui confondra les autres sens ? Sont-ce les yeux ? » Lucrèce, IV, 486.

551. Tous tant qu'ils sont.

552. « A chacun d'eux sont répartis des pouvoirs limités, des fonctions propres. » Lucrèce, IV, 489.

553. Comparaison.

554. Le conçoivent.

555. Le tir à la cible.

556. S'y excite.

557. Piquer (des éperons) son cheval.

558. La balle.

559. Poussa.

560. Miaulement.

561. L'aboiement.

562. Concours, coopération.

563. « Quoi qu'il en soit, [la lune] chemine avec un volume égal au volume apparent que nous lui voyons de nos yeux. » Lucrèce, V, 577.

564. « Nous ne convenons pas néanmoins que les yeux se trompent. Ne leur imputons donc pas les erreurs de l'esprit. » Lucrèce, IV, 380, 387.

565. Apparence.

566. « Par conséquent, leurs perceptions de tous les moments sont vraies. Et si la raison ne peut déterminer la cause pour laquelle, par exemple, un objet carré de près semble rond de loin, il vaut mieux, dans l'impuissance de notre raison, donner une explication fausse du phénomène que de laisser échapper de nos mains des vérités manifestes, d'ébranler la première de toutes les croyances et de ruiner les fondements mêmes sur lesquels reposent notre vie et notre salut. Car ce n'est pas la raison seulement qui s'écroulerait tout entière, mais

là vie même qui périrait, si, n'osant nous fier à nos sens, nous renoncions à éviter les précipices, comme tous les dangers du même genre. » Lucrèce, IV, 499.

567. A l'écho.

568. « Aperçues dans le lointain, des montagnes surgissant du milieu des flots semblent se confondre en une seule masse... Nous croyons voir fuir vers notre poupe les collines et les plaines que longe notre navire... Si notre cheval ardent s'arrête au milieu d'un fleuve, nous croyons qu'il est emporté par une force qui l'entraîne à contrecourant. » Lucrèce, IV, 387, 389, 420.

569. Frémissement.

570. « Nous sommes séduits par la parure; les gemmes et l'or cachent les tares; la jeune fille est la moindre partie d'elle-même. Souvent on a peine à trouver ce qu'on aime parmi tant d'ornements; c'est sous cette égide que l'amour riche trompe nos yeux. » Ovide, Remèdes à l'amour, I, 343.

571. « Il admire tout ce qui le rend lui-même admirable; à son insu, c'est lui qu'il désire; il loue et il est loué; il convoite et il est convoité, il brûle des feux qu'il allume. » Ovide, Métamorphoses, III, 424.

572. En est le chevalier servant.

573. Comme si elle était vivante.

574. « Il la couvre de baisers et s'imagine qu'elle y répond; il la saisit, il l'étreint, il croit sentir sous ses doigts la chair céder et craint en la pressant d'y laisser une empreinte livide! » Ovide, Métamorphoses, X, 256.

575. Abrupts.

576. « Si bien qu'on ne peut regarder en bas sans que les yeux et l'esprit soient pris de vertige. » Tite-Live, XLIV, 6.

577. Boucher.

578. « Il arrive même souvent que tel aspect, telle voix et tel chant par leur gravité troublent profondément l'esprit; souvent aussi un souci, une frayeur produisent le même effet. » Cicéron, De divinatione, I, 37.

579. Joueur de flûte.

580. Dirigeait.

581. « On voit deux soleils jumeaux et une double Thèbes. » Virgile, Enéide, IV, 470.

582. « Aussi voyons-nous des femmes laides et repoussantes de bien des façons être adorées et traitées avec les plus grands honneurs. » Lucrèce, IV, 1155.

583. « Et s'agit-il même des objets visibles, tu pourras observer que, si tu regardes distraitement, la chose se passe toujours comme s'ils étaient dans un recul extrêmement lointain. » Lucrèce, IV, 811.

584. Comparé.

585. L'odorat.

586. « La variété et la différence sont si grandes en ces matières que l'aliment des uns est pour d'autres un âcre poison. Il en est souvent ainsi du serpent qui, dès qu'il est touché par la salive de l'homme, meurt en se dévorant de ses propres morsures. » Lucrèce, IV, 633.

587. « Tout paraît jaune à qui a la jaunisse. » Lucrèce, IV, 330.

598. C'est l'ecchymose de l'œil.

589. « Les lampes brillantes ont double lumière, les hommes double face et double corps. » Lucrèce, IV, 451.

590. Apparaît.

591. « C'est le cas fréquent des voiles jaunes, rouges et verts qui, tendus dans nos vastes théâtres, flottent et ondulent le long des poteaux et des traverses au-dessous d'eux : tout le public réuni sur les gradins, le décor de la scène, les pères conscrits, les matrones et les statues des dieux, se colorent de leurs reflets mouvants. » Lucrèce, IV, 73.

592. En terme de blason.

593. S'affilant.

594. « De même la nourriture, distribuée par tout le corps, se disperse et donne naissance à une autre substance. » Lucrèce, III, 703.

595. Communique.

596. Le goût friand.

597. L'équerre.

598. Imparfaits.

599. Faussés.

600. « Enfin, si dans une construction, la règle est fausse dès le début, si l'équerre est trompeuse et s'écarte de la verticale, si le niveau cloche un peu dans l'une de ses parties, tout est forcément fautif et de travers ; difforme, aplati, penchant en avant, en arrière, discordant, l'édifice semble vouloir tomber et tombe en effet par endroits, trahi par l'erreur des premiers calculs ; ainsi notre jugement des faits deviendra nécessairement vicieux et trompeur s'il s'appuie sur des sens trompeurs. » Lucrèce, IV, 513.

601. Dans un cercle (vicieux).

602. Embrassent.

603. Les objets.

604. Discordances.

605. Flux.

606. Glissante.

607. « Car le temps change tout dans le monde ; en tout, à un état succède nécessairement un autre ; et il n'est rien qui reste semblable à soi-même ; tout se transforme ; la nature modifie tout et oblige tout à changer. » Lucrèce, V, 826.

608. Le partage.

609. Changements.

610. Réellement.

CHAPITRE XIII

1. Compatissante.

2. « Nous nous éloignons du port, et les terres et les villes reculent. »
Virgile, *Enéide*, III, 72.

3. « Déjà hochant la tête, le laboureur chargé d'ans soupire, et
quand il compare le présent au passé, il vante bien des fois le bonheur
de son père et grommelle que les hommes d'autrefois étaient remplis
de piété. » Lucrèce, II, 1164.

4. « Tant de dieux s'affairant autour d'un seul homme. » Sénèque,
Suasoriæ, I, 4.

5. « Si le ciel te détourne de gagner l'Italie, prends-moi pour
garant, et va. Le seul motif juste de ta terreur, c'est de ne pas connaître
ton passager... Lance-toi à travers les tempêtes ; ta divinité tutélaire,
ce sera moi. » Lucain, *Pharsale*, V, 578.

6. « César croit maintenant les périls dignes de ses destins : — Le
ciel, dit-il, a donc tant de peine à me renverser, puisque, assis sur une
petite poupe, je suis assailli par une si grosse mer ! » Lucain, *Pharsale*,
V, 654.

7. « Lui aussi, à la mort de César, prenant Rome en pitié, couvrit
son front brillant d'un voile sombre. » Virgile, *Géorgiques*, I, 465.

8. « Il n'y a pas une si grande alliance entre le ciel et nous, qu'à notre
mort la splendeur des astres doive s'éteindre. » Pline, *Hist. Nat.*, II, 8.

9. De tous ceux que.

10. Discerner.

11. « Nous l'avons vu, ce corps qui, tout couvert de plaies, n'avait
pas encore reçu le coup fatal, et dont on ménageait la vie expirante
selon une coutume d'une cruauté impie. » Lucain, *Pharsale*, II, 178.

12. Projetait.

13. « Courageux et brave par nécessité. » Lucain, *Pharsale*, IV, 798.

14. A même (de se tuer).

15. L'Abruzze (le Bruttium).

16. Adversaires.

17. Déroute.

18. Obtint.

19. Si l'on.

20. « Je ne veux pas mourir, mais être mort me semble une chose
indifférente. » Cicéron, *Tusculanes*, I, VIII.

21. Aveuli.

22. Que d'une façon ou d'une autre.

23. Gencives.

24. Tournons comme une roue.

25. « Sauver un homme malgré lui, c'est quasiment le tuer. » Horace, *Art poétique*, 476.

26. De l'examiner.

CHAPITRE XIV

1. Rupture.

2. « Il n'y a rien de certain que l'incertitude et rien de plus misérable et de plus fier que l'homme. » Pline, *Hist. Nat.*, II, 7.

CHAPITRE XV

1. Difficulté.

2. Les Stoïciens.

3. « Le chagrin d'avoir perdu une chose et la crainte de la perdre affectent également l'esprit. » Sénèque, *Epîtres*, 88.

4. Jouissance.

5. « Si Danaé n'avait pas été enfermée dans une tour d'airain, elle n'eût jamais conçu de Jupiter. » Ovide, *Amours*, II, xix, 27.

6. « En toute chose, le plaisir croît en raison du péril qui devrait nous en écarter. » Sénèque, *De beneficiis*, VII, 9.

7. « Galla, dis non ! la satiété vient vite en amour quand les joies ne sont pas mêlées de tourments. » Martial, IV, xxxvii.

8. Rendez-vous.

9. « Ma langueur, mon silence, mes soupirs tirés du fond de ma poitrine. » Horace, *Epodes*, XI, 9.

10. « L'objet de leur désir, ils le pressent étroitement, ils le font souffrir, ils impriment leurs dents sur des lèvres charmantes qu'ils meurtrissent de baisers; des aiguillons les pressent sourdement de blesser l'objet, quel qu'il soit, qui fait lever en eux ces germes de fureur. » Lucrèce, IV, 1079.

11. Marche.

12. Saint-Jacques-de-Compostelle.

13. « Il dédaigne ce qu'il a sous la main et court après ce qui lui échappe. » Horace, *Satires*, I, ii, 108.

14. « Si tu ne fais garder ta belle, elle cessera bientôt d'être à moi. » Ovide, *Amours*, II, xix, 47.

15. « Tu te plains de ton superflu et moi du manque du nécessaire. » Térence, *Phormion*, I, iii, 10.

16. « Si une femme veut régner longtemps, qu'elle dédaigne son amant ! » Ovide, *Amours*, II, xix, 33.

17. « Amants, faites-vous méprisants, et telle qui résistait hier se rendra aujourd'hui. » Properce, II, xvi, 19.

18. Il veut parler des vertugadins.

19. Leurrer.

20. « Elle s'enfuit vers les saules, mais elle veut qu'on la voie auparavant. » Virgile, *Bucoliques*, III, 65.

21. « Tantôt à mon ardeur elle opposait sa tunique. » Properce, II, xv, 6.

22. Contrepesons.

23. « Ce qui est permis est sans charme; ce qui n'est pas permis échauffe les désirs. » Ovide, *Amours*, II, xix, 3.

24. « Le mal qu'on croyait avoir extirpé s'insinue plus loin. » Rutilius, *Itinerarium*, I, 397.

25. Régler.

26. « Un larron est attiré par des serrures. Celui qui vole avec effraction n'entre pas dans les maisons ouvertes. » Sénèque, *Epitres*, 68.

27. Indignes qu'on s'y fie.

28. Apparence.

29. Insouciance.

30. Imprévoyance.

31. Confié.

32. Titre de propriété.

33. Allusion aux premiers troubles de la guerre civile en 1560.

CHAPITRE XVI

1. Mot.

2. « Gloire à Dieu au plus haut des cieux, et paix aux hommes sur la terre. » *Evangile selon saint Luc*, II, 14.

3. Ici.

4. Vers traduits d'Homère (*Odyssée*, XII, 184).

5. « Une gloire, si grande qu'elle soit, que sera-ce si ce n'est que de la gloire ? » Juvénal, VIII, 81.

6. Nous nous attachons au.

7. « La vertu cachée diffère peu de l'oisiveté obscure. » Horace, *Odes*, IV, iii, 29.

8. Commettre des fautes.

9. « Qu'ils se souviennent qu'ils ont Dieu pour témoin, c'est-à-dire (comme je l'interprète), leur propre conscience. » Cicéron, *De officiis*, III, 10.

10. « Oui, la fortune étend sa domination sur toute chose; elle glorifie les uns et couvre d'ombre les autres, moins selon la réalité que selon son caprice. » Salluste, *Catilina*, viii.

11. « Comme si une action n'était vertueuse que lorsqu'elle est devenue célèbre. » Cicéron, *De officiis*, I, 4.

12. « Une vraie et sage grandeur d'âme place l'honneur, qui est le principal but de notre nature, dans les actes, non dans la gloire. » Cicéron, *De officiis*, I, 19.

13. Une bicoque.

14. « Notre gloire, c'est le témoignage de notre conscience. » Saint Paul, *Epître aux Corinthiens*, II, I, 12.

15. « Je crois que le reste de cet hiver (Roland) fit des choses dignes qu'on en tienne compte, mais elles ont été si secrètes jusqu'ici que ce n'est pas ma faute si je ne les raconte point, car Roland a toujours été plus prompt à faire de belles choses qu'à les publier, et jamais ses exploits n'ont été divulgués que par des témoins. » Arioste, *Roland furieux*, XI, LXXXI.

16. « La vertu, indifférente à la honte de l'échec, est brillante d'honneurs sans mélange; elle n'a point à prendre et à déposer les haches au gré du souffle populaire. » Horace, *Odes*, III, II, 17.

17. Contre.

18. « Non pour quelque profit, mais pour l'honneur attaché à la vertu. » Cicéron, *De finibus*, I, 10.

19. « Est-il rien plus insensé, lorsqu'on méprise des gens pris chacun à part, que d'en faire cas lorsqu'ils se trouvent réunis ? » Cicéron, *Tusculanes*, V, XXXVI.

20. Une cible, un but.

21. « Rien d'aussi incalculable que les jugements de la foule. » Tite-Live, XXXI, 34.

22. « Moi j'estime qu'une chose, lors même qu'elle ne serait pas honteuse, semble l'être quand elle est louée par la multitude. » Cicéron, *De finibus*, II, 15.

23. « La Providence a fait aux hommes cette faveur que les choses honnêtes apportent plus de profit. » Quintilien, *Institution oratoire*, I, 12.

24. Doubles.

25. « J'ai ri de voir que les ruses pouvaient ne pas réussir. » Ovide, *Héroïdes*, I, 18.

26. Une grande entrave.

27. « Je ne craindrais pas, moi, d'être loué; car je n'ai point la fibre de corne. Mais que « bravo! » et « joli! » dans ta bouche soient et la fin et le degré suprême du bien, c'est ce que je nie. » Perse, I, 47.

28. L'anneau de Gygès.

29. « Qui est sensible à de fausses louanges et redoute la calomnie, sinon le fourbe et le menteur ? » Horace, *Epîtres*, I, XVI, 39.

30. Valets d'armée.

31. « Ne va point, si Rome dans son désarroi juge une œuvre de peu de poids, l'approuver ou redresser l'aiguille faussée de cette balance et te chercher hors de toi. » Perse, I, 5.

32. Fil enroulé sur les fuseaux (= confondre nos destinées).

33. Nommés.

34. Favoriser le néant.

35. « Le cippe ne pèse-t-il pas maintenant, plus léger, sur ses os ? La postérité le loue : est-ce que maintenant de ces mânes glorieux et de ces heureux restes calcinés ne vont pas naître des violettes ? » Perse, I, 37.

36. Estropiés.

37. « C'est un accident arrivé à beaucoup d'autres, banal, et pris dans les mille chances de la fortune. » Juvénal, XIII, 9.

38. « A peine un léger souffle de leur gloire se glisse-t-il jusqu'à nous. » Virgile, *Enéide*, VII, 646.

39. Gestes. Exploits.

40. Enregistre.

41. « Qui sont ensevelis dans une gloire obscure. » Virgile, *Enéide*, V, 302.

42. « La récompense d'une bonne action, c'est de l'avoir faite. » Sénèque, *Epîtres*, 81.

43. « Le fruit d'un service, c'est le service même. » Cicéron, *De finibus*, II, 22.

44. L'attaque.

45. Socrate.

46. « Comme les poètes tragiques qui ont recours à un dieu quand ils ne savent trouver le dénouement de leur pièce. » Cicéron, *De natura deorum*, I, 20.

47. Favoriser par les.

48. « De là, chez ces guerriers, des cœurs enclins à courir aux armes, des âmes capables de mourir, et le sentiment qu'il est lâche d'épargner une vie qui doit revenir. » Lucain, *Pharsale*, I, 461.

49. « De même que, dans le langage ordinaire, on n'appelle honnête que ce qui est glorieux dans l'opinion du peuple. » Cicéron, *De finibus*, II, 15.

50. L'essentiel.

51. « Celle-là succombe, qui se refuse parce qu'il ne lui est pas permis de succomber. » Ovide, *Amours*, III, IV, 4.

CHAPITRE XVII

1. Directement.

2. « Celui-là confiait, comme à des compagnons fidèles, tous ses secrets à ses livres. Qu'il fût malheureux ou heureux, jamais il n'eut d'autre confident; aussi toute sa vie de vieillard s'y voit dépeinte comme un tableau votif. » Horace, *Satires*, II, 1, 30.

3. « Et Rutilius et Scaurus n'en ont été ni moins crus, ni moins prisés. » Tacite, *Agricola*, 1.

4. Malséant.

5. Froncer.

6. Leurs propres femmes.

7. Injuste.

8. Pèserais, insisterais.

9. La propriété.

10. D'autant plus que.

11. Couchés sur un état, inventoriés.

12. Si je réussis.

13. Chance.

14. J'en conçois le dessein.

15. Je m'estime.

16. A l'ouvrage.

17. « Tout défend aux poètes d'être médiocres, et les dieux et les hommes, et les colonnes [où l'on affiche leurs ouvrages] ». Horace, *Art poétique*, 372.

18. « Mais rien n'a plus d'assurance qu'un mauvais poète. » Martial, *Epigrammes*, XII, LXIII, 13.

19. Denys l'Ancien.

20. Acceptable en moi.

21. « Quand je les relis, j'ai honte de les avoir écrits, car j'y vois une foule de choses qui, au jugement même de leur auteur, méritent d'être biffées. » Ovide, *Pontiques*, I, v, 15.

22. « Car tout ce qui peut plaire, tout ce qui peut charmer les sens des mortels, est dû aux grâces aimables. » Auteur inconnu.

23. Division.

24. Sérieusement.

25. Les plus difficiles.

26. Accorder.

27. « Je m'efforce d'être bref, je deviens obscur. » Horace, *Art poétique*, 25.

28. En deçà de la Charente, limite du domaine d'Oc.

29. De part et d'autre.

30. Mou.

31. Prolixe.

32. Approprié.

33. Un « maître ».

34. Avoir pris parti.

35. « Ils divisèrent les troupeaux et les terres qu'ils répartirent suivant la beauté, la force et les qualités d'esprit de chacun. Car la beauté fut en grand honneur et la force était en grande estime. » Lucrèce, V, 1110.

36. Prestance.

37. Œuvre de Balthazar Castiglione.

38. Forme.

39. Ethiopiens.

40. Haute taille.

41. « Entre les premiers se trouve Turnus les armes à la main, superbe et dépassant de la tête tous ceux qui l'entourent. » Virgile, *Enéide*, VII, 783.

42. « Beau à voir entre les fils des hommes. » *Psaume XLV*, 3.

43. Coup de bonnet, salut.

44. Moyenne.

45. « Aussi ai-je les jambes et la poitrine hérissées de poils. » Martial, *Epigrammes*, II, XXXVI, 5.

46. « Petit à petit, les forces et la vigueur de l'adolescence sont brisées par l'âge qui glisse vers la décrépitude. » Lucrèce, II, 1131.

47. « Un à un, nos biens nous sont dérobés par les années qui passent. » Horace, *Epîtres*, II, II, 55.

48. Alacrité (qualité de celui qui est dispos).

49. Moyens.

50. Adroitement, bien.

51. « Le plaisir trompant l'austérité du labeur. » Horace, *Satires*, II, II, 12.

52. « A si grand prix, je ne voudrais pas de tout l'or que roulent vers la mer les sables du Tage ombragé. » Juvénal, III, 54.

53. « L'aquilon favorable n'enfle pas mes voiles, mais aussi l'auster ne contrarie pas ma course. En force, en talent, en beauté, en vertu, en naissance, en biens, je suis des derniers de la première classe, mais des premiers de la dernière. » Horace, *Epîtres*, II, II, 201.

54. Du talent de me tenir pour content.

55. Dépenses.

56. « Le voilà bien, ce superflu qui échappe aux yeux du maître et dont les voleurs font leur profit! » Horace, *Epîtres*, I, VI, 45.

57. Suspendu.

58. Enfonçant, empêtrant.

59. Réparation.

60. Tout droit.

61. « Les maux incertains nous tourmentent plus. » Sénèque, *Agamemnon*, III, I, 29.

62. « Je n'achète pas l'espérance comptant. » Térence, *Adelphes*, II, III, 11.

63. « Qu'une de tes rames batte les flots et que l'autre frôle la plage. » Properce, III, III, 23.

64. « Dans le malheur, il faut prendre des chemins hasardeux. » Sénèque, *Agamemnon*, II, I, 47.

65. « Qui jouit d'une condition douce sans affronter la poussière de la victoire. » Horace, *Epîtres*, I, I, 51.

66. « Il est honteux de vous charger la tête d'un poids que vous ne sauriez porter, pour fléchir bientôt des genoux et se soustraire au fardeau. » Properce, III, IX, 5.

67. « Aujourd'hui si un ami ne nie pas un dépôt, s'il te restitue une vieille bourse avec tout son vert-de-gris, c'est un prodige de bonne foi digne qu'on recoure aux livres toscans et qui exige le sacrifice d'une agnelle couronnée. » Juvénal, XIII, 60.

68. Sentiments (de bienveillance ou de malveillance).

69. « Rien n'est plus populaire que la bonté. » Cicéron, *Pro Ligario*, XII.

70. Nos contemporains.

71. Ap. de Thyane, pythagoricéen du Iᵉʳ siècle.

72. « Plus on est fin et adroit plus on est odieux et suspect, si l'on perd son renom d'honnêteté. » Cicéron, *De officiis*, II, 9.

73. Pactes.

74. En ce qui me concerne.

75. Bu à l'avance.

76. Bibliothèque.

77. G. de Trébizonde, philologue et philosophe (1396-1486).

78. « La mémoire est assurément le réceptacle unique non seulement de la philosophie, mais encore de tout ce qui concerne la pratique de la vie et de tous les arts. » Cicéron, *Académiques*, II, 7.

79. « Je suis tout percé de trous; je perds de-ci de-là. » Térence, *Eunuque*, I, II, 25.

80. Lâche prise de.

81. Négliger.

82. Avec des jetons.

83. Ne s'embarrasse pas.

84. « Quel que soit le nez que vous ayez, fût-ce un nez tel qu'Atlas n'aurait pas consenti à le porter, et fussiez-vous capable de confondre par ʼos plaisanteries Latinus en personne, vous ne parviendrez pas à dire pis de ces bagatelles que je n'en ai dit moi-même. Pourquoi mâcher dans le vide ? Il faut de la viande pour se rassasier. Ne perdez pas votre peine; répandez ailleurs votre venin sur ceux qui s'admirent, car moi, je sais que tout ceci n'est rien. » Martial, *Epigrammes*, XIII, II, 1.

85. Me tromper.

86. « Mon cœur ne me dit entièrement ni oui, ni non. » Pétrarque, *Sonnets*, CXXXV.

87. De quelque côté.

88. « Quand l'esprit est dans le doute, le moindre poids le pousse à pencher d'un côté ou d'un autre. » Térence, *Andrienne*, I, VI, 32.

89. Choix.

90. « Le sort tomba sur Mathias. » *Actes des Apôtres*, I, 26.

91. « L'habitude même de donner son assentiment paraît périlleuse et glissante. » Cicéron, *Académiques*, II, 21.

92. Hésitations.

93. « Ainsi, lorsque ses plateaux sont chargés d'un poids égal, la balance ne s'abaisse ni ne s'élève d'aucun côté. » Tibulle, IV, I, 40.

94. « L'ennemi nous frappe, et nous lui rendons coup sur coup. » Horace, *Epîtres*, II, II, 97.

95. « Il n'est pas d'exemples si dégoûtants et si honteux qu'on n'en puisse citer d'encore pires. » Juvénal, VIII, 183.

96. En somme, bref.

97. Agilité.

98. Naïf bon sens.

99. Procédé.

100. Elevé.

101. « Instruit à vivre et à user de sa force. » Lucrèce, V, 961.

102. « Personne ne tente de descendre en soi-même. » Perse, IV, 20.

103. L'éloge.

104. « A coup sûr, s'il est quelque chose de louable, c'est l'uniformité de la conduite qui ne se dément dans aucune action particulière; et l'on ne peut observer cette uniformité, si l'on abandonne sa manière d'être pour copier celle d'autrui. » Cicéron, *De officiis*, I, 31.

105. Perse.

106. Vivant.

107. Parentés.

108. Parties.

109. Professeur.

110. « Ferez-vous ce que fit autrefois Polémon converti ? Quitterez-vous la livrée de votre folie, les rubans, les coussins, les cravates, comme on raconte qu'après boire il arracha furtivement de son cou ses couronnes, quand la voix d'un maître à jeun l'eut réprimandé ? » Horace, *Satires*, II, III, 253.

111. « Le vulgaire est plus sage parce qu'il n'est sage qu'autant qu'il le faut. » Lactance, *Institutions divines*, III, 5, cité par Juste Lipse, *Politiques*, I, 10.

112. Bibliothécaire du roi.

113. Factions.

114. Suffisantes.

115. Une particularité, un point.

CHAPITRE XVIII

1. Oui, mais.

2. Ateliers.

3. « Je ne lis ceci qu'à mes seuls amis, et encore sur leur prière; je ne le fais pas en tout lieu ni devant n'importe qui. Il est beaucoup d'auteurs, au contraire, qui lisent leurs ouvrages au forum et dans les bains. » Horace, *Satires*, I, IV, 73.

4. « Certes, je ne prétends point enfler de futilités une page capable de donner du poids à de la fumée..., nous parlons en tête à tête. » Perse, V, 19.

5. Livre d'heures.

6. « L'habit d'un père et son anneau sont d'autant plus chers à ses enfants qu'ils avaient plus d'affection pour lui. » Saint Augustin, *Cité de Dieu*, I, 13.

7. « Que les thons ne manquent pas d'emballage ni les olives d'enveloppe. » Martial, *Epigrammes*, XIII, 1.

8. « Et je fournirai souvent aux maquereaux des tuniques où ils seront à l'aise. » Catulle, XCIV, 8.

9. Le portrait que je fais de moi dans mon livre.

10. Certes, ils se digèrent.

11. Evitent de.

12. Vers de Marot contre Sagon.

13. Légale.

14. Commerce.

15. Tous le rapports de notre société.

CHAPITRE XIX

1. Bibliothèques.

2. Etablir.

3. Divisé.

4. Coercition.

CHAPITRE XX

1. « D'emmi la source des plaisirs il surgit je ne sais quoi d'amer qui jusque dans les fleurs vous prend à la gorge. » Lucrèce, IV, 1133.

2. « La félicité qui ne se modère pas se détruit soi-même. » Sénèque, *Epitres*, 74.

3. Blesse, fait souffrir.

4. Sans parler de l'ambition.

5. « Il y a quelque volupté à pleurer. » *Tristes*, IV, III, 27.

6. « Enfant qui nous sert le vieux falerne, remplis-moi les coupes d'un vin plus amer. » Catulle, XXVII, 1.

7. « Il n'y a pas de mal sans compensation. » Sénèque, *Epitres*, 69.

8. Faux.

9. « Tout grand exemple comporte quelque iniquité envers les particuliers qui est compensée par un profit public. » Tacite, *Annales*, XIV, 44.

10. Impropres à la pratique.

11. « A force de rouler dans leur esprit des motifs contradictoires, ils étaient devenus stupides. » Tite-Live, XXXII, 20.

12. La demande était : « Qu'est-ce que Dieu ? ».

13. Esprit.

14. Apparence.

CHAPITRE XXI

1. Vivant en fainéant.

2. Henri IV.

3. Agents.

4. Perse.

5. Dispersa.

6. Déroute.

7. « Ils sont entassés non seulement par le carnage, mais aussi par la fuite. » Tite-Live, II, 4.

8. Porter çà et là.

9. Tût.

CHAPITRE XXII

1. Courir la piste, à cheval.

2. « Parvint en trois jours d'Amphise à Pella sur des chevaux de relais avec une rapidité presque incroyable. » Tite-Live, XXXVII, 7.

3. Il apparaît.

4. Etablies à demeure.

5. Des brancards.

6. Du Grand Turc.

7. Faire descendre de cheval.

CHAPITRE XXIII

1. Se fanent.

2. Diminuer.

3. D'un coup.

4. « Nous souffrons aujourd'hui des maux d'une longue paix. Plus funeste que les armes, le luxe nous envahit. » Juvénal, VI, 292.

5. Philippe Auguste, son fils, mena une expédition en Angleterre en 1216.

6. Parmi ses gens d'armes.

7. « Puissé-je, ô vierge de Rhamnonte [Némésis], ne jamais me plaire ainsi à des œuvres téméraires, entreprises contre la volonté de nos maîtres ! » Catulle, LXVIII b, 77.

8. Hilotes.

9. Tailladaient.

10. « A quoi riment ces jeux impies et insensés, ces massacres de jeunes gens, cette volupté sanguinaire ? » Prudence, *Contre Symmaque*, II, 672. Cette citation, comme le développement qui suit, est empruntée à Juste-Lipse, *Saturnalium sermonum libri duo*, I, 14.

11. « Saisissez, chef, une gloire réservée à votre règne; ajoutez à l'héritage de gloire de votre père la seule louange qui vous reste à mériter. Que nul dans la Ville [Rome] ne meure plus condamné par le plaisir du peuple; que l'arène infâme se contente désormais du sang des bêtes, et que des jeux homicides ne souillent plus nos yeux! » Idem, *ibid.*, II, 643.

12. Rechigner.

13. « La vierge pudique se lève à chaque coup et, chaque fois que le vainqueur enfonce le fer dans la gorge de son adversaire, elle se déclare ravie, et, quand un des combattants est couché à terre, elle tourne le pouce pour ordonner sa mort. » Prudence, *Contre Symmaque*, II, 617.

14. « Maintenant ils vendent leur tête et vont mourir dans l'arène; chacun d'eux s'est fait d'abord un ennemi en pleine paix. » Manilius, *Astronomiques*, IV, 225.

15. « Au milieu de ces frémissements et parmi ces jeux nouveaux, le sexe inhabile au maniement du fer se mêle avec fureur aux combats des hommes. » Stace, *Sylves*, I, VI, 51.

CHAPITRE XXIV

1. Comparent.

2. « A tant d'écus la Galatie, à tant le Pont, à tant la Lydie. » Claudien, *In Eutropium*, I, 203.

3. Restes.

4. Au cours de.

5. Ce passage que Montaigne traduit avant de le citer, est dans la *Vie d'Agricola*, XIV.

CHAPITRE XXV

1. « Beau résultat de sa peine et de sa contrefaçon de la douleur! La goutte de Cœlius a cessé d'être une feinte. » Martial, VII, XXXIX, 8.

2. Bandages.

3. Bigles.

4. De m'y appuyer.

5. Dépensier.

6. Panser, soigner.

CHAPITRE XXVI

1. Un contrat ferme.

2. « Mais elle n'a besoin ni de l'excitation d'une voix charmeuse, ni de la caresse du pouce pour se dresser. » Martial, *Epigrammes*, XII, XCVII, 8.

3. « Tes partisans applaudiront des deux pouces ton jeu. » Horace, *Epîtres*, I, XVIII, 66.

4. « Dès que le peuple a tourné le pouce, on égorge n'importe qui pour lui plaire. » Juvénal, III, 36.

5. Prééminence.

CHAPITRE XXVII

1. « Et qui ne se plaît qu'au cou d'un taureau qui résiste. » Claudien, *Epist. ad Hadrianum*, 30.

2. Hommes chargés du.

3. Fait le brave.

4. « Le loup, les ours lâches et les bêtes les moins nobles s'acharnent contre les mourants. » Ovide, *Tristes*, III, v, 35.

5. Dès l'abord.

6. Bravoure.

7. Qu'en avaient subi le dommage.

8. Se terrer comme un lapin (conil).

9. Ombres.

10. Combattre.

11. Querelleur (chercheur de noises).

12. Sur ses pieds, debout.

13. « Parce que chacun se méfiait de soi-même. »

14. En face (comme adversaire).

15. « Malheureux coups d'essai de la jeunesse! Dur apprentissage de la guerre à venir. » Virgile, *Enéide*, XI, 156.

16. « Ils ne veulent ni esquiver, ni parer, ni battre en retraite; l'adresse n'a point de part à leur combat. Leurs coups ne sont point feints, tantôt directs, tantôt obliques; la colère et la fureur leur ôtent tout usage de l'art. Oyez le choc horrible de ces épées qui se heurtent en plein fer; ils ne rompraient pas d'une semelle; leur pied est toujours ferme et leur main toujours en mouvement; d'estoc ou de taille, tous leurs coups portent. » Le Tasse, *Jérusalem délivrée*, XII, st. LV.

17. Tirs à la cible.

18. Avec une armure d'homme de guerre.

19. Contribuent.

20. A l'écart.

21. « Il frappe tout en craignant tout. » Claudien, *In Eutropium*, I, 182.

22. Put.

23. Aiguillonnée.

24. Tirées.

25. Le milieu.

26. Méthode.

27. Méchamment.

28. Voïvode.

29. La haine qu'inspiraient leurs méfaits.

CHAPITRE XXVIII

1. L'emporte.

2. Déféra en justice, accusa.

3. « Le sage impose un terme même à la vertu. » Juvénal, VI, 444.

4. « Vous faites tailler des marbres à la veille de vos funérailles, et, au lieu de songer à votre tombeau, vous faites bâtir des maisons. » Horace, *Odes*, II, XVIII, 17.

5. Je me défais.

6. « Depuis longtemps je ne perds ni ne gagne; il me reste plus de provisions de route que de route à faire. » Sénèque, *Epîtres*, 77.

7. « J'ai vécu et achevé la carrière que m'avait assignée la Fortune. » Virgile, *Enéide*, IV, 653.

8. « Les hommes divers ont des goûts divers : toute chose ne convient pas à tout âge. » Pseudo-Gallus, I, 104.

CHAPITRE XXIX

1. Il y a une grande différence.

2. Infirme.

3. Disputant.

4. L'accueillant.

5. « Son membre, sans virilité, n'avait dressé qu'une tête sénile. » Tibulle, *De inertia inguinis*.

6. Entretenue avec.

7. « Dès que la dernière torche est jetée sur le lit funéraire, la foule pieuse des épouses commence, les cheveux épars, le combat de la mort, luttant à qui, vivante, suivra l'époux; c'est une honte de ne pas obtenir la permission de mourir. Celles qui sont victorieuses dans

cette lutte se précipitent dans les flammes et y attendent la mort, leurs lèvres brûlées collées sur leurs maris. » Properce, III, XIII, 17.

8. Philosophes hindous, de doctrine très ascétique.

9. « Destin. »

10. Les théologiens.

11. Conformes à la croyance.

12. Allusion à la question du salut par les œuvres.

13. Au gîte.

14. Non seulement sans le frapper.

15. Henri IV, sans doute.

16. Le seconder.

17. Frapper.

18. Assassinat du duc de Guise par Poltrot de Méré.

CHAPITRE XXX

1. Canal.

2. Bouché.

3. « Afin qu'après l'événement on leur donne quelque interprétation qui en fasse des présages. » Cicéron, *De divinatione*, II, 31.

4. « Ce qu'il voit fréquemment ne l'étonne pas, même s'il en ignore la cause. Mais s'il se produit quelque chose qu'il n'a jamais vu, il en fait un prodige. » Cicéron, *De divinatione*, II, 27.

CHAPITRE XXXI

1. Crétoise (de Crète).

2. Par.

3. « Lorsque la rage incendie leur foie [siège du désir], un élan furieux les entraîne, comme le roc s'arrache à un sommet quand la montagne se dérobe et que, sur la pente abrupte, son flanc s'affaisse. » Juvénal, VI, 647.

4. Estropiés.

5. Boiteries.

6. Claudications.

7. « Tu mérites de la gratitude pour avoir donné un citoyen à la patrie, au peuple, oui, pourvu que tu le rendes capable de servir la patrie, utile aux champs, utile dans les travaux de la guerre et de la paix. » Juvénal, XIV, 70.

8. Maîtres d'école.

9. Calmés.

10. « Sa face se tuméfie de colère, ses veines deviennent noires de sang, ses yeux étincellent d'un feu plus vif que ceux de la Gorgone. » Ovide, *Art d'aimer*, III, 503.

11. Cette digression.

12. Hilote.

13. « Ainsi, lorsque avec grand fracas un feu de brandes s'allume sous un vase de bronze, l'eau bouillonne sous l'effet de la chaleur; elle fait rage dans sa prison et franchit, écumante, les bords du vase; elle ne se contient plus; une noire vapeur s'envole dans les airs. » Virgile, *Enéide*, VII, 462.

14. Un soufflet.

15. Contraindre.

16. Son humeur.

17. « Tous les vices apparents sont plus légers : ils sont très pernicieux alors qu'ils se dérobent sous un air de santé. » Sénèque, *Epîtres*, 56.

18. « La démence exaltée se tourne contre elle-même. » Claudien, *In Eutropium*, I, 237.

19. Ni n'en souffre.

20. « Comme, s'esseyant à un premier combat, un taureau pousse des mugissements terribles, éprouve son courroux et ses cornes, heurte de front un tronc d'arbre, harcèle les vents de ses coups et prélude à l'attaque en dispersant la poussière. » Virgile, *Enéide*, XII, 103.

21. Ce chapitre.

CHAPITRE XXXII

1. Sur la foi d'autrui, de confiance.

2. Le temps de Cicéron et celui de Plutarque.

3. Coups.

4. Pistolet.

5. L. I, et 37.

6. Eprouve comme avec une pierre de touche.

7. Je ne refuse pas de croire.

8. Mis à l'amende.

9. Modes de bannissement à Athènes et à Sparte.

10. Différents, mal appariés.

11. A mettre en balance.

12. Comparer.

13. Met en balance.

14. Supériorité.

CHAPITRE XXXIII

1. Troublées.

2. Misérables.

3. Epiler avec des pinces.

4. Mahomet II.

5. Soumis.

6. De manière à la mettre en si mauvais point.

7. En train de.

8. Négocier.

9. Pays.

10. Reviens, retourne.

11. Purgative.

12. Lettre.

13. En cachette.

14. Piquantes, satiriques.

15. Malmené.

16. En somme.

17. Domination.

18. « Telle brille une gemme enchâssée dans l'or fauve, ornement d'un collier ou d'une couronne; tel l'ivoire éclatant, serti de buis ou de térébinthe oricien. » Virgile, *Enéide*, X, 134.

19. Quelque rigueur qu'ils s'ajoutent.

CHAPITRE XXXIV

1. Un campement.

2. Disciplinés.

3. « Sur les ondes du Rhin, César était pour moi un chef; ici, c'est un complice; le forfait rend égaux ceux qu'il souille. » Lucain, *Pharsale*, V, 289.

4. Sur des navires.

5. Expose la construction.

6. « Plus rapide que les flammes du ciel et que la tigresse mère. » Lucain, *Pharsale*, V, 405.

7. « Pareil à un rocher qui roule du haut de la montagne, arraché par le vent ou miné par les pluies, ou détaché par l'action des ans; la masse énorme se précipite dans une chute horrible vers l'abîme, fait retentir le sol, entraînant avec elle les forêts, les troupeaux et les gens. » Virgile, *Enéide*, XII, 684.

8. Fit passer.

9. « Le soldat se ruant au combat s'élance vers un chemin qu'il eût évité pour fuir. Bientôt, reprenant leurs armes, ils réchauffent leurs membres humides et assouplissent par la course leurs articulations engourdies par le gouffre. » Lucain, *Pharsale*, IV, 151.

10. « Ainsi l'Aufide, qui arrose à la façon d'un taureau le royaume de Daunus Apulien, roule aux époques de crue ses eaux torrentielles et menace d'une horrible inondation les champs cultivés. » Horace, *Odes*, IV, xiv, 15.

11. Passé la mer.

12. Peser, délibérer.

13. Folle.

14. Suffire.

15. Malchance.

16. Hommes d'armes.

17. Ayant été vaincus.

CHAPITRE XXXV

1. Pierre de touche.

2. « Celles qui ont le moins de chagrin pleurent avec le plus d'ostentation. » Tacite, *Annales*, II, 77.

3. Permettrons.

4. Entraînent la mort.

5. La taille.

6. « C'est chez eux que la Justice, quittant la terre, laissa la trace de ses derniers pas. » Virgile, *Géorgiques*, II, 473.

7. Communauté de leur sort.

8. Chaise.

9. Tiré.

10. « Pætus, cela ne fait point mal. »

11. « La chaste Arria, quand elle présenta à son chef Pætus le fer qu'elle venait de retirer elle-même de ses entrailles : « Crois-moi, dit-elle, le coup que je viens de me porter ne me fait point de mal; c'est celui que tu vas te donner, Pætus, qui me fait souffrir. » Martial, I, xiv.

12. Résistait.

13. Ordre.

14. Refuserai.

15. Equilibre, équivalence.

16. Pratique, conduite.

CHAPITRE XXXVI

1. Virgile.

2. « Il chante sur sa docte lyre des vers comme ceux que module le dieu de Cynthe lui-même en touchant des doigts son instrument. » Properce, II, xxxiv, 79.

3. « Ce qui est honnête ou honteux, ce qui est utile ou ce qui ne l'est pas, il nous le dit plus pleinement et mieux que Chrysippe et Crantor. » Horace, *Epîtres*, I, ii, 3.

4. « Dans ses ouvrages, comme à une source intarissable, les lèvres des poètes viennent s'abreuver des eaux de Piérie. » Ovide, *Amours*, III, ix, 25.

5. « Ajoutez-y les compagnons des Muses, parmi lesquels l'incomparable Homère s'est élevé jusqu'aux astres. » Lucrèce, III, 1050.

6. « Dont les ouvrages sont une source abondante où les poètes suivants ont puisé pour leurs chants un fleuve, que la postérité, enrichie des trésors d'un seul homme, n'a pas craint de diviser en mille petits ruisseaux. » Manilius, *Astronomiques*, II, 8.

7. Traduction d'un vers grec cité par Aulu-Gelle.

8. « Abattant tout ce qui s'opposait à son ambition sans mesure et content de s'ouvrir un chemin à travers les ruines. » Lucain, *Pharsale*, I, 149.

9. Plus que pour son importance.

10. Accordées.

11. « Tel brille Lucifer, l'astre que chérit Vénus entre tous les feux célestes, lorsque, baigné des ondes de l'Océan, il vient de dresser sa tête sacrée dans le ciel et de dissiper les ténèbres. » Virgile, *Enéide*, VIII, 589.

12. « Tels deux incendies déchaînés à des points opposés dans une forêt desséchée pleine de broussailles crépitantes et de lauriers, ou tels des torrents écumeux qui, dans une chute rapide, tombent avec fracas du haut des montagnes et courent à la mer après avoir tout ravagé sur leur passage. » Virgile, *Enéide*, XII, 521.

13. N'est-ce pas une partie de la réalité substantielle.

14. En comparaison.

15. Il dit beaucoup.

16. Passage.

CHAPITRE XXXVII

1. Les *Essais*.

2. La maladie de la pierre.

3. « Qu'on me rende manchot, goutteux, cul-de-jatte, qu'on m'arrache mes dents branlantes, pourvu que la vie me reste, tout va bien. » Sénèque, *Epîtres*, 101.

4. Lépreux.

5. Décisions.

6. Me familiariser avec.

7. « Ne craignez ni ne désirez votre dernier jour. » Martial, X, XLVII, 13.

8. A sa portée.

9. Acteurs.

10. Permette.

11. « Les lutteurs aussi, quand ils frappent leurs adversaires en lançant leurs cestes, gémissent, parce que sous l'effort de la voix tout le corps se raidit et le coup est asséné avec plus de vigueur. » Cicéron, *Tusculanes*, II, XXIII.

12. « Ce sont des soupirs, des cris, des gémissements, des lamentations qui retentissent avec un son plaintif. » Vers du *Philoctète* d'Attius, cités par Cicéron, *De finibus*, II, 29, et *Tusculanes*, II, XIV.

13. « Il n'y a pas pour moi maintenant de peines nouvelles et inattendues; je les ai toutes éprouvées d'avance, et mon âme y est préparée. » Virgile, *Enéide*, VI, 103.

14. Correspondra.

15. Comme on fait.

16. Qu'ils ne me citent pas en témoignage à leur profit.

17. Antipathie, aversion.

18. Hypothèse.

19. Raiforts.

20. Hirondelles.

21. L'accommodation au petit bonheur.

22. Application.

23. Son but.

24. D'une manière commune à tout le peuple.

25. Tempes.

26. Luttes.

27. Auquel on ne peut se fier.

28. Hue! (En gascon.)

29. Les médecins.

30. « Le passage des voitures au tournant étroit des rues. » Juvénal, III, 236.

31. En somme.

32. Rhume de cerveau.

33. « Car le Père tout-puissant [des dieux], indigné qu'un mortel ait été rappelé des ombres infernales à la lumière de la vie, frappa de la foudre l'inventeur d'un tel art, le fils de Phébus, et le précipita sur les bords du Styx. » Virgile, *Enéide*, VII, 770.

34. C'est sûr.

35. Mon art.

36. « Comme si un médecin ordonnait de prendre un enfant de la terre, marchant dans l'herbe, portant sa maison et dépourvu de sang. » (Au lieu de dire : un colimaçon.) Cicéron, *De divinatione*, II, 64.

37. Excès.

38. Inégalité.

39. Méprendre.

40. L'usage public.

41. Des gens qui parlent latin.

42. La salsepareille.

43. Le bois de squine.

44. Ces deux derniers médecins italiens du XVIe siècle.

45. Méprennent.

46. Epidémie.

47. Dosage.

48. Manière de donner.

49. Subit l'opération de la taille.

50. Contrariétés, désagréments.

51. Folie.

52. Agent (ici l'apothicaire).

53. Fabricants de pourpoints.

54. Fabricants de chausses.

55. La Boétie.

56. Qui troublent et bouleversent.

57. Atteint de la gravelle.

58. La gravelle.

59. Expulser.

60. Faisant les charlatans.

61. Disant des sornettes.

62. Bouchés.

63. Etayer.

64. Inclinaison, déficience.

65. Augmenter son effet.

66. Ventouser à l'aide de cornes.

67. « Douches ».

68. Canaux.

69. A pourtant.

70. « Alcon, hier, a touché la statue de Jupiter; et le dieu, quoique de marbre, éprouve la vertu du médecin. Voici qu'aujourd'hui on le fait sortir de son vieux temple et enterrer, tout dieu et pierre qu'il est. » Ausone, *Epigrammes*, 74.

71. « Andragoras s'est baigné joyeusement avec nous; il a soupé de même et ce matin on l'a trouvé mort. Voulez-vous savoir, Faustinus, quelle est la cause d'une mort si soudaine ? En songe il avait vu le médecin Hermocrate. » Martial, VI, 53.

72. Charge ecclésiastique pourvu d'un revenu.

73. District.

74. Stimulée.

75. Abcès.

76. Rhume (de cerveau).

77. Nocifs.

78. Avant d'être sujet à la gravelle.

79. D'un effet infaillible.

80. Abriter, couvrir.

81. Ouvertement.

82. Laissent faire (usant de la médecine, non parce qu'ils y croient, mais pour se conformer à l'opinion).

83. Marmottages.

84. Formules.

85. La confrérie de ceux qui sont atteints de la gravelle.

86. Gravier.

87. Engelures.

88. Raifort.

89. Lépreux.

90. Arriver.

91. Marguerite de Gramont, veuve de Durfort de Duras, tué près de Lisbonne.

92. En cet endroit de la composition des *Essais*.

93. Leur art (féminin).

94. Formules.

95. Folie.

96. Opiat.

97. L'incapacité de souffrir.

98. Placé (le mot est employé ironiquement).

99. Fait de vent, en l'air.

TABLE DES MATIÈRES

LIVRE II

GF Flammarion

02/10/97326-X-2002 – Impr. MAURY Eurolivres, 45300 Manchecourt.
N° d'édition FG021136. – 2ᵉ trimestre 1969. – Printed in France.